De Lazarus Vendetta

Van Robert Ludlum zijn verschenen:

De Scarlatti erfenis*
Het Osterman weekend*
Het Matlock document*
Het Rhinemann spel*
De Fontini strijders*
Het Parsifal mozaïek*
Het Trevayne verraad*
Het Hoover archief*
Het Holcroft pact*
Het Matarese mysterie*
Het Bourne bedrog*
Het Shepherd commando*
De Aquitaine samenzwering*
Het Jason dubbelspel*
Het Medusa ultimatum*
Het Omaha conflict*
De Scorpio obsessie*
De Icarus intrige*
De Daedalus dreiging*
Het Halidon complot*
De Matarese finale*
Het Prometheus project*
Het Sigma protocol*
De Tristan strategie

De Hades factor (met *Gayle Lynds*)*
De Armageddon machine (met *Gayle Lynds*)*
De Altman code (met *Gayle Lynds*)

Het Cassandra verbond (met *Philip Shelby*)*

*(Ook) in POEMA-POCKET verschenen

Ludlum & Larkin

De Lazarus Vendetta

Uitgeverij Luitingh

First published in the United States as *The Lazarus Vendetta* written by Robert Ludlum and Patrick Larkin

Published by arrangement with MYN PYN LLC c/o Baror International, Inc.

Oorspronkelijke titel: *The Lazarus Vendetta*
Vertaling: Robert Vernooy
Omslagontwerp: Rob van Middendorp
Omslagfotografie: George Hall & Brownie Harris/Corbis/TCS

ISBN 90 245 4826 8
NUR 332

www.boekenwereld.com

PROLOOG

Zaterdag 25 september
Vlak bij de Tuli River Vallei, Zimbabwe
De laatste zonnestralen waren verdwenen en duizenden sterren schemerden zwakjes tegen een donkere hemel boven een ruig, dor land. Dit deel van Zimbabwe was straatarm, zelfs naar de buitengewoon lage maatstaven van dat gekwelde land. Er was bijna geen elektrische verlichting om het donker te verdrijven, en er waren weinig verharde wegen die de geïsoleerde dorpjes in het zuiden van Matabeleland met de grotere buitenwereld verbonden.

Opeens verschenen er twee koplampen in het donker, die even bosjes van knoestige, struikachtige boompjes en her en der verspreide veldjes van doornstruiken en dun gras verlichtten. Een gehavende Toyota pick-up slingerde over een uitgesleten zandweggetje. De versnelling knarste toen de auto door een reeks diepe geulen hotste. Zwermen insecten, die werden aangetrokken door de flikkerende stralenbundels, dwarrelden in de richting van de pick-up en spatten uiteen tegen de stoffige voorruit.

'Merde!' vloekte Gilles Ferrand zachtjes, terwijl hij worstelde met het stuur. Met een frons leunde de lange, bebaarde Fransman naar voren, terwijl hij de wervelende wolk van stof en vliegend gedierte probeerde te doorgronden. Zijn dikke bril gleed naar het puntje van zijn neus. Hij nam een hand van het stuur om zijn bril weer omhoog te duwen en vloekte nogmaals terwijl de pick-up bijna van het kronkelige weggetje afschoot.

'We hadden eerder uit Bulawayo weg moeten gaan,' gromde hij tegen de slanke, grijsharige vrouw die naast hem zat. 'Deze zogenaamde weg is overdag al erg genoeg, maar nu is het een nachtmerrie. Ik wou dat het vliegtuig niet zo laat was geweest.'

Susan Kendall haalde haar schouders op. 'Kinderen die willen, krijgen voor hun billen. Ons project kan niet zonder het nieuwe zaad en gereedschap dat ons is toegestuurd, en als je de Moeder dient, heb je ongemakken maar voor lief te nemen.'

Ferrands gezicht vertrok, en voor de duizendste keer wenste hij dat zijn nuffige Amerikaanse collega zou ophouden met hem de les te lezen. Ze waren allebei doorgewinterde activisten in de wereldwijde Lazarusbeweging, die werkte om de aarde te behoeden voor de krankzinnige hebzucht van het ongebreidelde wereldkapitalisme. Ze hoefde hem niet als een schooljongen te behandelen.

De hoge stralenbundels van de truck toonden het silhouet van een vertrouwde rotsuitloper naast het weggetje. De Fransman zuchtte opgelucht. Ze waren bijna op de plaats van bestemming – een piepkleine nederzetting die drie maanden geleden door de Lazarusbeweging was geadopteerd. Hij kon zich de oorspronkelijke naam van het dorpje niet meer herinneren. Het eerste wat hij en Kendall hadden gedaan was het omdopen tot Kusasa, 'morgen' in het plaatselijke Ndebeledialect. Het was een toepasselijke naam, althans dat hoopten ze. De mensen van Kusasa hadden ingestemd met de verandering en hadden de hulp van de Beweging aangenomen in hun terugkeer naar een natuurlijke en milieuvriendelijke landbouwmethode. Beide activisten geloofden dat hun werk hier zou leiden tot een hergeboorte van een volledig biologische Afrikaanse landbouw – een hergeboorte die in schril contrast stond met de giftige pesticiden, chemische kunstmestsoorten en gevaarlijke genetisch gemanipuleerde gewassen van het Westen. De Amerikaanse vrouw was ervan overtuigd dat de dorpsoudsten overreed waren door haar hartstochtelijke speeches. De van nature meer cynische Ferrand vermoedde dat de gulle financiële steun van de Beweging meer invloed had gehad. Het maakte niet uit, dacht hij, in dit geval zouden de doelen de middelen ruimschoots rechtvaardigen.

Hij ging van de hoofdweg af en reed langzaam in de richting van een klein groepje bont geschilderde hutten, golfplaten schuren en krakkemikkige veekralen. Omringd door kleine veldjes lag Kusasa in een ondiep dal dat werd omzoomd door met rotsen bezaaide heuvels en hoog struikgewas. Hij bracht de truck tot stilstand en toeterde zachtjes.

Niemand kwam hun tegemoet.

Ferrand zette de motor af maar liet de koplampen aan. Hij bleef even stil zitten om te luisteren. De honden in het dorpje huilden. Hij voelde hoe de haren in zijn nek overeind gingen staan.

Susan Kendall fronste haar wenkbrauwen. 'Waar is iedereen?'

'Ik weet het niet.' Ferrand gleed behoedzaam achter het stuur vandaan. Nu hadden zich tientallen opgewonden mannen, vrouwen en kinderen rondom hen moeten verdringen – grijnzend en verheugd mompelend bij het zien van de uitpuilende zakken met zaad en de hoge stapel gloednieuwe schoppen, harken en schoffels in de laadbak van de Toyota. Maar in en om de donkere hutten van Kusasa bleef het doodstil.

'Hallo?' riep de Fransman. Hij probeerde het met zijn beperkte kennis van het Ndebele. '*Litsjone Njani?* Goeienavond?'

De honden gingen slechts luider huilen en blaften naar de nachtelijke hemel.

Ferrand huiverde. Hij leunde weer de pick-up in. 'Er zit hier iets heel erg fout, Susan. Je moet contact opnemen met onze mensen. Nu. Voor de zekerheid.'

De grijsharige Amerikaanse vrouw staarde hem even aan, plotseling met grote ogen. Toen knikte ze en klom ze uit de Toyota. Ze werkte snel bij het opzetten van de met een satelliet verbonden laptop die ze in het veld gebruikten. Die stelde hen in staat om met hun thuisbasis in Parijs te communiceren, hoewel hij voornamelijk werd gebruikt om foto's en voortgangsrapporten naar de belangrijkste website van Lazarus te sturen.

Ferrand sloeg haar zwijgend gade. Meestal vond hij Susan Kendall ontzettend irritant, maar als het erop aankwam, had ze lef. Misschien meer dan hijzelf. Hij zuchtte en pakte de zaklantaarn die onder de zitting in een beugel zat. Na even te hebben nagedacht, hing hij hun digitale camera over zijn schouder.

'Wat doe je, Gilles?' vroeg ze, terwijl ze het telefoonnummer voor Parijs al intoetste.

'Ik ga even rondkijken,' zei hij stijfjes.

'Goed. Maar je kunt beter wachten tot ik verbinding heb,' zei Kendall tegen hem. Ze hield de satelliettelefoon even aan haar oor. Haar dunne lippen verstrakten. 'Ze zijn al niet meer op kantoor. Er wordt niet opgenomen.'

Ferrand keek op zijn horloge. Frankrijk liep slechts een uur bij hen achter, maar het was weekend. Ze stonden er alleen voor. 'Probeer de website,' opperde hij.

Ze knikte.

Ferrand dwong zich om in beweging te komen. Hij rechtte zijn schouders en liep langzaam het dorp in. Hij liet zijn zaklantaarn een wijde boog beschrijven en tuurde in de duisternis vóór hem. Een hagedis vluchtte voor de lichtbundel en deed hem opschrikken. Hij mompelde een zachte vloek en liep door.

Ondanks de koele nachtwind zweette hij. Hij kwam bij de open ruimte midden in Kusasa. Daar bevond zich de bron van het dorp. Het was een verzamelplaats waar zowel jong als oud aan het eind van de dag graag bijeenkwam. Hij liet de zaklantaarn over de hard aangestampte aarde schijnen... en bleef stokstijf staan.

De mensen van Kusasa zouden zich niet verheugen over het zaad en het landbouwgereedschap dat hij voor hen had meegebracht. Ze zouden niet voorop gaan in de hergeboorte van de Afrikaanse landbouw. Ze waren dood. Ze waren allemaal dood.

De Fransman stond verstard, duizelend van afgrijzen. Overal waar hij keek zag hij lijken. Op de open plek lagen hele hopen dode mannen, vrouwen en kinderen. De meeste lichamen waren intact, zij het gekromd en misvormd door een of andere vreselijke doodsstrijd. Andere leken eng leeg, bijna alsof ze gedeeltelijk van binnen uit waren opgevreten. Van een paar was niets meer over dan rafelige flarden vlees en bot omringd door gestolde poelen bloedrood slijm. Duizenden enorme zwarte vliegen zwermden boven de verminkte lijken en deden zich lui te goed aan de resten. Vlak bij een bron snuffelde een hondje aan het verwrongen lichaam van een jong kind, in een vergeefse poging om zijn speelmakkertje wakker te maken.

Gilles Ferrand slikte en moest zijn best doen om een golf gal en braaksel binnen te houden. Met bevende handen legde hij zijn zaklantaarn neer, nam de digitale camera van zijn schouder en begon foto's te nemen. Iemand moest deze verschrikkelijke slachting vastleggen. Iemand moest de wereld waarschuwen voor deze moord op de onschuldigen – op mensen wier enige misdaad het was geweest dat ze de kant van de Lazarusbeweging hadden gekozen.

Vier mannen lagen roerloos op een van de heuvels die op het dorpje uitkeken. Ze droegen woestijncamouflagepakken en kogelvrije vesten. Door hun nachtzichtbrillen en hun verrekijkers konden ze elke beweging die beneden werd gemaakt duidelijk zien terwijl ze via microfoons elk geluid doorkregen in hun headsets.

Een van de waarnemers bestudeerde een afgeschermde monitor. Hij keek op. 'Ze hebben een verbinding met de satelliet. En wij kunnen meekijken.'

Zijn leider, een reusachtige man met kastanjebruin haar en felgroene ogen, glimlachte flauwtjes. 'Mooi.' Hij leunde voorover om het scherm beter te kunnen bekijken. Er was een reeks gruwelijke beelden op te zien – de foto's die Gilles Ferrand slechts enkele minuten eerder had genomen – die langzaam naar de website van Lazarus werden gedownload.

De man met de groene ogen keek aandachtig. Toen knikte hij. 'Dat is genoeg. Verbreek hun verbinding.'

De waarnemer gehoorzaamde en voerde in een hoog tempo commando's in op een draagbaar toetsenbord. Hij drukte op de entertoets en zond een reeks gecodeerde instructies naar de communicatiesatelliet hoog boven hun hoofd. Eén seconde later bevroren de uit Kusasa afkomstige digitale foto's. Ze flikkerden en verdwenen.

De man met de groene ogen wierp een blik op de twee mannen die plat op hun buik naast hem lagen. Ze waren allebei bewapend met Heckler & Koch PSG-1-scherpschuttergeweren die ontworpen waren voor geheime operaties. 'Leg ze nu om.'

Hij stelde zijn nachtkijker scherp op de twee activisten van de Lazarusbeweging. De bebaarde Fransman en de slanke Amerikaanse vrouw staarden ongelovig naar hun satellietverbinding.

'Doelwit op de korrel,' mompelde een van de sluipschutters. Hij haalde de trekker over. De 7.62mm-kogel trof Ferrand in zijn voorhoofd. De Fransman viel achterover en gleed op de grond, waarbij hij een spoor van bloed en hersenen op de zijkant van de Toyota achterliet. 'Doelwit neer.'

De tweede sluipschutter vuurde een ogenblik later. Zijn kogel trof Susan Kendall hoog in haar rug. Ze zakte naast haar collega in elkaar.

De lange leider met de groene ogen stond op. Meer van zijn mannen – deze droegen beschermende pakken voor werk met gevaarlijk materiaal – liepen al de helling af met een verzameling wetenschappelijke apparatuur. Hij schakelde zijn keelmicrofoon in en bracht rapport uit via een versleutelde satellietverbinding. 'Dit is Prime. Veld Een is voltooid. Evaluatie, inzameling en analyse verlopen volgens plan.' Hij keek naar de twee dode Lazarusactivisten. 'SPARK is ook geïnitieerd... zoals bevolen.'

Deel Een

1

Dinsdag 12 oktober
Teller Instituut voor Geavanceerde Technologie, Santa Fe, New Mexico

Luitenant-kolonel Jonathan (Jon) Smith, dokter Smith, ging van de Old Agua Fria Road af en reed naar de hoofdpoort van het Instituut. Hij kneep zijn ogen samen tegen de felle schittering van het ochtendlicht. Aan zijn linkerhand viel de zon net op de oogverblindende besneeuwde toppen van het Sangre de Cristogebergte. Hij scheen op steile hellingen die bedekt waren met espen met gouden bladeren, torenhoge sparren, Ponderosa-dennen en eiken. Verder naar beneden, aan de voet van de bergen, waren de minder hoge *piñon*-dennen, de jeneverbessen en de bosjes alsem rondom de dikke, zandkleurige adobemuren van het Instituut nog in schaduw gehuld. Sommige van de demonstranten die langs de weg hun kamp hadden opgeslagen, kropen uit hun slaapzakken om zijn auto langs te zien komen. Een handjevol wuifde met zelfgemaakte borden met eisen: STOP DE MOORDWETENSCHAP, NEE TEGEN NANOTECH of LAAT LAZARUS LEIDEN. De meesten bleven liggen, omdat ze geen zin hadden in de kille oktoberdageraad. Santa Fe lag op meer dan twee kilometer hoogte en de nachten werden koud.

Smith had even een klein beetje medelijden met hen. Zelfs met de kachel in zijn huurauto aan, kon hij de koude door zijn bruinleren bomberjack en zijn strak gestreken kakikleren voelen.

Bij de poort gebaarde een wachtpost in een grijs uniform dat hij moest stoppen. Jon deed zijn raampje naar beneden en gaf hem zijn identificatie van het Amerikaanse leger. De foto op zijn identiteitsbewijs was die van een man die door zijn hoge jukbeenderen en zijn gladde, donkere haar op een hooghartige Spaanse cavalier leek. Die illusie van arrogantie verdween echter meteen als je de twinkeling in Smiths eigen donkerblauwe ogen zag.

'Goedemorgen, kolonel,' zei de wacht, een stafsergeant die voorheen een verkenner bij het leger was geweest en Frank Diaz heette. Nadat hij het identiteitsbewijs zorgvuldig had bestudeerd, leunde hij voorover en tuurde hij door de autoraampjes om zich ervan te vergewissen dat Smith alleen was. Zijn rechterhand hing op zijn hoede in de buurt van de 9mm Beretta die hij in een holster aan zijn zij had. De flap van de holster zat los – zodat hij de Beretta snel kon trekken als dat nodig was.

Smith trok een wenkbrauw op. De beveiliging bij het Teller Instituut was doorgaans wat ongedwongener, in elk geval niet zoals bij de topgeheime nucleaire labs in het nabije Los Alamos. Maar de president van de Verenigde Staten, Samuel Adams Castilla, zou over drie dagen een bezoek aan het Instituut brengen. En nu was er tegelijk met zijn speech een enorme antitechnologiedemonstratie op touw gezet. De demonstranten die vanmorgen buiten de poort hun kamp hadden opgeslagen, waren slechts de eerste golf van de nog vele duizenden die naar verwachting van over de hele wereld deze kant op zouden komen. Hij wees met zijn duim over zijn schouder. 'Heb je last van die mensen, Frank?'

'Tot dusver niet veel,' gaf Diaz toe. Hij haalde zijn schouders op. 'Maar we houden ze toch maar goed in de gaten. Bij de overheid zitten ze flink met deze demonstratie in hun maag. Volgens de FBI komen er wat echte verstokte herrieschoppers deze kant op – van het soort dat het een kick vindt met molotovcocktails te gooien en ruiten in te slaan.'

Smith fronste zijn wenkbrauwen. Massademonstraties trokken altijd anarchisten aan met neigingen tot geweld en vernieling. In Genua, Seattle, Cancun en zes andere steden over de hele wereld waren de straten al in een slagveld veranderd waar gemaskerde relschoppers en de politie elkaar te lijf gingen.

Terwijl hij daarover nadacht, salueerde hij even naar Diaz om vervolgens naar het parkeerterrein te rijden. Het was geen erg prettig vooruitzicht om in een rel te belanden. Niet als hij in New Mexico was voor wat een vakantie had moeten zijn.

Correctie, zei Smith met een scheve grijns tegen zichzelf. Maak daar maar een wérkvakantie van. Als militair arts en deskundige op het gebied van moleculaire biologie, bracht hij het merendeel van zijn tijd door op het Amerikaans Militair Medisch Onderzoeksinstituut voor Besmettelijke Ziektes (USAMRIID) in Fort Detrick, Maryland. Zijn werk bij het Teller Instituut was slechts tijdelijk.

De afdeling voor Wetenschap en Technologie van het Pentagon had hem naar het Instituut in Santa Fe gestuurd om het werk in de drie laboratoria voor nanotechnologie te observeren en erover te rapporteren. Over de hele wereld waren onderzoekers verwikkeld in een felle concurrentie om praktische en winstgevende toepassingen voor nanotechnologie te vinden. Sommige van de besten zaten hier bij het Teller. Daartoe behoorden teams van het Instituut zelf, van Harcourt Biosciences en Nomura PharmaTech. In wezen, dacht Smith tevreden, had het departement van Defensie hem een volledig vergoede plek op de eerste rij gegeven om de meest veelbelovende nieuwe technologieën van deze eeuw onder de loep te nemen.

Het werk hier paste precies in zijn straatje. Het woord *nanotech* had ongelooflijk veel verschillende betekenissen. De meest basale was het scheppen van kunstmatige hulpmiddelen op de allerkleinst voorstelbare schaal. Een nanometer was slechts een miljardste deel van een meter, ongeveer tien keer zo groot als een atoom. Als je iets maakte met een doorsnede van tien nanometer, dan keek je nog steeds naar een object dat slechts een tienduizendste van de diameter van één enkele menselijke haar was. Nanotechnologie was ingenieurswerk op een moleculair niveau, werk waarbij kwantummechanica, chemie, biologie en supercomputers betrokken waren.

Populair-wetenschappelijke schrijvers riepen gloedvolle beelden op van robots ter grootte van slechts enkele atomen die door het menselijk lichaam slopen om ziektes te genezen en inwendige verwondingen te herstellen. Anderen verzochten hun lezers om zich informatie-opslageenheden voor te stellen met een grootte van een miljoenste deel van een zoutkorrel, die niettemin in staat waren om alle menselijke kennis te bevatten. Of stofjes die feitelijk superefficiënte luchtreinigers waren en stilletjes door de vervuilde hemel dreven om die schoon te schrobben.

Smith had in zijn weken op het Teller Instituut genoeg gezien om te weten dat enkele van die schijnbaar onmogelijke hersenspinsels al bijna werkelijkheid waren. Hij zette zijn auto op een krappe parkeerplaats tussen twee gigantische SUV's. Hun voorruiten zaten onder de rijp, wat erop wees dat de wetenschappers of technici van wie ze waren de hele nacht in de labs hadden gezeten. Hij knikte goedkeurend. Dat waren de echte wonderdoeners, die allemaal leefden op een dieet van sterke zwarte koffie, frisdrank met cafeïne en mierzoete snacks uit verkoopautomaten.

Hij stapte uit de huurauto en deed de rits van zijn jack dicht tegen de frisse ochtendlucht. Toen haalde hij diep adem, waarbij hij de vage geur van kampvuren en cannabis rook die de wind meevoerde vanuit het demonstrantenkamp. Nog meer busjes, Volvo stationwagens, gehuurde bussen en hybride-auto's die op benzine en elektra liepen, arriveerden in een gestage stroom, en verlieten de Interstate 25 om de toegangsweg af te rijden die naar het Instituut liep. Hij fronste zijn voorhoofd. De beloofde massa's verzamelden zich.

Helaas was het de potentiële keerzijde van nanotechnologie die de verontruste verbeelding van de activisten en de fanatiekelingen van de Lazarusbeweging voedde die zich buiten het gaashek verzamelden. Ze vonden het een heel eng idee: machines die zo klein waren dat ze vrijelijk menselijke cellen konden binnendringen en zo krachtig dat ze atomaire structuren konden omvormen. Radicale voorvechters van burgerlijke vrijheden waarschuwden voor de gevaren van 'spionagemoleculen' die ongezien in elke openbare en particuliere ruimte zweefden. Verdwaasde aanhangers van complottheorieën verspreidden geruchten van geheime geminiaturiseerde moordmachines via de babbelboxen op het internet. Anderen waren bang dat op hol geslagen nanomachines zichzelf eindeloos zouden vermenigvuldigen, om over de wereld te dansen als een eindeloze parade van de betoverde bezems uit de *Tovenaarsleerling* – om ten slotte de aarde en alles daarop te verzwelgen.

Jon Smith haalde zijn schouders op. Je kon buitensporige overdrijving alleen tegengaan met tastbare resultaten. Als de meeste mensen eenmaal de echte voordelen van nanotechnologie goed van dichtbij zouden bekijken, dan zouden hun irrationele angsten geleidelijk afnemen. Dat hoopte hij althans. Hij draaide scherp op zijn hak en beende in de richting van de hoofdingang van het Instituut, benieuwd naar wat voor nieuwe wonderen de mannen en vrouwen daarbinnen vannacht weer hadden bedacht.

Tweehonderd meter buiten het gaashek zat Malachi MacNamara in kleermakerszit op een bonte indiaanse deken die was uitgespreid in de schaduw van een jeneverbesboom. Zijn lichtblauwe ogen waren open, maar hij zat rustig, zonder zich te verroeren. De volgelingen van de Lazarusbeweging die vlakbij kampeerden, waren ervan overtuigd dat de magere, verweerde Canadees zat te mediteren – dat hij zijn geestelijke en lichamelijke energieën aanvulde voor de komende strijd. De gepensioneerde bioloog uit British Columbia had hun bewondering al gewonnen door krachtig 'directe actie' te eisen om de doelen van de Beweging te bereiken.

'De Aarde is stervende,' zei hij grimmig tegen hen. 'Ze verzuipt, verpletterd onder een stortvloed van giftige pesticiden en vervuiling. De wetenschap zal haar niet redden. De techniek zal haar niet redden. Dat zijn haar vijanden, de ware bron van verschrikkingen en besmetting. En we moeten daar iets tegen ondernemen, en wel nu. Niet later. Nu! Nu er nog tijd is...'

MacNamara verborg een glimlachje, terwijl hij terugdacht aan de aanblik van de enthousiaste gezichten die erg door zijn retoriek werden aangesproken. Hij had meer talent als redenaar of evangelist dan hij ooit had gedacht.

Hij keek naar de bedrijvigheid rondom hem. Hij had dit uitzichtpunt zorgvuldig uitgekozen. Het keek uit op de grote groene canvas tent die de Lazarusbeweging had opgezet als commandopost. In die tent was een tiental van de belangrijkste nationale en internationale Lazarusactivisten bezig – met computers die met de wereldwijde websites van de Beweging waren verbonden, met het registreren van nieuwkomers, met het maken van spandoeken en borden, en met het coördineren van plannen voor de komende demonstratie. Andere groepen in de TechStock-coalitie, de Sierra Club, Earth First! en dergelijke, hadden hun eigen hoofdkwartieren, her en der verspreid over het uitgestrekte kamp, maar MacNamara wist dat hij op precies het juiste moment op precies de juiste plaats was.

De Beweging was de werkelijke kracht achter dit protest. De andere milieu- en antitechnologieorganisaties deden voor spek en bonen mee, terwijl ze vertwijfeld probeerden om het gestaag teruglopen van hun ledental en hun invloed te stuiten. Steeds meer van hun meest toegewijde leden liepen over naar Lazarus, aangetrokken door de helderheid van de visie van de Beweging en haar moed om de confrontatie aan te gaan met 's werelds machtigste bedrijven en regeringen. Zelfs de recente slachting onder haar volgelingen in Zimbabwe werkte voor Lazarus als een strijdkreet. Foto's van het bloedbad in Kusasa werden aangevoerd als een bewijs van hoezeer de 'wereldheersers van het bedrijfsleven' en hun marionettenregeringen de Beweging en haar boodschap vreesden.

De Canadees met het verweerde gezicht ging iets rechterop zitten.

Een stel stoer uitziende jonge mannen liep in de richting van de vaalgroene tent en baande zich resoluut een weg door de krioelende massa. Elk van hen droeg een lange plunjezak om zijn schouder. Ze bewogen allen met de alerte gratie van een roofdier.

Een voor een kwamen ze bij de tent en schoten ze naar binnen.

'Nou, nou, nou,' mompelde Malachi MacNamara in zichzelf. Zijn bleke ogen glinsterden. 'Erg interessant.'

2

Het Witte Huis, Washington
De elegante achttiende-eeuwse klok aan een van de gewelfde wanden van het Oval Office sloeg zachtjes twaalf uur 's middags. Buiten viel een ijskoude regen bij bakken uit een donkergrijze hemel, om tegen de hoge ramen te spetteren, die op het gazon aan de zuidkant uitkeken. Wat de kalender ook zei, de eerste voorboden van de winter naderden de hoofdstad van het land.

De plafondverlichting glinsterde in de leesbril met het titaniummontuur van president Samuel Adams Castilla terwijl hij de topgeheime Dreigingsinschatting van de gezamenlijke inlichtingendiensten doorbladerde. Zijn gezicht betrok. Hij keek over de grote, rustieke vurenhouten tafel die hij als bureau gebruikte. Zijn stem was gevaarlijk rustig. 'Ik wil even zeker weten dat ik u goed begrijp, heren. Stelt u *serieus* voor dat ik mijn speech op het Teller Instituut afzeg? Slechts drie dagen voordat ik hem moet houden?'

'Dat is juist, meneer de president. Botweg gesteld zijn de risico's die uw reisje naar Santa Fe met zich meebrengt onaanvaardbaar groot,' zei David Hanson onbewogen, de onlangs benoemde directeur van de CIA. Hij werd een ogenblik later bijgevallen door Robert Zeller, de waarnemend directeur van de FBI.

Castilla keek beide mannen even aan, maar zijn aandacht bleef gericht op Hanson. Het hoofd van de CIA was de hardste en geduchtste van de twee – ondanks het feit dat hij eerder op een iele, beschaafde professor uit de jaren vijftig leek, compleet met de onvermijdelijke vlinderdas, dan op een vuurspuwende voorvechter van clandestiene acties en speciale operaties.

Hoewel zijn evenknie, Bob Zeller van de FBI, een fatsoenlijke man was, gingen de woelingen van de politieke intriges in Washington hem ver boven de pet. Zeller was lang en breedgeschouderd en deed het goed op de televisie, maar hij had nooit bevorderd moeten worden vanuit zijn aanstelling als procureur in Atlanta. Zelfs niet tijdelijk terwijl de staf van het Witte Huis een permanente vervanger zocht. De ex-marinier en linebacker, die lange tijd federale officier van justitie was geweest, kende in elk geval zijn eigen zwaktes. Hij hield meestal zijn mond bij besprekingen en steunde uiteindelijk meestal degene die volgens hem de meeste invloed had.

Hanson was een heel ander geval. In elk geval was de CIA-veteraan veel te bedreven in politieke machtsspelletjes. In de lange tijd dat hij hoofd operaties van de CIA was geweest, had hij zich een stevig draagvlak verworven onder de leden van de inlichtingencommissies van het Huis van Afgevaardigden en de Senaat. Heel wat invloedrijke congresleden en senatoren geloofden dat David Hanson over water kon lopen. Dat gaf hem veel armslag, zelfs om tegen de president in te gaan, die hem net tot hoofd van de hele CIA had bevorderd.

Castilla tikte met een stompe wijsvinger op de Dreigingsinschatting. 'Ik zie veel speculatie in dit document. Wat ik niet zie, zijn harde feiten.' Hij las één zin hardop. 'Onderschepte berichten van vage, maar suggestieve aard wijzen erop dat radicale elementen onder de demonstranten in Santa Fe mogelijk gewelddadige actie plannen – ofwel tegen het Teller Instituut ofwel tegen de president zelf.'

Hij zette zijn leesbril af en keek op. 'Zou jij dat in gewoon Engels willen vertalen, David?'

'Wij vangen steeds meer geklets op, zowel via het internet als in afgeluisterde telefoongesprekken. Een aantal verontrustende frases keert telkens terug, allemaal in verband met de geplande bijeenkomst. Er wordt voortdurend gesproken over "het grote gebeuren" of "de actie bij Teller",' zei het hoofd van de CIA. 'Mijn mensen hebben het in het buitenland gehoord. Evenals de NSA. En de FBI heeft hier in Amerika dezelfde ondertoon opgevangen. Klopt dat, Bob?'

Zeller knikte ernstig.

'Is dát wat jouw analisten zeggen in zulke wollige bewoordingen?' Castilla schudde zijn hoofd. Hij was duidelijk niet onder de indruk. 'Mensen die elkaar e-mailen over een politiek protest?' Hij snoof. 'Lieve hemel, elke bijeenkomst waarvoor dertig- of veertigduizend mensen helemaal naar Santa Fe komen is verdomme een behoorlijk groot gebeuren. Ik kom zelf uit New Mexico en ik betwijfel of er ooit half zo veel naar een speech van mij zijn gekomen.'

'Als leden van de Sierra Club of de Wilderness Federation zo praten, maak ik me geen zorgen,' zei Hanson zachtjes tegen hem. 'Maar zelfs de simpelste woorden kunnen heel andere betekenissen krijgen als bepaalde gevaarlijke groeperingen en personen ze gebruiken. Dodelijke betekenissen.'

'Heb je het nu over die zogenaamde radicale elementen?'
'Ja, meneer.'
'En wie zijn die gevaarlijke lui dan precies?'
'De meesten zijn op de een of andere manier gelieerd aan de Lazarusbeweging, meneer de president,' zei Hanson behoedzaam.
Castilla fronste zijn wenkbrauwen. 'Dit is een heel oud liedje van je, David.'
De andere man haalde zijn schouders op. 'Dat besef ik, meneer. Maar de waarheid wordt niet minder waar doordat hij onaangenaam is. Als je het geheel beziet, is onze recente informatie over de Lazarusbeweging bijzonder alarmerend. De Beweging is zich aan het uitzaaien en wat ooit een vrij vreedzaam politiek en ecologisch verbond was, is zich in hoog tempo aan het veranderen in iets veel geheimzinnigers, gevaarlijkers en dodelijkers.' Hij keek over de tafel naar de president. 'Ik weet dat u de desbetreffende rapporten over de surveillance en de onderschepte berichten heeft gezien. En onze analyse daarvan.'
Castilla knikte traag. De FBI, CIA en andere nationale inlichtingendiensten hielden allerlei groepen en personen nauwlettend in de gaten. Met de opkomst van het wereldwijde terrorisme en de verspreiding van chemische, biologische en nucleaire wapentechnologie wilde niemand in Washington nog het risico lopen om verrast te worden door een vijand waarvan men zich voorheen niet bewust was.
'Laat ik dan bot zijn, meneer,' vervolgde Hanson. 'Wij zijn van oordeel dat de Lazarusbeweging nu heeft besloten om haar doelen te bereiken door middel van geweld en terrorisme. Haar retoriek is steeds feller, meer paranoïde en vervuld van haat jegens degenen die zij als haar vijanden beschouwt.' Het hoofd van de CIA schoof een ander vel papier over de vurenhouten tafel. 'Dit is slechts één voorbeeld.'
Castilla zette zijn bril weer op en las het zwijgend. Zijn mondhoeken gingen vol afkeer naar beneden. Het vel papier was een glimmende uitdraai van een pagina van een website van de Beweging, compleet met groteske kleine fotootjes van gehavende en verminkte lijken. De schreeuwende kop erboven luidde: ONSCHULDIGEN UITGEMOORD IN KUSASA. De tekst tussen de foto's gaf de schuld van de slachting van een heel dorp in Zimbabwe aan ofwel door het bedrijfsleven gefinancierde 'doodseskaders' ofwel 'door de Amerikaanse regering bewapende huurlingen'. Er werd beweerd dat de moorden deel uitmaakten van een geheim plan om de inspanningen van de Lazarusbeweging om de biologische landbouw in Afrika

nieuw leven in te blazen teniet te doen – uit angst dat die een bedreiging vormden voor het Amerikaanse monopolie op genetisch gemanipuleerde gewassen en pesticiden. De pagina besloot met een oproep tot vernietiging van degenen die 'de aarde en iedereen die van haar houdt kapot wilden maken'.

De president liet het weer op de tafel vallen. 'Wat een ontzettende flauwekul.'

'Dat is waar.' Hanson pakte de uitdraai weer en stopte hem terug in zijn aktetas. 'Maar het is wel heel effectieve flauwekul – althans voor de doelgroep.'

'Heb je een team naar Zimbabwe gestuurd om uit te zoeken wat er werkelijk is gebeurd daar in dat Kusasa?' vroeg Castilla.

De directeur van de CIA schudde zijn hoofd. 'Dat zou bijzonder moeilijk zijn, meneer de president. Zonder toestemming van de regering aldaar, die ons vijandig gezind is, zouden we daar in het geheim naartoe moeten. En dan nog betwijfel ik of we veel zouden vinden. Zimbabwe is een enorme puinhoop. Die dorpelingen zouden door iedereen vermoord kunnen zijn – van regeringstroepen tot aan losgeslagen bandieten.'

'Barst,' mompelde Castilla. 'En als onze mensen betrapt zouden worden als ze daar zonder toestemming rondsnuffelen, zou iedereen aannemen dat we inderdaad betrokken waren bij die slachting en alleen maar probeerden om onze sporen uit te wissen.'

'Dat is het probleem, meneer,' beaamde Hanson zachtjes. 'Maar wat er ook werkelijk in Kusasa gebeurd is, één ding is heel duidelijk. De leiding van de Lazarusbeweging gebruikt dit incident om haar volgelingen te radicaliseren en ze voor te bereiden op meer directe en gewelddadige actie tegen onze bondgenoten en onszelf.'

'Verdomme, dat bevalt me niks,' gromde Castilla. Hij leunde voorover in zijn stoel. 'Vergeet niet dat ik veel van de mannen en vrouwen heb gekend die Lazarus hebben opgericht. Het waren gerespecteerde milieuactivisten, wetenschappers, schrijvers... zelfs een paar politici. Ze wilden de aarde redden, haar weer tot leven brengen. Met het merendeel van hun agenda was ik het oneens, maar het waren goede mensen. Fatsoenlijke mensen.'

'En waar zijn ze nu, meneer?' vroeg het hoofd van de CIA zachtjes. 'De oorspronkelijke oprichters van de Lazarusbeweging waren met zijn negenen. Zes van hen zijn dood, ofwel door natuurlijke oorzaken of in verdacht goed uitkomende ongelukken. De andere drie zijn spoorloos verdwenen.' Hij keek nadrukkelijk naar Castilla. 'Onder wie Jinjiro Nomura.'

'Ja,' zei de president dof.

Hij wierp een blik op een van de foto's die op een hoopje in een hoek van zijn bureau lagen. Hij was genomen tijdens zijn eerste ambtstermijn als gouverneur van New Mexico. Op de foto was te zien hoe hij en een kleinere, oudere Japanse man, Jinjiro Nomura, voor elkaar bogen. Nomura was een vooraanstaand lid van de Diet, het Japanse parlement, geweest. Hun vriendschap, die gebaseerd was op een gedeelde voorkeur voor single-malt whisky en openhartigheid, had Nomura's terugtrekking uit de politiek en zijn overgang tot een meer uitgesproken milieuactivisme doorstaan.

Twaalf maanden geleden was Jinjiro Nomura verdwenen tijdens een reis naar een bijeenkomst in Thailand onder auspiciën van Lazarus. Zijn zoon, Hideo, de voorzitter en algemeen directeur van Nomura PharmaTech, had Amerika om hulp gesmeekt bij de zoektocht naar zijn vader. En Castilla had snel gereageerd. Wekenlang had een speciale eenheid van CIA-veldagenten de straten en stegen van Bangkok uitgekamd. De president had zelfs druk uitgeoefend om de ultrageheime spionagesatellieten van de NSA in te zetten voor de jacht op zijn oude vriend. Maar het had helemaal niets opgeleverd. Geen losgeldeis. Geen lijk. Niets. De laatste van de oorspronkelijke oprichters van de Lazarusbeweging was spoorloos verdwenen.

De foto bleef op Castilla's bureau liggen om hem te herinneren aan de grenzen van zijn macht.

Castilla zuchtte en richtte zijn blik weer op de twee sombere mannen die tegenover hem zaten. 'Oké, je hebt gezegd wat je wilde zeggen. De leiders die ik kende en vertrouwde zijn ofwel dood ofwel van de aardbodem verdwenen.'

'Precies, meneer de president.'

'Wat ons weer op de vraag brengt wie dan nú de leiding heeft over de Lazarusbeweging,' zei Castilla grimmig. 'Laten we spijkers met koppen slaan, David. Na de verdwijning van Jinjiro heb ik mijn goedkeuring gegeven aan jouw speciale interdepartementale eenheid die zich met de Beweging bezighoudt – ondanks mijn eigen bedenkingen. Zijn jouw mensen wat verder gekomen met het identificeren van de huidige leiding?'

'Niet veel verder,' gaf Hanson met tegenzin toe. 'Zelfs niet na maanden hard werken.' Hij spreidde zijn handen. 'Wij zijn er vrij zeker van dat de uiteindelijke macht in handen is van één man, een man die zichzelf Lazarus noemt – maar we weten niet wat zijn echte naam is, hoe hij eruitziet, of waarvandaan hij opereert.'

'Dat is niet bepaald bevredigend,' was Castilla's droge commentaar. 'Misschien moeten jullie me niet meer vertellen wat jullie niet weten en je beperken tot wat jullie wel weten.' Hij keek de kortere man strak aan. 'Dat kost misschien minder tijd.'

Hanson glimlachte plichtmatig. Maar zijn ogen glimlachten niet. 'We hebben een enorme hoeveelheid middelen, zowel mensen als satellieten, ingezet. Hetzelfde geldt voor MI6, de Franse DGSE en diverse andere westerse inlichtingendiensten, maar het afgelopen jaar heeft de Lazarusbeweging zich welbewust gehergroepeerd om onze surveillance te dwarsbomen.'

'Ga door,' zei Castilla.

'De Beweging heeft zich georganiseerd als een reeks steeds kleinere en geheimere concentrische cirkels,' zei Hanson tegen hem. 'De meeste aanhangers behoren tot de buitenste ring. Zij opereren in het openbaar – gaan naar bijeenkomsten, organiseren demonstraties, publiceren nieuwsbrieven en werken voor diverse door de Beweging gefinancierde projecten over de hele wereld. Zij werken als personeel op de diverse kantoren van de Beweging over de hele wereld. Maar elk niveau daarboven is kleinschaliger en geslotener. Weinig leden van het hogere kader kennen elkaars echte naam of treffen elkaar persoonlijk. De communicatie tussen de leiding verloopt bijna uitsluitend via het internet, ofwel door middel van directe gecodeerde berichten... ofwel door middel van communiqués op een van de verschillende websites van Lazarus.'

'Met andere woorden, een klassieke celstructuur,' zei Castilla. 'Bevelen gaan makkelijk van boven naar beneden, maar niemand van buiten de groep kan makkelijk bij de harde kern komen.'

Hanson knikte. 'Dat klopt. Het is tevens dezelfde vorm die een aantal heel gevaarlijke terroristische groeperingen in de loop der jaren hebben aangenomen. Al-Qaida, de islamitische jihad, de Rode Brigades in Italië, het Rode Leger in Japan. Om er maar een paar te noemen.'

'En het is jullie niet gelukt om tot het hogere echelon door te dringen?' vroeg Castilla.

De directeur van de CIA schudde zijn hoofd. 'Nee, meneer. Evenmin als de Engelsen, de Fransen of wie dan ook. We hebben alles geprobeerd, maar zonder succes. En we zijn onze beste bestaande bronnen binnen Lazarus een voor een kwijtgeraakt. Sommigen hebben ontslag genomen. Anderen zijn eruit gegooid. Van enkelen die domweg zijn verdwenen, wordt aangenomen dat ze dood zijn.'

Castilla fronste zijn voorhoofd. 'Bij dit zootje lijkt het een gewoonte dat er mensen verdwijnen.'

'Ja, meneer. Een heleboel.' Het hoofd van de CIA liet deze onbehaaglijke waarheid in de lucht hangen.

Een kwartier later beende de directeur van de CIA kwiek het Witte Huis uit, de trap van de zuidelijke zuilengang af naar een zwarte limousine die daar stond te wachten. Hij ging op de achterbank zitten, wachtte tot een geüniformeerde agent van de Geheime Dienst de deur achter hem dichtdeed, en drukte toen op de intercom. 'Breng me terug naar Langley,' zei hij tegen zijn chauffeur.

Hanson leunde achterover in het weelderige leer terwijl de limousine soepel vaart maakte en de oprijlijn af reed om linksaf Seventeenth Street in te slaan. Hij keek naar de stevige man met de vierkante kin die op het klapstoeltje tegenover hem zat. 'Je bent erg stil vanmiddag, Hal.'

'Je betaalt me om terroristen te vangen of af te maken,' zei Hal Burke. 'Niet om de hoveling uit te hangen.'

Even verscheen er een geamuseerde flikkering in de ogen van het hoofd van de CIA. Burke was een van de hogere stafleden van de contraterreurafdeling. Op dit moment had hij de leiding over de speciale eenheid die zich bezighield met de Lazarusbeweging. Aan twintig jaar clandestien veldwerk had hij een kogellitteken aan de rechterkant van zijn nek en een permanent cynische kijk op de menselijke natuur overgehouden. Het was een kijk die Hanson deelde.

'Gelukt?' vroeg Burke ten slotte.

'Nee.'

'Barst.' Burke staarde gemelijk door de verregende ramen van de limousine. 'Kit Pierson zal wel flippen.'

Hanson knikte. Katherine Pierson was Burkes tegenhanger bij de FBI. De twee hadden nauw samengewerkt aan het rapport dat hij en Zeller de president net hadden voorgelegd. 'Castilla wil dat we zoveel mogelijk vaart zetten achter ons onderzoek naar de Beweging, maar hij wil zijn reisje naar het Teller Instituut niet afzeggen. Niet zonder onomstotelijke bewijzen voor een serieuze dreiging.'

Burke wendde zijn blik van het raam af. Zijn mond was samengeknepen en verbeten. 'Wat dat in feite betekent, is dat hij niet wil dat *The Washington Post*, *The New York Times* en *Fox News* hem een lafaard noemen.'

'Zou jij dat willen?'

'Nee,' gaf Burke toe.

'Dan heb je vierentwintig uur, Hal,' zei het hoofd van de CIA. 'Jij en Kit Pierson moeten iets concreets voor me vinden waarmee ik bij het Witte Huis kan aankomen. Anders vliegt Sam Castilla naar Santa Fe voor een regelrechte confrontatie met die demonstranten. Je weet hoe deze president is.'

'Hij is een koppige klootzak,' gromde Burke.

'Ja, dat is hij.'

'Zo zij het,' zei Burke. Hij haalde zijn schouders op. 'Ik hoop maar dat het ditmaal niet zijn dood wordt.'

3

Teller Instituut voor Geavanceerde Technologie
Jon Smith nam de trap naar de hoogste verdieping van het Instituut met twee treden tegelijk. De drie hoofdtrappen op en af rennen was zo'n beetje de enige lichaamsbeweging waarvoor hij nu tijd had. De lange dagen en af en toe nachten die hij doorbracht in de diverse labs voor nanotechnologie gingen ten koste van zijn gebruikelijke trainingsprogramma.

Hij kwam boven aan de trap en bleef even staan, om tevreden vast te stellen dat zowel zijn ademhaling als zijn hartslag volkomen normaal was. De zon die schuin naar binnen viel door de smalle ramen van het trappenhuis was aangenaam warm op zijn schouders. Smith wierp een blik op zijn horloge. Het hoofd onderzoek van Harcourt Biosciences had hem over vijf minuten 'een ontzettend gave demonstratie' van hun meest recente vorderingen beloofd.

Hierboven verstomde het gebruikelijke gegons van beneden – rinkelende telefoons, klikkende en ratelende toetsenborden en pratende mensen – tot een stilte als in een kathedraal. De kantoren van de administratie, de kantine, het rekencentrum, de personeelsfoyer en de wetenschappelijke bibliotheek van het Teller Instituut bevonden zich op de tweede verdieping. De bovenste verdieping was gereserveerd voor de aaneengesloten labs die aan verschillende onderzoeksteams waren toegewezen. Evenals zijn rivalen van het Instituut zelf en van Nomura PharmaTech had Harcourt zijn faciliteiten in de noordvleugel.

Smith ging rechtsaf, een brede gang in die door het hele I-vormige gebouw liep. Glimmende aardebruine tegels vormden een fraaie combinatie met gebroken witte adobewanden. Met regelmatige tussenruimtes waren er *nichos*, kleine, van boven afgeronde nissen, met schilderijen van beroemde wetenschappers – Fermi, Newton, Feynman, Drexler, Einstein en anderen – die plaatselijke kunstenaars in opdracht hadden vervaardigd. Tussen de nichos stonden hoge keramische vazen met wilde bloemen, felgele chamisa en lichtpaarse asters. Als je niet wist hoe groot het hier was, dacht Smith, was het net de gang van een woonhuis in Santa Fe.

Hij kwam bij de afgesloten deur van het Harcourtlab en haalde zijn identiteitskaart door de gleuf naast de deur. Het lampje boven aan de gleuf veranderde van rood in groen en het slot klikte open. Zijn kaart was een van de vrij weinige die zo was gecodeerd dat hij toegang gaf tot alle verboden ruimtes. Wetenschappers en technici van de concurrentie mochten niet per ongeluk elkaars territorium betreden. Hoewel overtreders niet werden afgeschoten, konden ze wel onmiddellijk uit Santa Fe vertrekken, enkele reis. Het Instituut nam zijn verplichting om intellectuele eigendomsrechten te beschermen erg serieus.

Smith stapte door de deur en kwam meteen in een heel andere wereld. Hier maakten het glimmende hout en de adobestructuurtjes van het hoofse oude Santa Fe plaats voor het glimmende metaal en de keiharde composietmaterialen van de eenentwintigste eeuw. De charme van natuurlijk zonlicht en indirecte verlichting moest wijken voor felle tl-buizen aan het plafond. Dit licht bevatte heel veel ultraviolet – om oppervlaktemicroben te doden. Een lichte bries trok aan zijn overhemd en ruiste door zijn donkere haar. In de aaneengesloten nanotechlabs heerste een overdruk om het risico van door de lucht verspreide verontreinigingen uit de openbare ruimtes van het gebouw te minimaliseren. Ultra-efficiënte deeltjesfilters – zogenaamde ULPA-filters – voerden gezuiverde lucht aan met een constante temperatuur en vochtigheidsgraad.

De Harcourtlabs waren geordend als een reeks van steeds 'sterielere' ruimtes. Deze buitenste schil was een kantoorgedeelte, dat was dichtgebouwd met bureaus en werkplekken met hoge stapels handboeken, catalogi van chemische stoffen en apparatuur, en papieren uitdraaien. Langs de oostelijke wand waren de jaloezieën dichtgetrokken voor een groot raam dat van de vloer tot aan het plafond liep, waardoor een anders spectaculair uitzicht op het Sangre de Cristogebergte aan het oog werd onttrokken.

Dieper in de aaneengesloten ruimtes kwam een deel dat diende voor controle en het prepareren van monsters. Hier bevonden zich labtafels met zwarte werkbladen, computerterminals, twee logge *scanning tunneling* elektronenmicroscopen en de andere apparatuur die nodig was om toezicht te houden op het ontwerp en de productie van nanotechnologie.

Het echte 'allerheiligste' was de binnenste kern, die alleen zichtbaar was door luchtdichte observatieramen in de wand aan de andere kant. Dit was een ruimte vol spiegelende roestvrijstalen tanks; trolleys vol pompen, ventielen en sensoren; verticaal opgestelde diskframes voor osmotische filters; en op elkaar gestapelde Lucite-cilinders vol met zuiveringsgels in diverse gradaties, die allemaal verbonden waren door lange, doorzichtige silastische slangen.

Smith wist dat de kern alleen bereikt kon worden via een reeks luchtsluizen en kleedkamers. Iedereen die in de productieruimte werkte moest een totaal steriele overall, handschoenen en laarzen aan en een helm op met een aparte luchttoevoer. Hij glimlachte wrang. Als de activisten van de Lazarusbeweging die buiten hun kamp hadden opgeslagen ooit iemand in die buitenaardse uitrusting zouden zien, zou dat al hun ergste angsten bevestigen over gekke geleerden die met dodelijke gifstoffen speelden.

In feite was de werkelijke situatie, uiteraard, precies omgekeerd. In de wereld van de nanotechnologie waren mensen de bron van gevaar en verontreiniging. Een losse huidschilfer, een haar, het waas van vochtdeeltjes dat in een gewoon gesprek werd uitgeademd en de explosieve luchtstoot van een nies zouden op een nanoschaal een puinhoop aanrichten, door het vrijkomen van oliën, zuren, basen en enzymen die het productieproces konden bederven. Mensen waren ook een rijke bron van bacteriën: snelgroeiende organismen die productiekweekjes konden verwoesten, filters konden verstoppen en zelfs de zich ontwikkelende nanoinstrumentjes zelf konden aantasten.

Gelukkig kon het meeste noodzakelijke werk op afstand worden verricht van buiten de kern en vanuit de controle- en monsterbereidingsruimtes. Robotgrijpers, computergestuurde, gemotoriseerde trolleys met apparatuur en andere uitvindingen maakten het veel minder noodzakelijk dat mensen de 'steriele ruimtes' betraden. Het ongelooflijke automatiseringspeil in de labs was een van de meest populaire innovaties in het Teller Instituut, omdat het wetenschappers en technici veel meer bewegingsvrijheid gaf dan bij andere faciliteiten.

Smith baande zich een weg door de doolhof van bureaus in de buitenste ruimte en kwam zo bij dr. Philip Brinker, het hoofd onderzoek van Harcourt Biosciences. De lange, bleke, graatmagere onderzoeker zat met zijn rug naar de ingang en was zo verdiept in het beeld dat afkomstig was van een scanning elektronenmicroscoop, dat hij Jon, zo stil als een kat, niet hoorde aankomen.

Brinkers hoofdassistent, dr. Ravi Parikh, was alerter. De kortere, donkerder moleculair bioloog keek plotseling op. Hij deed zijn mond open om zijn baas te waarschuwen, en sloot hem toen weer met een verlegen glimlach toen Smith naar hem knipoogde en gebaarde dat hij er het zwijgen toe moest doen.

Jon stond op zijn gemak slechts een halve meter achter de twee onderzoekers.

'Verdomme, dat ziet er goed uit, Ravi,' zei Brinker, die nog steeds naar het beeld op het scherm voor hem tuurde. 'Man, ik durf te wedden dat ons favoriete defensiespook zich voor ons ter aarde zal werpen als hij dit ziet.'

Ditmaal probeerde Smith zijn grijns niet te verbergen. Brinker noemde hem altijd een spook – een spion. De wetenschapper van Harcourt bedoelde het als een geintje, een soort vaste grap naar aanleiding van Smiths rol als waarnemer voor het Pentagon, maar Brinker had geen idee hoe dicht dat bij de waarheid was.

Het was een feit dat Jon meer was dan alleen maar een legerofficier en een wetenschapper. Van tijd tot tijd kreeg hij opdracht van Covert-One, een ultrageheime inlichtingeninstantie die direct aan de president rapporteerde. Covert One opereerde in de schaduwen, zo diep in de schaduwen dat niemand binnen het Congres of de officiële bureaucratie van het leger en de inlichtingendiensten zelfs maar van het bestaan ervan af wist. Gelukkig was Jons werk hier bij het Instituut van louter wetenschappelijke aard.

Smith leunde naar voren, en keek direct over de schouder van het hoofd onderzoek van Harcourt. 'En wat is het precies waarvoor ik je voeten zal kussen, Phil?'

Brinker schrok op en sprong meer dan tien centimeter in de lucht. 'Jezus christus!' Hij draaide zich om. 'Kolonel, als je me die spokenstunt nog één keer flikt, dan zweer ik dat ik ter plekke doodval! Hoe zou je je dan voelen?'

Smith lachte. 'Schuldig, denk ik.'

'Dat zal wel,' gromde Brinker. Toen fleurde hij op. 'Maar aangezien ik niet dood ben, hoezeer je ook je best doet, kun je even kijken naar wat Ravi en ik vandaag in elkaar hebben gedraaid. Je mag je verlekkeren in de nog niet gepatenteerde Type Twee Brinker-Parikhnanofaag, die gegarandeerd kankercellen, gevaarlijke bacteriën en andere inwendige euvelen kleinkrijgt... in de meeste gevallen althans.'

Smith kwam dichterbij staan en bestudeerde het enorm vergrote zwart-wit beeld op het scherm. Het was een bolvormige halfgeleiderschil die vol zat met allerlei complexe moleculaire structuren. Een schaalindicator aan de zijkant van het scherm vertelde hem dat hij naar een constructie keek met een doorsnee van slechts tweehonderd nanometer.

Smith was al vertrouwd met het algemene concept van het onderzoeksteam van Harcourt. Brinker, Parikh en de anderen concentreerden zich op de ontwikkeling van medische nanoinstrumenten – hun 'nanofagen' – die kankercellen en ziekteverwekkende bacteriën moesten opsporen en uitschakelen. Het inwendige van de bol die hij bestudeerde zou tjokvol moeten zitten met de biochemische stoffen – bijvoorbeeld fosfatidylserine en andere costimulatormoleculen – die nodig waren om ofwel de doelcellen tot zelfvernietiging aan te zetten ofwel ze te markeren zodat het eigen afweersysteem van het lichaam ze kon elimineren.

Hun Type Een-ontwerp had het bij vroege dierproeven laten afweten omdat de nanofagen zelf door het afweersysteem werden vernietigd voordat ze hun werk konden doen. Jon wist dat de wetenschappers van Harcourt sindsdien verschillende configuraties en materialen voor de schil hadden uitgeprobeerd en erg hun best hadden gedaan om een combinatie te vinden die feitelijk onzichtbaar zou zijn voor de natuurlijke verdedigingsmechanismen van het lichaam. Maandenlang was de magische formule hen ontgaan.

Hij keek op naar Brinker. 'Dit lijkt bijna hetzelfde als jullie Type Een-configuratie. Wat hebben jullie dan veranderd?'

'Kijk eens wat beter naar de deklaag van de schil,' zei de blonde wetenschapper van Harcourt.

Smith knikte en nam de bediening van de microscoop over. Hij tikte zachtjes op het toetsenbord en zoomde langzaam in op een gedeelte van de schil. 'Oké,' zei hij. 'Hij is bobbelig, niet glad. Er is een of andere dunne moleculaire deklaag.' Hij fronste zijn voorhoofd. 'De structuur van die deklaag ziet er tergend bekend uit... maar waar heb ik die eerder gezien?'

'Ravi kreeg opeens het basisidee,' legde de lange, blonde onderzoeker uit. 'En zoals alle grote ideeën is het ongelooflijk simpel en ontzettend voor de hand liggend... althans achteraf bezien.' Hij haalde zijn schouders op. 'Denk eens aan een bijzonder akelig ettertje van een bacterie – de resistente *staphylococcus aureus*. Hoe verstopt die zich voor het afweersysteem?'

'Hij bedekt zijn celmembranen met polysacchariden,' zei Smith direct. Hij keek nogmaals naar het scherm. 'O, god nog aan toe...'

Parikh knikte zelfvoldaan. 'Ons Type Twee heeft in wezen een suikerlaagje. Zoals al de beste medicijnen.'

Smith floot zachtjes. 'Dat is briljant, jongens. Absoluut briljant.'

'Met gepaste bescheidenheid, daar heb je gelijk in,' beaamde Brinker. Hij legde een hand op het scherm. 'Die prachtige Type Twee die je hier ziet zou moeten werken. Theoretisch althans.'

'En in de praktijk?' vroeg Smith.

Ravi Parikh wees naar een ander scherm met een hoge resolutie – dit scherm was zo groot als een breedbeedtelevisie. Er was een dubbelwandige glazen bak op te zien die in de aangrenzende steriele ruimte aan een labtafel was bevestigd. 'Dat is precies wat we nu gaan uitvinden, kolonel. We hebben de afgelopen zesendertig uur bijna non-stop gewerkt om genoeg nieuwe nanofagen aan te maken voor deze test.'

Smith knikte. Nanoinstrumenten werden niet een voor een in elkaar gezet met een microscopisch klein pincet en kloddertjes subatomaire lijm. In plaats daarvan werden ze met tientallen of honderden miljoenen of zelfs miljarden aangemaakt, met gebruikmaking van biochemische en enzymatische processen die nauwkeurig door middel van pH, temperatuur en druk gereguleerd werden. Verschillende elementen groeiden in verschillende chemische oplossingen onder verschillende omstandigheden. Je begon in een bepaalde tank, vormde de basisstructuur, spoelde het overtollige weg en dan bracht je je materiaal over naar een ander chemisch bad om het volgende onderdeel van het samenstel te ontwikkelen. Het vereiste voortdurend toezicht en uiterst nauwkeurige timing.

De drie mannen gingen dichter bij de monitor staan. Een dozijn witte muizen zat in de doorzichtige, dubbelwandige bak. De helft van de muizen was lethargisch en zat onder de in het lab opgewekte tumoren en carcinomen. De andere zes, een gezonde controlegroep, liepen rond, op zoek naar een uitweg. Elke muis werd geïdentificeerd door een label met een nummer en een kleurcode. Rondom de bak stonden videocamera's en diverse andere sensoren, klaar om alles wat er gebeurde vast te leggen zodra het experiment begon.

Brinker wees naar een kleine metalen cilinder die aan de kopse kant van de testruimte was bevestigd. 'Daar zijn ze, Jon. Vijftig miljoen Type Twee-nanofagen, klaar voor de start; het kunnen er vijf miljoen meer of minder zijn.' Hij wendde zich tot een van de labtechnici die in de buurt rondhing. 'Hebben onze harige vriendjes hun injectie gehad, Mike?'

De technicus knikte. 'Zeker weten, dr. Brinker. Ik heb het daarnet, tien minuten geleden, zelf gedaan. Allemaal één flinke prik.'

'Als de nanofagen erin gaan zijn ze niet actief,' legde Brinker uit. 'Hun interne ATP-batterij gaat maar een bepaalde tijd mee, dus hebben we dat deel afgeschermd met een omhulsel.'

Smith begreep waarom dat was. ATP, adenosinetrifosfaat, was een molecuul dat de energie leverde voor de meeste stofwisselingsprocessen. Maar ATP zou zijn energie beginnen af te geven zodra het in contact kwam met een vloeistof. En alle levende wezens bestonden voor het grootste deel uit vloeistof. 'De injectie is dus om het proces in gang te zetten?' vroeg hij.

'Dat klopt,' bevestigde Brinker. 'Bij elk proefdier injecteren we een uniek chemisch signaal. Zodra een passieve sensor op de nanofaag dat signaal waarneemt, gaat het omhulsel open en wordt het ATP geactiveerd door de omringende vloeistof. Dan komen onze machientjes tot leven en gaan ze op jacht.'

'Dan fungeert dat omhulsel van jullie ook als een beveiliging,' besefte Smith. 'Voor het geval een Type Twee ergens terechtkomt waar het niet hoort te zijn – bijvoorbeeld in een van jullie.'

'Precies,' beaamde Brinker. 'Zonder die unieke chemische signatuur worden de nanofagen niet geactiveerd.'

Parikh was daar minder zeker van.

'Er is een klein risico,' waarschuwde de kortere moleculair bioloog. 'Er is altijd een bepaalde foutmarge in de constructie van de nanofagen.'

'Wat betekent dat het omhulsel soms niet goed gevormd is? Of dat de sensor ontbreekt of op het verkeerde signaal is afgestemd? Of dat jullie misschien eindigen met een omhulsel waarin de verkeerde biochemische stoffen zijn opgeslagen?'

'Dat soort dingen,' zei Brinker. 'Maar het foutpercentage is heel laag. Belachelijk klein. Ach wat, bijna nul.' Hij haalde zijn schouders op. 'Bovendien zijn die dingen geprogrammeerd om kankercellen en akelige bacteriën te elimineren. Wie kan het eigenlijk wat schelen als er enkele verloren schapen een paar minuten in het verkeerde doelwit rondzwerven?'

Smith trok sceptisch een wenkbrauw op. Was Brinker serieus? Het risico mocht nog zo klein zijn, maar de houding van het hoofd onderzoek van Harcourt leek toch wat al te luchthartig. Goede wetenschap was de kunst van het zich eindeloze moeite getroosten. Het betekende níet potentiële veiligheidsrisico's uitsluiten, hoe gering die ook waren.

De andere man zag zijn gezichtsuitdrukking en moest lachen. 'Maak je niet dik, Jon. Ik ben niet gek. Nu ja, niet helemaal althans. Wij houden onze nanofagen verdomd goed in de gaten. Ze zijn volkomen onder controle. Bovendien heb ik Ravi hier om me op het rechte pad te houden. Oké?'

Smith knikte. 'Ik wilde het alleen even weten, Phil. Wijt het maar aan mijn achterdochtige spionnenaard.'

Brinker lachte even zuur naar hem. Toen keek hij naar de technici die bij diverse controlepanelen en monitoren paraat stonden. 'Iedereen klaar?'

Een voor een staken ze hun duim naar hem op.

'Goed dan,' zei Brinker. Zijn ogen waren vrolijk en opgewonden. 'Type Twee-nanofagen bij levende proefdieren test numero uno. Op mijn teken... drie, twee, één... nu!'

De metalen cilinder siste.

'Nanofagen ingebracht,' mompelde een van de technici, terwijl hij naar meetresultaten van de cilinder keek.

Enkele minuten leek er niets te gebeuren. De gezonde muizen liepen wat rond, schijnbaar in het wilde weg. De zieke muizen bleven waar ze waren.

'ATP-energiecyclus voltooid,' meldde een andere technicus ten slotte. 'Nanofagenlevenscyclus voltooid. Test met levende proefdieren voltooid.'

Brinker blies. Hij keek triomfantelijk op naar Smith. 'Kijk eens, kolonel. Nu gaan we onze harige vrienden verdoven, om ze open te snijden en te kijken welk percentage van hun diverse carcinomen we net te grazen hebben genomen. Ik durf in elk geval te wedden dat het bijna honderd procent zal zijn.'

Ravi Parikh keek nog steeds naar de muizen. Hij fronste zijn wenkbrauwen. 'Ik geloof dat er eentje is ontspoord, Phil,' zei hij zachtjes. 'Kijk eens naar proefdier vijf.'

Smith boog zich voorover om het beter te kunnen zien. Muis vijf was een van de gezonde dieren uit de controlegroep. Hij bewoog zich ongecoördineerd en botste herhaaldelijk tegen de andere, terwijl zijn bek snel open- en dichtging. Opeens viel hij op zijn zij en kronkelde hij enkele seconden, waarbij hij zo te zien ondraaglijke pijn had – toen lag hij stil.

'Barst,' zei Brinker, terwijl hij wezenloos naar de dode muis keek. 'Dat hoort goddomme helemaal niet te gebeuren.'

Jon Smith fronste zijn voorhoofd en besloot meteen om de isolering en de beveiliging van Harcourt Biosciences opnieuw na te lopen. Die konden maar beter zo grondig zijn als Parikh en Brinker beweerden, zodat wat het ook was dat net een volkomen gezonde muis had gedood niet uit dit lab kon ontsnappen.

Het was bijna middernacht.

Anderhalve kilometer naar het noorden verspreidden de lichten van Santa Fe een warme gele gloed in de heldere, koude nachtelijke hemel. Verderop waren de ramen op de bovenste verdieping van het Teller Instituut verlicht achter de neergelaten jaloezieën. Op het dak opgestelde schijnwerpers wierpen lange zwarte schaduwen over het terrein rondom het Instituut. Langs de noordkant van de omheining waren kleine groepjes pijnbomen en jeneverbessen volledig in duisternis gehuld.

Paolo Ponti gleed door het hoge, droge gras naar de omheining. Hij kroop met zijn buik over de grond en zorgde ervoor dat hij in de schaduw bleef waar hij bijna onzichtbaar was door zijn zwarte sweater en zijn donkere spijkerbroek. De Italiaan was vierentwintig, tenger en atletisch gebouwd. Zes maanden geleden was hij zijn leven als deeltijdstudent zat en had hij zich aangesloten bij de Lazarusbeweging.

De Beweging gaf zijn leven zin, een grotere doelgerichtheid en meer spanning dan hij zich ooit had voorgesteld. Eerst hadden de geheime eden die hij had gezworen om Moeder Aarde te beschermen en haar vijanden te vernietigen melodramatisch en dom geleken. Maar sindsdien had Ponti de principes en de overtuigingen van Lazarus omhelsd met een geestdrift die iedereen die hem kende, en zelfs hemzelf, verbaasde.

Paolo wierp een blik over zijn schouder en zag de vage gedaante die in zijn kielzog kroop. Hij had Audrey Karavites vorige maand leren kennen op een Lazarusbijeenkomst in Stuttgart. De eenentwintigjarige Amerikaanse vrouw maakte een reis door Europa, een cadeau voor haar eindexamen van haar ouders. Toen ze genoeg had van musea en kerken was ze in een opwelling naar de bijeenkomst gegaan. Die opwelling had haar hele leven veranderd toen ze smoorverliefd was geworden op Paolo en via zijn bed in de Beweging was beland.

De Italiaan draaide zich weer om, nog steeds met een zelfgenoegzame glimlach. Audrey was niet mooi, maar ze had rondingen waar een vrouw die moest hebben. Belangrijker was dat haar rijke, naïeve ouders haar een royale toelage gaven – waarmee ze de vliegtickets naar Santa Fe voor haar en Paolo had kunnen kopen, zodat ze mee konden doen aan deze demonstratie tegen nanotechnologie en het corrupte Amerikaanse kapitalisme.

Paolo kroop behoedzaam naar de omheining. Hij was zo dichtbij dat zijn vingertoppen lichtjes langs het koude metaal gleden. Hij keek door het gaas. De cactussen, de alsembosjes en de inheemse wilde bloemen, die bestand waren tegen de droogte en daar waren aangeplant ter verfraaiing van het landschap, zouden hem een goede dekking geven. Hij keek op de verlichte wijzerplaat van zijn horloge. De volgende patrouille van de bewakers van het Instituut zou hier meer dan een uur niet langskomen. Perfect.

De Italiaanse activist raakte nogmaals het hek aan, waarbij hij ditmaal zijn vingers rond het metaalgaas kromde om te kijken hoe sterk dat was. Hij knikte, ingenomen met zijn bevindingen. De betonschaar die hij had meegenomen zou er makkelijk doorheen gaan.

Er klonk een luid gekraak achter hem – een droog, scherp geluid als dat van een tak die door sterke handen in tweeën werd gebroken. Ponti fronste zijn wenkbrauwen. Soms bewoog Audrey even gracieus als een jichtig nijlpaard. Hij keek over zijn schouders, van plan om haar met een boze blik op haar nummer te zetten.

Audrey Karavites lag opgerold op haar zij in het hoge gras. Haar hoofd viel in een akelige hoek opzij. Haar ogen waren wijd open, voorgoed verstard in een blik van afgrijzen. Haar nek was gebroken. Ze was dood.

Verdwaasd ging Paolo Ponti zitten. Aanvankelijk kon hij niet bevatten wat hij zag. Hij deed zijn mond open om het uit te schreeuwen... toen een enorme hand zijn gezicht omvatte, het terugduwde en zijn geschreeuw dempte. Het laatste wat de jonge Italiaan voelde was de vreselijke pijn toen een ijskoud lemmet diep in zijn ontblote keel werd gestoken.

De lange man met het kastanjebruine haar trok zijn gevechtsmes uit de nek van de dode en veegde het vervolgens af aan een plooi in Ponti's zwarte sweater. Zijn groene ogen fonkelden.

Hij keek naar de plek waar het meisje dat hij had vermoord ineengezakt lag. Twee in het zwart geklede gedaantes rommelden door de plunjezak die ze achter zich aan had gesleept. 'En?'

'Zoals u verwachtte, Prime,' werd er schor teruggefluisterd. 'Klimspullen. Spuitbussen met fluorescerende verf. En een spandoek van de Lazarusbeweging.'

De man met de groene ogen schudde geamuseerd zijn hoofd. 'Amateurs.'

Een van zijn andere mannen liet zich op een knie naast hem zakken. 'Wat zijn uw orders?'

De reus haalde zijn schouders op. 'Maak deze plek schoon. En dump de lijken dan ergens anders. Ergens waar ze gevonden zullen worden.'

'Wanneer wilt u dat ze gevonden worden? Vroeg? Of laat?' vroeg de man kalmpjes.

De grote man grijnsde in het donker. 'Morgenochtend is snel genoeg.'

4

Woensdag 13 oktober
'Uit voorlopige analyse blijkt geen verontreiniging in de eerste vier chemische baden. Temperatuur- en pH-metingen waren ook allemaal ruim binnen de verwachte normen...'

Jon Smith leunde achterover en las opnieuw wat hij net had getypt. Zijn ogen voelden zanderig aan. Hij had de helft van de afgelopen nacht doorgebracht met het doornemen van biochemische formules en constructieprocedures van de nanofagen, samen met Phil Brinker, Ravi Parikh en de rest van hun team. Tot dusver wisten ze niet wat de fout was die de eerste test met de Type Twee-nanofagen had doen mislukken. Hij wist dat de onderzoekers van Harcourt Biosciences er waarschijnlijk nog druk mee bezig waren, turend naar dikke pakken computeruitdraaien en testgegevens. Nu de president van de Verenigde Staten over minder dan achtenveertig uur de lof zou komen zingen van hun werk – en dat van de andere labs in het Teller Instituut – stonden ze onder grote druk. Niemand op het hoofdkantoor van Harcourt zou willen dat er in de media foto's zouden verschijnen waarop hun 'levensreddende' nieuwe technologie muizen doodde.

'Meneer?'

Jon Smith draaide van zijn computerscherm weg en onderdrukte een plotselinge vlaag van irritatie omdat hij onderbroken werd. 'Ja?'

Een stevige, ernstig ogende man met een donkergrijs pak, een tuttig overhemd en een lichtrode das stond in de deuropening van zijn kleine kantoortje. Hij keek op een gefotokopieerde lijst. 'Bent u dr. Jonathan Smith?'

'Dat ben ik,' zei Smith. Hij ging wat rechter zitten toen hij de flauwe bobbel van een schouderholster onder het jasje van het pak van de andere man zag. Dat was raar. Alleen geüniformeerde mensen van de beveiliging mochten in en om het Instituut vuurwapens dragen. 'En u bent?'

‘Speciaal agent Mark Farrows, meneer. Amerikaanse Geheime Dienst.’

Tja, dat verklaarde het verborgen wapen. Smith ontspande enigszins. ‘Wat kan ik voor u doen, agent Farrows?’

‘Ik ben bang dat ik u moet vragen om even uw kantoor te verlaten, doctor.’ Farrows glimlachte alert, omdat hij zijn volgende vraag voorzag. ‘En nee, meneer, u staat niet onder arrest. Ik ben van de afdeling Bescherming. Wij zijn hier om een eerste veiligheidscontrole uit te voeren.’

Smith zuchtte. Wetenschappelijke instellingen waren blij met visites van de president omdat die vaak meer nationale publiciteit en extra financiële steun van het Congres met zich meebrachten. Maar je kon er niet omheen dat ze ook erg lastig waren. Veiligheidscontroles zoals deze, waarbij waarschijnlijk werd gezocht naar explosieven, potentiële schuilplaatsen voor would-be moordenaars en andere gevaren, verstoorden altijd de normale gang van zaken in een lab.

Aan de andere kant wist Smith dat de Geheime Dienst verantwoordelijk was voor de bescherming van het leven van de president. Voor de betrokken agenten zou het een ware nachtmerrie zijn om de leider van het land veilig door een enorm complex te loodsen dat barstte van de giftige chemicaliën, gloeiend hete drukvaten en genoeg hoogspanning om een kleine stad draaiende te houden.

De leiding van het Instituut had al laten weten dat er een grondige inspectie door de Geheime Dienst verwacht kon worden. Men had gewed dat het morgen zou gebeuren – korter vóór de aankomst van de president. Het groeiende leger demonstranten buiten moest de Geheime Dienst tot eerder handelen hebben aangezet.

Smith stond op, nam zijn jack van de rug van de stoel en volgde Farrows de gang in. Tientallen wetenschappers, technici en administratief medewerkers stroomden langs. De meeste van hen droegen dossiers of laptops om op te werken tot de eenheid van de Geheime Dienst hun toestemming gaf naar hun lab of kantoor terug te keren.

‘Wij vragen het personeel van het Instituut om in de kantine te wachten, doctor,’ zei Farrows beleefd, terwijl hij Smith de richting wees. ‘Onze controle zou echt niet lang moeten duren. Niet meer dan een uur, hopen we.’

Het was bijna elf uur in de ochtend. Om de een of andere reden vond Smith het vooruitzicht om op elkaar gepropt in de kantine te zitten niet erg aantrekkelijk. Hij had al veel te lang binnen opgesloten gezeten en er was een grens aan het aantal uren dat je gerecyclede lucht en oude koffie kon drinken zonder gek te worden. Hij wendde zich tot de agent. 'Als het u om het even is, zou ik graag een frisse neus halen.'

De agent van de Geheime Dienst stak een hand uit om hem tegen te houden. 'Het spijt me, meneer, maar het is me niet om het even. Mijn orders zijn heel duidelijk. Alle medewerkers van het Instituut moeten naar de kantine.'

Smith keek hem koel aan. Hij wilde de mannen van de Geheime Dienst best hun werk laten doen, maar hij mocht doodvallen als hij hen zonder goede reden over zich heen liet lopen. Hij bleef staan, en wachtte tot de andere man de mouw van zijn leren jack losliet. 'Dan zijn uw orders op mij niet van toepassing, agent Farrows,' zei hij kalm. 'Ik ben geen medewerker van het Teller Instituut.' Hij klapte zijn portefeuille open om zijn militaire identiteitskaart te tonen.

Farrows bekeek het snel en trok een wenkbrauw op. 'U bent een legerkolonel in burger? Ik dacht dat u een van die wetenschappelijke types was.'

'Ik ben het allebei,' zei Smith tegen hem. 'Ik ben hier gedetacheerd door het Pentagon.' Hij maakte een hoofdgebaar naar de lijst die de andere man nog in zijn hand had. 'Eerlijk gezegd verbaast het me dat dat stukje informatie niet in uw dienstrooster is opgenomen.'

De agent van de Geheime Dienst haalde zijn schouders op. 'Zo te zien heeft iemand in Washington een fout gemaakt. Dat gebeurt.' Hij tikte op de radio-ontvanger in zijn oor. 'Laat me dit even navragen bij mijn SAIC, oké?'

Smith knikte. Elke eenheid van de Geheime Dienst stond onder bevel van een SAIC – een *special agent in charge*. Hij wachtte geduldig terwijl Farrows de situatie uitlegde aan zijn meerdere.

Ten slotte gebaarde de andere man dat hij door kon lopen. 'U kunt gaan, kolonel. Maar ga niet te ver uit de buurt. Die mafkezen van de Lazarusbeweging daarbuiten zijn momenteel in een erg slechte stemming.'

Smith liep langs hem en kwam uit in de grote lobby aan de voorkant van het Instituut. Aan zijn linkerhand liep een van de drie trappen van het gebouw naar de eerste verdieping. Aan weerskanten waren deuren naar diverse administratiekantoren. Aan de andere kant van de lobby werden de registratie- en informatiebalies omsloten door een heuphoge marmeren balustrade. Aan zijn rechterhand stonden twee enorme deuren met houten panelen naar buiten open.

Vandaar leidde een lage, brede, zandkleurige trap naar een brede oprit. Twee grote zwarte SUV's met nummerplaten van de Amerikaanse overheid stonden pal onder aan de trap langs de oprit geparkeerd. Een tweede agent in burger van de Geheime Dienst stond in de deuropening en hield zowel de lobby als de buiten geparkeerde auto's in de gaten. Hij had een zonnebril op en een dodelijk uitziend 9mm Heckler & Koch MP5-machinepistool in zijn armen. Hij draaide even zijn hoofd om te kijken toen Smith langs hem liep, maar toen wijdde hij zich weer aan zijn plicht als wachtpost.

Buiten bleef Smith boven aan de trap even rustig staan om te genieten van de warme zon op zijn scherpe, gebruine gezicht. De lucht werd warmer en witte wolkjes bewogen traag langs een helderblauwe hemel. Het was een perfecte herfstdag.

Hij haalde diep adem, in een poging om de door de vermoeidheid opgehoopte toxines kwijt te raken.

'LAAT LAZARUS LEIDEN! NEE TEGEN NANOTECHNOLOGIE! LAAT LAZARUS LEIDEN! NEE TEGEN NANOTECHNOLOGIE! LAAT LAZARUS LEIDEN!'

Smith fronste zijn wenkbrauwen. De ritmische, monotone slogans dreunden in zijn oren en verstoorden de korte illusie van vredigheid. Ze waren veel luider en bozer dan de vorige dag. Hij keek naar de massa scanderende demonstranten die dicht tegen de omheining gedrukt stonden. Het waren er vandaag ook veel meer. Misschien wel tienduizend.

Een zee van bloedrode en felgroene spandoeken en plakkaten rees en daalde op de maat van elke brul van de menigte. De organisatie van de demonstratie liep heen en weer over een mobiel podium dat vlak bij het wachthokje van het Instituut was opgebouwd en brulde in microfoons – om de demonstranten op te zwepen.

De hoofdpoort was gesloten. Een klein groepje grijs geüniformeerde bewakers stond achter de poort en keek nerveus naar de scanderende massa. Buiten de poort, veel verder de oprijlaan af, zag Smith een stel patrouillewagens – enkele in de zwart-witte kleuren van de staatspolitie van New Mexico, de rest in het wit en lichtblauw met gouden strepen van de plaatselijke politie van Santa Fe.

'Dit begint een enorme puinhoop te worden, kolonel,' zei een bekende stem grimmig achter hem.

Frank Diaz kwam van zijn post bij de deur. Vandaag droeg de ex-verkenner en onderofficier een dik kogelvrij vest. In zijn hand bungelde een oproerhelm en over zijn andere schouder hing een kaliber twaalf Remington pompgeweer. Een kogelgordel bevatte een heel assortiment aan traangaspatronen en scherpe patronen voor het geweer.

'Waarom zijn die lui zo opgefokt?' vroeg Smith. 'President Castilla en de media komen hier pas overmorgen. Vanwaar dan nu al die verontwaardiging?'

'Iemand heeft gisteravond een paar figuren van de Lazarusbeweging koud gemaakt,' zei Diaz. 'De politie van Santa Fe vond twee lijken die in een container waren gepropt. Achter dat grote winkelcentrum aan Cerrillos Road. De ene was doodgestoken, de andere had een gebroken nek.'

Smith floot zachtjes. 'Verdomme.'

'Dat kun je wel zeggen.' De legerveteraan rochelde en spoog. 'En die halvegaren daar geven ons de schuld.'

Smith draaide zich om, zodat hij hem aandachtiger kon opnemen. 'O?'

'Naar het schijnt waren de doden gisteravond van plan om ons hek door te knippen,' verklaarde Diaz. 'Voor een of ander achterlijk vertoon van burgerlijke ongehoorzaamheid. Natuurlijk beweren de radicalen dat wij die twee betrapt en vermoord moeten hebben. Wat uiteraard allemaal gelul is...'

'Uiteraard,' beaamde Smith afwezig. Hij liet zijn ogen over het zichtbare deel van de omheining glijden. Dat leek volkomen intact. 'Maar niettemin zijn ze dood, en jullie zijn de aangewezen boosdoeners, niet?'

'Ach wat, kolonel,' zei de ex-verkenner en onderofficier. Hij klonk bijna gekrenkt. 'Als ik een stelletje herrieschoppende ecofreaks zou afmaken, dat hier wilde infiltreren, denkt u dan dat ik goddomme zo stom zou zijn om ze gewoon te dumpen in een of andere afvalbak achter een winkelcentrum?

Smith schudde zijn hoofd. Hij kon niet voorkomen dat er even een grijns over zijn gezicht gleed. 'Nee, stafsergeant Diaz. Ik geloof werkelijk niet dat u zo stom zou zijn.'

'Reken maar.'

'Maar dan vraag ik me toch af, wie er wél zo stom was.'

Ravi Parikh bleef aandachtig kijken naar het sterk vergrote beeld op zijn scherm. De halfgeleiderbol waar hij naar keek leek ruim binnen de ontwerpspecificaties. Hij zoomde nog meer in en scande de voorste helft van de nanofaag. 'In dit sensorsysteem kan ik geen fout vinden, Phil,' zei hij tegen Brinker. 'Alles is precies waar het moet zijn.'

Brinker knikte vermoeid. 'Dat zijn er negenennegentig van de laatste honderd.' Hij wreef in zijn ogen. 'En bij die ene gebrekkige constructie die we tot dusver hebben gevonden is helemaal geen sensorsysteem gevormd, wat betekent dat de interne energiebron nooit geactiveerd had moeten worden.'

Parikh fronste peinzend zijn voorhoofd. 'Dat is een niet-dodelijke fout.'

'Ja, voor de gastheer althans.' Brinker staarde somber naar het scherm. 'Maar verdomme, wat er bij muis vijf ook op hol is geslagen, het was behoorlijk dodelijk.' Hij onderdrukte een geeuw. 'Jezus, Ravi, deze klus lijkt op het zoeken naar een naald in een hooiberg zo groot als Jupiter.'

'Misschien krijgen we mazzel?' opperde Parikh.

'Ja, nou, we hebben... zeg... zevenenveertig uur en tweeëndertig minuten om het op te lossen.'

Brinker zwenkte rond in zijn stoel. Niet ver daarvandaan stond de leider van het team van de Geheime Dienst dat hun lab moest controleren vóór het bezoek van de president. Hij was een grote man, ruim twee meter, en waarschijnlijk woog hij 250 pond, voor het merendeel spieren. Op dit moment keek hij toe hoe twee leden van zijn eenheid zorgvuldig op diverse punten in het lab 'anti-afluister'- en 'risicodetectie'-apparatuur installeerden.

De wetenschapper knipte met zijn vingers, terwijl hij zich de naam van de agent probeerde te herinneren. Fitzgerald? O'Connor? In elk geval iets Iers. 'Uh, agent Kennedy?'

De lange man met het kastanjebruine haar draaide zijn hoofd om. 'Ik heet O'Neill, dr. Brinker.'

'O, juist. Sorry.' Brinker haalde zijn schouders op. 'Nou, ik wilde u alleen nogmaals bedanken dat Ravi en ik van u hier mogen blijven terwijl uw mensen hun werk doen.'

O'Neill glimlachte terug. Maar zijn felgroene ogen glimlachten niet. 'U hoeft me niet te bedanken, dr. Brinker. Helemaal niet.'

'LAAT LAZARUS LEIDEN! NEE TEGEN DE DOOD! NEE TEGEN NANOTECHNOLOGIE! LAAT LAZARUS LEIDEN!'

Malachi MacNamara stond dicht bij het sprekerspodium, vlak bij het middelpunt van de boze, schreeuwende menigte. Evenals degenen rondom hem uitte hij zijn woede door zijn vuist ritmisch in de lucht te stoten. Evenals degenen rondom hem deed hij mee met elk oorverdovend spreekkoor. Maar zijn lichtblauwe ogen hielden de menigte voortdurend in de gaten.

Nu liepen vrijwilligers van de Lazarusbeweging door de demonstrantenmassa om nieuwe borden en posters uit te delen. Gretige handen graaiden ernaar. MacNamara duwde en wrong zich door de woelige, opgewonden menigte om er zelf een te bemachtigen. Het was een enorme, snel door een kleurenkopieerapparaat gehaalde vergroting van een foto van Paolo Ponti en Audrey Karavites – een foto die wel erg recent moest zijn genomen, omdat je op de achtergrond de besneeuwde toppen van het Sangre de Cristogebergte zag. Boven de jonge, glimlachende gezichten stond in vette, rode letters gekrabbeld: 'ZIJ ZIJN VERMOORD! MAAR LAZARUS LEEFT!'

De man met de lichtblauwe ogen bleef scanderen en knikte in zichzelf. Slim, dacht hij kil. Heel slim.

'Jezus christus, kolonel,' mompelde Diaz, terwijl hij luisterde naar het geluid van rauwe haat dat zich buiten door de menigte verspreidde. 'Het lijkt godverdomme wel voedertijd in de dierentuin!'

Smith knikte met samengeknepen lippen. Even wilde hij dat hij gewapend was. Toen zette hij de gedachte hoofdschuddend van zich af. Als het fout ging, zouden vijftien 9mm-patronen in een Berettamagazijn zijn leven niet redden. En hij was ook niet bij het Amerikaanse leger gegaan om ongewapende ordeverstoorders neer te schieten.

Zijn aandacht werd getrokken door zwaailichten op de oprijlaan. Een klein konvooi van zwarte SUV's en sedans reed langzaam over de oprijlaan en baande zich gestaag een weg door de groeiende massa's. Zelfs op deze afstand kon Jon zie dat er met boze vuisten naar de voertuigen werd gezwaaid. Hij keek naar Diaz. 'Verwacht je versterkingen, Frank?'

De bewaker schudde zijn hoofd. 'Niet echt. Verdorie, afgezien van de National Guard hebben we al elk onderdeel dat binnen 75 kilometer beschikbaar is.' Hij keek scherp naar de naderende voertuigen. De voorste auto was net voor de poort tot stilstand gekomen. 'En dat daar is zeker niet de National Guard.'

De portofoon van de legerveteraan kraakte opeens, zo luid dat Smith het kon horen.

'Sergeant?' zei een stem. 'Dit is Battaglia, bij de poort.'

'Ga door,' beet Diaz hem toe. 'Breng rapport uit.'

'Ik heb hier nog een stel overheidstypes. Maar volgens mij zit er iets goed fout...'

'Wat dan?'

'Nou, dat deze lui zeggen dat zíj het team zijn dat door de Geheime Dienst vooruit is gestuurd. Het enige team,' stamelde de andere bewaker. 'En er is hier een speciaal agent O'Neill die pisnijdig is omdat ik de poort niet voor hem wil opendoen.'

Diaz liet langzaam zijn portofoon zakken. Hij staarde volledig in de war naar Smith. 'Twee teams van de Geheime Dienst? Hoe kunnen er in godsvredesnaam twee teams van de Geheime Dienst zijn?'

Er liep een huivering over Jons rug. 'Dat kan niet.'

Hij rommelde in de binnenzak van zijn leren jack en haalde zijn mobiele telefoon eruit. Het was een speciaal model, en alle berichten naar en van de telefoon waren zwaar gecodeerd. Hij drukte op een toets, waardoor automatisch een nummer voor noodgevallen werd gedraaid.

De telefoon aan de andere kant ging één keer over – maar één keer. 'Dit is Klein,' zei een zachte stem rustig. De stem was van Nathaniel Frederick Klein, het teruggetrokken hoofd van Covert-One. 'Wat kan ik voor je doen, Jon?'

'Kunnen jouw mensen een verbinding maken met het interne communicatiesysteem van de Geheime Dienst?' vroeg Smith.

Een korte stilte. 'Ja,' antwoordde Klein. 'Dat kunnen we.'

'Doe dat dan nu!' zei Smith met klem. 'Ik moet de exácte locatie weten van het team dat vooruit is gestuurd voor het bezoek van de president aan het Teller Instituut!'

'Momentje.'

Smith hield de telefoon tussen zijn schouder en zijn oor, zodat hij beide handen even vrij had. Hij keek naar Frank Diaz, die hem met een vreemde, ongelovige uitdrukking aankeek. 'Heeft je baas dat eerste team van de Geheime Dienst jullie radiofrequenties gegeven?'

'Ja. Natuurlijk.'

'Nou, stafsergeant,' zei Smith koeltjes. 'Dan zal ik een wapen nodig hebben.

De onderofficier knikte langzaam. 'Wat u zegt, kolonel.' Hij gaf hem zijn Beretta. Hij zag Smith de kogelhouder van het pistool controleren, hem er weer in duwen, de slede terughalen om het pistool door te laden en toen de vergrendeling omzetten om de hamer veilig neer te laten, dit alles in een reeks soepele, snelle bewegingen. Diaz trok beide wenkbrauwen op. 'Volgens mij had ik moeten weten dat u meer was dan een gewone doctor.'

Fred Klein was er weer. 'Het team dat vooruit is gestuurd onder leiding van SAIC Thomas O'Neill staat op dit moment voor de poort van het Instituut. Zij melden dat de bewaking daar hen niet toe wil laten.' Het hoofd van Covert-One aarzelde. 'Wat gebeurt daar allemaal, Jon?'

'Ik heb geen tijd om het uitgebreid uit te leggen,' zei Smith tegen hem. 'Maar we hebben hier te maken met een paard van Troje. En de Grieken zijn verdomme al binnen.'

Toen hadden hij en Diaz plotseling nog minder tijd dan hij had gedacht.

De nepagent van de Geheime Dienst die hij de hoofdingang had zien bewaken kwam naar buiten. En hij richtte de loop van zijn machinepistool al op hen.

Smith reageerde onmiddellijk en dook opzij. Hij landde plat op de trap met de Beretta reeds met beide handen op het doel gericht. Diaz dook de andere kant op.

Een fractie van een seconde aarzelde de gewapende man, terwijl hij probeerde vast te stellen wie de grootste bedreiging vormde. Toen richtte hij de MP5 op de geüniformeerde bewaker.

Grote vergissing, dacht Smith koelbloedig. Hij zette de veiligheidspal om en haalde de trekker over. De Beretta sprong op in zijn handen. Hij richtte opnieuw en vuurde nogmaals.

Beide 9mm-patronen troffen doel. Vlees werd uiteengereten en bot werd verbrijzeld. De gewapende man, die twee keer in zijn borst was geraakt, zakte in elkaar. Zijn machinepistool kletterde op de grond en een steeds breder stroompje bloed druppelde van de trap.

Smith hoorde achter zich een autodeur opengaan. Hij keek om.

Een andere man in een donker pak was uit een van de twee zwarte SUV's geklommen die langs de oprit geparkeerd stonden. Deze man had zijn SIG-Sauerpistool in zijn hand, dat recht op Jon gericht was.

Smith draaide zich om in een vertwijfelde poging om zijn eigen wapen te richten, maar hij wist dat het geen zin had. Hij was te traag, zijn positie was te ongunstig, en de vinger van de man in het donkere pak begon de trekker al over te halen...

Frank Diaz vuurde twee keer van dichtbij met zijn geweer. De stompe CS-gaspatronen troffen de tweede gewapende man pal onder zijn kin en rukten zijn hoofd eraf. De traangasgranaat kwam naar beneden, ketste van de SUV, ontplofte in de lucht en deed een wolkje grijze mist naar het oosten drijven, weg van het gebouw.

'Verrek,' mompelde Diaz. 'Niet-dodelijke munitie, ze kunnen me wat.' De ex-verkenner en onderofficier herlaadde zijn geweer, ditmaal met echte patronen. 'Wat nu, kolonel?'

Smith bleef nog even plat op zijn buik liggen, terwijl hij naar de ruime deuropening van het Instituut keek of er nog meer vijanden kwamen. Maar hij zag niets bewegen. 'Dek me.'

Diaz knikte. Hij knielde en richtte op de deur.

Smith tijgerde de trap op naar de plek waar de eerste dode schutter lag. Zijn neus vertrok toen hij de hete, koperachtige geur van bloed en de akeliger stank van blootgelegde ingewanden rook. Negeren, zei hij grimmig tegen zichzelf. Eerst winnen. Later kun je spijt hebben over het doden van een mens. Hij vergrendelde de Beretta en stak hem bij zijn onderrug in zijn riem. In een snelle beweging greep hij de MP5.

Zijn oog viel op de radio-apparatuur van de man. Het zou heel handig zijn als hij wist wat de schurken van plan waren, besloot hij. Hij trok de lichtgewicht radio van de riem van de andere man en stopte de minuscule ontvanger in zijn eigen oor.

'Delta Een? Delta Twee? Antwoord, over,' zei een harde stem.

Smith hield zijn adem in. Dit was de stem van de vijand. Maar wie waren deze mensen in godsnaam?

'Deltasectie? Antwoord, over,' herhaalde de stem. Toen sprak hij weer en gaf hij een order. 'Dit is Prima. Delta Een en Twee zijn off line. Alle secties. Overgaan op ComSec. Een. Twee. Nu...'

De stem verdween abrupt om plaats te maken voor ruis. Smith wist wat er zojuist was gebeurd. Toen ze eenmaal beseften dat hun communicatie werd afgeluisterd, waren de indringers in het gebouw op een nieuw kanaal overgeschakeld, volgens een vooropgezet plan, waardoor hij niets meer aan de radio had.

Smith floot zachtjes in zichzelf. Wat hier ook in godsnaam aan de hand mocht zijn, één ding stond als een paal boven water. Hij en Diaz moesten het opnemen tegen een groep koelbloedige beroepslui.

5

In de stille, heldere voorruimtes van het lab van Harcourt Biosciences fronste de lange man met het kastanjebruine haar zijn wenkbrauwen. De vroege komst van het echte team van de Geheime Dienst was een mogelijkheid die hij in zijn missieplan had voorzien. Het verlies van de twee mannen die hij de hoofdingang van het Instituut had laten bewaken was een wat meer zorgwekkende complicatie. Hij sprak zachtjes in het radiomicrofoontje dat aan de revers van zijn jasje was bevestigd. 'Sierra Een, dit is Prime. Bewaak de trap. Nu.'

Hij wendde zich tot de mannen onder zijn directe bevel. 'Hoe lang nog?'

De hoofdtechnicus, die kort en gedrongen was en uitgesproken Slavische trekken had, keek op van de grote metalen cilinder die hij verbond met een circuit om hem op afstand te bedienen. Hij had de cilinder vastgeklemd aan een bureau naast het grote raam dat van de vloer tot aan het plafond van het lab liep. 'Nog twee minuten, Prime.' Hij mompelde in zijn eigen microfoon en luisterde gespannen. 'Onze secties in de andere labs bevestigen dat zij ook bijna klaar zijn,' meldde hij.

'Is er een probleem, agent O'Neill?'

De man met de groene ogen draaide zich om en zag dat dr. Ravi Parikh hem aanstaarde. Zijn collega Brinker werd nog steeds in beslag genomen door zijn analyse van de mislukte test met de nanofagen, maar de Indiase moleculair bioloog maakte nu een achterdochtige indruk.

De grote man glimlachte geruststellend. 'Er is geen probleem, doctor. U kunt doorgaan met uw werk.'

Parikh aarzelde. 'Wat is dat voor apparaat?' vroeg hij ten slotte, terwijl hij wees naar de grote cilinder waar de technicus naast gehurkt zat. 'Het lijkt niet erg op een "gevaarlijke-stoffendetector" of wat u verder ook heeft gezegd dat u in ons lab zou plaatsen.'

'Nou, nou, dr. Parikh... u bent een erg oplettend type,' zei de man met de groene ogen behoedzaam. Hij kwam een stap dichterbij en gaf toen, bijna achteloos, met de zijkant van zijn hand een harde klap in de nek van de wetenschapper.

Parikh zakte in elkaar.

Geschrokken door het plotselinge rumoer draaide Brinker zich snel om. Geschokt staarde hij naar zijn assistent. 'Ravi? Wat is...'

De grote man bleef in beweging. Hij draaide om zijn as en trapte met een enorme kracht. Zijn hiel beukte in de borst van de blondharige onderzoeker, zodat hij achteruit vloog tegen zijn bureau en zijn computerscherm. Brinkers hoofd klapte naar voren. Hij gleed op de grond en bleef stil liggen.

Smith draaide aan een knop op de buit gemaakte radio en doorliep zo snel hij kon zoveel mogelijk verschillende frequenties. Hij luisterde aandachtig. Niets dan sissende en krakende ruis. Geen stemmen. Geen orders die hij kon onderscheppen en interpreteren.

Met een frons rukte hij de ontvanger uit zijn oor en legde hij de nu nutteloze radio-apparatuur weg. Het was tijd om in actie te komen. Nog langer hier zitten betekende dat hij het initiatief aan de vijand liet. Dat zou bij amateurs al vrij gevaarlijk zijn. Bij een getrainde groep zou het waarschijnlijk rampzalig zijn. Op dit moment waren die zogenaamde Geheime Dienstagenten binnen in het Teller Instituut methodisch een of ander heel akelig plan aan het afwerken. Maar wat was hun opzet, vroeg hij zich af. Terrorisme? Gijzelaars? Erg riskante bedrijfsspionage? Sabotage?

Hij schudde zijn hoofd. Er was niet echt een manier om daarachter te komen. Nog niet. Maar, wat de vijand ook deed, dit was het moment om hem onder druk te zetten, voordat hij kon reageren. Hij ging op een knie zitten en keek naar de schemerige ingang van het Instituut.

'Waar gaat u naartoe, kolonel?' fluisterde Diaz.

'Naar binnen.'

De ogen van de bewaker werden groot van ongeloof. 'Dat is gekkenwerk! Waarom wachten we hier niet op hulp? Er zijn daarbinnen nog minstens tien van die klootzakken.'

Smith riskeerde een snelle blik over zijn schouder, in de richting van de omheining en de poort. Daar begon de kwade menigte door het dolle heen te raken – ze duwden en trokken aan het hek en beukten ziedend op de motorkappen en de daken van het konvooi van de Geheime Dienst, dat geen kant op kon. De echte overheidsagenten wilden de razende menigte niet nog meer provoceren en hadden zich teruggetrokken in hun auto's met de deuren op slot. En zelfs als de bewakers van het Teller Instituut de poort zouden openen om ze binnen te laten, zouden de demonstranten ook meekomen. Hij vloekte zachtjes. 'Kijk eens, Frank. Ik geloof niet dat de cavalerie zal komen. Dit keer niet.'

'Laten we dan hier standhouden,' pleitte Diaz. Hij wees met zijn duim naar de achter hen geparkeerde SUV's. 'Dat is hun vluchtroute. Laten we zorgen dat ze door ons heen moeten om weg te komen.'

Smith schudde zijn hoofd. 'Te riskant. Ten eerste is het mogelijk dat deze lui zelfmoordenaars zijn die niet van plan zijn om hier weg te gaan. Ten tweede weten ze nu dat wij hier zijn. Die lui zijn beroeps. Ze moeten alternatieve vluchtroutes hebben, en er zijn gewoon te veel manieren waarop ze weg kunnen komen – misschien met een helikopter op dat grote platte dak daar, of met meer voertuigen die buiten het hek staan te wachten. Ten derde hebben we met deze wapens' – hij maakte een hoofdgebaar naar zowel het door hem buitgemaakte MP5-machinepistool als het geweer van Diaz – 'niet genoeg vuurkracht om een resolute aanval te stuiten. Als we een directe confrontatie aangaan met de slechteriken, walsen ze domweg over ons heen.'

'O, barst,' zuchtte de legerveteraan, terwijl hij nogmaals de ladingen voor zijn Remington naliep. 'Ik haat dit John Waynegedoe. Ze betalen me niet genoeg om een held te zijn.'

Smith wierp hem een verbeten, vechtlustige grijns toe. 'Mij ook niet. Maar dat zijn we. Dus stel ik voor dat je je mond houdt en je werk doet, sergeant.' Hij zuchtte. 'Ben je klaar?'

Grimmig maar vastberaden stak Diaz zijn duim naar hem op.

Met de MP5 in zijn armen sprintte Smith naar de rechterkant van de enorme hoofddeuren van het Instituut. Zijn buikspieren spanden zich, in afwachting van de plotselinge, scheurende pijn van een kogel die vanuit de hoofdfoyer werd afgevuurd. Het bleef echter stil. Hijgend drukte hij zich tegen de door de zon opgewarmde adobemuur.

Diaz voegde zich even later bij hem.

Smith rolde om de hoek van de deur, terwijl hij het machinepistool een gelijkmatige, beheerste boog liet beschrijven terwijl hij langs de loop keek. Niets. De enorme ruimte leek verlaten. Half ineengedoken liep hij naar voren, om dekking te zoeken achter een stuk van de heuphoge marmeren balustrade. Door de lichte tocht van de open deuren fladderden er papieren van de registratie- en informatiebalies van het Instituut, die traag over de tegelvloer wervelden.

Hij wilde zijn hoofd boven de balustrade uitsteken.
'Bukken!' brulde Diaz.
Smith bespeurde een bewegende gedaante in de gang aan zijn linkerhand. Hij wierp zich op de grond op hetzelfde moment dat de schutter met een 9mm-pistool snelle, gerichte schoten op hem afvuurde. Kogels sloegen in het marmer vlak boven zijn hoofd en er vlogen puntige splinters verbrijzeld steen door de lucht. Een scherpgerand stuk trok een dunne rode streep over de rug van zijn rechterhand.
Vooroverliggend, met de kolf van de MP5 tegen zijn schouder, vuurde Jon terug, in gedoseerde drie-schotssalvo's. Vanuit de deuropening begon Diaz loodproppen uit zijn kaliber twaalf-geweer te vuren. Elke prop sloeg enorme brokken uit de adobemuren van het Instituut.
Smith rolde te voorschijn van achter de balustrade. Een pistoolkogel knalde vlak langs zijn hoofd. Verdomme. Hij rolde sneller weg en bleef toen plotseling plat op zijn buik liggen – maar ditmaal met een goed zicht op de hele gang.
Jon kon de schutter recht naar hem zien staren. Ze waren nog geen vijftien meter bij elkaar vandaan. De zogenaamde agent van de Geheime Dienst zat geknield en hield met beide handen een SIG-Sauerpistool voor zich uit waarmee hij nog steeds rustig vuurde. Nog een kogel sloeg in de vloer vlak bij Smiths hoofd, zodat er kleine stukjes en brokjes kapotte tegel van opzij in zijn gezicht vlogen.
Hij negeerde de stekende inslagen en ademde uit. Hij richtte het vizier van de MP5 op de schutter en haalde de trekker over. Het machinepistool ratelde drie keer. Twee schoten gingen naast. De derde trof Farrows in zijn gezicht en sloeg een gat dwars door de achterkant van zijn schedel.
Smith krabbelde overeind en rende naar de opgang van de U-vormige trap die naar de eerste verdieping van het Instituut leidde. Tot dusver drie mannen van de vijand omgelegd, dacht hij. Maar hoeveel waren er nog meer?
Diaz sprintte door de foyer en wierp zich niet ver bij hem vandaan plat op de grond, om het eerste deel van de trap met zijn geweer te bestrijken. 'Waar nu naartoe, kolonel?' riep hij zachtjes.
Dat was een goede vraag, dacht Smith grimmig. Er hing veel af van wat de indringers voorhadden. Als ze van plan waren om de onderzoekers te gijzelen, zouden de meesten van hen in de kantine worden vastgehouden – niet ver de gang in van de plek waar Farrows dood lag. Maar als dit een gijzelingsactie was, zouden er bij

een overijlde bestorming waarschijnlijk veel te veel onschuldigen omkomen.

Om de een of andere reden betwijfelde Smith of het hier werkelijk om een gijzelingsactie ging. Deze hele operatie was te complex en te precies getimed voor iets wat zo eenvoudig en technisch ongecompliceerd was. Dat ze waren binnengekomen onder het mom van agenten van de Geheime Dienst die de boel op bommen controleerden, leek voornamelijk bedoeld om vrij toegang te krijgen tot de laboratoria.

Hij nam zijn beslissing en wees naar het plafond.

Diaz knikte.

Jon Smith en de bewaker van het Instituut renden in etappes de centrale trap op, waarbij een van de twee telkens even wachtte om de ander dekking te geven.

'LAZARUS LEEFT! NEE TEGEN NANOTECH! LAZARUS LEEFT! NEE TEGEN DOODSMACHINES! LAZARUS LEEFT!'

Malachi MacNamara kwam door het gedrang van de schreeuwende, scanderende menigte steeds dichter bij de omheining. Hij keek geïrriteerd. Hij was iemand die verachting had voor uitbarstingen van ongebreidelde, irrationele emoties – iemand die alleen in de wildernis gelukkiger was dan hier, gevangen in deze zee van medemensen. Hij wist dat hij vooralsnog alleen maar mee kon gaan in dit dolle getij. Als hij zich te lang tegen de druk probeerde te verzetten, zou hij slechts omvergelopen en vertrapt worden.

Maar, dacht hij ijzig, dat hoefde niet te betekenen dat hij een totaal passieve rol moest spelen.

Hij zwaaide met zijn ellebogen en gaf daarmee een reeks korte, venijnige stoten in de ribben van degenen die het dichtst bij hem stonden. Geschrokken van zijn kille woede deinsden ze terug – zodat hij net genoeg ruimte had om een blik over zijn schouder te riskeren. Het protestpodium was verlaten. Zijn lichtblauwe ogen vernauwden zich, opeens berekenend. De radicalen van de Lazarusbeweging, die deze massa van meer dan tienduizend demonstranten tot onbeheerste razernij hadden opgezweept, waren verdwenen.

Waar waren ze?

Zelfs zo diep in de menigte was de magere, verweerde Canadees lang genoeg om eroverheen te kunnen kijken. Twee van de Geheime-Dienstauto's reden beetje bij beetje terug over de oprijlaan. Gedeukte motorkappen en daken, verwrongen bumpers en kapotgeslagen voorruiten getuigden van het geweld van de menselijke storm die ze hadden doorstaan. Er waren ook kleine groepjes bezorgd ogende agenten van de staatspolitie van New Mexico en de plaatselijke politie van Santa Fe, van wie de meesten zich langzaam terugtrokken om geen algehele rel te veroorzaken. Aangetrokken door het vooruitzicht op dramatisch beeldmateriaal dat ze aan de nationale en internationale omroepen konden doorspelen, bevonden diverse plaatselijke tv-ploegen zich veel dichter bij de stampende en schreeuwende demonstranten.

MacNamara wendde zijn blik af. Zijn ogen speurden de boze menigte af naar een glimp van de activisten van de Beweging die hij zocht. Die waren nergens te vinden. Steeds vreemder, dacht hij kalm. Ratten die het zinkende schip verlieten? Of roofdieren die wegglipten om ergens anders een nieuwe prooi af te maken?

De druk van de massa langs de omheining nam toe. Hier en daar boog het naar binnen puilende hek vervaarlijk onder het geweld van zoveel lichamen. De grijs geüniformeerde bewakers achter de omheining weken al beetje bij beetje naar achteren, om zich terug te trekken in de relatieve beschutting van het hoofdgebouw van het Instituut. De Canadees knikte in zichzelf. Dat was niet erg verrassend. Alleen een dwaas zou verwachten dat een klein groepje parttime politiemannen in een open ruimte de confrontatie aan zou gaan met een losgeslagen menigte van tienduizend mensen. Dat zou wel een bijzonder zielige vorm van zelfmoord zijn.

Opeens verstijfde hij toen hij een groepje mannen zag dat zich resoluut en doelbewust een weg baande door het gedrang van gezichten vol haat, rode en groene spandoeken en plakkaten en geheven vuisten. Het waren de stoere jongens die hij de dag daarvoor had zien aankomen, elk met dezelfde lange plunjezak over zijn schouder.

De jonge mannen, die door de menigte aan het oog van de politie werden onttrokken, kwamen bij het hek. Ze zetten hun plunjezakken neer, haalden er grote betonscharen uit en begonnen het metaalgaas door te knippen, de ene draad na de andere, van boven naar beneden, met een door training verkregen snelheid en efficiëntie. Algauw werden er hele stukken van de omheining van het Instituut weggerukt en neergehaald. Honderden en toen duizenden demonstranten stroomden door de openingen en holden over het open terrein in de richting van het kolossale zandkleurige wetenschapsgebouw.

'LAZARUS LEEFT! LAZARUS LEEFT! LAZARUS LEEFT!' brulden ze. 'NEE TEGEN NANOTECH! NEE TEGEN DOODSMACHINES!'

Omdat hij niets anders kon doen, rende de man met de lichtblauwe ogen die Malachi MacNamara heette met ze mee, net als de rest joelend en door het dolle heen.

Smith rukte op in noordelijke richting langs de wand van de gang op de eerste verdieping van het Teller Instituut, met het MP5-machinepistool aan zijn schouder, klaar om te vuren. Frank Diaz liep aan de andere kant.

Ze kwamen bij een van de zware metalen deuren die op deze brede centrale gang uitkwamen. Het licht boven de gleuf naast de deur was rood. Op een bordje stond dat dit lab was toegewezen aan VOSS LEVENSWETENSCHAPPEN – MENSELIJK GENOOMDIVISIE. Diaz gebaarde met zijn geweer naar de deur en zei geluidloos: 'Gaan we naar binnen?'

Smith schudde snel zijn hoofd. Het Instituut huisvestte meer dan een dozijn verschillende R&D-centra, die allemaal erg geavanceerd, ontzettend kostbaar en mogelijk waardevol waren. Hij en Diaz konden onmogelijk elk lab en elk kantoor op deze bovenste verdieping uitkammen.

Dus had Smith besloten om op zijn gevoel af te gaan. Het geplande bezoek van de president aan Santa Fe was bedoeld om het nanotechonderzoek van Harcourt, Nomura PharmaTech en een onafhankelijke, aan het Instituut gelieerde groep in het zonnetje te zetten. Onder het mom van een vooruitgestuurde eenheid van de Geheime Dienst hadden de indringers ervoor gezorgd dat ze toegang hadden tot diezelfde laboratoria. Al met al, dacht Smith, zat het er dik in dat wat ze ook van plan waren iets te maken had met de faciliteiten in de noordvleugel.

Hij en Diaz slopen stilletjes door de centrale gang en kwamen bij een T-splitsing aan de andere kant van het gebouw. Vlak voor hen was nog een trap naar de begane grond. Daarachter bevond zich een roestvrijstalen deur naar het lab dat door Nomura PharmaTech werd gehuurd. Als ze rechtsaf gingen, zouden ze bij de labs komen waar het eigen nanotechteam van het Instituut was ondergebracht. Het lab van Harcourt Biosciences onder leiding van Phil Brinker en Ravi Parikh bevond zich aan het eind van de gang aan hun linkerhand.

Smith aarzelde even. Welke kant moesten ze nu op?

Opeens ging het waarschuwingslicht bij de elektronische vergrendeling van het Nomuralab van rood naar groen. 'Bukken,' siste Jon. Hij en Diaz lieten zich elk op een knie vallen en wachtten.

De deur gleed open. Drie mannen stapten de gang in. Twee van hen, de ene met blond haar, de andere kaal, droegen de blauwe overalls van technici. Ze gingen gebukt onder het gewicht van de koffers met apparatuur die ze aan banden over hun schouders droegen. De derde was langer en vroeg grijs en droeg een donker jack en een kaki sportbroek. Hij had een klein uzi-machinepistool.

Smith voelde zijn hartslag versnellen. Hij en Diaz konden deze mannen met een paar korte salvo's uitschakelen. Ongetwijfeld was dat het veiligste en eenvoudigste. Maar als ze dood waren, konden ze hem niet vertellen wat er in het Teller Instituut gaande was. Hij zuchtte in gedachten. Hoewel het betekende dat ze extra risico's namen, had hij veel meer behoefte aan gevangenen die hij kon ondervragen dan aan drie lijken die niets meer zeiden.

Hij stond op en richtte zijn MP5 op de indringers. 'Gooi je wapens op de grond,' blafte hij. 'En steek dan je handen in de lucht.'

Ze verstarden, volledig verrast.

'Doe wat hij zegt,' zei Frank Diaz kalm tegen hen, terwijl hij langs de loop van zijn pompgeweer keek. 'Voordat ik jullie helemaal over die mooie glimmende deur uitsmeer.'

Duidelijk nog steeds geschokt door deze plotselinge wending, zetten de twee mannen in overall langzaam hun koffers neer om hun handen in de lucht te steken. De man met de uzi keek kwaad maar gehoorzaamde eveneens. Zijn wapen kletterde op de tegels.

'Kom nu hierheen,' zei Smith. 'Langzaam. Een voor een. Jij eerst!' zei hij, terwijl hij met de vuurmond van de MP5 gebaarde naar degene van wie hij vermoedde dat het hun leider was, de langere man met het grijze haar. De indringer aarzelde.

Om hem tot grotere spoed te manen zette Jon een stap in de andere gang. Aan zijn linkerhand zag hij heel even iets bewegen. Hij draaide zich snel om, terwijl zijn vinger zich reeds om de trekker spande. Maar er was niemand die hij neer kon schieten. In plaats daarvan zag hij een vaalgroen bolletje in een boog door de lucht op hem afkomen. Het ketste af van de dichtstbijzijnde muur en rolde naar de splitsing. Een moment lang stond de tijd stil en kon Smith niet geloven wat hij zag. Maar toen deden jaren van training, in de strijd beproefde reflexen en naakte dierlijke angst zich gelden.

'Granaat!' brulde hij om Diaz te waarschuwen. Hij liet zich op de grond vallen, rolde zich op en begroef zijn hoofd in zijn armen.

De granaat ging af.

De donderende knal rukte aan zijn kleren en blies hem over de vloer. Withete scherven sisten over zijn hoofd, sloegen grove gaten in de adobemuren en deden lichten versplinteren.

Bijna doof door de explosie en met suizende oren ging Smith langzaam overeind zitten. Tot zijn verbazing bleek hij niet gewond. Zijn machinepistool lag vlakbij. Hij greep het. Er zaten diepe groeven in de kunststof systeemkast en de handbeschermer, maar verder leek het onbeschadigd.

Zijn gehoor kwam terug. Hij hoorde nu schelle kreten. Ze kwamen van de andere kant van de gang, van de deur naar het Nomuralab. De twee mannen in overall waren gefileerd door tientallen vlijmscherpe stalen splinters. Ze kronkelden van de pijn en trokken bloedsporen over de tegelvloer. De derde man, die meer geluk of een sneller reactievermogen had gehad, was niet gewond. En hij reikte naar de uzi die hij op de grond had laten vallen.

Smith trof hem met drie schoten. De man met het grijze haar viel voorover op zijn gezicht en bleef stil liggen.

Toen keek Jon naar Diaz. Hij was dood. Het kogelvrije vest dat hij aanhad, had de meeste granaatscherven tegengehouden – maar niet de puntige scherf die zijn keel had opengereten. Smith vloekte zachtjes, kwaad op zichzelf omdat hij de andere man in dit gevecht had meegesleept en kwaad op het lot.

Er stuiterde nog een granaat door de gang die in de richting van de trap rolde. Deze ontplofte niet, maar siste en sputterde terwijl hij dikke, kronkelende rode rookslierten uitbraakte. Binnen enkele momenten waren de twee elkaar kruisende gangen in dichte rook gehuld.

Smith tuurde langs de loop van zijn MP5 en keek of hij in de rook iets zag bewegen. Blind schieten zou alleen maar zijn positie verraden. Hij moest een doelwit hebben.

Van ergens voor hem, diep in die rode, wervelende wolk, ratelden twee uzi's volautomatisch, die een regen van kogels de gang in spoten. 9mm-patronen met koperen hulzen sloegen nieuwe gaten in muren of ketsten van stalen deuren af. Keramische vazen gingen aan diggelen. Flarden van gele en paarse wilde bloemen dwarrelden dwaas tussen de rondvliegende kogels. Smith liet zich voorovervallen, en drukte zich vertwijfeld tegen de grond terwijl de uzipatronen over zijn hoofd suisden.

Plotseling hield het schieten op en was er alleen nog maar een spookachtige stilte.

Hij wachtte nog even, terwijl hij luisterde. Nu meende hij voeten door het met rook gevulde trappenhuis naar beneden te horen rennen, een geluid dat steeds vager werd. Hij vertrok zijn gezicht. De schurken trokken zich terug. Die barrage van machinepistoolvuur was bedoeld om ervoor te zorgen dat hij zijn hoofd omlaag hield terwijl ze ontsnapten. En het ergste was, dat het gewerkt had.

Smith krabbelde overeind en liep de verblindende rode wolk in.

Hij deed zijn uiterste best om voor zich uit te zien. Zijn voeten deden lege kogelhulzen over de tegelvloer kletteren en knarsten over verpulverde brokjes adobe. Het bovenste gedeelte van de trap doemde uit de rook op.

Hij hurkte en tuurde het trappenhuis in. Als de indringers iemand hadden achtergelaten om hun aftocht te dekken, zou die trap een dodelijke val zijn. Maar hij had niet de tijd om helemaal terug te rennen naar de centrale trap. Hij moest het er ofwel op wagen – ofwel hier blijven en zich drukken.

Met zijn machinepistool in de aanslag betrad hij de brede trap met de lage treden. Achter hem flitste opeens een verblindend wit licht door de gang. Het hele trappenhuis ging heftig heen en weer door de schokgolven van een reeks krachtige explosies vanuit de nanotechlabs van Nomura PharmaTech en het Instituut.

Smith reageerde instinctief, wierp zich de trap af en rolde halsoverkop naar beneden terwijl boven hem het gebouw in vlammen uitbarstte.

6

Dr. Ravi Parikh kwam langzaam boven uit het duister en probeerde versuft bij zijn volle bewustzijn te komen. Knipperend opende hij zijn ogen. Hij lag met zijn gezicht tegen de vloer gedrukt. Onder hem schokten en beefden de koele bruine tegels toen zorgvuldig geplaatste springladingen systematisch de andere labcomplexen in de noordvleugel in versplinterde, brandende puinhopen veranderden. De moleculair bioloog kreunde en onderdrukte een golf van misselijkheid en pijn waarvan zijn maag in opstand kwam.

Zwetend van inspanning dwong hij zichzelf om op handen en knieën te gaan zitten. Traag hief hij zijn hoofd op. Hij keek naar het enorme raam dat van de vloer tot aan het plafond de hele buitenwand van het voorste kantoorgedeelte van het lab besloeg. De jaloezieën, die doorgaans dichtzaten, waren nu helemaal open.

Vlak bij zijn hoofd zat de vreemde metalen cilinder waarover hij zich had verbaasd nog steeds vastgeklemd aan een bureau tegenover het raam. Op een digitale teller aan de kopse kant van de cilinder knipperde een reeks afnemende getallen: 10... 9... 8... 7... 6... 5...

Kleine holle ladingen die aan het grote raam bevestigd waren ontploften in een snelle opeenvolging van oranje en rode flitsen. Het glas spatte onmiddellijk uiteen in duizenden minuscule scherven en werd naar buiten geblazen. De plotselinge luchtdrukverandering zoog tientallen losse velletjes papier mee, die door de rafelige opening naar buiten dwarrelden.

Nog steeds verdwaasd en misselijk staarde Parikh hen na in volslagen verbijstering. Hij haalde diep, huiverend adem.

3... 2... 1. De knipperende digitale teller ging uit. Met een klik werd een relaisventiel in de cilinder geactiveerd. En toen, met een zacht gesis als van een slang, liet de cilinder met nanofagen zijn zwaar samengeperste, dodelijke inhoud in de buitenwereld los.

De wolk Fase Twee-nanofagen dreef stil en onzichtbaar door het verbrijzelde raam. Het waren er tientallen miljarden, die allemaal nog inert waren – en allemaal nog wachtten op het signaal waardoor ze tot leven zouden komen. De enorme massa microscopisch kleine nanofagen werd naar buiten gestuwd door het eigen luchtdruksysteem van het Harcourtlab en daalde toen langzaam, heel langzaam, neer.

Deze onzichtbare nevel bleef zich verspreiden over de duizenden verblufte demonstranten van de Lazarusbeweging die geschokt toekeken terwijl de bovenverdieping van het Teller Instituut door explosies uiteengerukt werd. Miljoenen nanofagen kwamen met elke ademhaling in hun longen terecht. Nog meer miljoenen gingen hun lichaam binnen via de poreuze membranen in hun neus of sijpelden door de zachte weefsels rond hun ogen.

Enkele seconden bleven deze nanofagen nog inactief, terwijl ze zich op natuurlijke wijze verspreidden via bloedvaten en celwangen. Maar ongeveer een op de honderdduizend was groter en had een complexere constructie dan de andere en werd meteen geactiveerd. Deze besturingsnanofagen joegen op eigen kracht door het gastlichaam, op zoek naar een van de diverse biochemische signaturen die hun sensorsysteem kon herkennen. Telkens als ze er een vonden, leidde dat tot de onmiddellijke afgifte van gecodeerde stromen unieke boodschappermoleculen.

De rest van de nanofagen die nog steeds stilletjes door het lichaam zweefden, had slechts één eigen sensor, die deze gecodeerde moleculen kon waarnemen, zelfs in een verdunning van enkele deeltjes per miljard. De scheppers noemden dit aspect van hun nanofaagontwerp onbewogen de 'haaienreceptor,' omdat hij het geheimzinnige vermogen van grote witte haaien nabootste om zelfs het minste of geringste druppeltje bloed in de uitgestrekte dieptes van de zee op te pikken. Maar de vergelijking was in nog een opzicht wreed toepasselijk. Elke nanofaag reageerde net zo op dit vage spoortje van het boodschappermolecuul als een haai die vers bloed in het water rook.

De magere, verweerde man die vastzat in het midden van de menigte was de eerste die de ware verschrikking besefte die op hen neerdaalde. Net als alle anderen was hij opgehouden met scanderen en stond hij daar nu grimmig zwijgend te kijken hoe de bommen een voor een afgingen. De meeste ontploften aan de noord- en de westkant van het Teller Instituut – en bliezen enorme zuilen van vuur en puin hoog in de lucht. Maar Malachi hoorde ook andere, kleinere springladingen diep in het enorme gebouw.

De vrouw die van opzij tegen hem aangedrukt stond, een jonge blondine met een hard gezicht in een dumpjasje met opgerolde mouwen, kreunde opeens. Ze viel op haar knieën en begon te kokhalzen, eerst zachtjes en toen onbeheersbaar. MacNamara keek op haar neer, en zag de naaldsporen op haar armen. De littekens hoger op haar arm waren asgrauw en nog open.

Een heroïneverslaafde, besefte hij met een mengeling van medelijden en afkeer. Waarschijnlijk naar de bijeenkomst van de Lazarusbeweging gelokt door de belofte van opwinding en de kans om deel te hebben aan iets wat groter en belangrijker was dan haar saaie dagelijkse leven. Had die jonge dwaas hier en nu een overdosis genomen? Hij zuchtte en knielde naast haar om te kijken of hij iets kon doen om haar te helpen.

Toen zag hij het groteske web van roodgerande kloven dat zich snel over haar doodsbange gezicht en haar getekende armen verspreidde, en wist hij dat dit iets veel vreselijkers was. Ze kreunde nogmaals en klonk meer als een dier dan als een mens. De kloven werden groter. Haar huid liet los en veranderde in een hoog tempo in een soort doorzichtig slijm.

Tot zijn eigen ontzetting zag MacNamara dat de bindweefsels onder haar huid – de spieren, pezen en banden – ook oplosten. Haar ogen werden vloeibaar en dropen uit hun kassen. Helderrood bloed welde op in die vreselijke wonden. Onder het masker van bloed dat haar gezicht nu was zag hij het bleke wit van de beenderen.

De nu blinde jonge vrouw stak vertwijfeld haar klauwende handen uit. Meer rossig slijm stroomde uit de vormeloze holte die ooit haar mond was geweest. Misselijk en beschaamd om zijn eigen angst deinsde hij terug. Haar handen en vingers losten op en vielen uiteen in een samenraapsel van losse botjes. Ze viel voorover en bleef stuiptrekkend op de grond liggen. Terwijl hij toekeek, zakten haar legerjasje en haar spijkerbroek in elkaar, vol donkere vlekken van het bloed en de andere vloeistoffen die uit haar uiteenvallende lichaam stroomden.

MacNamara leek een eeuwigheid in ongelovig afgrijzen naar haar te staren, niet in staat om zijn blik af te wenden. Het was alsof deze vrouw levend van binnen uit werd opgevreten. Ten slotte bleef ze roerloos liggen, nu al meer een hoopje botten en slijmerige kleren dan iets wat je als een menselijk lijk zou kunnen identificeren.

Hij krabbelde overeind en hoorde nu een gruwelijk koor van gekweld gejank, gekreun en gejammer, dat opsteeg vanuit de dicht opeengepakte menigte om hem heen. Honderden andere demonstranten wankelden nu, terwijl ze naar zichzelf klauwden en graaiden terwijl hun vlees van binnenuit werd verteerd.

Een ogenblik dat lang leek te duren stonden de duizenden activisten van de Lazarusbeweging bewegingloos aan de grond genageld door schrik en pure verlammende angst. Maar toen barstte de paniek los en vluchtten ze alle kanten op – waarbij ze de doden en de stervenden vertrapten in een uitzinnige, vertwijfelde haast om te ontkomen aan wat voor nieuwe plaag het ook was die was ontsnapt uit de door explosies verwoeste labs van het Teller Instituut.

En weer rende Malachi MacNamara met hen mee. Ditmaal bonkte zijn hart in zijn oren terwijl hij zich afvroeg hoeveel langer hij nog te leven had.

Luitenant-kolonel Jon Smith lag in elkaar gezakt onder aan de trap van de noordvleugel. Enkele ogenblikken kon hij zich er niet toe zetten om te bewegen. Hij had het gevoel dat elk bot en elke spier in zijn lichaam op een of andere pijnlijke en onnatuurlijke manier verdraaid, gekneusd of geschaafd was.

Het Teller Instituut schudde op zijn grondvesten door weer een enorme explosie op de bovenste verdieping. Een regen van stof en brokjes adobe kwam de trap afgekletterd. Flarden papier die door de ontploffing vlam hadden gevat cirkelden traag door de lucht, als minuscule brandende fakkels die naar beneden zweefden.

Tijd om te gaan, zei Smith tegen zichzelf. Hij moest wel. Hier blijven betekende dat hij verpletterd zou worden als het door de bommen beschadigde gebouw uiteindelijk in zou storten. Heel voorzichtig strekte hij zich uit en stond hij op. Hij kromp ineen. De eerste vier, vijf meter van zijn rollende, tuimelende duik van de trap waren het makkelijke deel geweest, dacht hij wrang. Alles daarna was één lange, botbeukende nachtmerrie geweest.

Hij nam zijn omgeving op. De laatste flarden rode nevel van de rookgranaat trokken op, maar wolken dikkere, donkerder rook dreven de gangen op de begane grond in. Door het hele gebouw woedden branden. Hij wierp een blik op het plafond. De sproeiers waren kurkdroog, wat betekende dat het brandbeveiligingssysteem van het Instituut door een van de ontploffingen moest zijn uitgeschakeld.

Smith kneep zijn lippen opeen en fronste zijn voorhoofd. Hij durfde te wedden dat dat de bedoeling was. Dit was geen geval van mislukte bedrijfsspionage of eenvoudige sabotage; dit was koelbloedig, meedogenloos terrorisme.

Hij hinkte naar de plek waar zijn machinepistool lag. Als door een wonder was het wapen niet per ongeluk afgegaan toen het met hem mee de trap afstuiterde, maar de gekromde kogelhouder voor dertig patronen was verwrongen en scheefgebogen. Hij ontgrendelde het geweer en trok hard aan de beschadigde kogelhouder. Die zat muurvast.

Hij legde het machinepistool neer en trok de 9mm Beretta. Het pistool leek intact, maar door de pijn die hij voelde wist Smith zeker dat hij de volgende ochtend op zijn onderrug een blauwe plek in de vorm van een Beretta zou hebben.

Als je dan nog leeft, herinnerde hij zichzelf nuchter.

Met het pistool in de aanslag liep hij door het brandende, door de bommen beschadigde gebouw. Het was heel makkelijk om de route te volgen van de zich terugtrekkende indringers. Ze lieten een spoor van lijken achter.

Smith kwam langs een aantal lijken die in de rokerige gang op een hoop lagen. De meeste waren van mensen die hij kende, althans bij naam, en sommige waren mannen of vrouwen die hij goed kende, onder wie Takashi Ukita, de hoofdonderzoeker van het lab van Nomura PharmaTech. Hij was twee keer in het hoofd geschoten. Jon schudde verdrietig zijn hoofd.

Dick Pfaff en Bill Corimond lagen niet ver daarvandaan dood in dezelfde gang. Er was op hen allebei meerdere malen van dichtbij geschoten. Zij waren de hoofdonderzoekers van het nanotechteam van het Instituut zelf. Hun werk was erop gericht geweest om kleine zichzelf vermenigvuldigende machines te ontwikkelen die olievlekken opruimden zonder verdere schade aan het milieu.

Hoe verder hij liep, hoe meer Smith bevangen werd door een kille woede. Parikh, Brinker, Pfaff, Corimond, Ukita en de anderen waren allemaal toegewijde wetenschappers en waarheidszoekers geweest. De hele wereld zou ontzettend veel profijt hebben gehad van hun onderzoek. En nu had een stelletje terroristische klootzakken hen dus vermoord en jaren hard werken vernietigd? Nou, besloot hij ijzig, dan zou hij goddomme zijn uiterste best doen ervoor te zorgen dat die terroristen flink voor hun misdaden zouden boeten.

Hij versnelde zijn pas tot een holletje. Zijn ogen waren smalle spleetjes. Ergens voor hem waren de mannen die hij moest doden of gevangennemen.

Hij passeerde nog meer lijken. De rook was nu dikker. De scherpe stank prikte aan zijn ogen en bezorgde hem een zere keel. Hij voelde de gloeiende hitte van de onbeteugelde branden die in kantoren aan weerskanten van de gang woedden. Sommige van de houten deuren begonnen te smeulen. Smith ging harder rennen.

Ten slotte kwam hij bij een zijdeur die halfopen was vastgezet. Hij knielde snel om te kijken of er struikeldraden waren die een boobytrap konden doen afgaan. Toen hij die niet zag, glipte hij door de deuropening en stapte hij de buitenlucht in.

Voor hem zag hij een tafereel dat een van de groteske schilderingen van hel, duivels en verdoemenis had kunnen zijn waar middeleeuwse christenen zo dol op waren. Duizenden doodsbange activisten van de Lazarusbeweging stroomden weg van het Instituut, renden uitzinnig door de rotstuinen met cactussen, alsemstruiken en wilde bloemen. Sommigen waggelden, wankelden en vielen toen met luide, vertwijfelde kreten op hun knieën. Een voor een zakten ze in elkaar. Smith staarde vol afgrijzen naar hen, ontzet door wat hij voor zijn ogen zag gebeuren. Honderden mensen vielen letterlijk uit elkaar om op te lossen tot een roodachtig vloeibaar slijk. Andere honderden waren reeds gereduceerd tot droeve hoopjes besmeurde kleren en gebleekte stukjes bot.

Even vocht hij tegen een bijna overweldigende aandrang om zich om te draaien en zelf te vluchten. Wat hij met die mensen zag gebeuren, had iets wat zo vreselijk, zo onmenselijk was, dat het elke primitieve angst opriep waarvan hij had gedacht dat die al lang verdrongen was door training, discipline en wilskracht. Niemand zou zo moeten sterven, dacht hij wanhopig. Niemand zou zichzelf moeten zien wegrotten terwijl hij nog leefde.

Met moeite wendde Smith zijn ogen af van het rottende vlees en de verminkte lijken die her en der buiten het Teller Instituut lagen. Met het pistool in zijn hand speurde hij de panische menigte af die in de richting van de omheining vluchtte, terwijl hij probeerde om degenen eruit te pikken die niet bang leken – degenen die zich gedisciplineerd en zeker bewogen. Hij zag een groepje van zes mannen die onverstoorbaar in de richting van de omheining liepen. Ze waren meer dan honderd meter bij hem vandaan. Vier van hen droegen blauwe overalls en sjouwden met zware apparatuurkoffers. Smith knikte. Dat moesten de specialisten zijn die de bommen in het Instituut geplaatst hadden. De andere twee mannen, die een paar meter achter hen liepen, droegen dezelfde antracietgrijze pakken. Elk was gewapend met een uzi met een korte loop. De kortere van de twee was ongeveer even lang als Jon, en had kortgeknipt zwart haar. Maar degene die hem werkelijk opviel, was de forsgebouwde man met het kastanjebruine haar die de orders leek te geven en minstens een kop groter was dan zijn kameraden.

Smith zette het weer op een rennen. Hij holde met grote sprongen over het open terrein, omzeilde de droeve resten die hier en daar verspreid lagen, en liep snel in op de zich terugtrekkende terroristen. Hij was binnen een meter of vijftig, toen hun leider, die zijn hoofd omdraaide voor een laatste voldane blik op het opgeblazen en brandende Teller Instituut, hem zag aankomen.

'Actie! Van achteren!' riep de reus waarschuwend naar zijn mannen. Hij draaide zich al om naar Smith met zijn machinepistool in beide handen. Hij opende meteen het vuur, met korte salvo's over het zand en de struiken in de richting van hun rennende achtervolger.

Jon dook naar rechts en rolde over zijn schouder. Hij kwam weer op een knie overeind met de Beretta min of meer de juiste kant op gericht. Zonder te wachten tot hij zijn doelwit op de korrel kreeg, vuurde hij twee schoten af. Geen van beide kwam erg dicht in de buurt, maar ze dwongen de grote man in elk geval om zich te verschuilen achter een stel alsemstruiken.

Een ander uzi-salvo sloeg vlak achter Smith in de grond en deed enorme zandkluiten opspatten. Hij draaide zich snel om. De zwartharige schutter kwam al vurend van opzij op hem afrennen.

Jon liet de Beretta een brede boog beschrijven en mikte net iets naast de andere man. Hij ademde rustig uit en schoot drie keer. Zijn eerste schot was mis. Het tweede trof het been van de terrorist en het derde sloeg in zijn rechterschouder.

De man met het zwarte haar schreeuwde van pijn, struikelde en viel op de grond. Twee van de mannen in overall lieten hun apparatuurkoffers vallen en renden naar hem toe om hem te helpen. Onmiddellijk dook de lange man met het kastanjebruine haar op van achter de alsemstruiken en begon opnieuw te schieten.

Smith voelde een uzi-kogel door de voering van zijn leren jack gaan. Het spoor van oververhitte lucht in het kielzog van het net missende schot trok een gloeiende, vurige streep over zijn ribben.

Hij rolde weer weg in een verwoede poging om de grote man geen goed doelwit te bieden. Meer kogels sloegen overal rondom hem in het zand en de droge begroeiing. In de verwachting elk moment geraakt te worden, vuurde hij terug met de Beretta terwijl hij wegrolde. Met diverse ongerichte schoten probeerde hij vertwijfeld de andere man te dwingen om weer in dekking te gaan.

Nog steeds rollend landde Smith achter een groot rotsblok dat half bedekt werd door een bos hoog kweekgras. Hij ging op zijn buik liggen. Machinepistoolvuur sloeg in de rots.

Het geluid van een krachtige motor brulde boven het geluid van geweervuur. Behoedzaam richtte Jon zijn hoofd op om even te kijken. Hij zag een kolossale donkergroene Ford Excursion die hard aan kwam rijden door een van de gaten in de omheining. De SUV ging naar links en kwam recht op de schermutseling af. Honderden panische demonstranten doken opzij terwijl hij met grote snelheid over het ruwe terrein hobbelde.

Het voertuig draaide met piepende remmen om en kwam slippend tot stilstand vlak bij het groepje terroristen. De stofwolk die door de banden werd opgeworpen hing laag boven de grond en dreef traag met de wind mee. Beschermd door de SUV gooiden de vier explosievenexperts hun apparatuurkoffers achterin. Ze duwden de gewonde schutter op de achterbank en stapten toen haastig zelf in. Terwijl hij nog steeds korte, gerichte salvo's in de richting van Smith afvuurde, trok de reus met het kastanjebruine haar zich langzaam terug in de richting van de vluchtauto. Hij glimlachte nu, zijn ogen glommen van plezier.

Die moordlustige schoft! Jons kille woede veranderde plotseling in een withete razernij, die elk instinct tot zelfbehoud tenietdeed. Zonder stil te staan om het te overdenken, ging hij rechtop staan en hield hij de Beretta vast in de houding van een schijfschieter.

Verrast door zijn stoutmoedigheid hield de lange man op met het schieten van gecontroleerde salvo's en ging hij over op volautomatisch. De uzi ratelde erop los en ging steeds hoger met elke kogel die hij afvuurde.

Smith voelde kogels vlak over zijn hoofd suizen. Hij negeerde ze, om zich volledig op zijn doelwit te concentreren. Vijftig meter was op het randje van het effectieve bereik van zijn pistool, dus was concentratie een absolute noodzaak. De korrel van de Beretta gleed naar beneden, naar de enorme borst van de grote man om daar te blijven rusten.

Hij haalde snel de trekker over en vuurde zoveel mogelijk schoten zo snel als hij kon zonder er al te ver naast te gaan. Zijn eerste kogel sloeg een gat in de voorste zijdeur aan de passagierskant, slechts enkele centimeters van de heup van de reus met het kastanjebruine haar. De tweede verbrijzelde het raampje naast zijn elleboog.

Jon fronste zijn wenkbrauwen. De Beretta trok naar links. Hij verlegde zijn richtpunt enigszins en schoot opnieuw. Deze 9mm-kogel sloeg de uzi uit de handen van de terroristenleider, zodat het machinepistool het struikgewas in vloog, ver buiten zijn bereik. In een regen van vonken ketste de kogel af van de motorkap van de SUV.

De chauffeur van de vluchtauto liet zich niet van zijn stuk brengen door de luide kogelinslagen en trapte hard op het gaspedaal. De banden van de Excursion draaiden even doelloos rond en kregen toen wat grip. De donkergroene SUV vertrok met gierende banden, maakte slippend nog een scherpe bocht en bulderde weg in de richting van de omheining, om de lange man met het kastanjebruine haar achter te laten in een verwaaiende wolk zand en stof.

Even bleef de reus bewegingloos staan, met zijn hoofd schuin om te kijken hoe zijn kameraden hem in de steek lieten. Toen haalde hij, tot Smiths verbijstering, slechts zijn brede schouders op en draaide hij zich om naar zijn tegenstander. Zijn gezicht was nu totaal uitdrukkingsloos.

Jon kwam dichterbij, terwijl hij nog steeds de Beretta op hem gericht hield. 'Handen omhoog!'

De andere man stond daar slechts en wachtte af.

'Ik zei: handen omhoog!' beet Smith hem toe. Hij liep door, zodat hij een steeds beter schot kreeg. Op ongeveer vijftien meter afstand bleef hij staan, een heel eind binnen de zone waarvan hij wist dat hij elke 9mm-kogel precies kon plaatsen waar hij hem wilde hebben.

De reus met het kastanjebruine haar zweeg. Zijn felgroene ogen vernauwden zich. Hij had een blik die Jon herinnerde aan de blik die hij had gezien bij een gekooide tijger die heen en weer liep langs menselijke prooi waar hij niet bij kon komen.

'En wat ga je doen als ik weiger? Me doden?' zei de lange man ten slotte.

Zijn stem was zachter dan Smith verwachtte en zijn Engels was perfect, zonder enig spoor van een accent.

Smith knikte onbewogen. 'Als het moet.'

'Toe dan,' zei de andere man tegen hem. Zonder nog langer te wachten deed hij een flinke stap naar voren, waarbij hij bewoog met de soepele gratie van een roofdier. Zijn rechterhand schoot in zijn jasje en kwam weer tevoorschijn met een vlijmscherp gevechtsmes.

Smith haalde de trekker over. De Beretta sprong op. Door de terugslag schoot de slede naar achteren, om de lege kogelhuls uit te werpen. Maar ditmaal ging de slede niet meer terug. Hij vloekte geluidloos. Hij had net de laatste van de vijftien patronen in de clip van het pistool afgevuurd.

De 9mm-kogel trof de reus met het kastanjebruine haar boven aan zijn linkerzij. Heel even wankelde hij achteruit door de inslag. Hij keek naar het roodgerande gaatje in zijn jasje. Bloed klopte in de wond en liep traag uit over de donkere stof. Toen kromde hij de vingers van zijn linkerhand en speelde hij met het mes in zijn rechterhand. Zijn lippen krulden zich tot een wrede grijns. Hij schudde zijn hoofd in gespeeld medelijden. 'Niet goed genoeg. Zoals je ziet leef ik nog.'

Nog steeds grijnzend kwam de man met de groene ogen langzaam dichterbij om zijn prooi af te maken, terwijl hij het mes in een bijna hypnotiserende boog heen en weer zwaaide. Het dodelijke lemmet glinsterde in het zonlicht.

Vertwijfeld smeet Smith de nu nutteloze Beretta naar hem.

De grote man dook eronderdoor en viel aan. Hij sloeg toe met een ongelooflijke snelheid en mikte op de keel van zijn tegenstander.

Smith ging met een ruk opzij. Het lemmet flitste op een centimeter langs zijn gezicht. Hijgend deinsde hij snel terug.

De man met de groene ogen kwam achter hem aan. Hij deed weer een uitval, ditmaal lager.

Jon draaide weg en gaf een harde klap met de zijkant van zijn hand, in een poging om de rechterpols van de man te breken. Het was alsof hij tegen een staaf gehard staal sloeg. Zijn hand werd gevoelloos. Hij deinsde weer achteruit, terwijl hij zijn vingers uitschudde en wanhopig probeerde om er weer gevoel in te krijgen. Waar vocht hij in godsnaam mee?

De grote man kwam voor de derde keer achter hem aan, met een nu nog bredere grijns. Het was duidelijk dat hij hiervan genoot. Ditmaal maakte hij een schijnbeweging met het mes in zijn rechterhand terwijl hij Smith met zijn linker een stoot voor zijn ribben gaf. Hij sloeg met de kracht van een heimachine.

De enorme schok dreef de lucht uit Jons longen. Hij wankelde naar achteren, hapte naar adem, hijgde. Nu vocht hij alleen nog maar om overeind en bij bewustzijn te blijven.

'Misschien had je die laatste kogel voor jezelf moeten bewaren,' opperde de man met de groene ogen beleefd. Hij hield het gevechtsmes op. 'Dat zou sneller en minder pijnlijk zijn geweest dan dit zal zijn.'

Smith bleef terugdeinzen, op zoek naar iets, wat dan ook, dat hij als een wapen kon gebruiken. Er was niets, niets dan zand en harde aarde. Hij voelde dat hij in paniek begon te raken. Beheers je, Jon, zei hij tegen zichzelf. Als je verstart tegenover deze klootzak, ben je zo goed als dood. Verrek, misschien ben je sowieso al dood, maar je kunt in elk geval vechten voor je leven.

Ergens in de verte meende hij het geluid van politiesirenes te kunnen horen – sirenes die dichterbij kwamen. Maar de man met de groene ogen zat hem nog steeds achterna, erop gebrand om zijn prooi te doden.

7

Tweehonderd meter verderop, aan de rand van een klein bosje piñondennen en jeneverbessen, lagen drie mannen verscholen in het hoge, droge gras. Een van hen, die veel groter was dan zijn metgezellen, richtte een krachtige verrekijker op het met lijken bezaaide terrein rond het Instituut en keek naar het handgemeen tussen de lenige, donkerharige man en zijn langere, veel sterkere tegenstander. Hij fronste zijn voorhoofd en maakte een afweging. Naast hem lag een sluipschutter met één oog vastgekleefd aan het telescoopvizier van een vreemd uitziend geweer, terwijl hij langzaam en beheerst zijn schot instelde.

De derde man, een seinexpert, lag in een wirwar van geavanceerde communicatieapparatuur. Hij luisterde gespannen naar de dringende, door ruis verstoorde stemmen in zijn hoofdtelefoon. 'De autoriteiten beginnen meer effectief te reageren, Terce,' zei hij toonloos. 'Meer politie, ambulances en brandweereenheden komen allemaal snel deze kant op.'

'Begrepen.' Terce, de man met de verrekijker, haalde zijn schouders op. 'Prime heeft een betreurenswaardige fout gemaakt.'

'Zijn chauffeur reageerde verkeerd,' mompelde de sluipschutter naast hem.

'De chauffeur zal berispt worden,' beaamde de man. 'Maar Prime kende de vereisten van de missie. Dit is een zinloos gevecht. Hij had weg moeten gaan toen hij de kans kreeg, maar hij laat zijn gezond verstand domineren door zijn lusten. Misschien zal hij deze man die hij opjaagt doden, maar het is onwaarschijnlijk dat hij zal ontsnappen.' Hij nam een beslissing. 'Zo zij het. Elimineer hem.'

'En de andere, die ook?' vroeg de sluipschutter.

'Ja.'

De sluipschutter knikte. Hij keek door het vizier en stelde zijn schot nog één laatste maal bij. 'Doelwit op de korrel.' Hij haalde de trekker over. Het vreemd uitziende geweer kuchte zachtjes. 'Doelwit geëlimineerd.'

Smith dook weg onder een andere dodelijke haal van het mes van de man met de groene ogen. Hij deinsde weer terug, in de wetenschap dat hij door zijn tijd en zijn bewegingsruimte heen raakte. Vroeg of laat zou deze maniak hem te grazen nemen.

Plotseling sloeg de man met het kastanjebruine haar geprikkeld in zijn nek – haast alsof hij een wesp verpletterde. Hij deed nog een stap naar voren en bleef toen staan, terwijl hij met een blik van totale ontzetting naar zijn hand staarde. Zijn mond viel open en hij draaide zich half om en keek over zijn schouder naar het stille bos achter hem.

En toen, terwijl Smith met toenemende vrees toekeek, begon de lange man met de groene ogen uit elkaar te vallen. Een kronkelig web van rode barsten verbreidde zich in hoog tempo over zijn gezicht en handen. Binnen enkele momenten begon zijn huid los te laten, die veranderde in een doorzichtig rossig slijm. Zijn groene ogen smolten en gleden over zijn gezicht. De grote man krijste in onmenselijke pijn. Schreeuwend en kronkelend viel hij op de grond – terwijl hij uitzinnig klauwde naar het weinige dat er nog van zijn lichaam over was in een vergeefse poging om zich te verzetten tegen wat het ook was dat hem levend opvrat.

Jon kon het niet meer aanzien. Hij draaide zich om, struikelde, viel op zijn knieën en moest onbeheersbaar kokhalzen. Op dat moment suisde er iets langs zijn oor dat zich voor hem in de aarde boorde.

Smiths instinct nam het over. Hij dook opzij en kroop snel naar de dichtstbijzijnde dekking.

Onder het groepje bomen liet de sluipschutter zijn vreemd uitziende geweer langzaam zakken. 'Het tweede doelwit is in dekking gegaan. Ik kan het niet raken.'

'Dat maakt niet uit,' zei de man met de verrekijker onverstoorbaar. 'Eén man meer of minder is niet echt van belang.' Hij wendde zich tot de communicatieman. 'Neem contact op met het Centrum. Informeer ze dat Veld Twee in gang is gezet en volgens plan lijkt te verlopen.'

'Ja, Terce.'

'En hoe zit het met Prime?' vroeg de sluipschutter zachtjes. 'Hoe gaat u zijn dood rapporteren?

Even bleef de man met de verrekijker stil zitten, terwijl hij over de vraag nadacht. Toen vroeg hij: 'Ken je de legende van de Horatiërs?'

De sluipschutter schudde zijn hoofd.

'Het is een heel oud verhaal,' vertelde Terce hem. 'Uit de tijd van de Romeinen, lang voor het Romeinse Rijk. Drie identieke broers, de Horatiërs, moesten gaan duelleren met de drie kampioenen van een naburige stad. Twee van hen vochten dapper, maar werden gedood. De derde Horatiër zegevierde – niet door louter bruut geweld maar door heimelijkheid en listigheid.'

De sluipschutter zweeg.

De man met de verrekijker draaide zijn hoofd om en glimlachte onbewogen. Een verdwaalde straal zonlicht viel op zijn kastanjebruine haar en deed zijn opvallend groene ogen oplichten. 'Net als Prime ben ik een van de Horatiërs. Maar in tegenstelling tot Prime, ben ik van plan om het te overleven en de beloning te krijgen die mij beloofd is.'

Deel Twee

8

Het Hoovergebouw, Washington
De waarnemend adjunct-directeur van de FBI Katherine (Kit) Pierson stond bij het raam van haar kantoor op de vierde verdieping, terwijl ze fronsend neerkeek op het wegdek van Pennsylvania Avenue, dat glad was van de regen. Er stonden slechts enkele auto's te wachten bij de dichtstbijzijnde stoplichten, en slechts enkele toeristen haastten zich onder opwippende paraplu's over de brede trottoirs langs de avenue. De gebruikelijke massale avonduittocht van het overheidspersoneel van de stad zou pas over een paar uur zijn.

Ze weerstond de aanvechting om weer te kijken hoe laat het was. Wachten tot anderen iets deden was nooit een van haar sterke punten geweest.

Kit Pierson keek op van de straat en ving een vage glimp op van haar weerspiegeling in het getinte glas. Heel even bestudeerde ze zichzelf afstandelijk, terwijl ze zich eens te meer afvroeg waarom de leigrijze ogen die naar haar terugstaarden zo vaak die van een vreemde leken. Zelfs op haar vijfenveertigste was haar ivoorblanke huid nog glad, en haar korte donkerbruine haar omlijstte een gezicht waarvan ze wist dat de meeste mannen het aantrekkelijk vonden.

Niet dat ze hun veel kansen gaf om haar dat te vertellen, dacht ze koeltjes. Een mislukt huwelijk op jonge leeftijd en een bittere scheiding hadden haar duidelijk gemaakt dat ze romantiek niet goed kon verenigen met haar carrière bij de FBI. De nationale belangen van het Bureau en de Verenigde Staten kwamen altijd op de eerste plaats – zelfs die belangen die haar superieuren soms niet durfden te erkennen.

Pierson was zich ervan bewust dat de agenten en de analisten onder haar bevel haar achter haar rug om de Winterkoningin noemden. Dat kon haar niet schelen. Ze was veel harder voor zichzelf dan ze ooit voor hen was. En het was beter dat men haar beschouwde als een beetje koel en afstandelijk dan als zwak of inefficiënt. De afdeling Contraterreur van de FBI was geen plek voor mensen die precies van negen tot vijf werkten en meer gefixeerd waren op hun pensioentjes dan op de steeds gevaarlijker vijanden van het land.

Vijanden zoals de Lazarusbeweging.

Diverse maanden hadden zij en Hal Burke van de CIA hun superieuren nu al gewaarschuwd dat de Lazarusbeweging een directe bedreiging begon te worden voor de vitale belangen van de Verenigde Staten en die van hun bondgenoten. Ze hadden zich beziggehouden met alle signalen dat de Beweging escaleerde in zijn retoriek en op gewelddadige actie aanstuurde. Ze hadden beleidsnota's, analyses en elk stukje bewijsmateriaal gepresenteerd waar ze de hand op konden leggen.

Maar hoger in de rangorde was niemand bereid geweest om krachtig genoeg op te treden tegen de toenemende dreiging. De baas van Burke, CIA-directeur David Hanson, kon aardig praten, maar zelfs hij schoot uiteindelijk tekort. Veel van de politici waren nog erger. Ze keken naar Lazarus en zagen slechts de oppervlakkige dekmantel van de wereld verbeterende milieuorganisatie. Wat Kit Pierson beangstigde was wat daarachter zat.

'Stel je een terroristische organisatie voor als al-Qaida, maar dan gerund door Amerikanen, Europeanen en Aziaten – door mensen net als jij en ik of als die aardige buren in Maple Lane,' zei ze dikwijls tegen haar mensen. 'Wat voor profiel kunnen we toepassen op een dergelijke bedreiging?'

Hanson begreep in elk geval dat de Lazarusbeweging een duidelijk en reëel gevaar vormde. Maar de CIA-directeur stond erop om deze strijd binnen de grenzen van de wet en de politiek te voeren. Pierson, Burke en anderen over de hele wereld wisten dat het te laat was om het spel volgens 'de regels' te spelen. Ze waren ervan overtuigd dat de Beweging vernietigd moest worden door agressieve actie – met alle noodzakelijke middelen.

De telefoon op haar bureau ging over. Ze wendde zich van het raam af en liep met vier lange, elegante passen door haar kantoor om hem de tweede keer dat hij overging op te nemen. 'Pierson.'

'Je spreekt met Burke.' Het was het telefoontje dat ze verwacht had, maar haar stevige CIA-tegenhanger met zijn vierkante kin klonk meer gespannen dan normaal. 'Is jouw lijn beveiligd?' vroeg hij.

Ze zette een schakelaar op de telefoon om en controleerde snel of er enig spoor was dat ze elektronisch werden afgeluisterd. De FBI besteedde veel tijd en belastinggeld om ervoor te zorgen dat zijn communicatienetwerken niet werden afgetapt. Een indicator lichtte groen op. Ze knikte. 'We kunnen.'

'Mooi,' zei Burke, op een vlakke, afgebeten toon. Er klonken verkeersgeluiden op de achtergrond. Hij belde zeker met zijn autotelefoon. 'Want er is iets misgegaan in New Mexico, Kit. Het is erg, echt erg. Erger dan we verwacht hadden. Zet maar een nieuwszender aan, maakt niet uit welke. Ze herhalen de beelden bijna continu.'

Verbaasd leunde Pierson over haar bureau om de toetsen in te drukken waardoor er tv-signalen op haar computerscherm verschenen. Een lang ogenblik staarde ze in geschokt stilzwijgen terwijl de livebeelden die eerder bij het Teller Instituut waren opgenomen over haar hoge-resolutiescherm flitsten. Zelfs terwijl ze keek waren er nog nieuwe explosies in het brandende gebouw. Dikke rookkolommen bezoedelden de helderblauwe hemel boven New Mexico. Bij het Instituut zelf vluchtten duizenden demonstranten van de Lazarusbeweging in paniek, elkaar onder de voet lopend in hun dolle haast weg te komen. De camera zoomde in en vertoonde nachtmerrieachtige beelden van menselijke wezens die smolten als bloederige was.

Ze ademde kort en scherp in, terwijl ze haar best deed om zich te vermannen. Terwijl ze in de telefoon kneep vroeg ze: 'Goeie god, Hal. Wat is er gebeurd?'

'Dat is nog niet duidelijk,' zei Burke tegen haar. 'Volgens de eerste rapporten waren de demonstranten door de omheining gebroken en dromden ze samen rond het gebouw toen binnen de hel losbrak – explosies, branden, noem maar op.'

'En de oorzaak?'

'Er wordt gespeculeerd dat er op een of andere manier gifstoffen zijn vrijgekomen uit de nanotechlabs,' zei Burke. 'Enkele bronnen noemen het een tragisch ongeval. Anderen wijten het aan sabotage door nog onbekende daders. Sabotage lijkt het meest waarschijnlijk.'

'Maar in beide gevallen geen bevestiging?' vroeg ze scherp. 'Er is niemand opgepakt?'

'Tot dusver niemand. Ik heb nog geen contact met onze mensen, maar ik verwacht snel iets te horen. Ik ga daar zo direct zelf heen. Over een halfuur stijgt er een noodvlucht van de luchtmacht op van Andrews – en Langley heeft een plek in het vliegtuig voor me weten los te krijgen.'

Pierson schudde getergd haar hoofd. 'Dat was niet de bedoeling, Hal. Ik dacht dat we deze situatie volledig onder controle hadden.'

'Ja, dat dacht ik ook,' zei Burke. Ze kon hem bijna zijn schouders horen ophalen. 'Op een gegeven moment gaat er in elke operatie altijd iets verkeerd, Kit. Dat weet je.'

Ze fronste haar voorhoofd. 'Niet zó verkeerd.'

'Nee,' beaamde Burke ijskoud. 'Doorgaans niet.' Hij schraapte zijn keel. 'Maar nu moeten we roeien met de riemen die we hebben. Niet dan?'

'Ja.' Pierson stak haar hand uit en schakelde de tv-verbinding van haar computer uit. Ze hoefde niet meer te zien. Niet nu. Ze vermoedde dat die beelden haar nog heel lang in haar dromen zouden achtervolgen.

'Kit?'

'Ik ben hier,' zei ze zachtjes.

'Weet je wat er nu moet gebeuren?'

Ze knikte en dwong zich om zich op de directe toekomst te concentreren. 'Ja, dat weet ik. Ik moet het onderzoeksteam in Santa Fe gaan leiden.'

'Zal dat lastig worden?' vroeg de CIA-agent. 'Om dat met Zeller te regelen, bedoel ik.'

'Nee, dat denk ik niet. Ik ben ervan overtuigd dat hij met beide handen de kans zal aangrijpen om die klus aan mij te geven,' zei Pierson behoedzaam, terwijl ze er hardop over nadacht. 'Ik ben de FBI-expert ten aanzien van de Lazarusbeweging. De waarnemend directeur begrijpt dat. En één ding zal voor iedereen heel duidelijk moeten zijn, van het Witte Huis tot aan het laagste echelon. Deze wreedheid zal ergens op de een of andere manier in verband moeten worden gebracht met de Beweging.'

'Juist,' zei Burke. 'En in de tussentijd zal ik van mijn kant TOCSIN blijven pushen.'

'Is dat verstandig?' vroeg Pierson scherp. 'Misschien moeten we daar nu van afzien.'

'Daar is het te laat voor,' zei Burke haar botweg. 'Alles is al in gang, Kit. Of we gaan erin mee, of we gaan erin onder.'

9

Het Witte Huis
De leden van het nationale veiligheidsteam van de president die bijeenzaten om de volle vergadertafel in de Situation Room van het Witte Huis waren in een sombere, gedeprimeerde stemming. Dat mochten ze verdomme ook wel zijn, dacht Sam Castilla grimmig. De eerste verslagen van de ramp bij het Teller Instituut waren al behoorlijk erg geweest. Elk nieuw rapport was zelfs nog erger.

Hij wierp een blik op de dichtstbijzijnde klok. Het was veel later dan hij had gedacht. In de beslotenheid van deze kleine ondergrondse ruimte met kunstlicht kreeg je vaak een verkeerd idee van hoeveel tijd er was verstreken. Het was al enkele uren geleden sinds Fred Klein hem het eerste nieuws had verteld over de gruwelen die zich in Santa Fe afspeelden.

Nu keek de president ongelovig de tafel rond. 'Willen jullie me vertellen dat we nog steeds geen harde cijfers hebben van het aantal slachtoffers – ofwel in het Teller Instituut zelf, ofwel daarbuiten onder de demonstranten?'

'Nee, meneer de president. Die hebben we niet,' erkende Bob Zeller, de waarnemend directeur van de FBI. Hij zat neerslachtig ineengezakt in zijn stoel. 'Meer dan de helft van de wetenschappers en het personeel in het Instituut wordt als vermist opgegeven. De meesten van hen zijn waarschijnlijk dood. Maar tot de branden geblust zijn, kunnen we niet eens opsporings- en reddingsteams naar binnen sturen. Wat de demonstranten betreft...' Zellers stem stierf weg.

'Het is mogelijk dat we nooit precies zullen weten hoeveel van hen zijn omgekomen, meneer de president,' onderbrak zijn nationale veiligheidsadviseur Emily Powell-Hill hem. 'U hebt de beelden gezien van wat er buiten de labs gebeurd is. Het zou maanden kunnen duren het weinige dat er van die mensen over is te identificeren.'

'Volgens de belangrijkste omroepen zijn er minstens tweeduizend doden,' zei Charles Ouray, de stafchef van het Witte Huis. 'En zij voorspellen dat dat aantal nog kan stijgen. Misschien wel tot drie- of vierduizend.'

'Waarop is dat gebaseerd, Charlie?' beet de president hem toe. 'Louter speculatie en gissingen?'

'Ze gaan af op beweringen van woordvoerders van de Lazarusbeweging,' zei Ouray zachtjes. 'Aan die mensen wordt door de pers – en het grote publiek – meer geloof gehecht dan vroeger. Meer dan aan ons op dit moment.'

Castilla knikte. Dat was maar al te waar. De eerste verschrikkelijke tv-beelden waren live en ongeredigeerd uitgezonden door diverse satellietverbindingen van de nieuwszenders. Tientallen miljoenen mensen in Amerika en honderden miljoenen over de hele wereld hadden de gruwelijke beelden met hun eigen ogen gezien. De omroepen waren nu discreter en legden een waas over de meer plastische scènes van doodsbange demonstranten van de Lazarusbeweging die levend werden opgevreten. Maar het was te laat. De schade was al aangericht.

Alle wilde, sensationele beweringen van de Lazarusbeweging over de gevaren van nanotechnologie leken gerechtvaardigd. En nu leek de Beweging vastbesloten om een verhaal te verspreiden dat nog enger en nog meer paranoïde was. Deze theorie dook al op op hun websites en bij andere belangrijke gespreksgroepen op het internet. Daarin werd beweerd dat in de Tellerlabs geheime nanotechoorlogswapens voor het Amerikaanse leger werden ontwikkeld. Met behulp van griezelig veel op elkaar lijkende foto's van verminkte doden op beide plaatsen werd er een verband gelegd tussen de verschrikking in Santa Fe en het eerdere bloedbad in Kusasa in Zimbabwe. Degenen die het verhaal verspreidden betoogden dat deze foto's aantoonden dat 'elementen binnen de Amerikaanse regering' bij de eerste test van die nanotechwapens een vreedzaam dorpje hadden uitgeroeid.

Castilla's gezicht vertrok. Met de algehele hysterie zou niemand aandacht besteden aan kalme technische weerleggingen van vooraanstaande wetenschappers. Of aan geruststellende speeches van politici zoals hij, zo bracht de president zichzelf in herinnering. Onder druk van bange kiezers eisten vele congresleden al een onmiddellijk nationaal verbod op nanotechonderzoek. En alleen God wist hoeveel andere regeringen over de hele wereld geloof zouden hechten aan de wilde beweringen van de Beweging over Amerika's geheime 'nanotechwapenprogramma'.

Castilla wendde zich tot David Hanson, die aan de andere kant van de tafel zat. 'Heb jij daar iets aan toe te voegen, David?'

De directeur van de CIA haalde zijn schouders op. 'Afgezien van de observatie dat wat er bij het Teller Instituut is gebeurd bijna zeker een koel berekenende terreuractie is? Nee, meneer de president.'

'Loop je niet een beetje op de zaken vooruit?' vroeg Emily Powell-Hill kortaf. De voormalige brigadegeneraal van het leger en de directeur van de CIA konden elkaar niet zien of luchten. Volgens haar was Hanson een veel te enthousiaste voorstander van extreme oplossingen voor nationale veiligheidsproblemen.

In stilte was de president het eens met haar inschatting. Maar de onbehaaglijke waarheid was dat Hansons wildere voorspellingen dikwijls juist waren en dat de meeste van de clandestiene operaties die hij voorstond succes hadden. En in dit geval sloot de verklaring van het hoofd van de CIA perfect aan op wat Castilla al van Fred Klein van Covert-One had gehoord.

'Speculeer ik vooruitlopend op alle feiten? Ja, dat is duidelijk,' gaf Hanson toe. Hij tuurde minzaam over de rand van zijn schildpadbril naar de nationale veiligheidsadviseur. 'Maar ik snap niet waarom we zoveel tijd moeten verspillen aan alternatieve theorieën, Emily. Tenzij je werkelijk gelooft dat de indringers die bij het Teller Instituut hebben ingebroken niets te maken hadden met de bommen die minder dan een uur later ontploften. Eerlijk gezegd, vind ik dat een beetje naïef.'

Emily Powell-Hill bloosde hevig.

Castilla kwam tussenbeide voor de discussie uit de hand kon lopen. 'Laten we aannemen dat je gelijk hebt, David. Stel dat deze ramp een terreuractie is. Wie zijn de terroristen dan?'

'De Lazarusbeweging,' zei de directeur van de CIA botweg. 'Om juist die redenen die ik heb aangegeven toen we de Dreigingsinschatting van de gezamenlijke inlichtingendiensten bespraken, meneer de president. Wij vroegen ons toen af wat "het grote gebeuren" in Santa Fe zou zijn.' Hij haalde zijn smalle schouders op. 'Nou, dat weten we nu.'

'Wil je werkelijk beweren dat de leiders van de Lazarusbeweging achter de dood van meer dan tweeduizend van hun eigen aanhangers zitten?' vroeg Ouray. De stafchef was openlijk sceptisch.

'Willens en wetens?' Hanson schudde zijn hoofd. 'Dat weet ik niet. En tot we een beter idee krijgen van waardoor die mensen nou precies zijn omgekomen, zullen we dat ook niet weten. Maar ik ben er vast van overtuigd dat de Lazarusbeweging betrokken was bij de terreuraanslag zelf.'

'Hoe dat zo?' vroeg Castilla.

'Kijk eens naar de timing, meneer de president,' opperde de directeur van de CIA. Een voor een ging hij zijn rijtje met argumenten af, met de precisie van een hoogleraar die een dierbare stelling uiteenzette voor een bijzonder domme klas met eerstejaars. 'Ten eerste: wie heeft een massale demonstratie bij het Teller Instituut georganiseerd? De Lazarusbeweging. Ten tweede: waarom bevonden de bewakers van het Instituut zich buiten het gebouw toen het zogenaamde team van de Geheime Dienst arriveerde – zodat ze niet in staat waren tegen hen op te treden? Omdat ze geen kant op konden door diezelfde demonstratie? Ten derde: wie verhinderden dat de echte agenten van de Geheime Dienst het gebouw in konden? Diezelfde demonstranten van de Lazarusbeweging. En, ten slotte, ten vierde: waarom konden de staatspolitie en de plaatselijke politie van Santa Fe de indringers niet onderscheppen toen ze het Instituut verlieten? Omdat zij hun handen vol hadden aan de chaos bij het Instituut.'

Bijna tegen zijn wil knikte Castilla. Het betoog van het hoofd van de CIA was niet waterdicht, maar wel overtuigend.

'Meneer, we kunnen niet publiekelijk zo'n onbewezen beschuldiging tegen de Lazarusbeweging inbrengen!' interrumpeerde Ouray. 'Dat zou politieke zelfmoord zijn. Om de suggestie alleen al zou de pers ons afmaken!'

'Charlie heeft volkomen gelijk, meneer de president,' zei Emily Powell-Hill. De nationale veiligheidsadviseur wierp snel een boze blik in de richting van het hoofd van de CIA voordat ze verderging. 'Als we de Beweging hiervan de schuld zouden geven, zouden we elke aanhanger van samenzweringstheorieën over de hele wereld in de kaart spelen. We kunnen het ons niet veroorloven om ze nog meer kruit te geven. Niet nu.'

Er viel een sombere stilte rond de vergadertafel in de Situation Room.

David Hanson verbrak het zwijgen. 'Eén ding is zeker,' zei hij onbewogen. 'De Lazarusbeweging profiteert nu al van het publieke martelaarschap van zoveel van haar volgelingen. Over de hele wereld hebben honderdduizenden nieuwe vrijwilligers hun naam aan de e-maillijsten van de Beweging toegevoegd. En miljoenen hebben elektronisch bijdragen gestort op haar publieke bankrekeningen.'

Het hoofd van de CIA keek Castilla strak aan. 'Ik begrijp uw tegenzin om tegen de Lazarusbeweging op te treden zonder bewijs van haar terroristische activiteiten, meneer de president. Ik ben me bewust van de politieke implicaties. En ik hoop oprecht dat het FBI-onderzoek bij het Teller Instituut het bewijs oplevert dat u nodig heeft. Maar het is mijn plicht om u te waarschuwen dat elk oponthoud vreselijke consequenties kan hebben voor de veiligheid van dit land. Met elke dag die verstrijkt zal deze Beweging sterker worden. En met elke dag die verstrijkt, zal ons vermogen om haar succesvol het hoofd te bieden afnemen.'

Het mobiele commandocentrum van Lazarus
De man die Lazarus werd genoemd zat alleen in een klein maar smaakvol gemeubileerd compartiment. De jaloezieën voor de ramen zaten dicht, zodat er geen glimp van de buitenwereld binnenkwam. Beelden flikkerden over het computerscherm voor hem, televisiebeelden van het bloedbad bij het Teller Instituut.

Hij knikte in zichzelf. Wat hij zag gaf hem een kille voldoening. De plannen die hij in de loop van meerdere jaren zo zorgvuldig en geduldig had uitgewerkt, gingen eindelijk in vervulling. Veel van het werk, zoals het selectief elimineren van de vorige leiders van de Beweging, was moeilijk, pijnlijk en gevaarlijk geweest. De Horatiërs – sterk, zeer goed getraind in de kunst van het moorden en bijzonder wreed – hadden hem daarbij goede diensten bewezen.

Even gleed er iets van verdriet over zijn gezicht. Hij betreurde oprecht dat het nodig was geweest om zoveel mannen en vrouwen te elimineren die hij ooit bewonderd had – mensen wier enige tekortkoming was geweest dat ze de noodzaak van hardere maatregelen om hun gezamenlijke dromen te verwerkelijken niet wilden zien. Afgezien van persoonlijke spijt bewezen de gebeurtenissen de juistheid van zijn visie. In de afgelopen twaalf maanden dat hij alleen de leiding had gehad, had de Beweging meer bereikt dan in al de voorgaande jaren van halfhartig conventioneel activisme. Het herstel van de zuiverheid van de wereld vereiste stoutmoedige, resolute actie, en geen saaie retoriek en zwakke politieke protesten.

In feite betekende het, zoals de naam van de Beweging suggereerde, uit de dood zelf nieuw leven voortbrengen.

Zijn computer gaf met een zacht klingelsignaal te kennen dat er weer een gecodeerd bericht van het Centrum zelf naar hem werd doorgestuurd. Lazarus las het zwijgend door. De dood van Prime was een ongemak, maar het verlies van een van zijn drie Horatiërs woog niet op tegen de resultaten van de aanslag op het Teller Instituut en het daaropvolgende bloedbad onder zijn eigen aanhangers. Misleid door de informatie die hij aan hen had doorgespeeld, informatie die hun eigen grootste angsten bevestigde, waren medewerkers van de Amerikaanse CIA en FBI verstrikt geraakt in een massamoord. Wat in de ogen van die arme dwazen een vreselijke vergissing moest zijn, was in feite van meet af aan zo gepland. Zij waren schuldig en hij zou hun schuldgevoel tegen hen gebruiken voor zijn eigen doeleinden.

Lazarus glimlachte hardvochtig. Met één enkele dodelijke slag had hij het de Verenigde Staten, of welke andere westerse regering dan ook, nagenoeg onmogelijk gemaakt om resoluut tegen de Beweging op te treden. Hij had hun eigen kracht tegen hen gekeerd – zoals elke meester in jiujitsu zou doen. Hoewel zijn vijanden het nog niet beseften, had hij de touwtjes in handen. Elke actie die ze ondernamen tegen de Beweging zou zijn overwicht alleen maar versterken en hen tegelijkertijd verzwakken.

Nu was het tijd om een begin te maken met het tegen elkaar opzetten van ooit loyale bondgenoten. De wereld stond al wantrouwend tegenover Amerika's militaire en wetenschappelijke macht en de motieven van Washington. Met de juiste prikkels en mediamanipulaties zou de wereld algauw geloven dat Amerika, de enige supermacht, knoeide met de bouwstenen van de schepping en nieuwe wapens op een nanoschaal ontwikkelde – allemaal om haar eigen wrede en zelfzuchtige doelen na te jagen. De wereld zou uiteenvallen in degenen die de kant van Lazarus kozen en degenen die dat niet deden. En steeds meer regeringen zouden zich, onder druk van hun eigen volk, tegen de Verenigde Staten keren.

De resulterende verwarring, chaos en wanorde zouden hem goed uitkomen. Ze zouden hem de tijd verschaffen die hij nodig had voor de voltooiing van zijn grootse plan – een plan dat het aanzien van de aarde voorgoed zou veranderen.

10

Het werd snel donker in het hoge woestijnlandschap rond Santa Fe. In het noordwesten hadden de hoogste toppen van het Jemezgebergte, die door de laatste stralen van de ondergaande zon werden opgelicht, een vuurrode gloed. Het lagergelegen land in het oosten was al in de toenemende duisternis gehuld. Even ten zuiden van de stad zelf dansten vuurtongen nog steeds spookachtig tussen de verwrongen en gehavende puinhopen van het Teller Instituut, met een oranje, rode en gele flakkering als de vlammen zich te goed deden aan kapot meubilair, steunbalken, omgevallen chemicaliën, door bommen vernielde apparatuur en de lichamen van de mensen die binnen vastzaten. De avondlucht was vergeven van de scherpe stank van rook.

Diverse brandweerwagens waren ter plekke, maar zij werden buiten het gebied gehouden dat was afgezet door de plaatselijke politie en de National Guard. Er werd niet echt meer gehoopt dat er nog overlevenden in het brandende gebouw gevonden zouden worden, dus niemand wilde het risico lopen om nog meer mensen bloot te stellen aan de op hol geslagen nanomachines die zoveel activisten van de Lazarusbeweging gedood hadden.

Jon Smith stond stijf aan de buitenste rand van het kordon, en keek naar de onbeheersbare branden. Zijn magere gezicht stond verwilderd en zijn schouders hingen af. Zoals vele soldaten voelde hij zich dikwijls neerslachtig na heftige gevechten. Ditmaal was het erger. Hij was niet gewend om te verliezen. Samen hadden hij en Frank Diaz de helft van de terroristen die het Teller Instituut hadden aangevallen gedood of gewond, maar toch waren de bommen die ze hadden geplaatst afgegaan. Ook kon Smith de gruwelijke aanblik van duizenden tot slijm en stukjes bot gereduceerde mensen niet vergeten.

De versleutelde mobiele telefoon in zijn binnenzak trilde plotseling. Hij pakte hem en antwoordde. 'Smith.'

'Je moet me meer uitvoerig verslag doen, kolonel,' viel Fred Klein met de deur in huis. 'De president is nog steeds in bespreking met zijn nationale veiligheidsteam, maar ik verwacht op zeer korte termijn weer een telefoontje van hem. Ik heb je voorlopige rapport al aan hem doorgespeeld, maar hij zal meer willen weten. Je moet me precies vertellen wat je hebt gezien en wat er vandaag volgens jou is gebeurd.'

Smith deed zijn ogen dicht, opeens uitgeput. 'Begrepen,' zei hij dof.

'Ben je gewond geraakt, Jon?' vroeg het hoofd van Covert-One. Hij klonk bezorgd. 'Je hebt eerder niets gezegd en dus nam ik aan...'

Smith schudde zijn hoofd, een bruuske beweging die elke blauwe plek en verrekte spier in vuur en vlam zette. 'Het is niets ernstigs,' zei hij, terwijl hij ineenkromp. 'Een paar schaaf- en snijwonden, meer niet.'

'Juist.' Klein zweeg even. Het was duidelijk dat hij dat betwijfelde. 'Ik vermoed dat dat betekent dat je op dit moment niet echt doodbloedt.'

'Heus, Fred, ik ben in orde,' zei Smith nu geïrriteerd tegen hem. 'Ik ben arts, weet je nog.'

'Best,' zei Klein voorzichtig. 'Dan gaan we verder. Ten eerste, ben jij er nog steeds van overtuigd dat de terroristen die in het Instituut hebben toegeslagen beroeps waren?'

'Absoluut,' zei Smith. 'Die lui waren heel goed, Fred. Ze hadden de procedures, wapens en identificatie van de Geheime Dienst allemaal perfect voor elkaar. Als het echte team van de Geheime Dienst niet te vroeg was komen opdagen, waren de schurken alweer weggeweest zonder dat iemand er iets van gemerkt had.'

'Tót het moment dat de bommen afgingen,' zei Klein.

'Tot dan,' beaamde Smith grimmig.

'Wat ons op de dode demonstranten brengt,' zei het hoofd van Covert-One. 'Algemeen wordt aangenomen dat door de explosies iets uit een van de labs is vrijgekomen – ofwel een giftige chemische stof ofwel, eerder, een nanotechontwerp dat op hol sloeg. Jij had daar de opdracht om de labs en hun onderzoek te evalueren. Wat denk jij dat er gebeurd is?'

Smith fronste zijn wenkbrauwen. Vanaf het moment dat het schieten en het schreeuwen was opgehouden, had hij zijn hersenen afgepijnigd in een poging om een aannemelijk antwoord op die vraag te bedenken. Wat had in hemelsnaam zoveel demonstranten buiten het Instituut zo snel en op zo'n wrede wijze kunnen doden? Hij zuchtte. 'Slechts één lab werkte aan iets wat direct verband hield met menselijke weefsels en organen.'

'Welk lab?'

'Harcourt Biosciences,' zei Smith. In hoog tempo schetste hij het werk dat Brinker en Parikh hadden verricht met hun Type Twee-nanofagen – inclusief hun laatste experiment, waarbij een volkomen gezonde muis was omgekomen. 'En één van de zwaarste bommen is in het lab van Harcourt afgegaan,' besloot hij. 'Phil en Ravi worden allebei vermist en zijn vermoedelijk dood.'

'Dat is het dan,' zei Klein. Hij klonk vaag opgelucht. 'De bommen zijn opzettelijk geplaatst. Maar de doden buiten moeten onbedoeld zijn geweest, in wezen een soort hightech bedrijfsongeval.'

'Ik geloof er niets van,' zei Smith botweg.

'Waarom niet?'

'Om te beginnen vertoonde de muis die ik zag sterven geen tekenen van celdegeneratie,' antwoordde Smith, terwijl hij erover nadacht. 'Er was niets wat ook maar in de verste verte leek op die algehele desintegratie die ik vanmiddag heb gezien.'

'Zou dat het verschil kunnen zijn tussen de effecten van die nanofagen op muizen en mensen?'

'Dat is uiterst onwaarschijnlijk,' zei Smith tegen hem. 'De reden dat ze in het lab bij hun eerste testen muizen gebruiken is juist hun biologische overeenkomst met mensen.' Hij zuchtte. 'Ik kan er geen eed op doen, Fred, in elk geval niet zonder nader onderzoek. Maar mijn intuïtie zegt me dat de Harcourtnanofagen niet verantwoordelijk kunnen zijn geweest voor deze doden.'

Het was een lang ogenblik stil aan de andere kant van de lijn. 'Je beseft wat dat zou betekenen,' zei Klein ten slotte.

'Ja,' beaamde Smith met tegenzin. 'Als ik gelijk heb en niets van binnen het Instituut al die mensen gedood kan hebben, dan is de werkelijke doodsoorzaak met die terroristen binnengekomen en opzettelijk losgelaten – als een onderdeel van een of ander koelbloedig plan om duizenden activisten van de Lazarusbeweging af te maken. En dat lijkt nergens op te slaan.'

Hij deed even zijn ogen dicht. Hij wankelde en voelde hoe de vermoeidheid die hij had onderdrukt de overhand begon te krijgen.

'Jon?'

Met moeite dwong Smith zich om weer recht te staan. 'Ik ben er nog,' zei hij.

'Gewond of niet, je klinkt alsof je doodop bent,' zei Klein tegen hem. 'Je moet uitrusten en bijkomen. Hoe is je situatie daar?'

Ondanks zijn uitputting moest Smith wrang glimlachen. 'Niet geweldig. Ik zal hier niet snel wegkomen. Ik heb mijn verklaring al afgelegd, maar de plaatselijke FBI-mensen houden iedere overlevende van het Instituut die nog kan lopen en praten hier vast, in afwachting van de komst van hun grote blanke opperhoofd uit Washington. En zij wordt hier niet voor morgenochtend vroeg verwacht.'

'Dat is niet verbazend,' zei Klein. 'Maar ook niet goed. Ik zal kijken wat ik kan doen. Momentje.' Zijn stem stierf weg.

Smith keek in het duister, waar met geweren bewapende mannen met camouflagekleding, kevlar helmen en kogelvrije vesten patrouilleerden langs de afzetting tussen hem en het brandende gebouw. De National Guard had een volledige compagnie ingezet om het gebied rond het Teller Instituut af te grendelen. De soldaten hadden orders gekregen om iedereen neer te schieten die door hun kordon probeerde te breken.

Uit wat hij had gehoord kon Smith opmaken dat er nog meer eenheden van de National Guard in Santa Fe hun handen vol hadden met het beschermen van kantoren van staatsinstellingen en nationale instanties en het proberen om de hoofdwegen open te houden voor de hulpdiensten. Een van de plaatselijke politieagenten had hem verteld dat een paar duizend mensen de stad ontvluchtten naar Albuquerque of zelfs in de bergen rondom Taos in de hoop dat ze daar veilig zouden zijn.

De politie had ook haar handen vol aan het in de gaten houden van de overlevenden van de demonstratie van de Lazarusbeweging. Velen waren reeds uit het gebied weggevlucht, maar enkele honderden verdwaasde activisten zwierven doelloos door de straten van Santa Fe. Niemand wist zeker of ze werkelijk in een shocktoestand verkeerden of slechts wachtten om meer problemen te veroorzaken.

Fred Klein kwam weer aan de lijn. 'Het is allemaal geregeld, kolonel,' zei hij kalm. 'Je hebt een vrijgeleide om het beveiligde gebied te verlaten – en een rit terug naar je hotel.'

Smith was erg dankbaar. Hij begreep waarom de FBI het gebied wilde afgrendelen en de weinige betrouwbare getuigen bij de hand wilde houden. Maar hij had er niet naar uitgezien om een lange, koude nacht op een brits in een tent van het Rode Kruis door te brengen of ineengedoken achter in een of andere patrouillewagen van de politie. En zoals reeds zo vaak vroeg hij zich even af hoe Klein – iemand die slechts in de schaduwen opereerde – zoveel invloed kon uitoefenen zonder zijn dekmantel eraan te geven. Maar vervolgens stopte hij, zoals altijd, die vragen weg in zijn achterhoofd. Voor hem was het voornaamste dat het werkte.

Twintig minuten later reed Smith achter in een patrouillewagen van de staatspolitie in noordelijke richting over Highway 84 door het centrum van Santa Fe. Er waren nog steeds lange files van burgerauto's, pick-ups, busjes en SUV's die stukje bij beetje naar het zuiden kropen, in de richting van de aansluiting op Interstate 25, de hoofdweg naar Albuquerque. De boodschap was duidelijk. Veel mensen uit de buurt geloofden niet in de officiële verklaring dat al het gevaar beperkt was tot een betrekkelijk klein gebied rond het Instituut.

Smith fronste zijn voorhoofd toen hij dat zag, maar hij kon het de mensen niet kwalijk nemen dat ze doodsbang waren. Jarenlang was hun verzekerd dat nanotechnologie absoluut, gegarandeerd, veilig was – en toen deden ze hun tv aan en zagen ze hoe schreeuwende demonstranten van de Lazarusbeweging aan flarden werden gereten door minuscule machientjes die te klein waren om gezien of gehoord te worden.

De patrouillewagen ging van Highway 84 af naar het oosten, de Paseo de Peralta op, de vrij brede avenue rond het historische centrum van Santa Fe. Smith zag aan zijn rechterhand een Humvee van de National Guard die een kruising blokkeerde. Meer voertuigen, troepen en politieagenten stonden langs elke straat naar het centrum opgesteld.

Hij knikte stilletjes. Degenen die verantwoordelijk waren voor het handhaven van de wet en de orde maakten zo goed mogelijk gebruik van hun beperkte middelen. Als je slechts één plek moest kiezen om die te beschermen tegen plundering of losbandigheid, dan was het wel het centrum. Er waren andere mooie musea, galeries, winkels en huizen her en der over de rest van de stad verspreid, maar het kloppende hart van Santa Fe was het historische centrum – een doolhof van smalle straten met eenrichtingsverkeer rondom de prachtige, met bomen omzoomde Plaza en het vier eeuwen oude Gouverneurspaleis.

De straten van de oude stad volgden de kronkels van oude karrensporen zoals de Santa Fe en Pecos Trails in plaats van een steriel, ultramodern roosterpatroon. Veel van de gebouwen langs die straten waren een mengeling van oud en nieuw in de Spaans-pueblo neostijl, met aardkleurige adobemuren, platte daken, kleine, diepe ramen en uitstekende houten balken. Andere, zoals het federale gerechtshof, hadden de bakstenen gevel en de slanke witte zuilen van de territoriale stijl – en gingen terug tot 1846 en de Amerikaanse veroveringen tijdens de Mexicaans-Amerikaanse Oorlog. Een groot deel van de geschiedenis, kunst en architectuur die van Santa Fe zo'n unieke Amerikaanse stad maakten bevond zich binnen die relatief kleine buurt.

Smith fronste zijn wenkbrauwen toen ze langs de donkere, verlaten straten reden. Op de meeste dagen gonsde het op de Plaza van de toeristen die foto's namen en bij de koopwaar van plaatselijke kunstenaars en handwerkslieden rondsnuffelden. Indianen zaten in de schaduw van de *portal*, de overdekte promenade, bij het Paleis, om karakteristiek aardewerk en turkooizen sieraden te verkopen. Hij vermoedde dat op die plekken de volgende ochtend, en mogelijk nog vele dagen daarna, een beklemmende verlatenheid zou heersen.

Hij zat slechts vijf straten van de Plaza in de Fort Marcy Hotel Suites. Toen hij net was aangesteld als waarnemer bij het Teller Instituut, had hij het grappig gevonden om zich in te schrijven bij een hotel met een naam die een militaire bijklank had. Maar de suites van het Fort Marcy waren in het geheel niet legerachtig of kleurloos. Acht aparte units besloegen een reeks gebouwen van één à twee verdiepingen op een flauwe heuvel, die op de stad of de nabijgelegen bergen uitkeken. Ze waren allemaal rustig, gerieflijk en elegant gemeubileerd in een mengeling van moderne en traditionele zuidwestelijke stijlen.

De agent van de staatspolitie zette hem voor het hotel af. Smith bedankte hem en hinkte via de promenade naar zijn kamer, een eenslaapkamersuite in de beschutting van schaduwrijke bomen en zorgvuldig aangelegde tuinen. In de aangrenzende gebouwen brandde weinig licht. Hij vermoedde dat veel van zijn medegasten al lang vertrokken waren – dat ze zo snel ze konden naar huis waren.

Jon zocht in zijn portefeuille naar de kaart van zijn kamer, vond hem en deed daarmee de deur open. Toen hij de deur goed had dichtgedaan, voelde hij dat hij zich voor het eerst in uren begon te ontspannen. Hij wurmde zich voorzichtig uit zijn leren jack vol kogelgaten en begaf zich naar de badkamer. Hij goot wat koud water over zijn gezicht en keek toen in de spiegel.

De ogen die terugstaarden waren hol, vermoeid en vol verdriet.

Smith wendde zich af.

Meer uit gewoonte dan omdat hij echt honger had, keek hij in de koelkast in de keuken van de suite. Niets van de in aluminiumfolie verpakte restjes restauranteten zag er lekker uit. In plaats daarvan pakte hij een ijskoude Tecate. Hij draaide de dop eraf en zette het flesje bier op de tafel in de eetkamer.

Een lang moment bleef hij ernaar kijken. Toen wendde hij zijn blik af en staarde wezenloos uit het raam. Het enige wat hij zag, waren de gruwelen waarvan hij eerder getuige was geweest en die in zijn uitgeputte geest telkens weer werden afgespeeld.

11

Malachi MacNamara bleef net binnen de deuren van de Cristo Rey kerk staan. Zwijgend stond hij daar enkele momenten, terwijl hij zijn omgeving opnam. Bleek maanlicht viel door hoog in massieve adobemuren aangebrachte ramen naar binnen. Een groot middenschip met een hoog plafond strekte zich voor hem uit. In de verte, bij het altaar, zag hij een groot scherm, een *reredos*, dat uit drie grote, witte stenen bestond. Het stenen scherm was overdekt met snijwerk van bloemen, heiligen en engelen. Groepjes vermoeide mannen en vrouwen zaten hier en daar in elkaar gezakt op de kerkbanken. Sommigen huilden openlijk. Anderen zaten zwijgend in het niets te staren, nog steeds murw van de gruwelen waarvan ze getuige waren geweest.

MacNamara liep langzaam en onopvallend door een van de zijbeuken, terwijl hij naar de mensen om hem heen keek en luisterde. Hij vermoedde dat de mannen op wie hij jacht maakte hier niet waren, maar hij kon zich daar maar beter van vergewissen voordat hij verderging naar het volgende mogelijke toevluchtsoord. Zijn voeten deden zeer. Hij had al meerdere uren door de kronkelende straten van deze stad gelopen, op het spoor van enkele van de her en der verspreide groepjes overlevenden van de Lazarusbeweging. Met een auto zou het, uiteraard, sneller en efficiënter zijn gegaan. Maar dan zou hij uit zijn rol vallen, herinnerde hij zichzelf – en het zou ook veel te veel opvallen. De auto die hij had meegenomen naar New Mexico zou nog even verborgen moeten blijven.

Een vrouw van middelbare leeftijd met een sympathiek, vriendelijk gezicht haastte zich naar hem toe. Hij besefte dat zij een van de parochianen moest zijn die hun kerk hadden opengesteld voor degenen van wie ze zagen dat ze in nood verkeerden. Niet iedereen in Santa Fe was in paniek geraakt en de bergen in gevlucht. Hij zag de bezorgde blik in haar ogen. 'Kan ik u helpen?' vroeg ze. 'Was u bij de demonstratie bij het Instituut?'

MacNamara knikte somber. ‘Ja, dat was ik.’

Ze legde haar hand op zijn mouw. ‘Het spijt me zo. Het was al eng genoeg om het van een afstand te zien, op de tv, bedoel ik. Ik kan me niet voorstellen hoe het moet zijn geweest als...’ Haar stem verstomde. Haar ogen werden groot.

Hij werd zich er opeens van bewust dat zijn uitdrukking koud, ongelooflijk grimmig was geworden. De gruwelen die hij had gezien waren nog te recent. Met moeite zette hij de vreselijke beelden die in hem opkwamen van zich af. Hij zuchtte. ‘Vergeef me,’ zei hij beminnelijk. ‘Ik wilde u niet bang maken.’

‘Bent u iemand kwijt...’ De vrouw aarzelde. ‘Ik bedoel... bent u naar iemand op zoek? Iemand in het bijzonder?’

MacNamara knikte. ‘Ik ben inderdaad naar iemand op zoek. In feite naar meerdere mensen.’ Hij beschreef ze voor haar.

Ze luisterde aandachtig, maar uiteindelijk kon ze slechts haar hoofd schudden. ‘Ik ben bang dat er niemand is die daarop lijkt.’ Ze zuchtte. ‘Maar u zou het kunnen proberen bij de boeddhistische Upayatempel, als je Cerro Gordo Road verder afloopt, in de heuvels. De monniken daar bieden ook onderdak aan overlevenden. Als u wilt, kan ik u wel wijzen hoe u daar komt.’

De magere man met de blauwe ogen knikte waarderend. ‘Dat zou heel aardig zijn.’ Hij rechtte zijn rug. Nog vele kilometers te gaan voordat je kan slapen, zei hij grimmig tegen zichzelf. En waarschijnlijk ook tevergeefs. De mannen achter wie hij aan zat, waren ongetwijfeld al ondergedoken.

De vrouw keek naar zijn versleten, stoffige laarzen. ‘Ik zou u ook een lift kunnen geven,’ opperde ze weifelend. ‘Als u de hele dag al gelopen heeft, moet u haast wel uitgeput zijn.’

Malachi MacNamara glimlachte voor het eerst in dagen. ‘Ja,’ zei hij zachtjes. ‘Ik ben ontzettend moe. En ik zou heel blij zijn met een lift.’

Buiten Santa Fe

De schuilplaats van het TOCSIN-actieteam bevond zich hoog in de uitlopers van het Sangre de Cristogebergte, niet ver van de weg naar het Santa Fe Ski Basin. Een smalle oprit die werd versperd door een ketting en een bord met VERBODEN TOEGANG kronkelde heuvelopwaarts tussen espen met gouden bladeren, eiken met roodkoperen bladeren en hoog oprijzende sparren.

Hal Burke nam een afslag van de hoofdweg en deed het raampje naar beneden van de Chrysler LeBaron die hij meteen na zijn aankomst op het vliegveld van Albuquerque had gehuurd. Hij zat en wachtte, waarbij hij ervoor zorgde dat zijn handen goed te zien waren op het stuur.

Een donkere gedaante kwam uit de beschutting van een van de grote bomen. Het zwakke licht van de koplampen scheen op een smal, hard, achterdochtig gezicht. Een hand hing achterdochtig in de buurt van de 9mm Walther in een holster aan zijn heup. 'Dit is een particuliere weg, meneer.'

'Ja, dat is het,' beaamde Burke. 'En ik ben een particulier. Mijn naam is Tocsin.'

De wacht kwam dichterbij, gerustgesteld doordat Burke de juiste herkenningscode gebruikte. Hij scheen met een zaklampje over het gezicht van de CIA-agent en vervolgens over de achterbank van de Chrysler om zich ervan te vergewissen dat Burke alleen was. 'Oké. Een identificatie graag.'

Burke viste behoedzaam zijn CIA-pasje uit de zak van zijn jasje en gaf dat aan de man.

De wacht bekeek de foto aandachtig. Toen knikte hij, gaf het pasje terug en maakte de ketting los die de oprit versperde. 'U kunt doorrijden, meneer Tocsin. Ze wachten op u in het huis.'

Het huis, dat ongeveer vijfhonderd meter verderop aan het smalle weggetje stond, was een groot, half houten chalet in Zwitserse stijl, met een steil dak waar grote sneeuwhopen makkelijk af konden glijden. In een doorsneewinter viel er in dit deel van het Sangre de Cristogebergte meer dan tweeëneenhalve meter sneeuw – en die winter begon dikwijls al aan het eind van oktober. In de skigebieden op de hogere hellingen lag doorgaans twee keer zo veel sneeuw.

Burke parkeerde op een door het weer gebarsten betonnen pad bij een trap die naar de voordeur van het chalet leidde. In het donker verspreidde de verlichting achter de dichte jaloezieën voor de ramen een gele gloed. De bossen rondom het huis waren stil en volkomen beweginloos.

De voordeur van het chalet ging open voordat hij zelfs maar uit de auto was gestapt. De wacht aan het begin van de oprit moest hebben gebeld dat hij eraan kwam. Daar stond een lange man met kastanjebruin haar, die met felgroene ogen op hem neerkeek.

'Dat heeft u snel gedaan, meneer Burke.'

De CIA-agent knikte terwijl hij naar de grotere man staarde. Ongemakkelijk vroeg hij zich af welke van het vreemde trio dat zich de Horatiërs noemde dit was. De drie grote mannen waren niet als broers geboren. In plaats daarvan zei men dat hun identieke uiterlijk, hun enorme kracht en behendigheid en hun vele, uiteenlopende vaardigheden het gevolg waren van jarenlange zorgvuldige operaties, uitgebreide fysieke vorming en intensieve training. Burke had hen op aandrang van hun schepper gekozen als sectieleiders voor TOCSIN, maar hij kon een gemengd gevoel van angst en ontzag nooit helemaal onderdrukken als hij een van de Horatiërs zag. En hij kon ze ook niet uit elkaar houden.

Uiteindelijk deed hij er maar een gooi naar. 'Ik had alle reden om me te haasten, Prime,' antwoordde hij.

De man met de groene ogen schudde zijn hoofd. 'Ik ben Terce. Prime is helaas dood.'

'Dood? Hoe?' vroeg Burke scherp.

'Hij is omgekomen bij de operatie,' zei Terce rustig tegen hem. Hij deed een stap opzij en leidde Burke binnen in het chalet. Een gestoffeerde trap leidde naar de eerste verdieping. Een lange gang met een natuurstenen vloer en donkere vurenhouten wandpanelen liep dieper het huis in. Fel licht viel door een open deur aan de achterkant. 'In feite bent u net op tijd om ons te helpen beslissen met betrekking tot een kleinigheidje dat verband houdt met de dood van Prime.'

De CIA-agent volgde de grote man door de open deur naar een grote, glazen veranda over de hele breedte van het huis. De enigszins aflopende betonnen vloer, met in het midden een metalen afvoer en de rekken aan de wanden vertelden hem dat het vertrek doorgaans werd gebruikt als opslag- en droogruimte voor besneeuwde buitenspullen – dikke laarzen, cross-countryski's en sneeuwschoenen. Maar nu werd hij door de nieuwe eigenaars van het chalet gebruikt als gevangeniscel.

Een kleine man met kromme schouders, een olijfkleurige huid en een keurig verzorgde snor zat ongemakkelijk op een krukje dat precies in het midden van de kamer stond – vlak boven de afvoer. Hij was gekneveld en zijn handen waren op zijn rug gebonden. Zijn voeten waren aan de poten van het krukje vastgebonden. Boven de knevel waren twee donkerbruine ogen opengesperd, die wild naar de twee mannen staarden die net waren binnengekomen.

Burke draaide zijn hoofd naar Terce. Hij trok een wenkbrauw op in een onuitgesproken vraag.

'Onze vriend hier, Antonio, was de reservechauffeur van het team dat de aanslag uitvoerde,' zei de grotere man zachtjes. 'Helaas raakte hij in paniek in de terugtrekkingsfase. Hij liet Prime achter.'

'Jullie waren dus gedwongen om Prime te elimineren?' vroeg Burke. 'Om te voorkomen dat hij gevangengenomen zou worden?'

'Niet precies. Prime werd... *verteerd,*' zei Terce tegen hem. Hij schudde grimmig zijn hoofd. 'U had ons moeten waarschuwen voor de plaag die onze bommen zouden loslaten, meneer Burke. Ik hoop maar dat deze nalatigheid van uw kant niet meer was dan een vergissing – en geen opzet.'

De CIA-agent fronste zijn voorhoofd. Hij hoorde de impliciete dreiging in de stem van de andere man. 'Niemand wist hoe gevaarlijk die verdomde nanomachines werkelijk waren!' zei hij snel. 'In de geheime rapporten van Harcourt, Nomura of het Instituut die ik bestudeerd heb, stond niets wat suggereerde dat zoiets kon gebeuren!'

Terce nam hem even onderzoekend op. Toen knikte hij. 'Best. Ik aanvaard uw verzekeringen. Voorlopig.' De tweede Horatiër haalde zijn schouders op. 'Maar de missie heeft een averechts effect. De Lazarusbeweging zal nu sterker worden in plaats van zwakker. Wilt u doorgaan, dat in aanmerking genomen? Of moeten we onze biezen pakken en er stilletjes vandoor gaan nu er nog tijd is?'

Burke keek kwaad. Hij zat er nu te diep in om zich terug te trekken. Misschien was het nog nooit zo noodzakelijk geweest om de Beweging te vernietigen. Hij schudde resoluut zijn hoofd. 'We gaan door. Is jouw team klaar om het alternatieve plan in werking te stellen?'

'Dat zijn we.'

'Mooi,' zei de CIA-agent mat. 'Dan hebben we nog steeds een goede kans dat we Lazarus de schuld kunnen geven van het gebeuren bij het Instituut. Zet het alternatieve plan in werking – vanavond.'

'Komt voor elkaar,' beaamde Terce zachtjes. Hij wees naar de gebonden man. 'Intussen moeten we dit disciplinaire probleem oplossen. Wat stelt u voor dat we met Antonio hier zullen doen?'

Burke keek hem scherp aan. 'Dat is toch duidelijk!' zei hij. 'Als deze man één keer onder de druk is bezweken, is er een grote kans dat hij dat nog een keer zal doen. Dat kunnen we ons niet veroorloven. TOCSIN is al gevaarlijk genoeg. Maak hem gewoon af en dump het lijk ergens waar het de komende paar weken niet gevonden zal worden.'

De chauffeur kreunde zachtjes achter zijn knevel. Zijn schouders zakten omlaag.

Terce knikte. 'Er is niets aan te merken op uw redenering, meneer Burke.' Zijn groene ogen keken geamuseerd. 'Maar aangezien het úw redenering en úw oordeel is, denk ik dat u het vonnis zelf zult moeten uitvoeren.' Hij gaf de CIA-agent een gevechtsmes met een lang lemmet, met de handgreep naar hem toe.

Burke besefte kwaad dat dit een test was. De grote man wilde zien hoe ver hij zou gaan om zichzelf te verbinden aan het vuile werk waartoe hij opdracht gaf. Nou, leiding geven aan een groep huurlingen voor clandestiene operaties was nooit makkelijk, en hij had al eerder, bij andere operaties, mannen gedood om zichzelf te bewijzen – moorden die hij zorgvuldig geheimhield voor zijn meerderen achter hun schrijftafels. De CIA-agent verborg zijn afkeer, trok zijn jasje uit en hing het over een van de skibeugels. Toen stroopte hij de mouwen van zijn overhemd op en pakte hij de dolk.

Burke dacht er niet verder over na, maar ging meteen achter het krukje staan, trok het hoofd van de gebonden chauffeur met een ruk achterover, en haalde het lemmet van het gevechtsmes krachtig langs zijn keel. Bloed spoot door de lucht, vuurrood onder het felle peertje van de plafondverlichting.

De stervende man spartelde wild en rukte met zijn armen en benen aan de touwen waarmee hij was vastgebonden. Hij viel met kruk en al omver en bleef stuiptrekkend liggen, terwijl zijn leven over de betonnen vloer uit hem wegliep.

Burke wendde zich weer tot Terce. 'Tevreden?' beet hij hem toe. 'Of wil je dat ik ook nog zijn graf graaf?'

'Dat zal niet nodig zijn,' zei de andere man kalm. Hij knikte in de richting van een grote rol canvas in de hoek aan de andere kant van de veranda. 'We hebben al een graf voor die arme Joachim daar. Dat kan hij wel met Antonio delen.'

De CIA-agent besefte opeens dat hij naar nog een lijk stond te kijken, dat in een zeildoek was gewikkeld.

'Joachim raakte gewond toen we ons uit het Instituut terugtrokken,' legde Terce uit. 'Hij werd in zijn schouder en zijn been getroffen. Zijn verwondingen waren niet direct levensgevaarlijk, maar zouden spoedig wel aanzienlijk medisch ingrijpen hebben vereist. Ik deed wat nodig was.'

Burke knikte langzaam. Hij begreep het. De lange man met de groene ogen en zijn kameraden zouden niet hun eigen veiligheid op het spel zetten door iemand medisch te laten behandelen die te zwaar gewond was om mee te komen. Het TOCSIN-actieteam zou iedereen doden die een bedreiging vormde voor zijn missie, zelfs zijn eigen leden.

12

Donderdag 14 oktober
Het Witte Huis
Het was na middernacht en de zware rood-gele Navajogordijnen waren dicht, zodat het Oval Office was afgesloten voor glurende ogen. Niemand buiten de westvleugel van het Witte Huis hoefde te weten dat de president van de Verenigde Staten nog steeds hard aan het werk was – of wie hij sprak.

Sam Castilla zat in zijn overhemd aan zijn grote vurenhouten tafel en werkte zich gestaag door een stapel haastig opgestelde presidentiële noodbesluiten. De zware koperen leeslamp in een hoek van zijn tafel wierp een cirkel van licht op zijn papieren. Nu en dan krabbelde hij aantekeningen in de kantlijn of streepte hij een slecht geformuleerde zinswending door.

Ten slotte zette hij met een snelle haal van zijn pen zijn handtekening onder aan de diverse gecorrigeerde besluiten. Hij kon later wel schone kopieën voor de nationale archieven ondertekenen. Op dit moment was het belangrijkste om ervoor te zorgen dat het logge raderwerk van de overheid wat sneller ging draaien. Hij keek even op.

Charles Ouray, zijn stafchef, en Emily Powell-Hill, zijn nationale veiligheidsadviseur, zaten in elkaar gezakt in twee grote leren stoelen die voor zijn tafel waren gezet. Ze zagen er moe uit, afgemat door de lange uren die ze hadden gependeld tussen het Witte Huiscomplex en de diverse departementen om die besluiten klaar te krijgen zodat hij er zijn handtekening onder kon zetten. Het was nooit makkelijk om te proberen zes verschillende uitvoerende regeringscolleges op één lijn te krijgen, omdat ze allemaal hun eigen concurrerende opvattingen en voorkeuren hadden.

'Is er nog meer dat ik nu moet weten?' vroeg Castilla hun.

Ouray sprak het eerst. 'We hebben de eerste ochtendkranten uit Europa binnen, meneer de president.' Zijn mond trok naar beneden.

'Laat me raden,' zei Castilla zuur. 'We krijgen er flink van langs.'
Emily Powell-Hill knikte. Haar ogen stonden bezorgd. 'Door de meeste belangrijke dagbladen in alle Europese landen – Frankrijk, Duitsland, Italië, Engeland, Spanje en alle andere. De algemene opinie lijkt te zijn dat ongeacht wat er bínnen in het Teller Instituut is misgegaan, het bloedbad buíten grotendeels onze schuld is.'
'Om welke redenen?' vroeg de president.
'Er zijn veel wilde speculaties over een of ander geheim nanotechwapenprogramma dat op hol is geslagen,' zei Ouray zachtjes tegen hem. 'In de Europese pers wordt die opvatting breed uitgemeten, met alle sensatieverhalen op de voor- en middenpagina's en onze officiële ontkenningen ergens onopvallend helemaal aan het eind.'
Castilla's gezicht vertrok. 'Wat doen ze? Publiceren ze woord voor woord de persverklaringen van de Lazarusbeweging?'
'Nagenoeg,' zei Powell-Hill botweg. Ze haalde haar schouders op. 'Hun verhaal bevat alle plotelementen waar Europeanen dol op zijn: het grote, boze, geheimzinnige en blunderende Amerika dat over een vreedzaam, dapper groepje waarheidslievende milieuactivisten heen walst. En, zoals u zich kunt voorstellen, wordt elke vergissing die we de afgelopen vijftig jaar in ons buitenlands beleid hebben gemaakt weer helemaal opgerakeld.'
'Wat zullen de vermoedelijke politieke consequenties zijn?' vroeg de president haar.
'Niet best,' zei ze tegen hem. 'Natuurlijk zijn enkele van onze "vrienden" in Parijs en Berlijn altijd op zoek naar een kans om ons te grazen te nemen. Maar zelfs onze echte Europese vrienden en bondgenoten zullen hier heel voorzichtig mee moeten omspringen. Het is nooit een erg populair standpunt om de kant te kiezen van 's werelds enige supermacht en veel van die regeringen zijn op dit moment wankel. De publieke opinie hoeft niet erg om te slaan om ze ten val te brengen.'
Ouray knikte. 'Emily heeft gelijk, meneer de president. Ik heb gesproken met de mensen bij Buitenlandse Zaken. Zij krijgen erg bezorgde, officieuze vragen vanuit Europa, en ook van de Japanners. Onze vrienden willen een aantal harde garanties dat deze verhalen niet kloppen – en, net zo belangrijk, dat wij kunnen bewíjzen dat ze niet kloppen.'
'Bewijzen dat iets niet zo is?' Castilla schudde gefrustreerd zijn hoofd. 'Dat is niet makkelijk.'
'Nee, meneer,' beaamde Emily Powell-Hill. 'Maar we zullen onze best moeten doen. Zo niet, dan zullen we zien dat onze bondge-

nootschappen beginnen af te brokkelen en dat Europa zich nog verder van ons verwijdert.'

Een paar minuten nadat zijn twee meest intieme adviseurs waren vertrokken, zat Castilla aan zijn tafel te piekeren over verschillende manieren om de Europese publieke en elitaire opinie te bezweren. Zijn gezicht werd somber. Helaas had hij erg weinig mogelijkheden. Ongeacht hoeveel van hun nationale labs en militaire bases de Verenigde Staten openstelden voor publieke inspectie, ze konden nooit hopen dat ze de storm van de door het internet aangewakkerde hysterie volledig tot rust konden brengen. Geruchten van vreemde figuren, vernietigende overdrijvingen, gemanipuleerde foto's en regelrechte leugens konden de aarde over gaan met de snelheid van het licht, veel sneller dan de waarheid.

Hij keek op toen er zachtjes op zijn deur werd geklopt. 'Ja?'

Zijn persoonlijke secretaresse stak haar hoofd om de hoek. 'De Geheime Dienst heeft net gebeld, meneer de president. Meneer Nomura is er. Ze brengen hem nu hierheen.'

'Discreet mag ik hopen, Estelle,' herinnerde Castilla haar.

Er gleed een flauwe glimlach over haar doorgaans keurig nette gezicht. 'Ze komen via de keukens, meneer. Ik neem aan dat dat discreet genoeg is.'

Castilla grinnikte. 'Dat zou wel moeten. Nou, laten we maar hopen dat daar geen nachtelijke persmuskieten rondsnuffelen op zoek naar een middernachtelijk hapje.' Hij stond op, trok zijn das recht en deed zijn jasje aan. In het Witte Huis binnengeleid worden langs de vuilnisbakken in de keuken was een groot verschil vergeleken met de indrukwekkende ceremonie waarmee een bezoek aan de Amerikaanse president doorgaans gepaard ging, dus het minste wat hij kon doen was Hideo Nomura met zoveel mogelijk decorum begroeten.

Slechts één à twee minuten later deed zijn secretaresse, mevrouw Pike, de deur open voor de directeur van Nomura PharmaTech. Castilla kwam met een brede glimlach naar voren om hem te begroeten. De twee mannen bogen snel en beleefd naar elkaar in Japanse stijl en gaven elkaar toen een hand.

De president liet zijn gast plaatsnemen op de grote leren bank die dwars in het midden van de kamer stond. 'Ik ben heel dankbaar dat je op zo korte termijn kon komen, Hideo. Je bent vanavond vanuit Europa komen vliegen, begrijp ik?'

Nomura glimlachte beleefd terug. 'Het was geen grote moeite, meneer de president. Dat is het voordeel als je een snelle bedrijfsjet hebt. In feite zou ik u moeten bedanken. Als uw staf geen contact met me zou hebben opgenomen, zou ik degene zijn geweest die om een onderhoud gesmeekt zou hebben.'

'Vanwege de ramp bij het Teller Instituut?'

De jongere Japanse man knikte. Zijn zwarte ogen fonkelden. 'Mijn bedrijf zal deze wrede terreuractie niet snel vergeten.'

Castilla had begrip voor zijn woede. Het lab van Nomura PharmaTech in het Instituut was volledig verwoest en het directe financiële verlies voor het multinationale bedrijf uit Tokio was ontstellend, bijna 100 miljoen dollar. Dat was nog zonder mee te rekenen wat het kostte om de jaren van onderzoek over te doen die met het lab verloren waren gegaan, en de kosten in mensenlevens waren nog hoger. Vijftien van de achttien uiterst bekwame wetenschappers en technici die in de Nomurasectie werkten werden vermist en waren vermoedelijk dood.

'We zullen degenen die verantwoordelijk zijn voor deze aanslag vinden en straffen,' beloofde Castilla de andere man. 'Ik heb onze nationale politie en inlichtingenorganisaties opdracht gegeven om dat tot hun hoogste prioriteit te maken.'

'Dat waardeer ik, meneer de president,' zei Nomura zachtjes. 'En ik ben hier om mijn hulp aan te bieden, voorzover ik dat kan.' De Japanse industrieel haalde zijn schouders op. 'Uiteraard niet bij de jacht op de terroristen. Daarvoor heeft mijn bedrijf niet de noodzakelijke expertise. Maar wij kunnen wel andere hulp bieden die wellicht van pas komt.'

Castilla trok een wenkbrauw op. 'O?'

'Zoals u weet heeft mijn bedrijf een vrij aanzienlijke medische hulpverleningseenheid voor noodgevallen,' herinnerde Nomura hem. 'Ik kan ervoor zorgen dat er binnen enkele uren vliegtuigen onderweg zijn naar New Mexico.'

De president knikte. Nomura PharmaTech gaf jaarlijks enorme bedragen uit aan liefdadig medisch werk over de hele wereld. Zijn oude vriend Jinjiro begon daarmee toen hij het bedrijf oprichtte in de jaren zestig. Nadat hij zich uit het bedrijf had teruggetrokken en de politiek in was gegaan, had zijn zoon die activiteiten voortgezet en zelfs verder uitgebreid. Nomura financierde nu van alles, van massale vaccinaties en malariabestrijdingsprogramma's in Afrika tot waterzuiveringsprojecten in het Midden-Oosten en Azië. Maar de hulpwerkzaamheden van het bedrijf bij rampen waren wat werkelijk de aandacht van het publiek trok en zelfs krantenkoppen opleverde.

Nomura PharmaTech was eigenaar van een hele vloot van An-

124 Condorvrachtvliegtuigen van sovjetmakelij. Die waren groter dan de kolossale C-5 transportvliegtuigen van de Amerikaanse luchtmacht en elke Condor kon maar liefst 1500 ton vracht vervoeren. Ze opereerden vanuit een centrale basis op de Azoren en werden door Nomura gebruikt om mobiele klinieken – compleet met operatiekamers en diagnostische labs – overal te brengen waar medische hulp nodig was. Het bedrijf ging er prat op dat de klinieken binnen vierentwintig uur ter plekke en in bedrijf konden zijn bij elke grote aardbeving, tyfoon, epidemie, bosbrand of overstroming, waar dan ook ter wereld.

'Dat is een genereus aanbod,' zei Castilla langzaam. 'Maar ik ben bang dat er buiten het Instituut geen gewonde overlevenden zijn. Die nanomachines hebben iedereen gedood die erdoor is aangetast. Er is niemand meer in leven die jouw medische personeel kan behandelen.'

'Er zijn andere manieren waarop mijn mensen kunnen helpen,' zei Nomura zachtjes. 'Wij hebben ook twee mobiele labs voor DNA-analyses. Misschien dat door het gebruik daarvan meer vaart gemaakt kan worden met de droeve taak van...'

'Het identificeren van de doden,' maakte Castilla de zin voor hem af. Hij dacht erover na. De FEMA, de *Federal Emergency Management Agency*, schatte dat het maanden kon duren om de duizenden incomplete stoffelijke resten van mensen bij het verwoeste Teller Instituut te identificeren. Alles wat dat trage, treurige proces zou kunnen bespoedigen was de moeite van het proberen waard, ongeacht hoeveel juridische en politieke complicaties het met zich mee zou kunnen brengen. Hij knikte. 'Je hebt helemaal gelijk, Hideo. Elke hulp op dat vlak zou heel welkom zijn.'

Toen zuchtte hij. 'Hoor eens, het is laat en ik ben moe en het zijn een paar rotdagen geweest. Eerlijk gezegd heb ik behoefte aan een stevige borrel. Kan ik er voor jou ook een inschenken?'

'Alstublieft,' antwoordde Nomura. 'Dat zou ik heel goed kunnen gebruiken.'

De president liep naar een kast bij de deur naar zijn privé-studeerkamer. Eerder had mevrouw Pike daar een blad neergezet met een verzameling glazen en flessen. Hij pakte een van de flessen. Die was gevuld met een diep amberkleurige vloeistof. 'Hou je van Schotse whisky? Dit is de twintig jaar oude Caol Ila, een single malt uit Islay. Dat was een van de favorieten van je vader.'

Nomura sloeg zijn ogen neer en leek zich te generen voor de emoties die dit aanbod opriep. Hij boog even snel met zijn hoofd. 'Het zal mij een eer zijn.'

Terwijl Castilla de drank inschonk, nam hij de zoon van zijn oude vriend aandachtig op. Hij zag de veranderingen sinds ze elkaar voor het laatst hadden gezien. Hoewel Hideo Nomura bijna vijftig was, was zijn kortgeknipte haar nog gitzwart. Hij was lang voor een Japanse man van zijn generatie, zo lang dat hij de meeste Amerikanen en Europeanen recht in het gezicht kon kijken. Zijn kaak was krachtig en er bevonden zich slechts enkele kleine rimpeltjes rond zijn ogen en zijn mond. Van een afstand zou Nomura makkelijk door kunnen gaan voor iemand die ruim tien tot vijftien jaar jonger was. Alleen van dichtbij kon je de slijtage zien die het gevolg was van de tijd, verborgen verdriet en onderdrukte woede.

Castilla gaf Nomura een van de glazen, ging zitten en nipte toen van zijn eigen glas. De zoete, rokerige vloeistof rolde warm over zijn tong en had een lichte zweem van eikenhout en zout. Het viel hem op dat de jongere man van de zijne proefde zonder dat hij ervan leek te genieten. De zoon is niet de vader, herinnerde hij zichzelf verdrietig.

'Ik had nog een reden om je vanavond hier uit te nodigen,' zei Castilla ten slotte om de pijnlijke stilte te verbreken. 'Hoewel het volgens mij mogelijk is dat het op de een of andere manier verband houdt met de tragedie bij het Instituut.' Hij koos zijn woorden met zorg. 'Ik moet je wat vragen stellen over Jinjiro... en over Lazarus.'

Nomura ging rechter zitten. 'Over mijn vader? En de Lazarusbeweging? Ah, ik snap het,' mompelde hij. Hij zette zijn glas terzijde. Het was nog bijna vol. 'Natuurlijk. Ik zal u vertellen wat ik maar kan.'

'Jij was toch tegen de rol van je vader in de Beweging?' vroeg Castilla, nog steeds heel behoedzaam.

De jongere Japanner knikte. 'Ja.' Hij keek de president strak aan. 'Mijn vader en ik zijn nooit vijanden geweest. En ik heb mijn opvattingen ook niet voor hem verborgen gehouden.'

'En welke waren dat?' vroeg Castilla zich af.

'Dat de doelstellingen van de Lazarusbeweging edel en zelfs nobel waren,' zei Nomura zachtjes. 'Wie zou niet graag een schone planeet willen zien, zonder vervuiling en vreedzaam? Maar haar plannen?' Hij haalde zijn schouders op. 'In het gunstigste geval hopeloos onrealistisch. In het ergste geval dodelijke waanzin. De wereld balanceert op het scherp van de snede, met massale hongersnoden, chaos en barbaarsheid aan de ene kant en een potentiële utopie aan de andere. Dit wankele evenwicht wordt gehandhaafd door middel van technologie. Als je onze moderne technologieën afschaft, zoals de Beweging eist, zul je de hele planeet zeker in een nachtmerrie van dood en verwoesting storten – een nachtmerrie waaruit hij misschien wel nooit meer zal ontwaken.'

Castilla knikte. Hij deelde de overtuigingen van de jongere man. 'En wat had Jinjiro daarop te zeggen?'

'Mijn vader was het aanvankelijk met mij eens. Althans voor een deel,' zei Nomura. 'Maar hij vond dat het tempo van de technologische veranderingen te hoog lag. De opkomst van klonen, genetische manipulatie en nanotechnologie baarde hem zorgen. Hij was bang voor de snelheid van deze ontwikkelingen en vond dat ze onvolmaakte mensen te veel macht over zichzelf en de natuur gaven. Niettemin hoopte hij, toen hij hielp bij de oprichting van Lazarus, dat hij de Beweging zou kunnen gebruiken als een middel om de wetenschappelijke vooruitgang af te remmen – niet om er helemaal een eind aan te maken.'

'Maar dat veranderde?' vroeg Castilla.

Nomura fronste zijn wenkbrauwen. 'Ja, dat veranderde,' gaf hij toe. Hij pakte zijn glas, staarde even in de rokerige, amberkleurige vloeistof en zette het toen weer neer. 'De Beweging begon hem te veranderen. Zijn overtuigingen werden radicaler. Zijn woorden werden scherper.'

De president zei niets en luisterde aandachtig.

'Toen de andere oprichters van de Beweging doodgingen of verdwenen, werden de gedachten van mijn vader nog duisterder,' vervolgde Nomura. 'Hij begon te beweren dat Lazarus werd aangevallen... dat de Beweging het doelwit van een geheime oorlog was geworden.'

'Een oorlog?' vroeg Castilla scherp. 'Door wie werd die geheime oorlog volgens hem gevoerd?'

'Bedrijven. Bepaalde regeringen. Of elementen binnen hun inlichtingendiensten. Misschien zelfs een aantal mensen binnen uw eigen CIA,' zei de jongere Japanner zachtjes.

'Goeie god.'

Nomura knikte droevig. 'Op dat moment dacht ik dat die paranoïde angsten eens te meer aanwijzingen waren dat mijn vaders geestelijke gezondheid erop achteruitging. Ik smeekte hem om hulp te zoeken. Hij weigerde. Zijn retoriek werd steeds gewelddadiger, steeds gestoorder.

'Toen verdween hij op weg naar Thailand.' Zijn gezicht stond somber. 'Hij verdween zonder een woord of spoor. Ik weet niet of hij ontvoerd is, of dat hij uit eigen vrije wil is verdwenen. Ik weet niet of hij leeft of dood is.'

Nomura keek op naar Castilla. 'Maar nu, nadat ik heb gezien

hoe die vreedzame demonstranten bij het Teller Instituut zijn vermoord, heb ik een andere zorg.' Hij dempte zijn stem. 'Mijn vader zei dat er een heimelijke oorlog tegen de Lazarusbeweging werd gevoerd. En ik lachte hem uit. Maar stel dat hij gelijk had?'

Later, toen Hideo Nomura weg was, liep Sam Castilla naar de deur van zijn privé-studeerkamer, klopte één keer en ging het schemerige vertrek binnen.

Een bleke man met een lange neus en een kreukelig, donkergrijs pak aan zat kalm in een stoel met een hoge rug die vlak naast de deur stond. Heldere, zeer intelligente ogen glommen achter een bril met een draadmontuur. 'Goedemorgen, Sam,' zei Fred Klein, het hoofd van Covert-One.

'Heb je dat allemaal gehoord?' vroeg de president.

Klein knikte. 'Het meeste wel.' Hij hield een pak papier op. 'En ik heb het transcript van de vergadering van de Nationale Veiligheidsraad van gisteravond doorgenomen.'

'En?' vroeg Castilla. 'Wat denk jij?'

Klein leunde achterover in zijn stoel en haalde zijn handen door zijn snel dunner wordende haar terwijl hij nadacht over de vraag van zijn oude vriend. Het leek wel alsof zijn haargrens elk jaar een paar centimeter terugweek. Dat was de prijs van de stress die het runnen van de geheimste organisatie binnen de hele Amerikaanse regering met zich meebracht. 'David Hanson is geen idioot,' zei hij ten slotte. 'Jij kent zijn staat van dienst net zo goed als ik. Hij heeft een neus voor problemen en hij is intelligent en drammerig genoeg om die neus te volgen, ongeacht de consequenties.'

'Dat weet ik, Fred,' zei de president. 'Verrek, dat is de eerste reden waarom ik hem heb benoemd tot directeur van de CIA – ondanks de krachtige en dikwijls geuite bezwaren van Emily Powell-Hill, kan ik daaraan toevoegen. Maar ik vraag je wat jij van zijn laatste hersenspinsel vindt: denk jíj dat die toestand in Santa Fe echt het werk is van de Lazarusbeweging zelf?'

Klein haalde zijn schouders op. 'Zijn redenering is behoorlijk overtuigend. Maar dat hoef ik je niet te vertellen.'

'Nee, dat klopt.' Castilla liep met zware tred naar hem toe en liet zich in een andere stoel ploffen, die naast een haard stond. 'Maar hoe sluit de theorie van de CIA aan op wat jij van kolonel Smith hebt gehoord?'

'Niet helemaal,' gaf het hoofd van Covert-One toe. 'Smith was heel duidelijk. Wie die aanvallers ook waren, het waren beroepsmensen – goed getrainde, goed uitgeruste en goed geïnformeerde beroepsmensen.' Hij speelde met de bruyèrepijp in de zak van zijn jasje en onderdrukte de verleiding om die op te steken. In het hele Witte Huis was het tegenwoordig verboden om te roken. 'Eerlijk gezegd lijkt dat niet overeen te komen met het weinige dat we van de Lazarusbeweging weten...'

'Ga door,' zei de president.

'Maar het is niet onmogelijk,' besloot Klein. 'De Beweging heeft geld. Misschien heeft zij de beroepslui die ze nodig had ingehuurd. God weet dat er vandaag de dag genoeg huurlingen met een speciale training zijn die niets te doen hebben. Die mensen kunnen ex-Stasi's uit het oude Oost-Duitsland zijn geweest, of ex-KGB of Spetsnaz-types uit Rusland. Ze zouden ook van andere commando-eenheden uit het oude Oostblok, de Balkan of het Midden-Oosten geweest kunnen zijn.'

Hij haalde zijn schouders op. 'Het echte probleem is Smiths bewering dat niets van de nanotechnologie die op het Instituut werd ontwikkeld, die demonstranten had kunnen doden. Als hij gelijk heeft, haalt dat Hansons theorie meteen onderuit. En dat geldt uiteraard ook voor elk ander redelijk alternatief.'

De president staarde een lang moment in de lege haard. Toen vermande hij zich en gromde: 'Voor mijn gevoel past het allemaal een beetje te mooi, Fred, vooral als je in overweging neemt wat Hideo Nomura me net heeft verteld. Het staat me niet aan dat de CIA en de FBI zich allebei fixeren op één bepaalde theorie van wat er in Santa Fe is gebeurd, en dat ze daarmee elke andere mogelijkheid uitsluiten.'

'Dat is begrijpelijk,' zei Klein. Hij tikte op het transcript van de vergadering van de Nationale Veiligheidsraad. 'En ik moet toegeven dat ik dezelfde bedenkingen heb. De ergste zonde bij het analyseren van informatie is dat je de feiten op maat maakt zodat ze overeenstemmen met je favoriete hypothese.
Nou, als ik dit zo lees, hoor ik zowel de FBI als de CIA er flink op los hameren en zagen.'

De president knikte langzaam. 'Dat is nou net het probleem.' Hij keek door het schemerige vertrek naar Klein. 'Jij kent toch wel de A-team/B-team-benadering van analyses?'

Het hoofd van Covert-One wierp hem een scheve grijns toe. 'Dat mag je wel hopen. Uiteindelijk is dat een van de rechtvaardigingen voor mijn hele organisatie.' Hij haalde zijn schouders op. 'Destijds in 1976 was de toenmalige directeur van de CIA, George Bush sr., later een van jouw illustere voorgangers, niet helemaal tevreden over de interne analyse die hij van de CIA kreeg met betrekking tot de sovjetintenties. Dus gaf hij een groep van buiten – het B-team, dat bestond uit oplettende academici, generaals buiten dienst en externe sovjetexperts – opdracht om zijn eigen onafhankelijke onderzoek te doen naar dezelfde vragen.'

'Dat klopt,' zei Castilla. 'Nou, ik zou willen dat jij per direct je eigen B-team samenstelt om deze warboel uit te zoeken, Fred. Loop de CIA of de FBI niet voor de voeten, behalve als het niet anders kan, maar ik wil dat iemand die ik volledig kan vertrouwen nagaat of de feiten waar zij zo op hameren wel kloppen.'

Klein knikte langzaam. 'Dat kan geregeld worden.' Hij tikte even met de onaangestoken pijp op zijn knie, terwijl hij nadacht. Toen keek hij op. 'Kolonel Smith is de meest voor de hand liggende kandidaat. Hij is reeds ter plekke en hij weet veel van nanotechnologie af.'

'Mooi.' Castilla knikte. 'Instrueer hem, Fred. Kijk welke volmachten hij nodig heeft om dit te doen, en dan zal ik er morgenochtend meteen voor zorgen dat die op de juiste bureaus belanden.'

13

In de Cerrillos Heuvels, ten zuidwesten van Santa Fe
Een oude, zwaar gedeukte rode Honda Civic reed over County Road 57 in zuidelijke richting, met een lange stofwolk in zijn kielzog. Een ononderbroken duisternis strekte zich kilometers in alle richtingen uit. De ruige heuvels en de steile kloven en *arroyos* ten oosten van de onverharde weg werden slechts verlicht door het vage schijnsel van het dunne maansikkeltje. Binnen in het krappe, met rommel gevulde, autootje zat Andrew Costanzo over het stuur gebogen. Hij wierp af en toe een blik op de kilometerteller en bewoog zijn lippen terwijl hij probeerde uit te rekenen hoeveel kilometer hij precies had afgelegd sinds hij van Interstate 25 af was gegaan. De instructies die hij had gekregen waren precies.

Weinig mensen die hem kenden zouden de vreemde blik op zijn bleke, vlezige gezicht, een mengeling van opgewektheid en vrees, herkend hebben.

Doorgaans barstte Costanzo van de frustraties en de opgehoopte wrokgevoelens. Hij was gezet, eenenveertig, ongetrouwd en kon geen kant op in een maatschappij die noch zijn intelligentie noch zijn idealen waardeerde. Hij had hard gewerkt om een hoge graad te behalen in milieuwetgeving en Amerikaans consumentengedrag. Zijn doctoraat had hem toegang moeten geven tot de academische elite. Jarenlang had hij gedroomd van een in Washington gevestigde denktank, waarbij hij in zijn eentje de blauwdrukken opstelde voor noodzakelijke sociale en ecologische hervormingen. In plaats daarvan was hij slechts een parttime medewerker bij een boekenketen, een uitzichtloos rotbaantje waarvan hij amper zijn deel van de huur voor een armoedige, verwaarloosde bungalow in een van de armste buurten van Albuquerque kon betalen.

Maar Costanzo had ook ander werk, geheim werk, en dat was het enige deel van zijn verder ellendige leven dat hij belangrijk vond. Zenuwachtig likte hij zijn lippen. Het was een grote eer dat hem gevraagd werd om lid te worden van de intimi van de Lazarusbeweging, maar het bracht ook flinke risico's met zich mee. Dat was hem nog duidelijker geworden nadat hij vanmiddag naar het nieuws had gekeken. Als zijn meerderen in de Beweging hem geen strikte orders hadden gegeven om thuis te blijven, zou híj ook hebben meegedaan aan de demonstratie bij het Teller Instituut. Dan zou híj een van de duizenden zijn geweest die op zo'n akelige manier waren vermoord door de doodsmachines van het bedrijfsleven.

Even voelde hij een diepgewortelde woede opborrelen, die zelfs de alledaagse onbenullige grieven overweldigde die hij doorgaans koesterde. Zijn handen knepen in het stuur. De Civic slingerde naar rechts en raakte bijna van de weg en in de schuin aflopende berm van zacht zand en dood kreupelhout.

Costanzo zweette nu en ademde uit. Let op waar je nu mee bezig bent, zei hij scherp tegen zichzelf. De Beweging zou te zijner tijd wel wraak nemen op haar vijanden.

De kilometerteller van de Honda versprong. Weer een kilometer. Hij was vlak bij het trefpunt. Hij minderde vaart en leunde naar voren, terwijl hij door de voorruit naar de heuvels staarde die aan zijn linkerhand opdoemden. Daar was het!

Gewoontegetrouw deed Costanzo de richtingaanwijzer van de Civic aan toen hij van de landweg af ging en behoedzaam de ingang van een smalle, kronkelige kloof inreed, die dieper de Cerrillos Heuvels in ging. De banden van de Honda knarsten over een bedding van steentjes die door periodieke overstromingen waren meegevoerd. Hier en daar hingen piepkleine onvolgroeide boompjes en alsemstruiken hachelijk aan de steile wanden van de arroyo.

Vierhonderd meter van de weg af kronkelde de kloof naar het noorden. Hier kwamen smallere, kronkelende geulen van diverse kanten op de arroyo uit. Hier waren meer dorre bomen, die opkwamen tussen verweerde rotsen en lage hopen los grind. Aan weerszijden rezen steile rotswanden op – die streperig waren door de afwisselende lagen vaalgele zandsteen en rode kleistein.

Costanzo zette de motor af. De lucht was stil en volkomen bewegingloos. Was hij te vroeg? Of te laat? De orders die hij had gekregen benadrukten het belang van stiptheid. Hij haalde de mouw van zijn overhemd langs zijn voorhoofd, om de zweetdruppeltjes op te vegen die in zijn holle, bloeddoorlopen ogen prikten.

Hij kroop uit de Honda en sleepte daarbij een koffertje met zich mee. Ongemakkelijk bleef hij daar staan wachten. Hij wist niet goed wat hij nu moest doen.

Opeens schenen er felle koplampen vanuit een van de smalle zijkloven. Verrast draaide Costanzo zich om naar de lichten, terwijl hij zijn ogen afschermde in een vertwijfelde poging om dóór het verblindende licht te kijken. Het enige wat hij kon onderscheiden waren de vage omtrek van een grote auto en twee of drie gedaantes, misschien mannen die daarnaast stonden.

'Zet de koffer neer,' beval een luide stem door een megafoon. 'Ga dan bij je auto vandaan. En hou je handen zo dat wij ze kunnen zien!'

Nu bevend gehoorzaamde Costanzo. Hij liep stijf naar voren en had een wee gevoel in zijn buik. Hij stak zijn handen hoog in de lucht, met hun palmen naar voren. 'Wie zijn jullie?' vroeg hij klaaglijk.

'Wij zijn van de FBI, meneer Costanzo,' zei de stem zachter, nu zonder megafoon.

'Maar ik heb niets verkeerds gedaan! Ik heb geen wetten overtreden!' zei hij. Hij hoorde de schrille beving in zijn stem en haatte die omdat daaruit zo duidelijk bleek dat hij bang was.

'Nee?' vroeg de stem. 'Het helpen en steunen van een terroristische organisatie is een misdrijf, Andrew. Een ernstig misdrijf. Was je je daar niet van bewust?'

Costanzo likte weer zijn lippen. Hij voelde zijn hart woest bonken. De zweetplekken in zijn oksels werden groter.

'Drie weken geleden kocht een man met jouw signalement twee Ford Excursions bij twee verschillende autodealers in Albuquerque. Twee zwarte Ford SUV's. Hij betaalde contant. Contant, Andrew,' zei de stem. 'Zou jij me willen vertellen hoe iemand als jij bijna honderdduizend dollar aan contanten bij de hand had?'

'Dat was ik niet,' protesteerde hij.

'De betrokken autoverkopers kunnen je identificeren, Andrew,' bracht de stem hem in herinnering. 'Alle contante betalingen van meer dan tienduizend dollar moeten aangegeven worden bij de nationale overheid. Wist je dat niet?'

Met stomheid geslagen stond Costanzo daar met zijn mond open. Daar had hij aan moeten denken, besefte hij langzaam. De aangifteplicht met betrekking tot contante betalingen maakte deel uit van 's lands drugsbestrijdingswetten, maar in feite was het slechts een van de vele manieren waarop Washington potentiële dissidenten in de gaten kon houden en de kop kon indrukken. Om de een of andere reden had hij dat vergeten in alle opwinding dat hij een speciale opdracht voor de Lazarusbeweging had gekregen. Hoe had hij zo blind, zo stom kunnen zijn? Zijn knieën knikten.

Een van de gedaantes kwam langzaam naar voren, zodat hij duidelijker het silhouet van een bijzonder lange en forsgebouwde man zag. 'U moet de feiten onder ogen zien, meneer Costanzo,' zei hij geduldig. 'U bent erin geluisd.'

De activist van de Lazarusbeweging bleef erbarmelijk als aan de grond genageld staan. Dat was waar, dacht hij somber. Hij was verraden. Waarom zou hij zo verbaasd zijn? Het was hem zijn hele leven al overkomen – eerst thuis, toen op school – en nu overkwam het hem weer. 'Ik kan de man identificeren die me het geld heeft gegeven,' zei hij wanhopig. 'Ik heb een heel goed geheugen voor gezichten...'

Eén enkele 9mm-kogel trof hem recht tussen zijn ogen, ging dwars door zijn hersenen en schoot via zijn achterhoofd naar buiten.

Het lange lid van de Horatiërs met het kastanjebruine haar en het pistool met geluiddemper nog in zijn hand keek neer op de dode man. 'Ja, meneer Costanzo,' zei Terce zachtjes. 'Dat wil ik best geloven.'

Jon Smith rende, rende voor zijn leven. Dat wist hij in elk geval, hoewel hij zich niet kon herinneren waarom dat was. Anderen renden naast hem. Boven hun doodsbange kreten uit hoorde hij een schril zoemend geluid. Hij wierp een blik over zijn schouder en zag een enorme zwerm vliegende insecten op hen neerdalen, die snel aankwamen en hen inhaalden. Hij draaide zich om en rende nog harder, terwijl zijn hart bonkte op de maat van zijn voeten.

Het zoemen werd luider, steeds dringender en dreigender. Hij voelde iets fladderen in zijn nek en deed verwoede pogingen om het weg te vegen. Het bleef echter aan zijn palm kleven. Ontzet staarde hij naar het gevleugelde wezen. Het was een grote gele wesp.

Plotseling veranderde de wesp, transformeerde zichzelf in een kunstmatig wezen van staal en titanium – een schepsel dat was uitgerust met fijne boortjes en zaagjes met een diamantblad. De robotwesp draaide zijn driehoekige kop naar hem toe. Zijn kristallijne, gefacetteerde ogen glommen met een griezelige begeerte. Hij bleef als verlamd staan, terwijl hij met toenemende ontzetting keek hoe de boortjes en zaagjes van de wesp zo snel begonnen te bewegen dat zijn oog ze niet kon volgen en zich diep in zijn vlees boorden...

Hij schrok wakker en schoot recht overeind in bed, nog steeds hijgend en snel in zijn reactie. In een reflex liet hij zijn hand onder het kussen glijden om zijn 9mm SIG-Sauer te pakken. Toen stopte hij. Een droom, dacht hij gespannen. Het was maar een droom.

Zijn mobieltje zoemde nogmaals, vanaf het nachtkastje waar hij het had neergelegd voordat hij eindelijk in slaap viel. De flauw rood opgloeiende cijfers op de digitale wekker naast de telefoon vertelden hem dat het 's ochtends even na drieën was. Smith pakte de telefoon voordat hij weer kon overgaan. 'Ja. Wat is er?'

'Sorry dat ik je wakker maak, kolonel,' zei Fred Klein, zonder dat hij merkbaar verontschuldigend klonk. 'Maar er is iets aan de orde gekomen dat je volgens mij moet zien... en horen.'

'O?' Smith zwaaide zijn benen over de rand van het bed.

'De mysterieuze Lazarus heeft zich ten slotte vertoond,' zei het hoofd van Covert-One. 'Of zo lijkt het althans.'

Smith floot zachtjes. Dát was interessant. In zijn voorlichting omtrent de Lazarusbeweging was benadrukt dat niemand binnen de CIA, de FBI of welke andere westerse inlichtingendienst dan ook wist wie eigenlijk de leiding had over haar operaties. 'Persoonlijk?'

'Nee,' zei Klein. 'Het is makkelijker om je te laten zien wat we hebben. Heb jij je laptop bij de hand?'

'Moment.' Smith legde de telefoon neer en deed het licht aan. Zijn draagbare computer stond nog in zijn koffer bij de kast. Snel haalde hij het apparaat eruit, legde het op het bed, sloot het modem aan op het wandcontact en startte de computer op.

De laptop kwam brommend, klikkend en gonzend tot leven. Smith toetste de speciale beveiligingscode en het wachtwoord in dat nodig was om verbinding te krijgen met het netwerk van Covert-One. Hij pakte de telefoon. 'Ik ben on line.'

'Wacht even,' zei Klein tegen hem. 'We zijn het materiaal nu naar jouw computer aan het downloaden.'

Het scherm van de laptop lichtte op – eerst met een hoop ruis en vervolgens met willekeurige vormen en kleuren, om uiteindelijk duidelijk het strenge, knappe gezicht van een man van middelbare leeftijd te tonen. Hij keek recht in de camera.

Smith leunde voorover en bestudeerde aandachtig de figuur die hij voor zich zag. Het gezicht was om de een of andere reden vreemd vertrouwd. Alles, van het licht krullende bruine haar met precies het juiste zweem van grijs bij de slapen tot de openhartige blauwe ogen, de klassieke rechte neus, en de stevige kin met het kuiltje, wekte een indruk van enorme kracht, wijsheid, intelligentie en beheerste macht.

'Ik ben Lazarus,' zei de figuur. 'Ik spreek voor de Lazarusbeweging, voor de aarde, en voor de hele mensheid. Ik spreek voor degenen die gestorven zijn en voor degenen die nog niet geboren zijn. En ik ben hier vandaag om corrupte en corrumpeerbare machten de waarheid te zeggen.'

Smith luisterde naar de perfect geïntoneerde, sonore stem terwijl de man die zich Lazarus noemde een korte, krachtige speech hield. Daarin riep hij om gerechtigheid voor degenen die bij het Teller Instituut waren omgekomen. Hij eiste een onmiddellijk verbod op alle onderzoek naar en ontwikkeling van nanotechnologie. En hij riep alle leden van de Beweging op om alles te doen wat nodig was om de wereld te behoeden voor de gevaren van deze technologie.

'Onze Beweging, een alliantie van alle volken, alle rassen, heeft al jaren gewaarschuwd voor deze toenemende dreiging,' zei Lazarus plechtig. 'Onze waarschuwingen zijn genegeerd of bespot. Onze stemmen zijn tot zwijgen gebracht. Maar gisteren heeft de wereld de waarheid gezien – en het was een vreselijke, dodelijke waarheid...'

Toen de speech erop zat veranderde het scherm weer in een neutrale achtergrond. 'Verdomd effectieve propaganda,' zei Smith zachtjes door de telefoon.

'Bijzonder effectief,' beaamde Klein. 'Wat je net hebt gezien waren beelden die naar alle grote televisienetwerken in de Verenigde Staten en Canada zijn gestuurd. De NSA heeft het twee uur geleden onderschept van een communicatiesatelliet. Sindsdien is elke dienst in Washington bezig geweest om ze te analyseren.'

'We kunnen, neem ik aan, niet voorkomen dat de tape wordt uitgezonden,' peinsde Smith.

'Na gisteren?' Klein snoof. 'Nog in geen miljoen jaar, kolonel. Deze boodschap van Lazarus zal bij alle ontbijt-tv en elke nieuwsuitzending in de loop van de dag het belangrijkste item zijn – misschien nog langer dan dat.'

Smith knikte zwijgend. Geen nieuwsredacteur die bij zijn of haar volle verstand was, zou de kans laten lopen om een verklaring van de leider van de Lazarusbeweging te vertonen, vooral omdat hij door zoveel geheimzinnigheid werd omgeven. 'Kan de NSA de bron van de uitzending achterhalen?'

'Daar zijn ze mee bezig, maar het zal niet makkelijk zijn. Deze beelden kwamen binnen als een zwaar gecomprimeerde, zwaar gecodeerde bliep die ergens met een van de talloze andere signalen meeliftte. Toen het eenmaal bij de satelliet was, decomprimeerde en decodeerde het signaal zichzelf en werd het naar New York, Los Angeles, Chicago gezonden... noem maar een grote stad en dan ging het erheen.'

'Interessant,' zei Smith langzaam. 'Lijkt dat niet een wonderlijk geavanceerde communicatiemethode voor een groep die tegen moderne technologie beweert te zijn?'

'Ja, inderdaad,' beaamde Klein. 'Maar wij weten dat de Lazarusbeweging voor haar interne communicatie veel gebruik maakt van computers en diverse websites. Misschien moet het ons niet verbazen dat zij dezelfde methoden gebruikt om de rest van de wereld toe te spreken.‘ Hij zuchtte. ‘En zelfs als de NSA erin slaagt om precies vast te stellen waar dit bericht vandaan komt, vermoed ik dat we zullen ontdekken dat het ergens bij een kleine onafhankelijke studio als een anonieme dvd werd aangeleverd, met een flinke betaling in contanten voor de betrokken technici.’

‘In elk geval weten we nu hoe die vent eruitziet,’ zei Smith. ‘En dat betekent dat we zijn werkelijke identiteit kunnen achterhalen. Haal die beelden door al onze databanken – en die van onze bondgenoten. Ergens zal iemand een dossier hebben over wie het ook mag wezen.’

‘U gaat een beetje te snel, kolonel,’ zei Klein. ‘Dat waren niet de enige satellietbeelden die de NSA vanmorgen onderschepte. Kijk maar...’

Op het scherm verscheen een oudere Aziatische man – een man met dun wit haar, een hoog, glad voorhoofd en donkere, bijna tijdloze ogen. Zijn verschijning herinnerde Smith aan schilderingen die hij had gezien van oeroude wijzen vol kennis en inzicht. De oudere man begon te spreken, ditmaal in het Japans. Tegelijk verscheen er onder aan het scherm een Engelse vertaling. ‘Ik ben Lazarus. Ik spreek voor de Lazarusbeweging, voor de aarde, en voor de hele mensheid...’

Het volgende beeld was dat van een Afrikaanse oudste, weer een man met alle kracht en gezag van een oeroude koning of een machtige sjamaan. Hij sprak in vol, sonoor Swahili, maar het waren dezelfde woorden, die dezelfde boodschap overbrachten. Toen hij klaar was, kwam de knappe blanke man van middelbare leeftijd weer in beeld, die ditmaal in perfect, idiomatisch Frans sprak.

Smith leunde achterover in geschokt stilzwijgen, terwijl hij een parade van verschillende Lazarusbeelden aan zich voorbij liet gaan – die allemaal dezelfde krachtige boodschap overbrachten en vloeiend in meer dan een dozijn wereldtalen spraken. Toen het scherm ten slotte via flikkerende ruis in grijze leegte overging, floot hij nogmaals zachtjes. ‘Man, dat is een slimme zet! Dus misschien driekwart van de wereldbevolking zal deze zelfde speech van de Lazarusbeweging horen? En allemaal van mensen die op hen lijken en een taal spreken die zij begrijpen?’

‘Dat lijkt hun plan te zijn,’ beaamde het hoofd van Covert-One. ‘Maar de Beweging is nog slimmer. Kijk nog eens naar die eerste Lazarus.’

Het beeld verscheen op Smiths computer en bleef stilstaan vlak voordat hij begon te spreken. Smith staarde naar het knappe gezicht van de man van middelbare leeftijd. Waarom kwam het hem zo verdomd bekend voor? 'Ik kijk ernaar, Fred,' zei hij. 'Maar waar moet ik naar kijken?'

'Dat is geen echt gezicht, kolonel,' vertelde Klein hem toonloos. 'Net zomin als die andere Lazarusbeelden.'

Smith trok een wenkbrauw op. 'O? Wat zijn het dan?'

'Computeranimaties,' zei de andere man tegen hem. 'Een mengeling van kunstmatig gegenereerde pixels en stukjes van honderden, misschien wel duizenden echte mensen die allemaal gecombineerd zijn tot een verzameling verschillende gezichten. De stemmen zijn ook allemaal met de computer gegenereerd.'

'Dus kunnen we ze onmogelijk identificeren,' besefte Smith. 'En kunnen we nog steeds niet vaststellen of de Beweging door één man – of door velen – wordt geleid.'

'Precies. Maar het gaat nog verder,' zei Klein. 'Ik heb een deel van de CIA-analyse gezien. Zij zijn ervan overtuigd dat die beelden en stemmen met een bijzonder doel zijn vervaardigd – dat ze archetypen voorstellen, of geïdealiseerde figuren, voor de culturen waarop de boodschap van de Lazarusbeweging is gericht.'

Dat zou in elk geval verklaren waarom hij zo welwillend op het eerste beeld had gereageerd, besefte Smith. Het was een variatie op het oeroude westerse ideaal van de rechtvaardige en nobele heldkoning. 'Die mensen zijn ontzettend goed in wat ze proberen te doen,' zei hij grimmig.

'Wat je zegt.'

'In feite begin ik te geloven dat de CIA en de FBI het misschien bij het rechte eind hebben dat ze die lui de schuld geven van wat er gisteren gebeurd is.'

'Misschien. Maar knappe propaganda en geheimzinnigheid wijzen niet per se op terroristische intenties. Probeer onbevooroordeeld te blijven, kolonel,' waarschuwde de andere man. 'Vergeet niet dat Covert-One het B-team is bij dit onderzoek. Het is jouw taak om advocaat van de duivel te spelen, om ervoor te zorgen dat er geen bewijsmateriaal over het hoofd wordt gezien alleen omdat het niet goed binnen een vooropgestelde theorie past.'

'Maak je geen zorgen, Fred,' zei Smith geruststellend. 'Ik zal mijn best doen om met prikken, porren en poeren de boel open te breken.'

'Discreet, alsjeblieft,' herinnerde Klein hem.

'Ik ben de discretie zelve,' zei Smith met een snelle grijns.

'O ja?' zei het hoofd van Covert-One sarcastisch. 'Dat had ik nou nooit gedacht.' Vervolgens zei hij, minder streng: 'Succes, Jon. Als je iets nodig hebt – toegang, informatie, ondersteuning, wat dan ook – wij staan voor je klaar.'

Nog steeds grijnzend verbrak Smith de verbinding van zijn telefoon en zijn computer en begon hij zich voor te bereiden op de lange dag die hij voor zich had.

14

Emeryville, Californië

Emeryville was ooit een slaperig stadje vol vervallen pakhuizen, roestige machinewerkplaatsen en ateliers, maar had zich opeens ontpopt tot een van de centra van de bloeiende biotechindustrie in de Bay Area. Farmaceutische multinationals, beginnende gentechnologiebedrijven en met speculatiekapitaal gefinancierde ondernemingen die nieuwe mogelijkheden zoals nanotechnologie najoegen verdrongen zich allemaal om kantoor- en labruimte langs de drukke corridor van de Interstate 80 tussen Berkeley en Oakland. De huren, de belastingen en de kosten van het levensonderhoud waren allemaal buitensporig, maar de meeste managers leken meer geïnteresseerd in het feit dat Emeryville zich vlak bij topuniversiteiten en grote vliegvelden bevond en, misschien nog wel het allerbelangrijkste, dat het spectaculaire uitzichten had op San Francisco, de Baai en de Golden Gatebrug.

De faciliteit voor nano-elektronicaonderzoek van Telos Corporation besloeg een hele verdieping van een van de nieuwe torenflats van glas en staal even ten oosten van de toegangswegen tot de Bay Bridge. Telos hechtte meer waarde aan winst maken op de miljoenen dollars die het geïnvesteerd had in apparatuur, materialen en personeel dan aan publiciteit en bleef relatief op de achtergrond. Het gebouw had geen duur, flitsend logo om te laten weten dat het bedrijf daar gevestigd was. Schoolgroepen, politici en de pers kregen geen tijdrovende rondleidingen aangeboden. Een enkele wachtpost net binnen de hoofdpoort zorgde voor de veiligheid.

Bewaker Paul Yiu van Pacific Security Corporation zat achter de balie met het gemarmerde blad van de veiligheidspost, terwijl hij een paperback doorbladerde. Hij sloeg een pagina om en nam verveeld kennis van de dood van weer een verdachte die hij voor de moordenaar had gehouden. Toen gaapte hij en rekte hij zich uit. Het was al lang middernacht geweest, maar hij had nog twee uur dienst. Hij schoof ongemakkelijk in zijn draaistoel, schikte de greep van het pistool in zijn heupholster en ging weer verder met zijn boek. Zijn oogleden zakten naar beneden.

Hij schrok op toen er zachtjes tegen de glazen deuren werd getikt. Yiu keek op. Hij ging er al helemaal van uit dat hij een van de halfgestoorde dakloze schooiers uit Berkeley zou zien, die daar soms per ongeluk belandden. In plaats daarvan zag hij een tengere jonge vrouw met rood haar en een bezorgde gezichtsuitdrukking. Vanuit de baai was mist komen opzetten en zo te zien had ze het koud in haar strakke blauwe rok, haar witte zijden blouse en haar stijlvolle zwarte wollen jas.

De bewaker gleed van zijn stoel, trok het kaki overhemd van zijn uniform en zijn das recht en liep naar de deur. De jonge vrouw glimlachte opgelucht toen ze hem zag en probeerde de deur. Die rammelde maar bleef op slot.

'Het spijt me, mevrouw,' riep hij door het glas. 'Dit gebouw is gesloten.'

Haar bezorgde blik keerde terug. 'Alstublieft, ik moet alleen even een telefoon gebruiken om de wegenwacht te bellen,' zei ze klaaglijk. 'Mijn auto staat met pech even verderop in de straat, en nu doet mijn mobieltje het ook niet meer!'

Yiu dacht er even over na. De regels waren heel duidelijk. Geen onbevoegde bezoekers na sluitingstijd. Aan de andere kant hoefden zijn bazen nooit te weten dat hij had besloten om voor deze wanhopige jonge vrouw de barmhartige Samaritaan te spelen. Noem het maar mijn goede daad voor deze week, besloot hij. Bovendien, ze was best leuk, en hij had altijd al een onbeantwoorde liefde voor vrouwen met rood haar gehad.

Hij pakte de sleutelkaart van het gebouw uit de zak van zijn overhemd en haalde die door het slot, dat één maal zoemde en toen openklikte. Met een hartelijke glimlach trok hij de zware glazen deur open. 'Gaat uw gang, mevrouw. De telefoon is hier...'

De peperspray trof Yiu precies in zijn ogen en zijn open mond. Hij klapte dubbel, verblind, kokhalzend en hulpeloos. Voordat hij zelfs maar kon proberen om zijn wapen te pakken te krijgen, werd de deur wijd opengegooid – zodat hij achteroverviel op de gladde tegelvloer. Meerdere mensen kwamen door de open deur de lobby ingestormd. Sterke armen grepen hem beet, hielden zijn armen op zijn rug en bonden toen zijn polsen aan elkaar vast met zijn eigen handboeien. Iemand anders trok een stoffen kap over zijn hoofd.

Een vrouw boog zich voorover om in zijn oor te fluisteren. 'Onthou dit! Lazarus leeft!'

Tegen de tijd dat Yiu's ondersteuning arriveerde om hem te bevrijden, waren de indringers al lang verdwenen. Maar het nanotechlab van Telos was een totale puinhoop – vol kapotgeslagen glaswerk, uitgebrande scanning-elektronenmicroscopen, doorboorde stalen tanks en gemorste chemicaliën. De slogans van de Lazarusbeweging die op de muren, deuren en ramen waren gespoten lieten weinig twijfel waaraan de verantwoordelijken gelieerd waren.

Zürich, Zwitserland

Toen de zwakke najaarszon naar zijn hoogste punt klom, hadden zich al duizenden demonstranten verzameld op de steile, met rijen bomen begroeide heuvel die op het oude centrum van Zürich en de rivier de Limmat uitkeek. Ze versperden elke straat rondom de terreinen van het Zwitserse Federale Instituut voor Technologie en de Universiteit van Zürich. Rood-groene vlaggen van de Lazarusbeweging wapperden boven de menigtes, die tevens borden ophielden waarop werd geëist dat alle Zwitserse onderzoeksprojecten op het gebied van nanotechnologie in de ban werden gedaan.

Eenheden van de oproerpolitie met wapenstokken en doorzichtige plexiglazen schilden stonden wijdbeens en met hun handen op hun rug te wachten, op een paar straten afstand van de massa demonstranten. Pantserwagens met water- en traangaskanonnen stonden vlakbij geparkeerd. Maar de politie leek niet echt haast te hebben om op te rukken en de straten schoon te vegen.

Dr. Karl Friederich Kaspar, het hoofd van een van de labs die nu vreedzaam belegerd werden, stond vlak achter de politieversperringen, vlak bij het hoger gelegen station van de Polybahn van Zürich, de kabelspoorbaan die meer dan een eeuw geleden voor zowel de universiteit als het Instituut was aangelegd. Hij keek nogmaals op zijn horloge en knarste met zijn tanden van frustratie. Ziedend zocht hij de hoogste politieofficier die hij kon vinden. 'Hoor eens, vanwaar al die vertraging? Zonder toestemming is deze demonstratie illegaal. Waarom stuurt u uw troepen er niet op af om hem uiteen te jagen?'

De politieagent haalde zijn schouders op. 'Ik hou me aan mijn orders, Herr Professor Direktor Kaspar. Op dit moment zijn dat mijn orders niet.'

Kaspar siste vol afschuw. 'Dit is belachelijk! Mijn personeel staat te wachten om aan het werk te gaan. Wij moeten vele waardevolle en kostbare experimenten uitvoeren.'

'Dat is spijtig,' zei de politieman voorzichtig.

'Spijtig!' gromde Kaspar. 'Het is meer dan spijtig; het is een schande.' Hij keek boos naar de andere man. 'Ik zou bijna denken dat u sympathie koestert voor die onwetende domkoppen.'

De politieman draaide zich naar hem om en beantwoordde Kaspars woedende blik zonder een spier te vertrekken. 'Ik ben geen lid van de Lazarusbeweging als u dat suggereert,' zei hij zachtjes. 'Maar ik heb gezien wat er in Amerika is gebeurd. Ik wil niet dat zo'n ramp zich hier in Zürich voltrekt.'

De labdirecteur werd rood. 'Zoiets is onmogelijk! Volstrekt onmogelijk! Ons werk is heel anders dan alles wat de Amerikanen en de Japanners in het Teller Instituut deden! Er is geen enkel vergelijk!'

'Dat is uitstekend nieuws,' zei de politieman, met een vage, sardonische glimlach. Met veel vertoon gaf hij Kaspar een megafoon. 'Misschien dat deze demonstranten zien dat ze fout zitten en uiteengaan als u ze daarvan kunt overtuigen?'

Kaspar kon hem slechts aanstaren, verbijsterd over zoveel onwetendheid en brutaliteit bij een medeambtenaar.

15

Albuquerque International Airport, New Mexico

Met de rood opkomende zon in de rug bulderde de kolossale An-124 Condor laag over de binnenste rij bakens van het vliegveld om zwaar neer te komen op landingsbaan 8. De vier grote, aan vinnen opgehangen, turboventilators gierden toen de piloot de aandrijving omzette. Terwijl de Condor vaart minderde, stuiterde en rolde hij over de bijna vier kilometer lange landingsbaan om zijn eigen schaduw na te jagen. Binnen enkele momenten denderde hij langs de loodsen en hangars met F 16's van New Mexico's 150e Air National Guard Fighter Wing. Nog altijd vertragend passeerde hij gecamoufleerde beton-met-stalen voorraadbunkers, die tijdens de Koude Oorlog waren gebruikt om strategische en tactische kernwapens op te slaan.

Bij het westelijke einde van de landingsbaan reed het enorme, logge Antonov-vrachtvliegtuig van Russische makelij een vrachtplatform op om volledig tot stilstand te komen naast een veel kleinere bedrijfsjet. Het schrille geluid van de motoren verstomde. Van dichtbij deed het vliegtuig van Nomura PharmaTech de groep verslaggevers en cameramensen die stonden te wachten op zijn aankomst in het niet vallen.

De bijna twintig meter hoge laadklep aan de achterkant ging gierend open en kwam zwaar neer op het met olie en vliegtuigbrandstof besmeurde beton. Twee bemanningsleden in overalls kwamen de klep afgelopen en hielden hun hand voor hun ogen tegen het felle zonlicht. Eenmaal op de grond draaiden ze zich om en begonnen ze met handsignalen de chauffeurs aanwijzingen te geven, die langzaam een konvooi voertuigen achteruit uit de spelonkachtige laadruimte van de Condor reden. De mobiele labs voor DNA-analyse die Hideo Nomura had beloofd waren aangekomen.

Nomura zelf stond tussen de journalisten en keek hoe zijn ondersteuningsploegen en medische technici zich snel en kalm voorbereidden op de korte rit naar Santa Fe. Hun efficiëntie beviel hem.

Toen de media naar zijn oordeel al het beeldmateriaal hadden dat ze nodig hadden, gebaarde hij om hun aandacht. Het duurde even voordat ze hun camera's opnieuw hadden ingesteld en soundchecks hadden gedaan. Hij wachtte geduldig tot ze klaar waren.

'Dames en heren, ik moet nog één andere belangrijke beslissing bekendmaken,' begon Nomura. 'Het is geen beslissing die ik lichtvaardig heb genomen. Maar ik denk dat het de enige zinnige beslissing is, vooral met het oog op de vreselijke tragedie waarvan wij gisteren allemaal getuige zijn geweest.' Hij zweeg even om het dramatische effect te vergroten. 'Met onmiddellijke ingang zal Nomura PharmaTech haar onderzoeksprogramma's op het gebied van nanotechnologie opschorten – zowel die in onze eigen faciliteiten als die welke wij financieren in andere instellingen over de hele wereld. Wij zullen externe waarnemers in onze laboratoria en fabrieken uitnodigen om te bevestigen dat wij onze activiteiten in deze tak van wetenschap gestaakt hebben.'

Hij luisterde beleefd naar het opgewonden rumoer van vragen naar aanleiding van zijn onverwachte bekendmaking en gaf antwoord op die vragen die hem het best uitkwamen. 'Is mijn beslissing ingegeven door de eisen die de Lazarusbeweging eerder deze ochtend heeft gesteld?' Hij schudde zijn hoofd. 'Beslist niet. Hoewel ik hun motieven en idealen respecteer, deel ik de vooringenomenheid van de Beweging ten aanzien van wetenschap en technologie niet. Deze tijdelijke stop wordt gewoon ingegeven door voorzichtigheid. Tot we precies weten wat er mis is gegaan bij het Teller Instituut, zou het dwaasheid zijn om andere steden in gevaar te brengen.'

'En hoe zit het met uw concurrenten?' vroeg een van de verslaggevers botweg. 'Andere ondernemingen, universiteiten en regeringen heb reeds miljarden dollars in medische nanotechnologie geïnvesteerd. Vindt u dat zij het voorbeeld van uw bedrijf moeten volgen en hun werk ook moeten staken?'

Nomura glimlachte vriendelijk. 'Ik wil niet zo aanmatigend zijn om te dicteren welke stappen anderen moeten nemen. Dat is aan hun wetenschappelijke oordeel, of misschien meer toepasselijk, aan hun geweten. Wat mij betreft kan ik u alleen maar verzekeren dat Nomura PharmaTech nooit haar eigen winsten voor onschuldig menselijk leven zal laten gaan.'

Boston, Massachusetts

De grote, stijfkoppige James Severin, de directeur van Harcourt Biosciences, keek naar het eind van de CNN-tape van Hideo Nomura's interview. 'Die gewiekste, sluwe Japanse klootzak,' mompelde hij, deels onwillig bewonderend en deels verontwaardigd. Zijn ogen fonkelden kwaad achter de dikke glazen van zijn bril met het zwarte montuur. 'Hij weet dat de nanotechprojecten van zijn bedrijf ver achterliggen bij het werk van alle anderen – zo ver dat ze niet echt een kans hebben om die achterstand ooit in te lopen.'

Zijn hoofdassistent, die even lang was maar ongeveer honderd pond lichter, knikte. 'Voorzover wij weten liggen de mensen van Nomura minstens achttien maanden achter op onze onderzoekers. Zij zijn nog steeds bezig met de fundamentele theorievorming, terwijl onze labteams al concrete applicaties ontwikkelen. Dit is een race die PharmaTech niet kan winnen.'

'Ja,' gromde Severin. 'Dat weten we. En onze vriend Hideo daar weet het ook. Maar wie zal verder nog zien wat hij van plan is? In elk geval niet de pers.' Hij fronste zijn voorhoofd. 'Dus hij kan een streep zetten onder onsuccesvolle projecten die zijn bedrijf een hele smak geld kosten en zich intussen voordoen als een onzelfzuchtige witte ridder van het bedrijfsleven! Geweldig, toch?'

Het hoofd van Harcourt Biosciences schoof zijn stoel achteruit, hees zichzelf moeizaam overeind en liep naar de glaswand van zijn kantoor om gemelijk naar buiten te staren. 'En door die kleine stunt van Nomura is de publieke en politieke druk op de rest van ons net opgevoerd. We krijgen al genoeg ellende over ons heen vanwege die toestand in Santa Fe. Nu zal het nog erger worden.'

'We zouden wat van de druk weg kunnen nemen door mee te gaan in het zelfopgelegde moratorium van PharmaTech,' suggereerde zijn assistent behoedzaam. 'Alleen tot we kunnen bewijzen dat ons Tellerlab niet schuldig was aan die ramp.'

Severin snoof. 'Hoe lang zal dat duren? Maanden? Een jaar? Twee jaar? Denk je echt dat we het ons kunnen veroorloven om een zootje pientere wetenschappers zolang duimen te laten draaien?' Hij leunde tegen het dikke glas. Ver in de diepte zag het groengrijze water van de haven van Boston er koud uit. 'Vergeet niet dat veel mensen in het Congres en in de pers zouden beweren dat wij onze schuld min of meer toegeven door onze andere nanotechprojecten op te schorten.'

Zijn assistent zei niets.

Severin wendde zich van het raam af. Hij sloeg zijn handen op zijn rug ineen. 'Nee. Wij gaan niet het spelletje van Nomura spelen. We zullen door de zure appel heen bijten. Laat meteen een persverklaring uitgaan. Zeg dat Harcourt Biosciences de eisen van de Lazarusbeweging volledig verwerpt. Wij zullen niet toegeven aan de bedreigingen van een geheimzinnige, extremistische organisatie. En laten we een aantal speciale rondleidingen voor de media organiseren in onze andere nanotechlabs. We moeten de mensen laten zien dat wij volstrekt niets te verbergen hebben – en dat ze niets te vrezen hebben.'

16

Het Teller Instituut

In een dik plastic pak, met handschoenen en een afgesloten kap met een eigen zuurstoftoevoer en daarop een blauwe bouwhelm stapte Jon Smith behoedzaam door de puinhopen van de begane grond van het Instituut. Hij dook opzij onder een grote zwartgeblakerde balk door, die van het kapotte plafond naar beneden hing, terwijl hij oplette dat hij zijn pak niet openhaalde aan een van de spijkers die uit het verkoolde hout staken. Niemand wist of de nanomachines die duizenden demonstranten hadden vermoord nog steeds actief waren. Tot nu toe had niemand geprobeerd om daar proefondervindelijk achter te komen. Kleine brokjes adobe en glasscherven knarsten onder de dikke zolen van zijn laarzen.

Hij kwam in een meer open gedeelte, dat ooit de werknemerskantine was geweest. Deze ruimte was grotendeels intact, maar er waren sporen van bomschade op twee van de vier muren, en witte contouren op de kapotte tegelvloer gaven aan waar lijken waren verwijderd.

De FBI-eenheid die de ramp onderzocht gebruikte de kantine als een verzamelpunt en een tactisch commandocentrum ter plekke. Er stonden twee portable computers aan, op tafels vlak bij het midden van de ruimte, hoewel de agenten die ze probeerden te gebruiken er duidelijk moeite mee hadden met hun dikke handschoenen aan gegevens in te voeren.

Smith liep naar een man met een zwarte bouwhelm die voorovergebogen aan een van de in veiligheid gebrachte eettafels een stel blauwdrukken zat te bestuderen. Op het naamplaatje op het beschermende pak van de agent stond LATIMER, C.

De agent keek op toen hij eraan kwam. 'Wie bent u?' vroeg hij. Zijn stem werd door de beschermende kap gedempt.

'Dr. Jonathan Smith. Ik werk voor het Pentagon.' Smith tikte zachtjes tegen zijn blauwe bouwhelm om dat te benadrukken. Blauw was de kleur van waarnemers en externe deskundigen. 'Ik heb opdracht om te observeren en alle hulp te bieden die ik kan verschaffen.'

'Speciaal Agent Charles Latimer,' stelde de andere man zichzelf voor. Hij was slank, had blond haar en sprak met een zwaar zuidelijk accent. Hij was nu openlijk nieuwsgierig. 'Wat voor hulp kunt u ons precies bieden, doctor?'

'Ik weet aardig wat van nanotechnologie,' zei Smith behoedzaam. 'En ik ken de plattegrond van de labs vrij goed. Ik was hier tijdelijk gestationeerd toen de terroristen toesloegen.'

Latimer keek hem strak aan. 'Dat maakt u tot een getuige, doctor – geen waarnemer.'

'Gisteravond en eerder deze ochtend was ik een getuige,' zei Smith met een wrange grijns. 'Sindsdien ben ik bevorderd tot onafhankelijk deskundige.' Hij haalde zijn schouders op. 'Ik weet dat dat niet precies volgens het boekje is.'

'Nee, dat is het niet,' beaamde de FBI-agent. 'Hoor eens, heeft u hiervoor toestemming van mijn baas?'

'Ik weet zeker dat alle noodzakelijke machtigingen en toestemmingen zich op dit moment ergens op het bureau van waarnemend adjunct-directeur Pierson bevinden,' zei Smith vriendelijk. Het laatste wat hij wilde was een regelrechte confrontatie aangaan met de top van de FBI-hiërarchie. Hij had Kit Pierson niet eerder ontmoet, maar hij had het sterke vermoeden dat ze niet blij zou zijn als ze zou ontdekken dat iemand die niet onder haar gezag stond in de buurt van haar onderzoek zou rondhangen.

'Wat wil zeggen dat u het er niet met haar over hebt gehad,' zei Latimer. Hij schudde ongelovig zijn hoofd. Toen haalde hij zijn schouders op. 'Geweldig. Nou ja, in deze puinzooi gaat helemaal niets volgens het boekje.'

'Het is een moeilijke werkplek,' beaamde Smith.

'Dat is nog eens een understatement,' zei de FBI-agent met een scheve grijns. 'Het is al moeilijk genoeg om al deze bom- en brandschade te doorzoeken. Maar het is een bijna onmogelijke klus omdat we ons ook moeten beschermen tegen die nanofagen, of wat het ook mogen wezen.'

Hij wees naar de beschermende kleding die ze allebei aanhadden. 'Door de beperkte zuurstofvoorraad en de uitputting als gevolg van de hitte kunnen we deze maanpakken maar drie uur dragen. En daarvan zijn we maar liefst een halfuur bezig met ontsmetting. Dus ons werk gaat tergend traag, juist op een moment dat Washington schreeuwt om resultaten. Bovendien stuiten we bij elk stuk bewijsmateriaal dat we vergaren op een klassiek dilemma.'

Smith knikte begripvol. 'Laat me raden: Je kunt niets uit het gebouw meenemen voor labanalyse tot het ontsmet is. En als je het ontsmet, is er waarschijnlijk niets over om te analyseren.'

'Heerlijk, hè?' zei Latimer sarcastisch.

'Misschien is het risico van besmetting niet zo groot,' zei Smith. 'De meeste nanoinstrumenten worden voor heel specifieke omgevingen ontworpen. Ze zouden vrij snel uiteen moeten vallen nadat ze aan een andere atmosfeer, druk of temperatuur zijn blootgesteld. Het is mogelijk dat we nu geen enkel gevaar lopen.'

'Dat lijkt een mooie theorie, doctor,' zei de FBI-agent. 'Biedt u zich aan als eerste vrijwilliger om hier eens even diep in te ademen?'

Smith grijnsde. 'Ik ben medicus, geen labrat. Maar als je het me over ongeveer vierentwintig uur nog eens vraagt, zou ik het best eens kunnen proberen.'

Hij keek naar de verzameling blauwdrukken die de andere man bestudeerde. Daarop stond de plattegrond van de begane grond en de eerste verdieping van het Instituut. De blauwdrukken waren bezaaid met rode cirkels van verschillende grootte. De meeste waren geconcentreerd in en om de nanotechlabs in de noordelijke vleugel, maar verspreid door het hele gebouw waren er ook andere. 'Punten waar bommen zijn afgegaan?' vroeg hij de andere man.

Latimer knikte. 'De bommen die we tot dusver geïdentificeerd hebben.'

Smith bestudeerde de blauwdrukken zorgvuldig. Wat hij daar zag, bevestigde zijn eerdere indrukken van de opmerkelijke precisie waarmee de terroristen hun aanslag hadden uitgevoerd. Diverse springladingen hadden het kantoor van de beveiliging volledig weggevaagd, en daarmee alle gearchiveerde beelden van de externe en interne beveiligingscamera's. Een andere bom had het brandblussysteem buiten werking gesteld. Andere explosieven waren in het rekencentrum geplaatst – waardoor alles werd vernietigd, van personeelsdossiers tot de afschriften van apparatuur- en materiaalleveringen aan wetenschappers die in het Instituut werkten.

Op het eerste gezicht leken de bommen die in de nanotechlabs waren geplaatst eveneens bedoeld om zoveel mogelijk schade aan te richten. De plattegronden voor de complexen van Nomura en het Instituut waren bedekt met concentrische cirkels. Hij knikte in zichzelf. Die ladingen waren duidelijk aangebracht om elk stukje belangrijke apparatuur in beide laboratoria weg te vagen, van de biochemische reactievaten in het inwendige tot aan hun desktopcomputers. Maar iets aan de explosiepatronen die hij bij het Harcourtlab zag zat hem dwars.

Smith boog zich over de tafel. Wat klopte er niet? Hij volgde de reeks cirkels met een gehandschoeide wijsvinger. Van de explosieven rond het inwendige van het lab was het veel minder waarschijnlijk dat ze evenveel schade hadden aangericht. Ze leken zo afgesteld dat ze gaten sloegen in de isolatie rondom Harcourts productietanks voor nanofagen – maar niet om de tanks zelf volledig te vernietigen. Was dat een vergissing, vroeg hij zich af. Of was het opzet?

Hij keek op om Latimer te vragen of hem hetzelfde patroon was opgevallen. Maar de FBI-agent had zijn blik afgewend en luisterde aandachtig naar iemand die via zijn headset tot hem sprak.

'Begrepen,' zei Latimer kort in zijn microfoontje. 'Ja, mevrouw. Ik zal ervoor zorgen dat hij de boodschap krijgt en het doet. Over en uit.' De blonde man wendde zich weer tot Smith. 'Dat was Pierson. Naar het schijnt is haar oog eindelijk op uw papierwerk gevallen. Ze wil u buiten zien bij het hoofdcommandocentrum.'

'Zeker onmiddellijk?' veronderstelde Smith.

Latimer knikte. 'Nog sneller als dat mogelijk zou zijn,' zei hij met een geforceerde glimlach. 'En ik zou liegen als ik zou zeggen dat u met open armen ontvangen zult worden.'

'Wat geweldig,' zei Jon droog.

De FBI-agent haalde zijn schouders op. 'Wees voorzichtig met wat u tegen haar zegt, dr. Smith. De Winterkoningin is verdomd goed in haar werk, maar ze is niet echt wat je mensvriendelijk zou noemen. Als zij denkt dat u dit onderzoek op wat voor manier dan ook in de wielen zult rijden, zal ze waarschijnlijk ergens een donker hol vinden om u daar voor de duur van het onderzoek in te gooien. Ach, misschien zal ze het "preventieve hechtenis" of "verzekerde bewaring" noemen, maar dan nog zal het niet echt gerieflijk zijn... en zult u er niet erg makkelijk uit komen.'

Smith bestudeerde Latimers gezicht, ervan overtuigd dat hij overdreef voor het effect. Tot zijn ontmoediging leek de andere man volkomen serieus.

De schuilplaats bevond zich hoog op de kam van een heuvel die uitkeek op het zuidelijke deel van Santa Fe. Vanbuiten leek het een klassiek adobehuis in pueblostijl, dat rondom een schaduwrijke binnenhof was gebouwd. Vanbinnen waren de inrichting en het meubilair onmiskenbaar modern, een studie in glimmend chroom en zwart-wit. Kleine satellietschotels waren onopvallend in een hoek van het platte dak van het huis gemonteerd.

Een aantal van de ramen aan de westkant keek direct uit op het

Teller Instituut, ongeveer drie kilometer verderop. De kamers aan deze kant stonden vol met een verzameling radio- en microgolfontvangers, video- en fotocamera's met krachtige telelenzen, alsook lenzen voor infrarode en thermische beelden, een batterij met elkaar verbonden computers, en apparatuur voor beveiligde satellietcommunicatie.

Een surveillanceteam van zes man bediende al deze apparatuur en volgde wie er aankwamen en vertrokken in het afgezette gebied rondom het Instituut. Een van hen, een jonge man met een olijfkleurige huid en droeve bruine ogen, zat op het randje van een stoel aan een van de computerwerkstations vals te neuriën terwijl hij luisterde naar een hoofdtelefoon die met de diverse ontvangers was verbonden.

Opeens veerde de jonge man overeind. 'Ik heb een signaaltoon,' meldde hij kalm terwijl hij tegelijkertijd met zijn toetsenbord een reeks commando's invoerde. Het scherm voor hem lichtte op en liep vol met scrollende gegevens – een complexe, chaotische collage van cijfers, grafieken, gescande foto's en tekst.

Zijn teamleider, die veel ouder was en kortgeknipt wit haar had, bestudeerde het scherm enige ogenblikken. Hij knikte tevreden. 'Uitstekend werk, Vitor.' Hij wendde zich tot een van zijn andere mannen. 'Neem contact op met Terce. Meld hem dat Veld Twee voltooid lijkt en dat we nu toegang hebben tot alle onderzoeksgegevens die vergaard worden. Meld ook dat we deze informatie naar het Centrum doorsturen.'

Jon, die nu zweette in zijn beschermende pak, onderwierp zich aan de nauwgezette ontsmettingsprocedure die iedereen moest ondergaan die het afgezette gebied rondom het Instituut verliet. Dat betekende dat hij door een keten van aaneengeschakelde trailers moest om een reeks chemische hogedrukspuiten, elektrisch geladen stuifbaden en krachtige vacuümzuigers te doorlopen. De apparatuur, die geleend was van de luchtmacht en WMD-verdedigingseenheden van de Binnenlandse Veiligheid, was bestemd om nucleaire, chemische en biologische besmetting tegen te gaan. Niemand wist echt zeker of het de nanomachines waarvoor iedereen nu bang was zou neutraliseren. Maar het was het beste systeem waarmee men in de beperkte tijd die hun ter beschikking stond op de proppen had kunnen komen. En aangezien er nog niemand was doodgegaan, wilde Smith wedden dat ofwel de ontsmettingsprocedures werkten ofwel dat er binnen de afzetting geen actieve nanomachines meer waren.

In elk geval bood het tijdrovende proces hem ruimschoots de tijd om na te denken over wat hij in het Teller Instituut had gezien. En dat gaf hem op zich weer de tijd tot een heel akelige hypothese te komen omtrent het gebeurde – een hypothese die best wel eens de vloer aan zou kunnen vegen met veel van de populaire theorieën die de ronde deden binnen de FBI en de CIA.

Toen het er eindelijk op zat, ontdeed Smith zich van de zware uitrusting en wierp hij die in de afgesloten afvalbak voor gevaarlijk materiaal en trok hij weer zijn eigen kleren aan. Hij kreeg zijn schouderholster en zijn SIG-Sauer weer terug van de bezorgd kijkende korporaal van de National Guard die de laatste controlepost bemande en stapte naar buiten.

Het was halverwege de middag. De wind, die vanuit de beboste bergen in het oosten kwam aanwaaien, nam een beetje toe. Jon snoof de dennenlucht diep op om het laatste restje van de scherpe chemische geur uit zijn neus en zijn longen te verwijderen.

Een keurige, efficiënt ogende jonge man in een antracietgrijs pak van conservatieve snit kwam recht op hem af. Hij had het stijve, uitdrukkingsloze voorkomen waar jonge FBI-agenten die net van de Academie af kwamen zo'n waarde aan hechtten. 'Dr. Smith?'

Jon knikte vriendelijk. 'Dat klopt.'

'Waarnemend adjunct-directeur Pierson wacht op u in het commandocentrum,' zei de jonge man. 'Ik zal u daar met genoegen naartoe brengen.'

Smith verborg een droge grijns. Het was duidelijk dat de vrouw die hij de Winterkoningin had horen noemen, had besloten om met hem geen risico's te nemen. Hij mocht er niet vandoor zonder te horen wat de FBI ervan vond dat een andere overheidsinstantie, in dit geval het Pentagon, zich met haar zaken bemoeide.

Hij herinnerde zich Fred Kleins aansporing tot discretie en volgde de andere man zonder moeilijk te doen. Ze liepen tussen een steeds grotere verzameling trailers en grote tenten door. Elektriciteits- en glasvezelkabels verbonden de tijdelijke werkplekken met elkaar. Satellietschotels en microgolfantennes waren aan de buitenkant rondom opgesteld. Draagbare generatoren gonsden van dichtbij, om hulp- en reserve-energie te leveren.

In weerwil van zichzelf was Smith onder de indruk. Dit commandocentrum was bijna net zo groot als sommige van de divisiehoofdkwartieren die hij bij Desert Storm had gezien en liep heel wat beter. Kit Pierson mocht dan niet hoog scoren qua hartelijkheid en charme, maar het was duidelijk dat ze wel wist hoe ze een efficiënte operatie moest organiseren.

Ze had haar eigen werkgedeelte in een kleine tent aan de buitenrand. Het was spaarzaam ingericht met een tafel en één stoel, elektra voor haar laptop, een beveiligde telefoon, een elektrische lantaarn en een opklapbed.

Smith onderdrukte snel zijn verbazing toen hij dat zag. Meende ze dat werkelijk?

'Ja, dr. Smith,' zei Pierson droog. Ze had de bijna onmerkbare flikkering in zijn ogen opgemerkt. 'Ik ben inderdaad van plan om hier te slapen.' Een zuinige, humorloze glimlach gleed over een bleek gezicht dat hij misschien aantrekkelijk had gevonden als het iets levendiger was geweest. 'Het is misschien Spartaans, maar het is ook absoluut ontoegankelijk voor de pers – wat ik een enorme zegening vind.'

Ze sprak over zijn schouder tegen de jonge agent die bij de open tentflap rondhing. 'Dat is alles, agent Nash. Luitenant-kolonel Smith en ik zullen onder vier ogen een praatje maken.'

Daar gaan we, besefte Jon. Het feit dat ze opzettelijk op zijn militaire rang was overgegaan was hem niet ontgaan. Hij besloot om een poging te doen om haar bezwaren tegen zijn aanwezigheid ter plekke voor te zijn. 'Allereerst wil ik dat u weet dat ik hier niet ben om me in uw onderzoek te mengen.'

'Heus?' vroeg Pierson. Haar grijze ogen stonden ijskoud. 'Dat lijkt onwaarschijnlijk... tenzij u hier bent als een soort militaire toerist. In dat geval is uw aanwezigheid al even onwelkom.'

Het was gedaan met de beminnelijkheid, dacht Smith knarsetandend. Zo te horen werd dit meer een duel dan een discussie. 'U heeft mijn orders en mijn machtigingen gelezen, mevrouw. Ik ben hier alleen maar om waar te nemen en te helpen.'

'Met alle respect, ik heb geen hulp nodig van de chefs van staven of de Militaire Inlichtingendienst of wie het ook was die u werkelijk uw orders heeft gegeven,' zei Pierson botweg tegen hem. 'Eerlijk gezegd, kan ik niemand bedenken die me eerder problemen zal bezorgen waar ik géén behoefte aan heb.'

Smith beheerste zich, maar slechts ternauwernood. 'Werkelijk? Hoe dat zo?'

'Alleen al door er te zijn,' zei ze. 'Misschien is het u ontgaan, maar het internet en de sensatiebladen gonzen van de geruchten dat Teller het centrum was van een geheim militair programma om op nanotechnologie gebaseerde wapens te ontwikkelen.'

'En die geruchten zijn gelul,' zei Smith krachtig.

'Is dat zo?'

Smith knikte. 'Ik heb al het onderzoek hier met eigen ogen gezien. Niemand in het Teller Instituut werkte aan iets wat ook maar enige directe militaire toepassing had kunnen hebben.'

'Uw aanwezigheid op het Instituut is precies mijn probleem, *kolonel* Smith,' zei Pierson onbewogen. 'Welke verklaring wilt u dat wij geven voor uw opdracht om die nanotechprojecten in de gaten te houden?'

Smith haalde zijn schouders op. 'Makkelijk. Ik ben arts en moleculair bioloog. Mijn belangen hier in New Mexico waren louter medisch en wetenschappelijk.'

'*Louter* medisch en wetenschappelijk? Vergeet niet dat ik zowel uw getuigenverklaring als uw FBI-dossier heb gelezen,' zei ze meteen. 'Voor een arts weet u wel hoe u makkelijk en efficiënt moet doden. Wapentraining en vaardigheden in het ongewapend gevecht vallen een beetje buiten het gebruikelijke medicijnencurriculum, niet?'

Smith hield zijn mond en vroeg zich af hoeveel Kit Pierson werkelijk van zijn carrière af wist. Alles wat hij ooit voor Covert-One had gedaan was ver buiten haar bereik, maar van zijn werk voor de Militaire Inlichtingendienst zouden nog wat sporen kunnen zijn die zij zou kunnen vinden. Datzelfde gold voor de rol die hij had gespeeld bij het oplossen van de Hades Factorcrisis.

'Meer terzake,' vervolgde ze, 'zal misschien een op de drie mensen in dit land intelligent genoeg zijn om te begrijpen wat u hier als medicus mee te maken heeft. Alle anderen, met name de gekken, zullen alleen dat mooie jasje van uw legeruniform zien dat u in de kast bewaart – dat met de zilveren eikenbladeren op de schouderkleppen.'

Pierson tikte met een lange vinger op zijn borst. 'En dáárom, kolonel Smith, wil ik u niet in de buurt van dit onderzoek. Er hoeft maar één nieuwsgierige verslaggever te zijn die zijn pijlen op u richt, en dan hebben we een groot probleem. Deze zaak is al lastig genoeg,' zei ze. 'Ik ben niet van plan om daar bovenop nog een Lazarusrel uit te lokken.'

'Ik ook niet,' verzekerde Smith haar. 'En daarom ben ik van plan om onopvallend te werk te gaan.' Hij wees op zijn burgerkleren, een lichtgewicht grijs windjack, een groen poloshirt en een kaki broek. 'Zolang ik hier ben, ben ik gewoon dr. Smith... en ik praat niet met journalisten. Helemaal niet.'

'Dat is niet goed genoeg,' reageerde zij onverzettelijk.

'Dat zal het wel moeten zijn,' zei Jon zachtjes tegen haar. Hij wilde wat water bij de wijn doen om Kit Piersons begrijpelijke ergernis te sussen doordat een buitenstaander zich op haar terrein begaf, maar hij was niet van plan zijn plicht te verzaken. 'Hoor eens,' zei hij. 'Als u bij Washington wilt klagen, is dat best. Maar in de tussentijd zit u met mij opgescheept... dus waarom zou u mijn aanbod om te helpen niet accepteren?'

Ze kneep vervaarlijk haar ogen samen. Even vroeg Smith zich af of hij afstevende op dat 'preventieve hechtenis'-hok waarvoor agent Latimer hem had gewaarschuwd. Toen haalde ze haar schouders op. Het gebaar was zo onopvallend dat het hem bijna ontging. 'Goed dan, dr. Smith,' zei ze koel. 'Voorlopig zullen we het op uw manier aanpakken. Maar zodra ik toestemming krijg om u eruit te gooien, dan bent u weg.'

Hij knikte. 'Dat lijkt me redelijk.'

'Nou, als dat alles is, zult u zelf wel de uitgang kunnen vinden,' opperde ze, terwijl ze nadrukkelijk op haar horloge keek. 'Ik heb werk te doen.'

Smith besloot om haar nog een beetje meer te tarten. 'Ik moet u eerst nog wat vragen stellen.'

'Als het niet anders kan,' zei Pierson vlak.

'Wat vinden uw mensen van de vreemde manier waarop de explosieven zijn geplaatst in het Harcourtlab?' vroeg hij.

Ze trok een volmaakte wenkbrauw op. 'Ga door.' Ze luisterde aandachtig naar zijn vermoeden dat de bommen daar alleen bedoeld waren om de isolatie van het lab te doorbreken – en niet om het volledig te verwoesten. Toen hij klaar was, schudde ze ijzig geamuseerd haar hoofd. 'Dus u bent ook een explosievenexpert, dokter?'

'Ik heb ze wel eens zien gebruiken,' gaf hij toe. 'Maar nee, ik ben geen expert.'

'Nou, laten we aannemen dat uw intuïtie klopt,' zei Pierson. 'U suggereert dat het bloedbad buiten met opzet is aangericht – dat de terroristen van meet af aan van plan waren om die nanofagen van Harcourt op iedereen los te laten die zich binnen hun bereik bevond. Wat betekent dat de Lazarusbeweging hier is gekomen met de bedoeling om haar eigen martelaren te maken.'

'Niet helemaal,' verbeterde Smith haar. 'Wat ik suggereer is dat de mensen die dit geflikt hebben die indruk wilden wekken.' Hij schudde zijn hoofd. 'Maar ik heb hier diep over nagedacht, en het kán niet dat de door Brinker en Parikh ontwikkelde nanoinstrumenten verantwoordelijk waren voor wat er gebeurd is. Dat kan echt niet. Het is volkomen onmogelijk.'

Piersons gezicht verstrakte. 'Dat zult u me moeten uitleggen,' zei ze stijfjes. 'Hoezo onmogelijk?'

'Elke nanofaag van Harcourt bevatte biochemische stoffen die bedoeld waren om specifieke kankercellen te elimineren, en niet om al het levende weefsel af te breken,' zei Smith. 'Daar komt bij dat elke afzonderlijke nanofaag oneindig klein was. Er zouden miljoenen, misschien wel tientallen miljoenen voor nodig zijn om het soort schade dat ik heb gezien bij één mens aan te richten. Als je dat vermenigvuldigt met het aantal doden, dan heb je het over miljarden nanofagen, mogelijk zelfs tientallen miljarden. Dat is veel en veel meer dan het aantal dat de mensen van Harcourt met hun apparatuur hadden kunnen maken. Vergeet niet dat zij zich volledig concentreerden op het ontwerp, de bouw en het testen van iets waarvan zij hoopten dat het een medisch wonder zou zijn. Ze waren niet ingericht op massaproductie.'

'Kunt u dat bewijzen?' vroeg Pierson. Haar gezicht was nog steeds een ondoorgrondelijk masker.

'Zonder de computerbestanden?' Smith schudde zijn hoofd. 'Misschien niet sluitend genoeg voor een rechtszaak. Maar ik was bijna elke dag in dat lab en ik weet wat ik gezien heb – en wat ik niet gezien heb.' Hij keek benieuwd naar de bleke, donkerharige vrouw om te zien of zij al dan niet tot dezelfde vernietigende conclusie zou komen als hij.

Maar ze zei niets. Haar mond was een strakke, dunne streep. Haar grijze ogen leken gericht op een punt ergens in de verte, ver voorbij de wanden van haar tent.

'U begrijpt toch wat dat betekent?' zei Smith met klem. 'Het betekent dat deze terroristen naar het Teller Instituut zijn gekomen met nanofagen die ze zelf van tevoren al hadden gemaakt – nanofagen die van meet af aan waren ontworpen om duizenden mensen te vermoorden. Wie die mensen ook waren, ze waren beslist geen leden van de Lazarusbeweging, tenzij u denkt dat de Beweging er haar eigen ultramoderne nanotechlabs op na houdt!'

Eindelijk richtte Pierson haar blik weer op hem. Er trok een spier aan de rechterkant van haar gezicht. Ze fronste haar wenkbrauwen. '*Als* uw vermoedens juist zijn, zou dat best waar kunnen zijn, doctor.' Toen schudde ze haar hoofd. 'Maar dat is heel onzeker, en ik ben nog niet bereid om voorbij te gaan aan al het andere bewijsmateraal dat op betrokkenheid van de Lazarusbeweging wijst.'

'Welk ander bewijsmateriaal?' vroeg Smith scherp. 'Heeft u die terroristen die sergeant Diaz en ik gedood hebben geïdentificeerd? Ze moeten ergens in de dossiers van een of andere inlichtingendienst te vinden zijn. Die lui waren beroepsmensen. Sterker nog, beroepsmensen die op een heel hoog niveau toegang hadden tot de planning en werkwijze van de Geheime Dienst. Dat soort mensen hangt niet op straat rond op zoek naar werk.'

Weer zei Pierson niets.

'Oké, hoe zit het met hun vervoer?' drong Jon aan. 'Die grote zwarte SUV's waarmee ze zijn aangekomen. Die ze buiten het gebouw hebben laten staan. Hebben uw agenten die al kunnen achterhalen?'

Ze glimlachte ijzig. 'Ik voer mijn onderzoeken uit op een ordelijke manier, kolonel Smith. Dat betekent dat ik niet zomaar voortijdig de resultaten van elk deelonderzoek bekendmaak. Tot ik de autoriteiten heb overreed om u als de drommel terug te roepen, bent u welkom bij alle relevante briefings. Als ik u feiten mee te delen heb, zal ik dat daar doen. Tot die tijd zou ik u met klem willen aanraden om geduld te hebben.'

Toen Smith uit haar tent was vertrokken, bleef Kit Pierson bij haar tafel staan, terwijl ze nadacht over de wilde uitspraken die hij had gedaan. Had de zelfverzekerde legerofficier gelijk? Zouden de agenten van Hal Burke met opzet hun eigen plaag van moordmachines hebben losgelaten? Ze schudde bruusk haar hoofd en zette de gedachte van zich af. Dat was onmogelijk. Dat móest onmogelijk zijn. De doden buiten het gebouw waren absoluut onopzettelijk. Dat was alles.

En de doden in het gebouw, vroeg haar geweten. Hoe zat het daarmee? Oorlogsslachtoffers, antwoordde ze zichzelf onbewogen, terwijl ze erg haar best deed om het te geloven. Ze schoot er niets mee op om haar tijd te verspillen aan het worstelen met schuld- of spijtgevoelens. Ze had meer dringende problemen waar ze iets aan moest doen, en een van de belangrijkste was luitenant-kolonel Jonathan Smith. Hij leek haar geen man die genoegen nam met een plaats aan de zijlijn, ongeacht hoe vaak ze hem ook waarschuwde.

Pierson fronste haar voorhoofd. Alles stond of viel met haar vermogen om bij dit onderzoek als enige de touwtjes in handen te hebben. Het was onaanvaardbaar dat er iemand als Smith rondliep die theorieën propageerde die tegen haar officiële standpunt ingingen. Het was ook gevaarlijk, voor haar, voor Hal Burke en voor de hele TOCSIN-operatie.

En Pierson geloofde ook geen moment dat Smith alleen werkte als een wetenschappelijk waarnemer en verbindingsofficier voor ofwel USAMRIID ofwel de chefs van staven. Hij had te veel bijzondere vaardigheden, een te brede ervaring. Er zaten ook enkele zeer vreemde leemtes in het FBI-dossier dat zij had bestudeerd. Dus wie waren Smiths werkelijke bazen? De Inlichtingendienst van Defensie? De Militaire Inlichtingendienst? Of een van de zes andere geheime overheidsinstanties?

Ze pakte haar beveiligde telefoon en toetste een mobiel nummer van zeven cijfers in.

'Met Burke.'

'Je spreekt met Kit Pierson,' zei ze. 'We hebben een probleem. Ik wil dat je uitgebreid de achtergronden van ene luitenant-kolonel Jonathan Smith van het Amerikaanse leger natrekt.'

'Die naam doet eén onaangenaam lichtje opgaan,' zei haar tegenhanger bij de CIA zuur.

'Dat mag ook wel,' zei ze tegen hem. 'Hij is de zogenaamde dokter die de helft van jouw zorgvuldig samengestelde overvalteam heeft weten te doden.'

17

Verborgen productiefaciliteit voor nanotechnologie, in het Centrum
Van de buitenwereld mocht nagenoeg niets doordringen tot de beveiligde gedeeltes van het Centrum. Terwijl ze binnen aan het werk waren, kon niemand de zilte geur van de nabije oceaan ruiken of het geraas van versnellende straalvliegtuigen die zich voorbereidden op het opstijgen. Alles was zuiver, stil en volkomen steriel.

Zelfs in de voorruimtes van het enorme verborgen labcomplex deden technici en wetenschappers alles zorgvuldig en nauwgezet. Ze droegen operatieschorten onder steriele overalls, maskers die hun neus, mond en kin volledig bedekten, veiligheidsbrillen en polyester kappen die leken op de maliënkolders van Frankische ridders. Ze spraken op gedempte toon. Al het schrijfwerk werd elektronisch afgehandeld. Papieren notitieblokken of handboeken waren in geen van de steriele gedeeltes toegestaan. Het risico van verontreiniging door via de lucht aangevoerde deeltjes werd te groot geacht.

Elke stap in de richting van de Klasse-10 omgeving in de productiekern zelf ging gepaard met steeds strengere kledings- en steriliseringsprocedures. Alle ruimtes waren met elkaar verbonden door luchtsluizen en complexe filtersystemen. Bij elke buitendeur van de luchtsluizen hingen checklisten en stonden gewapende bewakers die orders hadden om ervoor te zorgen dat elke stap in acht werd genomen en dat daarbij de juiste volgorde werd aangehouden. Niemand wilde het risico lopen om de productietanks van de nanofagen te verontreinigen. Ze waren te teer, te kwetsbaar voor zelfs de minste of geringste verandering in hun strikt gecontroleerde omgeving. Ook was niemand in het geheime labcomplex bereid om het risico te lopen dat hij onbeschermd werd blootgesteld aan de nanofagen in hun uiteindelijke vorm.

Drie mannen zaten aan een vergadertafel in een van de voorvertrekken. Zij namen de operationele en experimentele gegevens door die tot dusver waren vergaard bij de 'incidenten' in Zimbabwe en

New Mexico. Twee van hen waren nanotechspecialisten en behoorden tot 's werelds meest briljante moleculaire wetenschappers. De derde, die veel langer en breedgeschouderd was, beschikte over een heel andere verzameling vaardigheden. Deze man, de derde van de Horatiërs, noemde zich Nones.

'Voorlopige rapporten uit Santa Fe wijzen erop dat onze Fase Twee-instrumenten bij ongeveer twintig tot dertig procent van degenen die eraan zijn blootgesteld geactiveerd zijn,' merkte de eerste wetenschapper op. Zijn gehandschoeide handen ratelden over een toetsenbord, zodat er op het plasmascherm voor hen een grafiek verscheen. 'Zoals u kunt zien, overtreft dat onze aanvankelijke verwachtingen. Ik denk dat we gerust kunnen aannemen dat de aanpassing in het ontwerp van onze controlefagen in principe werkt.'

'Klopt,' beaamde zijn collega. 'Het is ook duidelijk dat de biochemische ladingen van de Fase Twee-nanofagen veel beter uitgebalanceerd waren dan de ladingen die in Kusasa zijn gebruikt – en een beduidend hogere mate van weefsel- en botoplossing tot gevolg hebben gehad.'

'Maar kunt u het sterftecijfer opvoeren?' vroeg de lange man die Nones heette hardvochtig. 'U kent de eisen van onze werkgever. Die zijn absoluut. Een wapen dat minder dan een derde van zijn beoogde slachtoffers verteert, zal daaraan niet voldoen.'

Achter hun maskers trokken de twee wetenschappers een vies gezicht vanwege zijn smakeloze woordkeus. Ze zagen zichzelf het liefst als chirurgen die bezig waren met een essentiële, zij het inderdaad onaangename, operatie. Grove herinneringen dat hun werk uiteindelijk gepaard ging met moord op een enorme schaal waren noch noodzakelijk noch welkom.

'En?' vroeg Nones met klem. Zijn felgroene ogen glinsterden achter zijn kunststof veiligheidsbril. Hij wist hoe vervelend deze mannen het vonden om geconfronteerd te worden met de dodelijke resultaten van hun wetenschappelijke werk. Het amuseerde hem om zo nu en dan de vuile kant van hun missie onder hun arrogante neus te wrijven.

'Wij verwachten dat ons ontwerp voor de Fase Drie-fagen en hun besturing een veel grotere efficiëntie zal opleveren,' verzekerde de oudste moleculair wetenschapper hem. 'De Fase Twee-sensorsystemen waren beperkt in aantal en type. Door extra sensoren toe te voegen die op verschillende biochemische signaturen zijn ingesteld, kunnen we het aantal potentiële doelen enorm vergroten.'

De man met de groene ogen knikte dat hij het begreep.

'Wij zijn er ook in geslaagd om het rendement van de interne energiebron van elke nanofaag te verhogen,' meldde de tweede wetenschapper. 'Wij verwachten een overeenkomstige toename in hun effectieve levensduur en operationele bereik.'

'En hoe zit het met het besmettingsprobleem in het veld?' vroeg Nones. 'U hebt de veiligheidsmaatregelen gezien die bij het Teller Instituut zijn genomen.'

'De Amerikanen zijn al te voorzichtig,' zei de eerste wetenschapper geringschattend. 'De meeste Fase Twee-nanofagen zouden nu zo ver gedegenereerd moeten zijn dat ze niet meer werken.'

'Hun angsten zijn niet relevant,' zei de man met de groene ogen ijskoud tegen hem. 'De eisen van onze werkgever zijn dat wel. U bent toch verzocht om een betrouwbaar zelfvernietigingsmechanisme voor de Fase Drie-fagen te ontwikkelen?'

De tweede wetenschapper knikte haastig bij het horen van de onuitgesproken bedreiging in de stem van de grotere man. 'Ja, natuurlijk. En daar zijn wij ook in geslaagd.' Hij begon met snelle toetsaanslagen door verschillende ontwerpschetsen op het scherm te bladeren. 'Het was een moeilijk probleem om binnen het omhulsel de noodzakelijke ruimte te vinden, maar uiteindelijk konden wij...'

'Bespaar me de technische details,' zei het derde lid van de Horatiërs droog. 'Maar als u dat wilt, kunt u ze wel doorsturen naar onze werkgever. Ik hou mezelf alleen met praktische zaken bezig. Als de wapens die u voor ons ontwikkelt snel, efficiënt en betrouwbaar doden, hoef ik niet te weten hoe ze precies werken.'

18

Chicago, Illinois

Felle bouwlampen veranderden de nacht in een surrogaatdag langs een groot deel van de westelijke rand van de Hyde Park campus van de University of Chicago. Ze waren zo gericht dat ze de geelbruin en grijze stenen gevel van het pas gebouwde Interdivisional Research Building (IRB) verlichtten, een kolossaal, vier verdiepingen hoog gebouw dat 130.000 vierkante meter aan lab- en onderzoeksruimte bevatte. Bouwtrailers blokkeerden nog steeds de meeste zijmuren en groenvoorzieningen langs de zuidkant van 57th Street en de oostkant van Drexel Boulevard. In het gebouw brandde ook overal het licht voor elektriciens, timmerlui, ijzerwerkers, en anderen die dag en nacht werkten om het enorme project af te krijgen.

Wetenschappers van de University of Chicago hadden een cruciale rol gespeeld in de belangrijkste wetenschappelijke en technologische ontwikkelingen van de twintigste eeuw – in alles van C-14-datering tot beheerste nucleaire energie. Nu was de universiteit vastbesloten om haar voorsprong op de concurrentie te handhaven in de nieuwe wetenschappen van de eenentwintigste eeuw. Het IRB was de hoeksteen van dat streven. Wanneer het volledig in bedrijf was zouden biologen en natuurwetenschappers de hypermoderne faciliteiten van het gebouw met elkaar delen. De hoop was dat samenwerking hen zou helpen om de smalle, steeds kunstmatiger scheidslijnen tussen de twee traditionele disciplines te overstijgen.

Er was bijna één miljard aan schenkingen van bedrijven en particulieren binnengehaald om te betalen voor de bouw, de noodzakelijke hightechmaterialen aan te schaffen en financiering te garanderen voor de eerste golf van nieuwe projecten. Een van de grootste subsidies van het bedrijfsleven kwam van Harcourt Biosciences, om een geavanceerd nanotechcomplex te betalen. Nu, na de verwoesting van haar faciliteit in het Teller Instituut, zag het hogere management het IRB-lab als een vervanging waar dringend behoefte aan was – en een signaal van haar vaste voornemen om door te gaan met nanotechnologie. In het labcomplex waren technici en werkploegen druk bezig met het installeren van computers, scanningmicroscopen, op afstand bediende manipulators, filter- en luchtduksystemen, opslag voor chemische stoffen en andere benodigdheden.

Jack Rafferty begon zijn dienst met een grijns en een verende tred. De kleine, magere elektricien had tijdens het forensen van zijn huis in de voorstad La Grange berekend hoeveel het overwerk aan dit project hem zou opleveren. Volgens zijn berekeningen kon hij het lesgeld voor de confessionele school van de tweeling voldoen en nog genoeg overhouden om de Harley motor te kopen waar hij al meer dan een jaar een oogje op had.

De grijns verdween zodra hij het lab binnenliep. Zelfs van bij de deur kon hij zien dat iemand had zitten rotzooien met de bedrading die hij gisteren net had aangebracht. Muurpanelen hingen nog open, zodat er verwarde bundels kleur-gecodeerde kabels zichtbaar waren. Rommelige rollen en lussen isolatiedraad bungelden uit rafelige gaten in de gloednieuwe plafondtegels.

Rafferty vloekte zachtjes. Hij stormde naar de opzichter, een joviale beer van een man die Koslov heette. 'Tommy, wat is dat allemaal voor gepruts? Heeft iemand de specificaties weer eens veranderd?'

De opzichter keek op zijn klembord en schudde zijn hoofd. 'Voorzover ik weet niet, Jack.'

Rafferty fronste zijn wenkbrauwen. 'Kun je me dan misschien vertellen waarom Levy aan mijn werk heeft zitten kloten en er zo'n puinzooi van heeft gemaakt?'

Koslov haalde zijn schouders op. 'Het was Levy niet. Iemand zei dat hij zich ziek had gemeld. Een paar nieuwe lui vielen voor hem in.' Hij keek de ruimte rond. 'Ik heb ze allebei misschien een kwartier geleden nog gezien. Ik denk dat ze vroeg zijn afgenokt.'

De elektricien rolde met zijn ogen. 'Leuk. Waarschijnlijk een paar beunhazen. Of misschien hebben ze gewoon goeie connecties.' Hij deed zijn gereedschapsgordel om en zette de helm recht op zijn smalle hoofd. 'Alleen al het opruimen zal me de helft van mijn dienst kosten, Tommy. Dus ik wil geen gezeik dat ik niet op schema lig.'

'Niet van mij,' beloofde Koslov, terwijl hij overdreven met een ham van een hand op zijn borst klopte.

Voorlopig gerustgesteld ging Rafferty aan het werk, waarbij hij eerst de wirwar aan bedrading probeerde te ontwarren die de invallers van Levy achter de muren hadden laten zitten. Hij tuurde in een van de open panelen en scheen met een zaklantaarn in een ondiepe ruimte vol draadbundels, buizen en leidingen in allerlei soorten en maten.

Een los stuk groene draad viel hem op. Waar was dat voor? Hij trok er zachtjes aan. Aan het andere uiteinde hing een gewicht. Langzaam haalde hij de draad binnen en manoeuvreerde hij hem door de doolhof, waarbij hij hem met zijn lange, dunne vingers langs obstakels leidde. Het andere eind van de draad kwam in zicht. Het zat in een massief blok van iets wat leek op een of andere grijze, kneedbare massa.

Verbaasd staarde Rafferty even naar het blok, terwijl hij zich afvroeg wat het in hemelsnaam kon zijn. Toen viel het muntje. Hij werd bleek. 'Jezus... dat is plastic explosief-'

De zes bommen die in en om het labcomplex waren geplaatst ontploften tegelijk. Een verblindend licht barstte door de muren en het plafond. De eerste vreselijke schokgolf rukte Rafferty, Koslov en de andere werklui in het lab aan flarden. Een muur van vuur en oververhitte lucht raasde door de gangen van het half voltooide gebouw – om alles en iedereen op zijn weg volledig te verbranden. De enorme kracht van de explosie verbreidde zich rimpelend naar buiten en verbrijzelde de draagbalken van beton en staal, die afbraken als luciferhoutjes.

Een hele zijkant van het IRB begon te beven, eerst langzaam en toen steeds sneller, om in een schrille kakofonie van kreunend, scheurend staal in elkaar te zakken en vervolgens volledig in te storten. Massa's afgebroken steen en verwrongen staal regenden neer op de vierkante binnenplaats. Een dikke, verstikkende wolk van rook, verpulverd beton en stof steeg op, van binnen uit spookachtig verlicht door de bouwlampen die de explosie doorstaan hadden.

Een uur later en tien straten verderop troffen de drie leiders van een uit Chicago afkomstige actiecel van de Lazarusbeweging elkaar gehaast in het appartement op de bovenste verdieping van een riant herenhuis bij Hyde Park. Nog steeds zichtbaar geschokt stonden de twee mannen en één vrouw – die alle drie halverwege de twintig waren – te staren naar een televisie in de zitkamer. Ze keken naar de hectische berichten die door elke plaatselijke en nationale nieuwszender live werden uitgezonden.

Op de tafel in de aangrenzende eetkamer achter hen lag een hoopje overalls, bouwhelmen, gereedschapskisten en vervalste pasjes van een bouwbedrijf, die ze moeizaam vergaard hadden in de loop van vier maanden van intensieve planning. Boven op de stapel lag een manilla map met de plattegronden van het IRB die gedownload waren van de website van de University of Chicago. Stevig dichtgeschroefde potten met stinkende vloeistoffen, verfspuitbussen en opgevouwen spandoeken van de Beweging stonden in dozen ingepakt op de hardhouten vloer naast de tafel.

'Wie zou dat doen?' vroeg een verwarde Frida McFadden hardop. Ze kauwde nerveus op de punten van haar steile bos groengeverfd haar. 'Wie zou het IRB opblazen? Het kan niet een van onze eigen mensen zijn geweest. Onze orders kwamen regelrecht van de top, van Lazarus zelf.'

'Ik heb geen idee,' antwoordde haar vriendje grimmig. Bill Oakes was het overhemd aan het dichtknopen dat hij meteen had aangedaan toen de telefoon ging met het vreselijke nieuws. 'Maar één ding weet ik wel. We moeten al het spul dumpen dat we bij onze eigen opdracht wilden gebruiken. En snel ook. Voordat de politie bij ons aan de deur komt.'

'Wat je zegt,' mompelde hun zwaargebouwde metgezel, het derde lid van hun actiecel. Rick Avery krabde aan zijn baard. 'Maar waar kunnen we ons veilig van de uitrusting ontdoen? Het meer?'

'Daar zou het gevonden worden,' zei een zachte, spottende stem achter hen. 'Of jullie zouden gezien worden terwijl jullie je spullen in het water gooiden.'

Geschrokken draaiden de drie activisten van de Lazarusbeweging zich om. Geen van hen had de afgesloten voordeur open of dicht horen gaan. Ze staarden naar een heel lange en heel forsgebouwde man die naar hen keek vanuit de centrale hal die de zit- en de eetkamer van elkaar scheidde. Hij droeg een dikke wollen jas.

Oakes herstelde zich het eerst. Hij deed een stap naar voren, met zijn kin strijdlustig opgeheven. 'Wie ben jij in godsnaam?'

'Je mag me Terce noemen,' zei de man met de groene ogen kalm. 'En ik heb iets voor jullie – een geschenk.' Zijn hand kwam soepel uit zijn jaszak. Hij richtte een 9mm Walther met geluiddemper op hen.

Frida McFadden gaf een zachte kreet van angst. Avery stond als verlamd, zijn vingers nog steeds verstrikt in zijn baard. Alleen Bill Oakes had de tegenwoordigheid van geest om iets te zeggen. 'Als je van de politie bent,' stamelde hij, 'laat ons dan maar je aanhoudingsbevel zien.'

De lange man glimlachte beleefd. 'Helaas ben ik niet van de politie, meneer Oakes.'

Oakes voelde een huivering door hem heen gaan in de laatste seconde voordat de Walther kuchte. De kogel trof hem in zijn voorhoofd en doodde hem op slag. Hij viel achterover tegen de televisie.

Het tweede lid van de Horatiërs bewoog zijn pistool iets naar links en vuurde nogmaals. Avery kreunde één keer en viel op zijn knieën, vergeefs graaiend naar het bloed dat uit zijn opengereten keel gutste. De grote man met het kastanjebruine haar haalde voor de derde keer de trekker over. Deze kogel trof de bebaarde, jonge activist recht in het hoofd.

Bleek van afgrijzen draaide Frida McFadden zich om. Ze probeerde naar de dichtstbijzijnde slaapkamer te rennen. De lange man schoot haar in de rug. Ze struikelde, viel onbeholpen over een futonbank en bleef kermend liggen, kronkelend van pijn. Hij stopte het pistool weer in zijn jaszak, liep naar haar toe, wiegde haar hoofd in twee sterke armen – en gaf er toen een harde ruk aan, terwijl hij het tegelijkertijd scherp draaide. Haar nek brak.

De man met de groene ogen die Terce heette controleerde de drie lichamen even op tekens van leven. Voldaan liep hij terug naar de voordeur om die open te trekken. Twee van zijn mannen stonden op de overloop te wachten. Ze droegen allebei een paar zware koffers.

'Het is gebeurd,' zei de grote man tegen hen. Hij deed een stap terug en liet ze erlangs. Geen van beiden verspilde tijd met kijken naar de lijken. Iedereen die nauw samenwerkte met een van de Horatiërs raakte algauw gewend aan de aanblik van de dood.

Snel werkend begonnen ze met het uitpakken en opstellen van blokken plastic explosieven, ontstekers en timers op de tafel in de eetkamer. Een van hen, een kleine, stevig gebouwde man met een Slavisch uiterlijk, wees op de kleren, kaarten, chemicaliën en verfstoffen die op de tafel lagen of op de hardhouten vloer in dozen waren ingepakt. 'Hoe zit het met deze dingen, Terce?'

'Meenemen,' beval de man met de groene ogen. 'Maar laat de overalls, de helmen en de valse pasjes hier. Doe die bij het bommenmateriaal dat je achterlaat.'

De Slaaf haalde zijn schouders op. 'Je beseft dat de list de politie niet lang voor de gek zal houden. Als de Amerikaanse autoriteiten testen uitvoeren, zullen ze geen chemische resten vinden op degenen die je gedood hebt.'

De lange man knikte. 'Dat weet ik.' Hij glimlachte onbewogen. 'Maar aan de andere kant, wij hebben de tijd mee – en zij niet.'

De verlichting in de bar op O'Hare International Airport was heel gedempt, in schril contrast met de verblindende tl-buizen in de gangen en de vertrekhallen daarbuiten. Zelfs zo laat op de avond was het er nog vrij druk; reizigers met jetlag en slaapgebrek zochten er troost in rust, relatieve stilte en grote hoeveelheden alcohol.

Hal Burke zat gemelijk aan een tafel in de hoek en nipte aan de rum-cola die hij een halfuur eerder had besteld. Bij zijn vlucht naar Dulles zouden ze spoedig beginnen met instappen. Hij keek op toen Terce zich in de stoel tegenover hem liet zakken. 'En?'

De langere man liet zijn tanden zien. Hij was duidelijk erg met zichzelf in zijn nopjes. 'Er waren geen problemen,' zei hij. 'Onze informatie klopte tot in alle details. De Chicagocel van Lazarus heeft nu geen leiders meer.'

Burke glimlachte zuur. Dat hun schepper hooggeplaatste bronnen binnen de Beweging had, was een van zijn belangrijkste redenen geweest om de griezelige, onmenselijke Horatiërs bij TOCSIN binnen te halen. Hoewel Burke het niet graag toegaf, waren die bronnen beter dan alle netwerken die hij ooit tot stand had weten te brengen.

'De politie van Chicago zal zien wat zij verwacht te zien,' vervolgde Terce. 'Plastic explosieven. Ontstekers. En valse identiteitsbewijzen.'

'En drie lijken,' zei de CIA-agent nadrukkelijk. 'Misschien zullen de dienders zich een beetje verwonderen over dat kleinigheidje.'

De andere man trok snel, geringschattend zijn schouders op. 'Terroristische bewegingen eten dikwijls zichzelf op,' zei hij. 'Wellicht zal de politie geloven dat de doden door hun kameraden als zwakke schakels werden beschouwd. Ze kan ook denken dat er onenigheid tussen verschillende facties binnen de Beweging was.'

Burke knikte. Eens te meer had de grote man met het kastanjebruine haar gelijk. 'Tja, dat gebeurt,' beaamde hij. 'Als je een zootje gewapende radicale idioten in dezelfde afgesloten ruimte flink onder druk zet... Tja, het zal niet echt nieuws zijn als er een paar doordraaien en de anderen afmaken.'

Hij nam nog een slokje van zijn drankje. 'Hoe het ook zij, het zal in elk geval lijken alsof de bomaanslag op het IRB al maandenlang werd voorbereid,' mompelde hij. 'Dat zou moeten helpen om Castilla ervan te overtuigen dat het bloedbad bij het Teller Instituut van het begin tot het eind door Lazarus was opgezet. Dat het een startsein voor die klootzakken was – een manier om hun draagvlak te radicaliseren en tegelijk ons politiek lam te leggen. Met enig geluk zal de president de hele Beweging eindelijk als een terroristische organisatie bestempelen.'

De tweede Horatiër glimlachte sceptisch. 'Misschien.'

Burke knarste met zijn tanden. Het oude litteken aan de zijkant van zijn nek werd wit terwijl zijn gezicht verstrakte. 'We hebben

nog een ander, meer dringend probleem,' zei hij. 'In Santa Fe.'
'Een probleem?' vroeg Terce.
'Luitenant-kolonel Jonathan Smith, M.D.,' zei de CIA-agent tegen hem. 'Hij stookt onrust en stelt een aantal heikele vragen.'
'We hebben nog steeds een beveiligingseenheid in New Mexico,' zei Terce behoedzaam.
'Mooi.' Burke sloeg het laatste restje van zijn rum-cola achterover. Hij stond op. 'Laat me weten als ze klaar zijn om toe te slaan. En zorg dat het snel is. Ik wil dat Smith dood is voordat iemand hoger in de hiërarchie aandacht aan hem begint te schenken.'

19

Vrijdag 15 oktober
Santa Fe
De vroege ochtendzon scheen schuin door de ramen van zijn hotelsuite toen Jon Smiths mobieltje zoemde. Hij zette zijn koffiekopje op de keukenbar. 'Ja?'

'Kijk naar het nieuws,' stelde Fred Klein voor.

Smith duwde het bord met zijn ontbijt, een half opgegeten koffiebroodje, opzij, draaide zijn laptop om en maakte verbinding met het internet. Met toenemend ongeloof nam hij de koppen door die over het scherm voorbijgleden. Het verhaal was het hoofdartikel op de website van elke belangrijke nieuwsorganisatie. FBI-ONDERZOEK BLOEDBAD WIJST LAZARUS AAN! schreeuwde de ene. LAZARUSACTIVIST KOCHT ONTSNAPPINGSSUV's schreeuwde een andere.

De artikelen waren allemaal ongeveer hetzelfde. Hooggeplaatste bronnen binnen het FBI-onderzoek naar het bloedbad bij het Teller Instituut bevestigden dat iemand uit Albuquerque die al lange tijd lid was van de Lazarusbeweging, de voertuigen had gekocht die de valse Geheime Dienstagenten hadden gebruikt – voor ongeveer honderdduizend dollar aan contanten. Vervolgens werd Andrew Costanzo, slechts enkele uren na de aanslag op het Instituut, door zijn buren gezien terwijl hij van zijn huis wegreed met een koffer achter in zijn auto. Dossierfoto's van Costanzo en zijn signalement werden aan elke nationale en plaatselijke politie-instantie doorgegeven.

'Interessant hè?' zei het hoofd van Covert-One.

'Zo kun je het ook zeggen,' zei Smith droog tegen hem. 'In elk geval is jouw manier fatsoenlijk.'

'Ik neem aan dat dit dan het eerste is wat jij hebt gehoord over deze opmerkelijke doorbraak in de zaak?' mompelde Klein.

'Dat neem je goed aan,' zei Smith met gefronste wenkbrauwen. Hij dacht terug aan de FBI-briefings die hij had bijgewoond. Noch Pierson noch haar naaste assistenten hadden iets laten vallen dat zoveel opschudding kon veroorzaken. 'Is dit een echt lek of de fantasie van een of andere verslaggever?'

'Het lijkt authentiek,' zei Klein tegen hem. 'De FBI neemt niet eens de moeite om het verhaal te ontkennen.'

'Weet je iets van de bron? Was het iemand hier in Santa Fe? Of daar in Washington?' vroeg Smith.

'Geen idee,' zei het hoofd van Covert-One. Hij aarzelde even. 'Ik wil wel zeggen dat het niemand hier in Washington erg lijkt te spijten dat deze ontwikkeling bekend is geworden.'

'Dat zal wel.' Te oordelen naar de verbetenheid waarmee Kit Pierson zijn verontrustende vragen gisteren negeerde, wist Smith dat de FBI erg blij moest zijn dat zij harde bewijzen had gevonden om de verwoesting van het Teller Instituut in verband te brengen met de Lazarusbeweging. Dat zou nog meer opgaan na de terroristische aanslagen van de afgelopen nacht in Californië en Chicago. Het moest een geschenk van de hemel zijn geweest dat ze die vent, die Costanzo, op het spoor waren gekomen.

'Wat denk jij, kolonel?' vroeg Klein.

'Ik geloof het niet,' zei Smith hoofdschuddend. 'Althans, niet helemaal. Het komt gewoon te goed uit. Bovendien is er niets in dit Costanzoverhaal wat verklaart hoe de Beweging de hand heeft kunnen leggen op nanofagen die zo waren ontworpen dat ze de dood veroorzaakten – of waarom ze die met opzet zou loslaten, en dan nog wel op haar eigen aanhangers.'

'Nee, inderdaad niet,' beaamde Klein.

Smith zweeg even, terwijl hij een van de meest recente artikelen doorlas. Dit stuk besteedde meer aandacht aan wat een woordvoerster van de Lazarusbeweging, een vrouw die Heather Donovan heette, over Andrew Costanzo te zeggen had. Smith dacht diep na over haar uitspraken. Als zelfs maar de helft van wat ze zei waar was, kon de FBI op het verkeerde spoor zitten, dat haar met opzet, bij wijze van afleiding werd voorgehouden. Hij knikte in zichzelf. Het was de moeite van het natrekken waard.

'Ik ga een poging doen om te praten met die woordvoerster van de Beweging,' zei hij tegen Klein. 'Maar ik zal een of andere tijdelijke dekmantel nodig hebben, waarschijnlijk als journalist. Met een vals identiteitsbewijs dat een kritisch onderzoek kan doorstaan. Niemand van de Lazarusorganisatie zal vrijuit met een legerofficier of een wetenschapper praten.'

'Wanneer heb je dat nodig?' vroeg Klein.

Smith dacht erover na. Zijn dag was al helemaal volgepland. Gisteravond laat hadden enkele leden van het onderzoeksteam van de

FBI eindelijk het risico genomen om zonder beschermende kleding te werken. Ze leefden nog. Medische teams van de regionale ziekenhuizen en van Nomura PharmaTech waren derhalve begonnen met het bergen van de lijken en delen van lijken ter plekke. Hij wilde aanwezig zijn bij een gedeelte van het pathologisch onderzoek dat ze wilden uitvoeren – in de hoop dat hij zo de antwoorden zou kunnen krijgen op een aantal van de vragen die hem nog steeds dwarszaten.

'In de loop van de avond,' besloot hij. 'Ik zal proberen af te spreken in een restaurant of bar in het centrum. De paniek is hier nu grotendeels over en de mensen keren terug naar de stad.'

'Zeg tegen die mevrouw Donovan dat je een freelance journalist bent,' opperde Klein. 'Een Amerikaanse correspondent voor *Le Monde* en een paar andere kleinere Europese kranten, voor het merendeel met een enigszins linkse inslag.'

'Klinkt goed,' zei Smith. Hij kende Parijs heel goed, en van *Le Monde* en zijn Europese tegenhangers werd over het algemeen gedacht dat ze sympathie hadden voor het ecologische, antitechnologie en antiglobaliseringsstandpunt dat door de Lazarusbeweging werd gepropageerd.

'Ik zal een koerier vanmiddag een pakje met een perskaart van *Le Monde* op jouw naam bij je hotel laten bezorgen,' beloofde Klein.

Kit Pierson, de waarnemend adjunct-directeur van de FBI, zat aan de klaptafel die ze als bureau gebruikte, terwijl ze door het vertrouwelijke CIA-dossier bladerde dat Hal Burke haar had gefaxt. Langley had maar weinig meer informatie over deze Jonathan Smith dan de FBI. Maar er waren enkele cryptische verwijzingen naar hem in missierapporten of telegrammen van CIA-agenten – meestal in verband met een of andere broeiende crisis of reeds bestaande brandhaard.

Haar ogen vernauwden zich terwijl ze de lange, zorgwekkende lijst doornam. Moskou. Parijs. Sjanghai. En nu was hij hier in Santa Fe. O, er was altijd wel een aannemelijk excuus voor Smiths plotselinge verschijning ter plekke: hij kwam kijken hoe een gewonde vriend het maakte of hij woonde een medisch congres bij of hij deed gewoon het werk waarvoor hij was opgeleid. Oppervlakkig gezien was hij precies wat hij beweerde te zijn – een militaire wetenschapper en arts die af en toe op het verkeerde moment op de verkeerde plek was.

Pierson schudde haar hoofd. Er waren haar veel te veel 'toevallige' ontmoetingen, te veel aannemelijke smoesjes. Zij zag een patroon en het was een patroon dat haar helemaal niet beviel. Hoewel Smith betaald werd door USAMRIID, leek hij een buitengewone vrijheid van handelen te hebben met betrekking tot zijn verplichtingen en zijn vermogen om verlof op te nemen. Ze was er nu van overtuigd dat hij een geheim agent was, die op een heel hoog niveau werkte. Maar wat haar de meeste zorgen baarde, was dat ze nog steeds niet kon vaststellen wie zijn echte werkgever was. Elk serieus onderzoek naar hem via officiële kanalen liep dood in een bureaucratisch niemandsland. Het was alsof ergens een heel hoge piet op luitenant-kolonel en dokter Jonathan Smiths hele leven en loopbaan in heel grote letters VERBODEN TOEGANG had gestempeld.

En dat maakte haar nerveus, heel nerveus. Daarom had ze een team van twee man dat hem goed in de gaten hield. Zodra de beste dokter de door haar aangegeven grenzen overschreed, was ze van plan om hem meteen uit het onderzoek af te voeren, desnoods bedekt met pek en veren.

Ze schoof het CIA-dossier in een portable papierversnipperaar en keek hoe de overdwars gesneden reepjes papier neerregenden in een prullenbak waarop stond MATERIAAL VOOR VERBRANDING. De beveiligde telefoon op haar bureau ging over voordat ze allemaal in de prullenbak waren beland.

'Met Burke,' gromde een stem aan de andere kant. 'Wordt Smith nog steeds door jouw mensen geschaduwd?'

'Ja,' bevestigde Pierson. 'Hij is in St. Vincent's Hospital in hun pathologielab aan het werk.'

'Roep ze terug,' zei Burke botweg.

Ze schoot recht overeind in haar stoel, verrast door het verzoek. 'Wat?'

'Je hebt me gehoord,' zei haar tegenhanger bij de CIA. 'Zorg dat je agenten Smith met rust laten. Nu.'

'Waarom?'

'Vertrouw me, Kit,' zei Burke onbewogen tegen haar. 'Dat wil je níet weten.'

Toen de verbinding werd verbroken, bleef Pierson roerloos en zwijgend zitten, terwijl ze zich afvroeg of er een manier was waarop ze kon ontsnappen aan de strik die ze om zich voelde samensnoeren.

Jon Smith kwam door de klapdeuren in een kleine kleedkamer naast het pathologielab van het ziekenhuis. Die was verlaten. Gapend ging hij op een bank zitten om zijn handschoenen uit te trekken en zijn masker af te doen. Hij gooide ze in een bak die al tot de rand toe vol zat. Vervolgens trok hij zijn groene operatieschort uit. Hij had zich bijna omgekleed toen Fred Klein belde.

'Heb je een afspraak met mevrouw Donovan?' vroeg het hoofd van Covert-One.

'Ja,' zei Smith. Hij boog zich voorover en trok zijn schoenen aan. 'Ik tref haar vanavond om negen uur. In een cafeetje op de Plaza Mercado.'

'Mooi,' zei Klein. 'En, hoe staat het met de autopsieën? Nog nieuwe ontwikkelingen?'

'Een paar,' zei Smith tegen hem. 'Maar ik mag doodvallen als ik weet wat ze betekenen.' Hij zuchtte. 'Je moet begrijpen dat we heel weinig intacte lichaamsdelen hebben om te onderzoeken. Nagenoeg het enige wat er van de meeste doden over is, is een vreemd soort organische soep.'

'Ga verder.'

'Nou, er beginnen zich wat vreemde patronen af te tekenen op basis van de autopsieën die we hebben kunnen verrichten,' meldde Smith. 'Het is nog te vroeg en de monsters zijn nog te klein om iets met zekerheid te zeggen, maar ik vermoed dat de trends die wij zien op termijn bevestigd zullen worden.'

'Zoals?' drong Klein aan.

'Duidelijke aanwijzingen voor systemisch drugsgebruik of ernstige chronische ziekte bij degenen die gedood zijn,' zei Smith terwijl hij van de bank opstond en zijn windjack pakte. 'Niet in alle gevallen. Maar bij een heel hoog percentage veel hoger dan de statistische norm.'

'Weet je al waaraan die mensen zijn gestorven?'

'Precies? Nee.'

'Wat is naar jouw indruk het meest waarschijnlijk, kolonel?' zei Klein met zachte aandrang.

'Meer dan een indruk heb ik niet,' zei Smith vermoeid. 'Maar volgens mij is het grootste deel van de schade aangericht door chemische stoffen die door deze nanofagen zijn verspreid om peptidebanden te verbreken. Als je dat vaak genoeg bij genoeg verschillende peptiden doet, dan hou je uiteindelijk het soort organische slijm over dat wij hebben aangetroffen.'

'Maar die dingen doden niet iedereen bij wie ze binnendringen,' merkte Klein op. 'Waarom niet?'

'Ik vermoed dat de nanofagen geactiveerd worden door verschillende biochemische signalen...'

'Zoals je die zou vinden bij iemand die drugs gebruikt. Of die aan een hartkwaal lijdt. Of misschien een andere ziekte of chronische aandoening,' besefte Klein opeens. 'Zonder die signalen zouden die dingen niet werken.'

'Bingo.'

'Dat verklaart niet waarom die grote vent met die groene ogen met wie jij vocht opeens bezweek,' merkte Klein op. 'Jullie renden allebei door die wolk nanofagen zonder enig effect, aanvankelijk.'

'Die kerel werd ergens door getroffen, Fred,' zei Smith grimmig. Hij deed zijn ogen dicht en onderdrukte de vreselijke herinneringen aan de manier waarop zijn vijand voor zijn ogen oploste. 'Ik weet bijna zeker dat iemand hem heeft geraakt met een naald die in een stof was gedoopt waardoor de nanofagen die hij eerder had ingeademd geactiveerd werden.'

'Wat betekent dat zijn eigen mensen hem verraadden om te voorkomen dat hij gevangen kon worden genomen,' zei Klein.

'Zo zie ik het,' beaamde Smith. Zijn gezicht vertrok toen hij opeens weer moest denken aan dat geluid van iets wat kil en dodelijk langs zijn oor siste. 'En volgens mij probeerden ze mij ook te raken met een van diezelfde rotnaalden.'

'Pas goed op, Jon,' zei Klein plotseling. 'We weten nog altijd niet zeker wie hier de vijand is, en we begrijpen in elk geval nog niet wat zijn plannen zijn. Tot die tijd moet je iedereen, ook mevrouw Donovan, als een potentiële bedreiging beschouwen.'

Schuilplaats van het surveillanceteam, aan de rand van Santa Fe

Drie kilometer ten oosten van het Teller Instituut was alles stil in het huis dat onderdak bood aan het geheime surveillanceteam. Computers gonsden, klikten en bromden zachtjes, terwijl ze gegevens verzamelden via de diverse sensoren die op de zone rondom het Instituut waren gericht. De twee mannen die nu dienst hadden luisterden zwijgend radio-uitzendingen af en hielden tegelijkertijd een oogje op de binnenkomende informatie.

Een van hen luisterde gespannen naar de stemmen in zijn hoofdtelefoon. Hij wendde zich tot zijn teamleider, een oudere Hollander met wit haar die Willem Linden heette. 'Het actieteam meldt zich. Smith is net bij de Plaza Mercado aangekomen.'

'Alleen?'

De jongere man knikte.

Linden glimlachte breed, waarbij een mond vol tabaks-gele tanden zichtbaar werd. 'Dat is uitstekend nieuws, Abrantes. Sein dat het team paraat moet staan. Neem vervolgens contact op met het Centrum en informeer ze dat alles volgens plan verloopt. Vertel ze dat we ons zullen melden zodra Smith geëlimineerd is.'

Abrantes keek bezorgd. 'Bent u er zeker van dat het zo simpel zal zijn? Ik heb het dossier van deze Amerikaan gelezen. Hij zou heel gevaarlijk kunnen zijn.'

'Geen paniek, Vitor,' zei de man met het witte haar sussend. 'Iedereen gaat dood als hij op de juiste plek door een kogel of een mes wordt geraakt.'

20

Smith bleef in de deuropening van het Longevity Café staan en nam even de klanten op, die in groepjes aan verschillende van de ronde tafeltjes zaten. Ze leken een wat eclectisch stelletje, dacht hij met verborgen plezier. De meesten, doorgaans degenen die als stelletjes bij elkaar zaten, leken heel normaal – een mengeling van goed geklede, goed verdienende mensen die op hun gezondheid letten en serieuze studenten. Anderen hadden een opvallende verscheidenheid aan tatoeages en piercings. Enkelen droegen tulbanden of lange blonde dreadlocks. Diverse klanten draaiden zich om naar de deur, duidelijk ook nieuwsgierig naar hem. Verreweg de meesten ging door met hun eigen intense gesprekken.

Het café zelf besloeg een groot deel van de eerste verdieping van de Plaza Mercado, met grote ramen die op West San Francisco Street uitkeken. De felrode, gebrand oranje en geelgeschilderde muren en de helderblauwe en gebleekt houten vloeren werden passend aangevuld met ongebruikelijke kunstvoorwerpen – waarvan vele gebaseerd waren op Aziatische, Hindoestaanse of zenthema's.

Smith liep recht naar het tafeltje waaraan een vrouw in haar eentje zat, een van degenen die zich hadden omgedraaid om hem te bestuderen. Dat was Heather Donovan. Fred Klein had haar foto en een beknopt cv bijgesloten in het pakje met Smiths vervalste perskaart van *Le Monde*. De plaatselijke woordvoerster van de Lazarusbeweging was halverwege de dertig en had een slank, jongensachtig figuur, een wilde bos rossig blonde krullen, zeegroene ogen en wat lichte sproeten over haar neusbrug.

Met een vragende uitdrukking keek ze hoe hij op haar afkwam. 'Kan ik u helpen?' vroeg ze.

'Ik ben Jon Smith,' zei hij zachtjes, terwijl hij beleefd zijn zwarte stetson afnam.

Een fraai gevormde rossig-gouden wenkbrauw ging omhoog. 'Ik

verwachtte een journalist, geen cowboy,' mompelde ze in perfect Frans.

Smith grijnsde en keek naar zijn geelbruine corduroy jasje, veterdas, spijkerbroek en laarzen. 'Ik probeer me aan te passen aan de plaatselijke gebruiken,' antwoordde hij in dezelfde taal. 'Uiteindelijk, 's lands wijs...'

Ze glimlachte en ging op Engels over. 'Gaat u alstublieft zitten, meneer Smith.'

Hij zette zijn hoed op de tafel, haalde een notitieblokje en een pen uit zijn spijkerbroek en ging op de stoel tegenover haar zitten. 'Ik stel het op prijs dat u me zo wilt treffen, zo laat, bedoel ik. Ik weet dat u al een lange dag achter de rug heeft.'

De woordvoerster van de Lazarusbeweging knikte langzaam. 'Het is inderdaad een lange dag geweest. Meerdere lange dagen in feite. Maar voordat we beginnen met dit interview, zou ik graag iets van een identiteitsbewijs willen zien – niet meer dan een formaliteit, uiteraard.'

'Uiteraard,' zei Smith gelijkmoedig. Hij gaf haar de vervalste perskaart, en keek aandachtig naar haar terwijl ze hem tegen het licht hield. 'Bent u altijd zo voorzichtig in uw contacten met journalisten, mevrouw Donovan?'

'Niet altijd,' zei ze tegen hem. Ze haalde haar schouders op. 'Maar dezer dagen leer ik om wat minder goed van vertrouwen te zijn. Dat krijg je als je een paar duizend mensen door je eigen regering ziet vermoorden.'

'Dat is begrijpelijk,' zei Smith rustig. Volgens haar Covert-One-dossier was Heather Donovan een vrij recent lid van de Lazarusbeweging. Voordat ze zich bij Lazarus had aangesloten, had ze in de hoofdstad van de staat gelobbyd voor de meer gematigde milieuorganisaties, waaronder de Sierra Club en het Wereldnatuurfonds. Ze werd beschouwd als hard, slim en politiek handig.

'Oké, u lijkt bonafide,' zei ze ten slotte, terwijl ze zijn perskaart terugschoof.

'Wat kan ik voor u doen?' onderbrak een slepende stem hen. Een van de obers, een slanke jonge man met piercings in zijn wenkbrauwen, was naar hun tafeltje geslenterd en hing nu geduldig over hen heen.

'Een kopje groene buskruitthee,' zei de woordvoerster van de Lazarusbeweging tegen hem.

'En voor mij een glas rode wijn,' zei Smith. Hij zag de medelijdende blik haar ogen. 'Geen wijn? Een biertje dan?'

Ze schudde verontschuldigend haar hoofd, een gebaar dat door de ober werd herhaald. 'Sorry, ze schenken hier geen alcohol,' zei ze. Haar lippen trokken een beetje omhoog, weer een glimp van een glimlach. 'Misschien moet u een van de Longevity-elixirs proberen.'

'Elixirs?' vroeg hij weifelend.

'Een mengeling van traditionele Chinese kruidenrecepten en natuurlijke vruchtensappen,' zei de ober, die voor het eerst blijk gaf van enig enthousiasme. 'Ik kan de Virtuele Boeddha aanraden. Die is heel stimulerend.'

Smith schudde zijn hoofd. 'Een andere keer misschien.' Hij haalde zijn schouders op. 'Dan neem ik hetzelfde als mevrouw Donovan – gewoon een kopje groene thee.'

Terwijl de ober wegdribbelde om hun drankjes te halen, wendde Smith zich weer tot de woordvoerster van de Lazarusbeweging. Hij hield zijn notitieblokje op. 'En, nu we hebben vastgesteld dat ik een bonafide verslaggever ben...'

'Kunt u uw vragen stellen,' maakte Heather Donovan zijn zin voor hem af. Ze nam hem aandachtig op. 'Die naar ik begrijp draaien om de groteske suggestie van de FBI dat de Beweging op de een of andere manier verantwoordelijk is voor de verwoesting van het Teller Instituut en de moord op zo veel onschuldige mensen.'

Smith knikte. 'Dat klopt. Ik heb vanochtend de andere kranten gelezen, en wat u zei over die Andrew Costanzo intrigeerde me. Zo te horen moet ik toegeven dat die man me niet iemand lijkt die ik zou uitkiezen als heimelijke samenzweerder.'

'Dat is hij ook niet.'

'Dat is duidelijke taal,' zei hij. 'Zou u daar wat meer over willen vertellen?'

'Andy is een prater, geen doener,' zei ze tegen hem. 'O, hij mist nooit een vergadering van de Beweging, en hij heeft altijd heel wat te zeggen, althans om over te klagen. Maar waar het om gaat is dat ik hem nooit daadwerkelijk iets heb zien dóen! Hij kan urenlang dwarsliggen, maar als je hem wat enveloppen geeft die gevuld moeten worden of brochures die verspreid moeten worden, dan heeft hij het opeens te druk of is hij te ziek. Hij denkt dat hij het archetype van de filosoof-koning is, de man wiens visie het benul van gewone stervelingen zoals wij ver te boven gaat.'

'Ik ken het type,' zei Smith met een snelle grijns. 'De miskende Plato uit het magazijn van een boekhandel.'

'Dat is Andy Costanzo ten voeten uit,' beaamde Heather. 'En juist daarom is de FBI-verklaring zo absurd. We hebben hem allemaal geduld, maar niemand binnen de Beweging zou Andy ooit iets belangrijks toevertrouwen – laat staan meer dan honderdduizend dollar in contanten!'

'Toch heeft iemand dat gedaan,' merkte hij op. 'De identificatie door die autohandelaren in Albuquerque klopt als een bus.'

'Dat weet ik!' Ze klonk gefrustreerd. 'Ik geloof dat iemand Andy het geld heeft gegeven om die SUV's te kopen. En ik geloof zelfs dat hij stom, of arrogant, genoeg was om er zowaar in mee te gaan en te doen wat ze hem vroegen. Maar het geld had onmogelijk van de Beweging kunnen komen! Wij zijn niet bepaald arm, maar we smijten zeker niet met dat soort bedragen!'

'Dus jij denkt dat Costanzo erin is geluisd?'

'Daar ben ik van overtuigd,' zei ze krachtig. 'Om Lazarus en alles waarvoor wij staan zwart te maken. De Beweging heeft een beleid van louter geweldloos protest. Moord of terrorisme zouden wij nooit vergoelijken.'

Smith kwam in de verleiding om op te merken dat je met het stukslaan van labapparatuur automatisch de grens van het geweld overschreed, maar hij hield zijn mond. Hij was hier voor antwoorden op bepaalde vragen, en niet om een politieke discussie aan te gaan. Bovendien was hij er nu van overtuigd dat de vrouw de waarheid sprak – althans wat betreft de haar bekende elementen van de Lazarusbeweging. Aan de andere kant behoorde zij als activiste slechts tot het middenkader, het equivalent van een legerkapitein of een majoor. Hoeveel kon zij werkelijk weten over geheime manoeuvres door het hogere echelon van haar organisatie?

Toen hun thee werd gebracht, gaf dat haar de tijd om weer tot rust te komen.

Ze nam voorzichtig een slokje en keek hem toen bedachtzaam aan over de rand van haar dampende kopje. 'U vraagt zich af of het geld al dan niet van ergens hoger in de Beweging had kunnen komen, niet dan?'

Smith knikte. 'Ik wil u niet beledigen, mevrouw Donovan. Maar jullie hebben een ondoordringbaar ijzeren gordijn van geheimhouding opgetrokken rond de top van de Lazarusbeweging. Het is niet meer dan natuurlijk om je af te vragen wat daarachter schuilgaat.'

'Dat ijzeren gordijn, zoals u het noemt, is louter een defensieve maatregel, meneer Smith,' zei ze vlak. 'U weet wat er gebeurd is met onze oorspronkelijke oprichters. Die leidden een open, openbaar leven. En toen werden ze een voor een vermoord of ontvoerd. Ofwel door ondernemingen die ze tegen de haren in hadden gestreken ofwel door regeringen in opdracht van die ondernemingen. Nou, de Beweging zal zichzelf niet weer zo makkelijk laten onthoofden.'

Smith besloot niet in te gaan op haar meer fantastische uitspraken. Ze begon een vast rijtje gesprekspunten op te dreunen.

Tot zijn verbazing lachte ze opeens, een glimlach die haar levendige groene ogen deed oplichten. 'Oké, ik geef toe dat dat voor een deel retorisch is. Oprechte retoriek, dat wel, maar ik ben het ermee eens dat het niet het meest overtuigende betoog is dat ik ooit heb gehouden.' Ze nam nog een slokje van haar thee en zette toen het kopje op de tafel tussen hen in. 'Ik zal in plaats daarvan logica proberen: laten we zeggen dat ik het totaal bij het verkeerde eind heb. Dat ik een onnozele hals ben, en dat er mensen binnen de Beweging zijn die hebben besloten tot clandestien geweld om onze doelen te bereiken. Nou, denk daar eens over na. Als ú een ultrageheime operatie zou runnen waarvan de onthulling alles kapot kon maken waar u ooit voor gewerkt had... zou u dan iemand als Andy Costanzo als uw agent gebruiken?'

'Nee, dat zou ik niet doen,' beaamde Smith. 'Niet tenzij ik gesnapt zou willen worden.'

En dat was wat hem van meet af aan had dwarsgezeten, vanaf het eerste moment dat hij die gelekte verhalen van de FBI had gelezen. Nu, nadat hij haar had gehoord, was hij er nog meer van overtuigd dat er een heel vies luchtje zat aan dat hele SUV-verhaal. Je verlaten op een overontwikkelde sukkel als Costanzo om de vluchtauto's te kopen was gewoon vragen om problemen. Het was het soort stomme fout dat gewoon niet te rijmen was met het meedogenloze, berekenende professionalisme waarvan hij getuige was geweest bij de aanslag op het Instituut. Wat betekende dat iemand dit onderzoek manipuleerde.

Een straat ten westen van de Plaza Mercado wachtte Malachi MacNamara geduldig, verscholen in de schaduw van een overdekt trottoir. Het werd laat en de straten in het centrum van Santa Fe waren bijna verlaten.

De magere, verweerde man bracht behoedzaam zijn Kite restlichtkijkertje omhoog en tuurde erdoor met een lichtblauw oog. Een erg handig dingetje, dacht hij. Het monoculair van Engelse makelij was robuust, heel licht en gaf een scherp, helder beeld dat vier keer werd vergroot. Hij speurde nauwgezet de omgeving af, om nogmaals de activiteiten van zijn beoogde prooi na te gaan.

Hij concentreerde zich eerst op de man die vijftig meter verderop roerloos in de nis van de deuropening van een galerie stond. De man met het geschoren hoofd droeg een spijkerbroek, zware werkschoenen en een legerjasje van een dumpshop. Telkens als er een auto langskwam, vernauwden zijn ogen zich om niet verblind te worden. Voor het overige kwam hij niet van zijn plek, ondanks het feit dat het steeds kouder werd. Een stoere jongen, dacht MacNamara kritisch, maar heel fit en behoorlijk gedisciplineerd.

Er stonden nog drie wachtposten op verschillende punten in de straat. In totaal waren het er vier. Twee van hen bevonden zich ten westen van de Plaza Mercado. Twee hielden zich aan de oostkant schuil. Ze hadden allemaal een goede dekking en waren vrijwel niet te zien behalve voor een geoefende waarnemer met apparatuur om restlicht te versterken.

Ze maakten deel uit van de groep die MacNamara had gevolgd sinds de catastrofe bij het Teller Instituut. Hij was ze direct na het nanobloedbad kwijtgeraakt, maar ze waren weer opgedoken zodra de Lazarusbeweging zich had gehergroepeerd en hadden hun kamp buiten de afzetting van de National Guard opgeslagen. Eerder die avond, kort na zonsondergang, was dit viertal naar het noorden gelopen, dieper in de smalle straatjes van Santa Fe.

Hij had hen op een veilige afstand gevolgd. De korte tocht had hem veel over zijn prooi geleerd. Deze mannen waren niet gewoon straatschorem of anarchistische rouwdouwers die op de demonstratie van de Beweging waren afgekomen, zoals hij aanvankelijk had gedacht. Hun acties waren te precies, te goed gepland en te goed uitgevoerd. Ze waren met gemak langs de FBI en de politiebewaking rond het Lazaruskamp geglipt. En meer dan eens had hij zich haastig moeten verschuilen om te voorkomen dat hij werd gezien door een van hen die achterbleef om te kijken of ze gevolgd werden.

Hen schaduwen leek op het besluipen van grof wild – of het volgen van een patrouille van vijandige commando's, die onbekend terrein verkende. In sommige opzichten vond MacNamara het een prikkelende uitdaging. Het was een hoog spel voor de geestelijke en lichamelijke vermogens, dat hij vele malen eerder had gespeeld, in vele verschillende delen van de wereld. Tegelijkertijd was hij zich nu bewust van een gevoel van vermoeidheid op de achtergrond, een lichte afstomping van zijn waarneming en reflexen. Misschien hadden de spanningen van de afgelopen paar maanden een zwaardere tol van zijn zenuwen en zijn uithoudingsvermogen geëist dan hij aanvankelijk had gedacht.

De man met het geschoren hoofd die hij gadesloeg, rechtte plotseling zijn rug en werd heel alert. De man fluisterde enkele woorden in een klein radiomicrofoontje dat aan zijn kraag was bevestigd, luisterde aandachtig naar de reactie, en leunde toen naar voren om behoedzaam om de rand van de deuropening te turen.

MacNamara richtte zijn kijker snel op de andere wachtposten en zag bij hen dezelfde onmiskenbare tekenen van toegenomen waakzaamheid. Hij veranderde zijn eigen stand, blies zachtjes uit en onderdrukte de eerste golf van adrenaline waarmee zijn lichaam zichzelf voorbereidde op actie. Het vage gevoel van vermoeidheid verdween. Ah, dacht hij, daar gaan we dan. Het lange, roerloze wachten in de kou en het donker zat er bijna op.

Hij tuurde nog steeds door de restlichtkijker en liet die over de voorgevel van de Plaza Mercado glijden. Een man en een vrouw waren net uit het gebouw gekomen. Ze stonden samen op de stoep voor het gebouw en voerden een geanimeerd gesprek. Hij herkende de slanke, aantrekkelijke vrouw onmiddellijk. Hij had haar bij het Lazaruskamp zien ronddraven. Ze heette Heather Donovan. Zij was de plaatselijke activiste die voor de Beweging contacten met de pers afhandelde.

Maar wie was de donkerharige man met wie ze sprak? De kleren, de laarzen en de cowboyhoed suggereerden allemaal dat hij hier uit de buurt kwam, maar om de een of andere reden betwijfelde MacNamara of dat werkelijk zo was. Iets in de houding en de manier van bewegen van de lange, breedgeschouderde man was vreemd vertrouwd.

De man met het donkere haar draaide zich om en wees op de betonnen parkeergarage ten westen van de straat. Dat korte ogenblik was zijn gezicht duidelijk te zien. Toen wendde hij zich weer af.

Malachi MacNamara liet zijn restlichtkijker langzaam zakken. Zijn lichtblauwe ogen keken zowel geamuseerd als verbaasd. 'Godnondeju,' mompelde hij zachtjes. 'De beste kolonel heeft beslist een talent om op te duiken waar en wanneer je hem het minst verwacht.'

21

Klinkerstraten kronkelden door de centrale Plaza van Santa Fe. Ze liepen rond de verschillende monumenten en slingerden zich onder een weids bladerdak van bomen – hoog oprijzende Amerikaanse iepen en populieren, sparren, esdoorns, acacia's en andere. Smeedijzeren, witgeschilderde bankjes stonden hier en daar langs de paden in het park. Op grasveldjes en keiharde aarde lag een dun laagje gevallen bladeren.

Precies in het midden van het plein stond een obelisk ter nagedachtenis aan de veldslagen uit de Burgeroorlog in New Mexico, met een lage ijzeren leuning eromheen. Weinigen herinnerden zich dat de bloedige oorlog tusen het Noorden en het Zuiden zich zo ver naar het westen had uitgebreid. Op sommige plaatsen vielen dunne lichtstralen door de bomen, afkomstig van de straatlantaarns rondom de Plaza, maar verder was deze eeuwenoude open ruimte een plek waar duisternis en waardige stilte heersten.

Jon Smith wierp een blik op de slanke, knappe vrouw die naast hem liep. Heather Donovan huiverde en trok haar zwarte vilten jas strak om zich heen. Telkens als ze de bleke, gebroken lichtstralen tussen de schaduwen doorkruisten, zag hij haar dampende adem in de kille nachtlucht. Nu de zon al lang onder was, daalde de temperatuur snel. Het was niet ongebruikelijk dat er in Santa Fe een verschil was van wel vijftien tot twintig graden tussen het maximum overdag en het minimum 's nachts.

Toen ze hun thee in het Longevity Café op hadden, had hij aangeboden om haar naar haar auto te brengen, die geparkeerd stond in een zijstraat niet ver van het Gouverneurspaleis. Hoewel ze duidelijk verrast werd door deze ouderwetse hoffelijkheid, had ze zijn aanbod met zichtbare opluchting geaccepteerd. Santa Fe was doorgaans een heel veilige stad, had ze uitgelegd, maar ze was nog steeds een beetje schrikachtig na de gruwelen die ze bij het Teller Instituut had gezien.

Ze waren slechts een paar meter van de Burgeroorlogobelisk verwijderd toen Smith plotseling bleef staan. Er klopte iets niet, dacht hij. Zijn zintuigen zonden hem een waarschuwingssignaal. En nu ze niet meer liepen, hoorde hij anderen – twee, drie man, schatte hij – die stilletjes achter hen het pad op kwamen. Hij kon net het vage knerpen van zware schoenen op het plaveisel horen. Tegelijk zag hij nog twee vage gedaantes door de schaduwen onder de bomen voor hen glippen, die gestaag dichterbij kwamen.

De woordvoerster van de Lazarusbeweging merkte op hetzelfde moment de naderende gedaantes op. 'Wie zijn die mannen?' vroeg ze, duidelijk geschrokken.

Smith bleef een fractie van een seconde staan en weifelde. Waren dat FBI-agenten die door Kit Pierson waren gestuurd? Eerder die middag was hij ervan overtuigd geweest dat hij onder toezicht stond. Maar toen hij had gecontroleerd of hij gevolgd werd voordat hij naar het Longevity Café ging, had hij niets gezien. Had hij ze eerder over het hoofd gezien?

Net op dat moment werd een van de mannen die van voren op hen afkwamen even zichtbaar in een kleine lichtvlek. Hij had een geschoren hoofd en droeg een legerjasje. Smiths ogen vernauwden zich toen hij het pistool met geluiddemper zag dat de man in de aanslag hield. Geen FBI dus, dacht hij onbewogen.

Ze werden omsingeld – ingesloten op de open ruimte in het midden van de Plaza. Zijn instincten traden in werking. Ze moesten uit deze valstrik breken voordat het te laat was.

Smith reageerde snel, greep de arm van Heather Donovan en trok haar met zich mee naar rechts, rond de welving van de obelisk. Tegelijkertijd trok hij zijn eigen pistool uit de schouderholster die door zijn corduroy jasje aan het oog werd onttrokken. 'Hierheen!' mompelde hij. 'Kom op!'

'Wat doet u?' protesteerde ze, te geschokt door zijn plotselinge actie om weg te lopen. 'Laat me los!'

'Als je wilt blijven leven, kom dan met me mee!' beet Smith haar toe, terwijl hij haar nog steeds wegtrok van de open ruimte rondom het monument voor de Burgeroorlog, in de richting van de duisternis onder de omringende bomen.

Een van de twee mannen die achter hen waren komen aanlopen bleef staan, richtte snel en opende het vuur. *Pfut.* De geluiddemper op zijn pistool dempte het geluid van het schot tot een onderdrukte kuch. De kogel suisde langs Smiths hoofd en sloeg in de stam van een hoge Amerikaanse populier niet ver daarvandaan. *Pfut.* Een andere kogel trof een laaghangende tak. Splinters en vallende bladeren regenden op hen neer.

Hij duwde de woordvoerster van de Beweging op de grond. 'Blijf laag!'

Smith liet zich op een knie vallen, richtte zijn SIG-Sauer op de schutter en haalde de trekker over. Het wapen blafte één keer, een luide knal die weerkaatst werd door de gebouwen rondom de Plaza.

Zijn schot, dat haastig en in beweging was afgevuurd, ging naast. Maar door het geluid van zijn pistool zochten drie van de vier aanvallers die hij kon zien dekking. Ze lieten zich languit op de grond vallen en begonnen in hoog tempo terug te schieten.

Heather Donovan schreeuwde schel en drukte zich plat tegen de keiharde aarde.

Kogels suisden vlak langs hem, en sloegen met een doffe klap in de bomen aan weerskanten of ketsten af van een nabij bankje in een regen van vonken, losgerukte stukjes metaal en verpulverde witte verf. Smith negeerde de schoten die net naast gingen en concentreerde zich op de ene schutter die nog steeds in beweging was.

Het was de man met het geschoren hoofd die hij het eerst had gezien. Ineengedoken holde de schutter steels naar rechts, in een poging om zich terug te trekken in de beschutting van de bomen en hem vervolgens van opzij aan te vallen.

Jon vuurde snel drie schoten achterelkaar af.

De kale man struikelde. Zijn pistool met geluiddemper viel op de grond. Langzaam viel hij voorover op zijn handen en knieën. Bloed stroomde uit zijn mond. In de schemering verbreidde het zich in een steeds grotere zwarte plas over het plaveisel.

Meer kogels suisden langs Smith terwijl de kameraden van de gewonde man bleven schieten. Eén kogel ging door de brede vilten rand van zijn gloednieuwe stetson en deed hem van zijn hoofd vliegen. De hoed verdween in de schaduw. Ze kwamen veel te dichtbij, dacht hij grimmig – en begonnen hem in te sluiten.

Hij wierp zich languit op de grond en vuurde nog drie schoten met zijn SIG-Sauer, in een poging om te zorgen dat ze hun hoofd omlaag hielden of althans niet goed konden richten. Toen rolde hij snel naar de plek waar Heather Donovan met haar gezicht tegen de grond gedrukt lag. Ze schreeuwde niet meer, maar hij zag haar schouders heen en weer gaan terwijl doodsbange snikken haar hele lichaam deden schokken.

De drie niet-gewonde schutters hadden hem zien bewegen. Ze schoten nu lager, en namen de tijd om te richten. 9mm-kogels sloegen in de aarde rondom Jon en de woordvoerster van de Beweging. Andere, die iets verder naast gingen, deden stukjes van de klinkers opspatten.

Smith vertrok zijn gezicht. Ze moesten hier weg, en snel ook. Hij legde zijn hand zachtjes op het achterhoofd van de bange vrouw. Ze huiverde maar keek niet op. 'We moeten in beweging blijven,' zei hij met klem. 'Kom op! Kruipen, verdomme! Kruip naar die grote populier daar. Het is maar een paar meter.'

Ze draaide haar hoofd naar hem om. In het donker had ze grote ogen. Hij wist niet zeker of ze hem überhaupt gehoord had.

'Laten we gaan!' zei hij nogmaals tegen haar, ditmaal harder. 'Als je laag blijft, haal je het wel.'

Ze schudde vertwijfeld haar hoofd, waarbij ze met haar wang over de grond veegde. Ze was verstijfd, besefte hij, verlamd van angst.

Smiths gezicht vertrok. Als hij haar achterliet en achter die boom in dekking ging, was ze dood. Als hij hier bij haar in het open veld bleef, waren ze waarschijnlijk allebei dood. Het verstandigste was haar achter te laten. Maar hij betwijfelde of ze haar met rust zouden laten, als hij het op een lopen zette. Ze leken hem niet het type dat erin geloofde om potentiële getuigen te laten leven. Er waren grenzen aan wat hij op kon brengen – en deze vrouw in de steek laten om zichzelf te redden zou die ver te buiten gaan.

Hij hief zijn pistool en begon terug te schieten op de amper zichtbare schutters. De slede van de SIG-Sauer bleef uitstaan. Dertien patronen erdoorheen gejaagd. Hij drukte op de ontgrendeling, liet de lege kogelhouder eruit vallen en duwde zijn tweede en laatste magazijn erin.

Smith zag dat twee van de schutters zich verplaatsten en snel naar rechts en links slopen terwijl ze laag bleven. Ze probeerden hem in de tang te nemen. Als ze eenmaal in positie waren, konden ze hem met een dodelijk kruisvuur te grazen nemen. De bomen stonden hier te ver uiteen om van alle kanten dekking te verschaffen. Intussen schoot de derde man nog steeds stug door om te zorgen dat Jon zijn hoofd omlaag hield en dekking te bieden voor de tangbeweging van zijn teamgenoten.

Smith vloekte zachtjes. Hij had te lang gewacht. Nu kon hij geen kant meer op.

Nou, dan moest hij het maar gewoon hier uitvechten en zien hoeveel vijanden hij met zich mee kon nemen. Enkele centimeters van zijn hoofd sloeg weer een kogel in de grond. Jon spoog wat losgerukt gras en aarde uit en richtte, terwijl hij de aanvaller in het vizier probeerde te krijgen die van rechts om hem heen probeerde te komen.

Opeens klonken er nog meer schoten, die over de Plaza weergalmden. De schutter aan zijn rechterhand schreeuwde van pijn. Hij viel op de grond, terwijl hij luid kreunde en naar zijn getroffen schouder greep. Zijn kameraden staarden even geschokt naar hem en draaiden zich toen snel om – terwijl ze panisch naar het in schaduwen gehulde geboomte langs de zuidkant van het plein keken.

Smith zette grote ogen op van verbazing. Hij had die schoten niet afgevuurd. En de schurken gebruikten wapens met geluiddempers. Wie had zich dan nog meer in het gevecht gemengd?

De nieuwe schutter bleef doorvuren. Zijn schoten sloegen rondom de twee niet-gewonde schutters in de grond en de bomen. Deze onverwachte tegenaanval moest hun te veel zijn. Ze trokken zich snel terug in noordelijke richting, naar de straat voor het Gouverneurspaleis. Een van hen hees de gewonde man overeind en hielp hem weg te strompelen. De andere spurtte opeens in de richting van de man die Jon had geraakt, maar meer kogels sloegen in het plaveisel onder zijn voeten en dreven hem terug in de verhullende schaduwen.

Smith zag iets bewegen aan de rand van de bomen aan zijn rechterhand. Een magere man met grijs haar kwam tevoorschijn en rukte gestaag op terwijl hij het pistool afvuurde dat hij met twee handen vasthield. Hij zocht dekking achter de obelisk voor de Burgeroorlog en herlaadde zijn wapen, een 9mm Browning Hi-Power.

Het werd weer stil op de Plaza.

De nieuwkomer keek naar Smith. Hij haalde verontschuldigend zijn schouders op. 'Het spijt me erg voor de vertraging, Jon,' riep hij zachtjes. 'Het kostte langer om achter die kerels uit te komen dan ik had gedacht.'

Het was Peter Howell. Smith staarde volslagen verbijsterd naar zijn oude vriend. De voormalige officier van de Engelse Special Air Service en MI6-agent droeg een zware nappajas over een vaal roodgroen flanellen overhemd en een spijkerbroek. Zijn dikke grijze haar, dat gewoonlijk kort geknipt was, hing nu als een lange krullenbos rondom een paar lichtblauwe ogen en een diep doorgroefd gezicht dat verweerd was door een jarenlange blootstelling aan wind, zon en andere elementen.

Beide mannen hoorden het geluid van een auto die opeens langs de noordkant van het plein wegracete. Hij stopte even met piepende banden om toen bulderend in de nacht te verdwijnen – oostwaarts via Palace Avenue in de richting van de ring van de Paseo de Peralta.

'Barst!' gromde Peter. 'Ik had moeten beseffen dat die lui ondersteuning hadden en snel weg konden komen als alles niet naar wens verliep. En dat deed het ook.' Hij hief zijn Browning op. 'Hou hier de wacht, Jon, terwijl ik even snel rondkijk.'

Voordat Smith iets kon zeggen, liep de oudere man met lange, soepele stappen weg om in de schaduw te verdwijnen.

De woordvoerster van de Lazarusbeweging richtte behoedzaam haar hoofd op. Tranen stroomden over haar gezicht en trokken sporen door het stof op haar bleke huid. 'Is het voorbij?' fluisterde ze.

Smith knikte. 'Dat mag ik wel hopen,' zei hij tegen haar, terwijl hij nog steeds de duisternis rondom hen afspeurde om zich ervan te vergewissen dat er niemand anders was.

Langzaam, bevend ging de slanke vrouw zitten. Ze staarde naar Jon en naar het pistool in zijn hand. 'U bent niet echt een verslaggever, hè?'

'Nee,' zei hij zachtjes. 'Ik vrees van niet.'

'Wie bent...'

Peter Howells terugkeer onderbrak haar vraag. 'Ze zijn hem gesmeerd,' zei hij geërgerd. Zijn blik viel op de man met het geschoren hoofd die Smith had neergeschoten. Hij knikte tevreden. 'Maar deze hebben ze in elk geval moeten achterlaten.'

Hij knielde en rolde het lijk om. Toen schudde hij zijn hoofd. 'De arme drommel is doder dan Judas Iskariot,' verklaarde Peter onbewogen. 'Je hebt hem twee keer geraakt. Fraai staaltje schietkunst voor een gewone plattelandsdokter.'

Hij rommelde door de zakken van de dode, op zoek naar een portefeuille of papieren waarmee ze hem misschien konden identificeren.

'En?' vroeg Smith.

Peter schudde zijn hoofd. 'Niet eens een kartonnetje lucifers.' Hij keek op naar de Amerikaan. 'Wie het ook was die deze arme ziel heeft ingehuurd, heeft ervoor gezorgd dat hij geen enkel spoor kon achterlaten toen hij hem erop uitstuurde om jou te doden.'

Jon knikte. De man die hem had willen vermoorden was ontdaan van alles wat hem in verband kon brengen met degene die hem zijn bevelen had gegeven. 'Dat is jammer,' zei hij fronsend.

'Het is spijtig als de tegenstander vooruitdenkt,' beaamde Peter. 'Maar we hebben nog een kans.'

De voormalige SAS-officier haalde een klein cameraatje uit een van zijn jaszakken en nam van dichtbij een paar foto's van het gezicht van de dode man. Hij gebruikte supergevoelige film, zodat hij niet hoefde te flitsen. Vervolgens borg hij de camera op en haalde hij een ander apparaatje voor de dag – dit was ongeveer zo groot als een paperback. Het had een vlak, helder scherm en aan de zijkant diverse regelknoppen. Hij merkte op dat Smith er gefascineerd naar staarde.

'Dit is een digitale vingerafdrukscanner,' legde Peter uit. 'Het werkt met lekker schone elektronen en niet met al die ouderwetse, vieze inkt.' Zijn tanden glommen wit in het donker. 'Wat zullen de techneuten nu weer bedenken, hè?'

Hij werkte snel en drukte de handen van de dode tegen het oppervlak van de scanner, eerst de rechter en toen de linker. Het flitste, gonsde en bromde terwijl het de beelden van alle tien vingerafdrukken opsloeg op zijn geheugenkaart.

'Ben je herinneringen voor je oude dag aan het verzamelen?' vroeg Smith met nadruk. Hij wist heel goed dat zijn vriend waarschijnlijk weer voor Londen werkte. Peter was zogenaamd met pensioen, maar kreeg van tijd tot tijd weer een opdracht in de maag gesplitst, meestal van MI6, de Engelse geheime dienst. Hij was een zonderling die het liefst alleen werkte, een nazaat van de excentrieke, soms piraatachtige Engelse avonturiers die langgeleden hadden geholpen bij de bouw van een imperium.

Peter glimlachte alleen maar.

'Ik wil je niet opjagen,' zei Smith. 'Maar zouden we er zelf niet vandoor moeten? Tenzij je dit werkelijk allemaal wilt proberen uit te leggen aan de politie van Santa Fe.' Hij gebaarde met een hand naar het lijk op de grond en de bomen vol kogelgaten.

De Engelsman nam hem aandachtig op. 'Dat is ook raar,' zei hij, terwijl hij opstond. Hij tikte op de piepkleine radio-ontvanger in zijn oor. 'Deze is afgesteld op de politieband. En ik kan je vertellen dat de plaatselijke dienders het de afgelopen paar minuten erg druk hebben gehad – met reageren op noodoproepen uit alle richtingen... en steeds helemaal aan het uiterste randje van de stad. De dichtstbijzijnde patrouillewagen is nog minstens tien minuten hiervandaan.'

Smith schudde ongelovig zijn hoofd. 'God nog aan toe! Deze mensen laten niets aan het toeval over, hè?'

'Nee, Jon,' zei Peter zachtjes. 'Dat klopt. En daarom wil ik je met klem aanraden om voor vannacht een ander onderdak te zoeken. Op een onopvallende plek die niet wordt bespied.'

'O, mijn god,' zei een klein stemmetje achter hen.

Beide mannen draaiden zich om. Daar stond Heather Donovan, die ontzet neerkeek op de dode man aan hun voeten.

'Ken je hem?' vroeg Smith zachtjes.

Ze knikte met tegenzin. 'Niet persoonlijk. Ik weet niet eens hoe hij heet. Maar ik heb hem in het kamp en bij de demonstratie van de Beweging gezien.'

'En in de commandotent van Lazarus,' zei Peter streng. 'En dat weet je best.'

De slanke vrouw bloosde. 'Ja,' gaf ze toe. 'Hij maakte deel uit van een groep activisten die de organisatie erbij had gehaald... voor wat volgens hen "bijzondere taken" waren.'

'Zoals het doorknippen van het hek rond het Teller Instituut toen de demonstratie een nare wending nam,' herinnerde Peter haar.

'Ja, dat is waar.' Ze liet haar schouders hangen. 'Maar ik had nooit gedacht dat ze vuurwapens hadden. Of dat ze zouden proberen om iemand te vermoorden.' Ze keek naar hen met een gekwelde, beschaamde blik. 'Zo had het helemaal niet moeten gaan!'

'Ik vermoed eerder dat er nogal wat dingen in de Lazarusbeweging spelen die u nooit had gedacht, mevrouw Donovan,' zei de grijsharige Engelsman tegen haar. 'En ik denk dat u veel geluk heeft gehad en op het nippertje bent ontkomen.'

'Ze kan niet terug naar het kamp van de Beweging, Peter,' besefte Smith. 'Dat zou te gevaarlijk zijn.'

'Misschien wel,' beaamde de oudere man. 'Onze gewapende vrienden zijn er voorlopig misschien vandoor, maar het is best mogelijk dat er anderen komen die niet blij zouden zijn om mevrouw Donovan in blakende gezondheid te zien verkeren.'

Haar gezicht werd wit.

'Heeft u een plek waar u een tijdje kunt onderduiken, bij familie of vrienden? Bij mensen die geen lid zijn van de Lazarusbeweging?' vroeg Smith. 'Liefst ergens ver weg.'

Ze knikte langzaam. 'Ik heb een tante in Baltimore.'

'Mooi,' zei Smith. 'Ik denk dat u daar meteen naartoe moet vliegen. Vanavond nog, als het kan.'

'Laat dat maar aan mij over, Jon,' zei Peter tegen hem. 'Jouw gezicht en naam zijn nu veel te bekend bij deze mensen. Als jij met mevrouw Donovan op het vliegveld aankomt, zou je net zo goed een schietschijf op haar rug kunnen schilderen.'

Smith knikte.

'U was ook bij de demonstratie!' zei ze opeens, toen ze beter naar Peter Howells gezicht keek. 'Maar u zei dat u Malachi heette. Malachi MacNamara!'

Hij knikte en een flauwe glimlach trok plooien in zijn diep doorgroefde gezicht. 'Een schuilnaam, mevrouw Donovan. Een misschien ongelukkige maar wel noodzakelijke misleiding.'

'Wie zijn jullie dan eigenlijk?' vroeg ze. Ze keek van de magere, verweerde Engelsman naar Smith en toen weer naar de Engelsman. 'CIA? FBI? Iemand anders?'

'Stel ons geen vragen meer, dan zullen wij niet meer tegen u liegen,' zei Peter, met een twinkeling in zijn lichtblauwe ogen. 'Maar wij zijn wél uw vrienden. Daar kunt u van op aan.' Zijn gezichtsuitdrukking werd serieuzer. 'En dat kan ik van sommige van uw voormalige kameraden in de Beweging lang niet zeggen.'

22

Zaterdag 16 oktober
CIA-hoofdkwartier in Langley, Virginia
Kort na middernacht liep de directeur van de CIA David Hanson kwiek zijn grijs gestoffeerde kantoorsuite op de zesde verdieping binnen. Ondanks de ontberingen van wat een achttienurige werkdag was geworden, ging hij nog steeds onberispelijk gekleed in een pak van goede snit, met een kraakhelder overhemd en een perfect geknoopte strik. Hij richtte zijn vorsende blik op de kreukelige, vermoeid ogende man die op hem zat te wachten.

'We moeten praten, Hal,' zei hij kortaf. 'Onder vier ogen.'

Hal Burke, het hoofd van de speciale CIA-eenheid voor de Lazarusbeweging, knikte. 'Inderdaad.'

De CIA-directeur ging hem voor naar zijn eigen kantoor en gooide zijn aktetas op een van de twee comfortabel beklede stoelen die voor zijn bureau stonden. Hij gebaarde dat Burke in de andere moest gaan zitten. Vervolgens vouwde Hanson zijn handen samen en leunde hij met zijn ellebogen op het blad van zijn grote bureau. Hij bestudeerde zijn ondergeschikte over de topjes van zijn vingers. 'Ik kom net van het Witte Huis. Zoals je je kunt voorstellen, is de president op dit moment niet bijster met ons of de FBI ingenomen.'

'We hebben hem gewaarschuwd wat er zou gebeuren als de Lazarusbeweging door zou draaien,' zei Burke botweg. 'Het Teller Instituut, het Telos-lab in Californië en die bomexplosie in Chicago waren nog maar het begin. We moeten er niet meer omheen draaien. We moeten de Beweging nu hard treffen, voordat zij zich nog dieper ingraaft. Enkelen van de middenkaderactivisten zijn nog in het vrije veld. Als we die mensen kunnen oppakken en aan de praat kunnen krijgen, hebben we nog een kans om tot de harde kern door te dringen. Dat is de beste manier waarop we Lazarus van binnen uit uiteen kunnen rukken.'

'Dat heb ik nadrukkelijk betoogd,' zei Hanson tegen hem. 'En ik ben niet de enige. Het wordt Castilla ook onder de neus gewreven door vooraanstaande figuren binnen de Senaat en het Huis van Afgevaardigden – van beide partijen.'

Burke knikte. Binnen de CIA ging het gerucht dat Hanson het grootste deel van de dag Capitol Hill afliep voor privé-besprekingen met de hoofden van de inlichtingencommissies van de Senaat en het Huis van Afgevaardigden en met de leiders van de meerderheid en de minderheid in beide kamers. Het gevolg was dat zijn machtige bondgenoten in het Congres eisten dat president Castilla de Lazarusbeweging officieel tot een terroristische organisatie verklaarde. Als dat eenmaal gebeurde, kon het menens worden en hadden de nationale politiemachten en de inlichtingendiensten hun handen vrij om krachtig tegen de Beweging op te treden en haar leiders, bankrekeningen en publieke communicatiekanalen aan te pakken.

Maar Hanson speelde met vuur door buiten de president om naar het Congres te gaan. CIA-directeuren hoorden de politiek niet te gebruiken om het beleid van de president die ze dienden te manipuleren. Maar Hanson was altijd bereid geweest om risico's te nemen als de inzet hoog was, en kennelijk dacht hij dat de steun voor hem in de Senaat en het Huis van Afgevaardigden sterk genoeg was om hem tegen Castilla's woede te beschermen.

'Heeft het wat uitgehaald?' vroeg Burke.

Hanson schudde zijn hoofd. 'Tot nu toe niet.'

Burke keek kwaad. 'Verdomme, waarom niet?'

'Sinds het bloedbad bij het Teller Instituut hebben Lazarus en zijn aanhangers heel veel begrip en steun van het grote publiek meegekregen. Vooral in Europa en Azië,' bracht de CIA-directeur hem in herinnering. Hij haalde zijn schouders op. 'Deze laatste gewelddadigheden zullen daar misschien wat afbreuk aan doen, maar te veel mensen zullen geloof hechten aan het Lazarusverhaal dat de aanslagen bij Telos en in Chicago in scène zijn gezet om hun zaak in diskrediet te brengen. Vandaar dat regeringen over de hele wereld veel diplomatieke druk op ons uitoefenen om de Beweging met rust te laten. Zij zeggen tegen de president dat agressieve actie tegen Lazarus in hun eigen land tot gewelddadige anti-Amerikaanse onrust zou kunnen leiden.'

Burke snoof vol verachting. 'Wil jij me vertellen dat Castilla bereid is om Parijs, Berlijn of een andere onbeduidende vreemde mogendheid een veto te laten uitspreken over ons antiterreurbeleid?'

'Niet echt een veto,' zei Hanson. 'Maar hij zal niet openlijk optreden – niet tot wij onweerlegbaar bewijs kunnen leveren dat de Lazarusbeweging achter deze terreuraanslagen zit.'

Even staarde Burke zwijgend naar zijn baas. Toen knikte hij. 'Dat kan geregeld worden.'

'Echt bewijsmateriaal, Hal,' waarschuwde het hoofd van de CIA. 'Feiten die het meest kritische onderzoek zullen doorstaan. Begrijp je me?'

Weer knikte Burke. O, ik begrijp je wel, David, dacht hij – en misschien wel beter dan jij jezelf begrijpt. Als een razende zon hij op nieuwe manieren om de situatie weer in de hand te krijgen waar hij sinds het Teller Instituut steeds meer zijn greep op had verloren.

Het platteland van Virginia, buiten de ringweg

Drie uur voor zonsopgang joegen vlagen koude regen over het platteland van Virginia, om de reeds kletsnatte velden en bossen te doorweken. De herfst was meestal een periode van droger weer, vooral na de vochtige, tropische onweersbuien van de zomermaanden, maar de weerpatronen waren dit jaar van slag.

Ongeveer zestig kilometer ten zuidwesten van Washington stond een kleine boerderij op een lage heuvel, die uitkeek over een paar schrale groepjes bomen, een stilstaand water, en 160 hectare hobbelig grasland dat nu grotendeels door onkruid en dichte braamstruiken werd overwoekerd. De zwartgeblakerde ruïnes van een oude schuur zonder dak stonden vlak bij het huis. De lege, verwilderde velden van de boerderij werden omgeven door de resten van een hek, maar de meeste van de houten leggers en palen van het hek waren gebarsten of lagen rottend in het hoge gras, de doornstruiken en het onkruid. Een ingesleten grindweggetje liep van de verharde landweg langs het hek de heuvel op. Het eindigde bij een met olie besmeurde betonplaat vlak voor de voordeur van de boerderij.

Op het eerste gezicht waren de kleine satellietschotel op het dak en de toren van een straalverbinding op een nabijgelegen heuvel het enige wat erop wees dat deze bouwvallige boerderij ook maar enige band met de moderne tijd onderhield. In werkelijkheid werd hij beveiligd door een ultramodern alarmsysteem, dat binnen was aangelegd samen met het nieuwste van het nieuwste dat de CIA te bieden had aan hightech computer- en elektronica-apparatuur.

Hal Burke zat aan het bureau in zijn studeerkamer en luisterde naar het gekletter van de regen op het dak van wat hij sardonisch zijn 'gelegenheidsbuiten voor het weekend' noemde. Een van zijn oudooms had dit schamele stukje land tientallen jaren lang bewerkt voordat hij eindelijk doodging aan de voortdurende zware arbeid en frustratie. Na zijn dood was het door de handen van diverse domme neven gegaan voordat het tien jaar geleden in de schoot van de CIA-agent belandde als een gedeeltelijke aflossing van een oude familieschuld.

Hij had noch het geld noch de tijd om gewassen te zaaien, maar hij waardeerde de afzondering die de boerderij hem bood. Hier kwamen nooit ongenode gasten bij hem aan de deur – zelfs geen leden van de plaatselijke Jehova's getuigen. Het was zo afgelegen dat zelfs de snelgroeiende tentakels van de noordelijke voorsteden van Virginia eraan voorbij waren gegaan. Als het goed weer was, kon Burke 's avonds buiten wandelen en de zwakke oranje gloed zien van de lichten van Washington en de zich ver uitstrekkende forensengemeenschappen. In het noorden, noordoosten en oosten kleurden ze de hemel in een brede boog, een voortdurende herinnering aan de kuddegeest en de trage bureaucratie die hij zo verachtte.

Door de slechte landweggetjes en de files op de snelwegen was de reis naar en van Langley vaak lang en tergend, maar dankzij allerlei apparatuur voor beveiligde communicatie – geïnstalleerd op kosten van de staat – kon hij vanuit de boerderij werken in geval van een plotselinge crisis. De spullen waren goed genoeg voor officieel CIA-gebruik. Door anderen geleverde, meer geavanceerde hard- en software zorgden ervoor dat hij de wijdvertakte elementen van TOCSIN met nog grotere geheimhouding kon aansturen. Hij was hier meteen na zijn middernachtelijke bespreking met Hanson heen gegaan. Het ging nu snel en hij moest nauw contact houden met zijn agenten.

Zijn computer klingelde om aan te kondigen dat er een gecodeerd situatierapport van de beveiligingseenheid in New Mexico was. Hij fronste zijn wenkbrauwen. Ze waren laat.

Burke wreef in zijn ogen en typte zijn wachtwoord in. De chaos van schijnbaar willekeurige symbolen, letters en cijfers veranderde meteen in samenhangende woorden en vervolgens hele zinnen terwijl het decodeerprogramma zijn werk deed. Met toenemende ontsteltenis las hij het bericht.

'Verdomme,' mompelde hij. 'Wie is die klootzak in godsnaam?' Vervolgens nam hij de beveiligde telefoon naast zijn computer en toetste het nummer van zijn tegenhanger bij de FBI in. 'Kit, luister,' zei hij gehaast. 'Er is een situatie waar je voor mij iets aan moet doen. Er moet een lijk verdwijnen. Permanent en per direct.'

'Kolonel Smith?' vroeg Pierson vlak.

Burke keek kwaad. 'Was het maar waar.'

'Waar gaat het om?' vroeg ze. Hij hoorde geritsel op de achtergrond terwijl ze haar kleren aantrok. 'En ditmaal geen uitvluchten. Alleen de feiten.'

De CIA-agent bracht haar snel op de hoogte van de mislukte hinderlaag. Pierson luisterde in ijzig stilzwijgen. 'Ik word het behoorlijk zat om de knoeiboel op te ruimen die jouw privé-leger achterlaat, Hal,' zei ze bitter toen hij klaar was.

'Smith had ondersteuning,' beet Burke haar toe. 'Dat was iets wat we niet verwacht hadden. Wij dachten allemaal dat hij in zijn eentje opereerde.'

'Heb je een signalement van die andere man?' vroeg ze.

'Nee,' bekende de CIA-agent. 'Het was zo donker dat mijn mensen hem niet goed konden zien.'

'Geweldig,' zei Pierson koel. 'Dit wordt steeds mooier, Hal. Nu zal Smith ervan overtuigd zijn dat er een luchtje zit aan de aankoop van die SUV's voor de terroristen die ik met de Beweging in verband heb gebracht. Waarom verf je niet gewoon een dikke, vette roos op mijn voorhoofd?'

Burke onderdrukte de neiging om de hoorn op de haak te gooien. 'Constructieve suggesties zouden meer welkom zijn, Kit,' zei hij ten slotte.

'Blaas TOCSIN af,' zei ze tegen hem. 'Deze hele operatie is van meet af aan een ramp geweest. En nu Smith nog steeds leeft en mij op de hielen zit, heb ik niet de bewegingsruimte die ik nodig heb om dit onderzoek in de richting van Lazarus te sturen.'

Hij schudde zijn hoofd. 'Dat kan ik niet doen. Onze mensen hebben al hun volgende orders. We lopen meer gevaar als we de missie nu afbreken dan als we ermee doorgaan.'

Het was lange tijd stil.

'Laat één ding duidelijk zijn, Hal,' zei Pierson afgebeten. 'Als TOCSIN in het honderd loopt, zal ik niet de enige zijn die ervoor opdraait, begrijp je dat?'

'Is dat een dreigement?' vroeg Burke langzaam.

'Noem het maar een feitelijke verklaring,' antwoordde ze, waarna ze ophing.

Hal Burke bleef nog enkele minuten naar zijn scherm staren, terwijl hij over zijn volgende zet nadacht. Raakte Kit Pierson in paniek? Hij hoopte van niet. Hij had de donkerharige vrouw nooit echt gemogen, maar hij had altijd bewondering gehad voor haar moed en haar wil om tot elke prijs te winnen. Als ze die niet meer had, zou ze slechts een risicofactor zijn – een risico dat TOCSIN zich niet kon veroorloven.

Hij nam een beslissing en begon snel te typen, om een nieuwe verzameling instructies op te stellen voor de resterende leden van de eenheid in New Mexico.

Beveiligde videoconferentie van de Lazarusbeweging
Over de hele wereld kwamen kleine groepjes mannen en vrouwen van elke huidskleur en elk ras in het geheim bijeen. Ze troffen elkaar achter schermen en videocamera's die via satellieten met elkaar in verbinding stonden. Zij waren de elite van de Lazarusbeweging, de leiders van de belangrijkste actiecellen. Ze maakten allemaal een gespannen indruk en stonden te trappelen van ongeduld – omdat ze dolgraag wilden beginnen met de operatie die ze vele maanden lang hadden gepland.

De man die Lazarus werd genoemd stond op zijn gemak voor een enorm scherm, waarop de beelden te zien waren die van elke bijeengekomen groep werden doorgegeven. Hij wist dat geen van hen zijn echte gezicht zou zien of zijn echte stem zou horen. Zoals altijd waren zijn geavanceerde computersystemen en software bezig met het construeren van de verschillende, geïdealiseerde beelden die elke cel van de Beweging doorkreeg. Al even complexe software zorgde voor gelijktijdige vertalingen.

'De tijd is gekomen,' zei Lazarus. Hij glimlachte flauw toen hij de siddering van verwachting door alle leden van zijn verre gehoor zag gaan. 'Miljoenen mensen in Europa, Azië, Afrika en Noord- en Zuid-Amerika sluiten zich aan bij onze zaak. De politieke en financiële kracht van onze Beweging neemt hand over hand toe. Spoedig zullen hele regeringen en ondernemingen beven voor onze groeiende macht.'

Zijn zelfverzekerde uitspraak ontlokte goedkeurende knikjes en opgewonden gemompel aan de toekijkende leiders van de Beweging.

Lazarus stak waarschuwend zijn hand op. 'Maar vergeet niet dat onze vijanden ook in actie zijn gekomen. Hun geheime oorlog tegen ons is mislukt. Dus nu is de openlijke oorlog die ik lange tijd voorspeld heb begonnen. De bloedbaden in Santa Fe en Chicago zijn ongetwijfeld slechts de eerste van vele door hen geplande wreedheden.'

Hij keek recht in de camera's, in de wetenschap dat het voor elk van de wijd en zijd verspreide cellen zou lijken dat zijn blik alleen op hen gericht was. 'De oorlog is begonnen,' herhaalde hij. 'Wij hebben geen keuze. We moeten terugslaan, snel en zeker en zonder wroeging. Indien mogelijk moet vermeden worden dat jullie operaties onschuldige levens kosten, maar we moeten die nanotechlaboratoria vernietigen – de kweekplaatsen van de dood – voordat onze vijanden nog meer gruwelen op de wereld en op ons kunnen loslaten.'

'En hoe zit het met de faciliteiten van Nomura PharmaTech?' vroeg de leider van de Tokiocel. 'Uiteindelijk is dit de enige onderneming die al met onze eisen heeft ingestemd. Zij hebben hun onderzoekswerkzaamheden gestaakt.'

'Nomura PharmaTech sparen?' zei Lazarus kil. 'Dat lijkt me niet. Hideo Nomura is een sluwe jonge man – al te sluw. Hij buigt wanneer de wind sterk is, maar hij breekt niet. Als hij lacht, is dat de lach van een haai. Laat je niet door Nomura in de luren leggen. Ik ken hem maar al te goed.'

De leider van de Tokiocel boog zijn hoofd en accepteerde de berisping. 'Het zal gebeuren zoals u beveelt, Lazarus.'

Toen ten slotte de conferentieschermen donker werden, bleef de man die Lazarus werd genoemd alleen staan, genietend van zijn moment van triomf. Jaren van planning en voorbereiding zouden nu vrucht afwerpen. Spoedig zou het moeilijke, gevaarlijke werk van het hervormen van de wereld beginnen. En spoedig zouden de zware, maar noodzakelijke offers die hij had gebracht, vergoed worden.

Zijn blik betrok even, van al het leed dat hij zich herinnerde. Zachtjes declameerde hij het gedicht, een haiku, dat vaak aan het randje van zijn bewustzijn knaagde:

'Verdriet daalt als mist
over een vader verraden
door zijn trouweloze zoon.'

23

Ten noorden van Santa Fe
De ochtendzon, die steeds hoger in de azuurblauwe wolkenhemel opklom, leek de grote tafelberg die boven de Rancho de Chimayó opdoemde in vuur en vlam te zetten. Piñondennen en jeneverbessen langs de kam tekenden zich scherp af tegen het verblindende gouden licht. De zonnestralen schenen over steile hellingen naar beneden en wierpen lange schaduwen over de uitgestrekte appelboomgaarden en de terrasgewijs aangelegde patio's van de oude hacienda.

Jon Smith, die nog steeds zijn spijkerbroek, laarzen en corduroy jasje aanhad, liep door de drukke eetkamers van het oude adobehuis en naar buiten een met flagstones geplaveide patio op. De Rancho de Chimayó bevond zich in de uitlopers van het gebergte ongeveer veertig kilometer ten noorden van Santa Fe en was een van de oudste restaurants in New Mexico. De stamboom van de eigenaars ging terug op de oorspronkelijke golf Spaanse kolonisten in het zuidwesten. Hun familie had zich in 1680 gevestigd in Chimayó, tijdens de lange, bloedige opstand van de pueblo-indianen tegen de Spaanse overheersing.

Peter Howell zat daar al op hem te wachten aan een van de tafels op de patio. Hij wees zijn oude vriend op de lege stoel tegenover hem. 'Ga zitten, Jon,' zei hij vriendelijk. 'Verdomme, je ziet er kapot uit.'

Smith haalde zijn schouders op en onderdrukte de aanvechting om te gapen. 'Ik had een lange nacht.'

'Serieuze problemen?'

Jon schudde zijn hoofd. Het ophalen van zijn laptop en zijn andere spullen uit zijn suite in het Fort Marcy was onverwacht makkelijk gebleken. Omdat hij aanvankelijk op zijn hoede was voor bespieders van de FBI of de terroristen, had hij elke truc die hij kende gebruikt om eventuele achtervolgers af te schudden – zonder iemand te zien. Maar het kostte tijd om dat goed te doen, veel tijd. Wat betekende dat hij zich pas vlak voordat het dag werd had aangemeld in zijn nieuwe onderkomen, een goedkoop, sjofel motel in de buitenwijken van Santa Fe. Vervolgens had hij Fred Klein gebeld en hem verteld over de mislukte aanslag op zijn leven. Al met al had hij amper de tijd gehad om een oog dicht te doen voordat Peter belde voor deze geheime afspraak.

'En niemand is je gevolgd? Toen of nu?' vroeg de Engelsman nadat hij aandachtig had geluisterd naar Smiths verslag van wat hij gedaan had.

'Geen mens.'

'Hoogst merkwaardig,' zei Peter, terwijl hij een borstelige grijze wenkbrauw optrok. Hij fronste zijn voorhoofd. 'En erg verontrustend.'

Smith knikte. Hoe hij ook zijn best deed, hij kon niet begrijpen waarom de FBI hem gisteren zo graag had willen volgen – en toen schijnbaar slechts enkele uren voordat vier schutters hadden geprobeerd om hem te vermoorden het surveillanceteam had teruggefloten. Misschien hadden de agenten van Kit Pierson gewoon aangenomen dat hij in zijn hotelsuite bleef en dat hij er voor die avond genoeg van had, maar dat leek voor hun doen wel erg slordig.

'En jij en Heather Donovan?' vroeg hij. 'Had je nog problemen om haar veilig weg te krijgen?'

'Helemaal niet,' zei Peter luchtig. Hij keek op zijn horloge. 'Op dit moment vliegt mevrouw Donovan over Amerika – op weg naar het huis van haar tante aan de oever van de Chesapeake Bay.'

'Jij hebt geen moment geloofd dat ze werkelijk gevaar liep, hè?' vroeg Smith zachtjes.

'Toen de schietpartij eenmaal voorbij was, bedoel je?' zei de oudere man. Hij haalde zijn schouders op. 'Nee, niet echt, Jon. Jíj was het belangrijkste doelwit, niet zij. Mevrouw Donovan is niet meer dan wat ze lijkt – een ietwat naïeve jonge vrouw met een goed hart en een redelijk stel hersenen. Aangezien ze niet echt weet wat het hogere echelon van de Lazarusbeweging van plan is, betwijfel ik ten zeerste dat ze haar als een serieuze bedreiging zullen beschouwen. Zolang de jongedame een flink eind bij jou uit de buurt blijft, zou ze volkomen veilig moeten zijn.'

'En daar heb je het verhaal van mijn liefdesleven,' zei Smith met een scheve glimlach.

'Beroepsrisico, vrees ik,' zei Peter luchtig. Hij grijnsde. 'Ik bedoel uiteraard van het medische beroep. Misschien zou je in plaats daarvan inlichtingenwerk moeten proberen. Ik begrijp dat spionnen dit seizoen helemaal in zijn.'

Smith negeerde de subtiele steek onder water. Hij wist dat de Engelsman ervan overtuigd was dat hij voor een van de diverse Amerikaanse inlichtingendiensten werkte, maar Peter ging er uit professionele beleefdheid nooit al te diep op door. Net zoals hij probeerde om niet al te veel lastige vragen te stellen over het werk dat de oudere man van tijd tot tijd deed voor de Engelse regering.

Peter keek op toen er een glimlachende serveerster in een witte blouse met volants en een lange, golvende rok aankwam met een groot dienblad vol borden en een pot hete, vers gezette koffie. 'Ah, de hap,' zei hij blij. 'Ik hoop dat je het niet erg vindt, maar ik heb de vrijheid genomen om voor ons allebei te bestellen.'

'Helemaal niet,' zei Smith, die opeens merkte dat hij een ontzettende honger had.

Een paar minuten lang deden de twee mannen zich in hoog tempo te goed aan eieren bereid met plakjes chorizo, zwarte bonen en pittige *pico de gallo*, een saus die bestond uit rode en groene pepers, tomaten, uien, koriander en kwakjes zure room. Om de scherpe smaak van de saus wat af te zwakken deed het restaurant er een mandje zelfgemaakte *sopaipillas* bij, lichte, gebakken broodbolletjes die je het best warm kon eten met wat honing erover en gesmolten boter die je door een gat bovenin naar binnen duwde.

Toen ze klaar waren, leunde Peter achterover met een voldane uitdrukking op zijn verweerde gezicht. 'In sommige delen van de wereld zou een flinke boer op dit moment worden beschouwd als een compliment voor de kok,' zei hij. Zijn ogen twinkelden. 'Maar vooralsnog zal ik dat maar achterwege laten.'

'Geloof me, ik ben je dankbaar,' zei Smith droog tegen hem. 'Het zou fijn zijn als ik hier nog eens zou kunnen eten.'

'Ter zake dan,' zei Peter. Hij wees op de bos lang, grijs haar op zijn hoofd. 'Je hebt je ongetwijfeld afgevraagd hoe het zit met mijn nieuwe look.'

'Een beetje maar,' gaf Smith toe. 'Jij lijkt wel wat op een profeet uit het Oude Testament.'

'Ja hè,' beaamde de Engelsman zelfvoldaan. 'Nou, werp nog maar een laatste blik op deze witte manen en ween, want net als Samson zal ik spoedig gekortwiekt zijn.' Hij grinnikte. 'Maar het had allemaal een goede reden. Een paar maanden geleden vroeg een oude kennis me om mijn lange neus in de interne aangelegenheden van de Lazarusbeweging te steken.'

'Oude kennis' mocht je opvatten als MI6, de Engelse geheime dienst, dacht Smith.

'Nou, dat klonk wel lollig, en dus liet ik mijn haardos vrij lang en ruig worden, nam ik een gepast bijbelse en indrukwekkend klinkende naam aan en begaf ik me onder de lagere rangen van de Beweging. Ik deed me voor als een gepensioneerde functionaris van de Canadese boswachterij met een radicale wrevel ten aanzien van wetenschap en techniek.'

'Ben je iets opgeschoten?' vroeg Smith.

'Met doordringen tot de harde kern van de Beweging? Nee, helaas,' zei Peter. Zijn uitdrukking werd serieuzer. 'De leiders zijn verdomde fanatiek wat betreft hun veiligheid. Ik ben er nooit echt in geslaagd om hun beveiliging te doorbreken. Niettemin ben ik genoeg te weten gekomen om me zorgen te maken. De meeste van die Lazarusaanhangers zijn best fatsoenlijke lui, maar er zijn enkele heel radicale types die hen vanachter de schermen manipuleren.'

'Zoals de lui die mij gisteravond te grazen probeerden te nemen?'

'Misschien,' zei Peter peinzend. 'Hoewel ik die eerder als dommekrachten zou omschrijven. Ik heb ze een paar dagen in de gaten gehouden voordat ze jou aanvielen – in feite vanaf het moment dat ze bij de Lazarusdemonstratie arriveerden.'

'Had dat een bepaalde reden?'

'Eerst was het gewoon de manier waarop ze bewogen,' verklaarde Peter. 'Die lui leken op een troep wolven die door een kudde grazende schapen slopen. Je weet wel wat ik bedoel. Te behoedzaam, te beheerst... zich voortdurend te bewust van hun omgeving.'

'Een beetje zoals wij?' opperde Smith met een flauwe glimlach.

Peter knikte. 'Precies.'

'En konden jouw "vrienden" in Londen iets opmaken uit het materiaal dat jij hun toestuurde?' vroeg Jon, terwijl hij terugdacht aan de digitale foto's en vingerafdrukken die Howell had genomen van de door hem gedode schutter met het geschoren hoofd.

'Ik vrees van niet,' zei Peter spijtig. 'Tot nu toe hebben mijn naspeuringen helemaal niets opgeleverd.' Hij stak zijn hand in de zak van zijn nappajas en schoof toen een computerdisk over de tafel naar Smith. 'En daarom dacht ik dat jij misschien zelf een poging wilde wagen om de kerel te identificeren die je gisteravond zo efficiënt hebt omgelegd.'

Smith keek hem strak aan. 'O?'

'Je hoeft er niet omheen te draaien, Jon,' zei Peter tegen hem met een licht geamuseerde ondertoon. 'Ik weet heel zeker dat jij je eigen vrienden hebt – of vrienden van vrienden – die deze foto's en vingerafdrukken door hun databanken kunnen halen... uiteraard als een persoonlijke gunst voor jou.'

'Dat zou misschien kunnen,' gaf Smith langzaam toe. Hij pakte de schijf. 'Maar ik zal eerst een aansluiting voor mijn computer moeten vinden.'

De oudere man glimlachte nu openlijk. 'Dan zal je blij zijn om te horen dat onze gastheren beschikken over een draadloze internetverbinding. Deze charmante hacienda mag dan wel uit de zeventiende eeuw stammen, maar het zakengevoel van de eigenaars is heel diep in onze moderne tijd geworteld.' Peter schoof zijn stoel naar achteren en stond op. 'En nu zul je vast wel wat privacy willen, dus zal ik als een brave waakhond de rest van het terrein onveilig gaan maken.'

Jon keek hem na, terwijl hij zijn hoofd schudde uit hopeloze bewondering voor het vermogen van de Engelsman om van vrijwel iedereen gedaan te krijgen wat hij wilde. 'Peter Howell kan een kannibalenstam overreden om zich tot het vegetarisme te bekeren,' had CIA-agente Randi Russell, een wederzijdse vriendin van hen, hem ooit verteld. 'En ze waarschijnlijk ook nog ompraten om voor dat voorrecht te betalen.'

Nog steeds geamuseerd draaide Smith het nummer van Fred Klein op zijn versleutelde mobiele telefoon.

'Ja, kolonel,' zei het hoofd van Covert-One.

Smith gaf Peters verzoek om hulp bij het identificeren van de dode schutter door. 'Ik heb de disk met de foto's en de vingerafdrukken hier bij me,' besloot hij.

'Wat weet Howell?' vroeg Klein.

'Over mij? Hij heeft er niet naar gevraagd,' zei Smith nadrukkelijk. 'Peter is ervan overtuigd dat ik voor de inlichtingendienst van het leger werk, of voor een van de andere diensten van het Pentagon, maar hij dringt niet op bijzonderheden aan.'

'Mooi,' zei Klein. Hij schraapte zijn keel. 'Oké, Jon, stuur me de files en dan zal ik zien wat we te weten kunnen komen. Kun jij blijven waar je bent? Dit kan wel een tijdje duren.'

Smith keek over het stille, vredige terras. De zon stond nu hoog genoeg om het behoorlijk warm te laten zijn. En in de frisse lucht hing de zoete geur van bloemen. Hij wenkte de serveerster voor nog een pot koffie. 'Geen probleem, Fred,' zei hij in de telefoon op een lijmerige, lome toon. 'Ik zal hier wel blijven zitten en lijden.'

Het hoofd van Covert-One belde binnen een uur terug. Hij verspilde geen tijd met aardigheden. 'We hebben een ernstig probleem, kolonel,' zei hij grimmig.

Smith zag Peter Howell bij de deur naar de patio rondhangen en wenkte hem. 'Ga door,' zei hij tegen Klein. 'Ik ben een en al oor.'

'De man die je hebt neergeschoten was een Amerikaan, die Michael Dolan heette. Hij was een ex-commando van het Amerikaanse leger. Een onderscheiden veteraan. Hij heeft vijf jaar geleden als kapitein ontslag genomen uit de militaire dienst.'

'Barst,' zei Jon zachtjes.

'O, het wordt nog erger, kolonel,' waarschuwde Klein hem. 'Toen hij eenmaal uit het leger kwam, schreef Michael Dolan zich in voor toelating tot de FBI-academie in Quantico. Hij werd meteen afgewezen.'

'Waarom?' vroeg Smith zich hardop af. Ex-legerofficieren waren dikwijls erg in trek bij de FBI, waar hun vaardigheden, lichamelijke fitheid en gedisciplineerde kijk op het leven gewaardeerd werden.

'Hij kwam niet door de psychologische evaluatie van de Academie,' zei Klein zachtjes tegen hem. 'Naar het schijnt vertoonde hij duidelijke symptomen van sociopatische neigingen en opvattingen. Wat de FBI-psychologen opviel was een uitgesproken bereidheid om te doden, zonder noemenswaardige scrupules of wroeging.'

'Niet echt iemand die je met een politiepenning en een wapen rond wil laten lopen, lijkt me,' zei Smith.

'Nee,' beaamde Klein.

'Oké, de FBI wilde hem niet,' drong Smith aan. 'Wie heeft hem dan wel aangenomen? Hoe is hij bij de Lazarusbeweging terechtgekomen?'

'Nu komen we bij de kern van ons ernstige probleem,' zei het hoofd van Covert-One langzaam. 'Het lijkt erop dat de niet-betreurde dode meneer Dolan voor de CIA werkte.'

'Jezus.' Smith schudde ongelovig zijn hoofd. 'Heeft Langley deze vent aangenomen?'

'Niet officieel,' antwoordde Klein. 'De CIA lijkt hem heel verstandig op gepaste afstand te hebben gehouden. Op papier werkte Dolan voor ze als een onafhankelijke beveiligingsconsulent. Maar zijn salaris werd uitbetaald via een aantal stromannen van de CIA. Sinds zijn vertrek uit het leger heeft hij van tijd tot tijd voor hen gewerkt, meestal in het kader van gevaarlijke antiterreuroperaties, voornamelijk in Latijns-Amerika of Afrika.'

'Mooi is dat. Dus Langley kon altijd ontkennen dat hij een van hun mensen was als een operatie de mist inging,' besefte Smith met een frons.

'Precies,' zei Klein.

'En stond Dolan gisteravond op de loonlijst van de CIA?' vroeg Smith met klem, terwijl hij zich afvroeg hoe diep ze op dit moment in de problemen zaten. Was dat vuurgevecht gisteravond het gevolg van een of andere absolute blunder – een vreselijk geval van twee geheime zusterorganisaties die elkaar beschoten doordat ze zonder adequate communicatie aan dezelfde zaak werkten?

'Nee, dat denk ik niet,' zei het hoofd van Covert-One tegen hem. 'Ik vermoed dat zijn laatste betaalde CIA-contract iets meer dan zes maanden geleden afliep.'

Smith voelde dat zijn gespannen gezichtsspieren zich een heel klein beetje ontspanden. Hij blies uit. 'Ik ben blij dat te horen. Heel blij.'

'Er is nog meer, kolonel,' waarschuwde Fred Klein. Hij schraapte zijn keel. 'De informatie die ik net heb doorgestuurd is afkomstig uit een van onze eigen Covert-One-databanken – een verzameling files die ik heb opgebouwd uit uiterst vertrouwelijk materiaal dat wij van de CIA, de FBI, de NSA en andere diensten hebben overgenomen. Uiteraard zonder hun medeweten.'

Smith knikte in zichzelf. Kleins vermogen om informatie te vergaren van de diverse concurrerende groeperingen binnen de Amerikaanse inlichtingengemeenschap was een van de redenen waarom president Castilla zoveel waarde hechtte aan het werk van Covert-One.

'Bij wijze van vergelijkende controle heb ik de foto's en de vingerafdrukken die jij me hebt gestuurd door de databanken van zowel de CIA als de FBI gehaald,' vervolgde Klein. Zijn stem was vlak en kil. 'Maar geen van beide zoekopdrachten leverde iets op. Wat de CIA en de FBI betreft heeft Michael Dolan nooit toelatingsexamen voor de FBI gedaan en nooit voor de CIA gewerkt. In feite wordt hij zelfs nergens genoemd in hun dossiers.'

'Wat?' riep Smith opeens uit. Hij zag Peter verbaasd een wenkbrauw optrekken en dempte snel zijn stem. 'Dat is onmogelijk!'

'Niet onmogelijk,' zei Klein zachtjes tegen hem. 'Alleen onwaarschijnlijk. En heel eng.'

'Je bedoelt dat de files van de CIA en de FBI gewist zijn,' besefte Smith. Hij voelde een huivering over zijn rug lopen. 'En dat kon alleen gedaan worden door mensen die op een heel hoog niveau werken. Mensen bij onze eigen overheid.'

'Ik ben bang van wel, kolonel,' beaamde Klein. 'Iemand heeft duidelijk enorme risico's genomen om die bestanden te vernietigen. Dus nu zijn de vragen die wij ons moeten stellen: wie en waarom?'

Verborgen productiefaciliteit voor nanotechnologie, in het Centrum

De technici die in het nanofagenproductiecentrum aan het werk waren, droegen volledig geïsoleerde pakken die allemaal hun eigen zuurstoftoevoer hadden. De dikke handschoenen en de zware pakken vertraagden elke beweging en kostten hun een groot deel van hun wendbaarheid. Niettemin hielpen keiharde training en grote praktijkervaring alle mannen bij de uitvoering van de netelige taak om honderden miljarden volledig gevormde Fase Drie-nanofagen in vier kleine, dikwandige metalen cilinders te stoppen.

Wanneer de cilinders vol waren, werden ze langzaam en voorzichtig ontkoppeld van de roestvrijstalen productievaten. Technici die in paren werkten klemden de cilinders vast op robotkarretjes die ontworpen waren om ze door een nauwe tunnel te loodsen – met zware luchtsluizen aan weerskanten – naar een andere verzegelde ruimte. Daar ontfermde een ander team van technici met maskers, handschoenen en overalls zich over de dodelijke lading.

Een voor een werden de met nanofagen gevulde cilinders in grotere, holle metalen tanks geladen, die zorgvuldig werden verzegeld en vervolgens werden dichtgelast. Toen dat eenmaal gedaan was, werden die grotere metalen tanks in een met schuimrubber gevoerde zware scheepskrat gezet. De laatste stap was dat er overal op de krat grote, wit-rode etiketten werden geplakt: APPROVISIONNEMENTS MÉDICAUX DE L'OXYGÈNE. AVERTISSEMENT: CONTENU SOUS PRESSION!

De lange, forsgebouwde man die zich Nones noemde, stond buiten het productiecentrum en keek door het meervoudig gelaagde, verzegelde observatieraam naar het laadproces. Hij wendde zijn hoofd om naar de veel kleinere hoofdonderzoeker die naast hem stond. 'Zal dit nieuwe transportsysteem van u de verhoogde effectiviteit hebben die onze werkgever verlangt?'

De wetenschapper knikte krachtig. 'Absoluut. Wij hebben de Fase Drie-nanofagen zo ontworpen dat ze langer meegaan en zich lenen voor een veel grotere verscheidenheid aan externe omstandigheden. Onze nieuwe methode profiteert van die verbeteringen in het ontwerp – zodat we de komende veldtest van veel grotere hoogtes en in meer veranderlijk weer kunnen uitvoeren. Onze computermodellen voorspellen daardoor een beduidend efficiëntere verspreiding van de nanofagen.'

'En een aanzienlijk hogere sterfte?' vroeg Nones, de derde Horatiër botweg.

De wetenschapper knikte met tegenzin. 'Natuurlijk.' Hij slikte. 'Ik betwijfel of erg veel mensen in het doelgebied het zullen overleven.'

'Mooi.' De man met de groene ogen glimlachte wreed. 'Daar is het bij al die nieuwe technologie van u uiteindelijk toch om begonnen?'

Deel Drie

24

De wijk Shinjuku, Tokio

Als een multinationale onderneming met een waarde van bijna 50 miljard dollar, bezat Nomura PharmaTech fabrieken, laboratoria en opslagfaciliteiten over de hele wereld, maar niettemin was het in Japan nog altijd flink vertegenwoordigd. Het bedrijfscomplex in Tokio besloeg een terrein van 162 hectare en bevond zich in het hartje van de uitgestrekte wijk Shinjuku. Drie identieke wolkenkrabbers herbergden administratiekantoren en wetenschappelijke laboratoria voor de duizenden toegewijde werknemers van Nomura. 's Avonds werden de bonte, flikkerende neonlichten weerkaatst door de spiegelende gevel van de torens, die daardoor in flonkerende zuilen veranderden waarop de nachthemel van de stad rustte. Maar de rest van het terrein was een vredig landelijk decor van bebost parkland, kabbelende beekjes en rustige vijvers. Tijdens zijn termijn als algemeen directeur en voorzitter had Jinjiro Nomura, Hideo's vader, per se rondom zijn bedrijfshoofdkwartier een oase van natuurlijke schoonheid, vrede en rust willen creëren – ongeacht hoeveel het zijn bedrijf of de aandeelhouders kostte.

Drie hoofdpoorten controleerden de toegang tot het ommuurde bedrijfsterrein. Vanaf elke poort voerden paden en ventwegen met rijen bomen erlangs voetgangers, auto's en trucks naar een van de drie torens.

Mitsuhara Noda had zijn hele volwassen leven voor Nomura PharmaTech gewerkt. In de loop van vijfentwintig jaar was de kleine, magere man met een hartstocht voor orde en routine gestaag, zij het weinig spectaculair, opgeklommen van nederige nachtwaker tot veiligheidsopzichter bij poort 3. Het werk was even gestaag en even weinig spectaculair. Afgezien van zorgen dat zijn bewakers werknemerspasjes droegen, bestond Noda's dag grotendeels uit zorgen dat vrachten voedsel, kantoorbenodigdheden en labchemicaliën op tijd aankwamen en naar de juiste laadplaats werden doorgestuurd. Voordat hij aan een dienst begon, kwam hij altijd vroeger zodat hij de tijd kon nemen die hij nodig had om van elk voertuig dat de komende acht uur zijn poort zou moeten passeren de geplande aankomst- en vertrektijd en de lading uit zijn hoofd te leren.

Daarom kwam Mitsuhara Noda meteen zijn kleine kantoortje bij het poortgebouw uit gesneld toen hij het onverwachte geluid hoorde van een zware trekker met oplegger die luidruchtig met zijn versnelling knarste toen hij van de hoofdweg afsloeg. Volgens zijn berekeningen werden er nog minstens twee uur en vijfentwintig minuten geen zendingen van welke aard ook verwacht. De kleine man fronste zijn wenkbrauwen toen hij het enorme bakbeest zag naderen, met bulderende motor terwijl hij geleidelijk vaart maakte.

Achter hem fluisterden enkele van de andere bewakers zenuwachtig naar elkaar, zich hardop afvragend wat ze moesten doen. Eentje maakte de sluiting van zijn holster los, zodat hij zijn pistool snel kon trekken.

Noda kneep zijn ogen samen. De toegangsweg via poort 3 liep rechtstreeks naar de toren voor Nomura PharmaTechs onderzoek naar nanotechnologie. In zijn kantoor hingen diverse veiligheidscirculaires waarin alle medewerkers van het bedrijf werden gewaarschuwd voor de bedreigingen van de Lazarusbeweging. En noch de oplegger noch de cabine van deze snel naderende vrachtwagen was voorzien van een bedrijfsnaam of logo.

Hij nam een besluit. 'Doe de poort omlaag!' snauwde hij. 'Hoshiko, bel het hoofdkantoor en meld een mogelijk veiligheidsincident.'

Noda ging midden op de weg staan en gebaarde naar de chauffeur van de naderende vrachtwagen dat hij moest stoppen. Achter hem ging een massief stalen slagboom met een schril elektrisch gepiep naar beneden om in het slot te vallen. De andere bewakers graaiden naar hun wapens.

Maar de vrachtwagen bleef komen. De versnelling gierde toen de zware motor meer toeren maakte en tot meer dan zestig kilometer per uur versnelde. De kleine poortopzichter, die zijn ogen even niet kon geloven, bleef waar hij was, en maakte nog steeds hectisch gebaren met zijn armen terwijl hij riep dat de zware truck moest stoppen.

Door de getinte voorruit ving hij even een glimp op van de man achter het stuur. Het gezicht van de chauffeur was uitdrukkingsloos, zijn glazige, starende ogen vertoonden geen spoor van herkenning. Een kamikaze! besefte Noda ontzet.

Veel te laat draaide hij zich om om weg te rennen.

De voorkant van de zware vrachtwagen ramde hem met dodelijke kracht en verbrijzelde elk botje in zijn bovenlichaam. Hij kon niet eens een schreeuw uit zijn gescheurde longen persen en werd ruggelings tegen de stalen slagboom geworpen. Door de schok brak zijn ruggengraat doormidden. Noda was al dood toen de vrachtwagen met het hoge snerpende geluid van scheurend metaal door de poort brak.

Twee van de geschokte bewakers reageerden snel genoeg om het vuur te openen. Maar hun pistoolschoten ketsten slechts af van de geïmproviseerde bepantsering en het kogelvrije glas van de zware vrachtwagen. De truck reed door, steeds dieper het bossige Nomuracomplex in, en ijlde rechtstreeks op de hoge spiegelende toren af, waar zich de Tokiose nanotechonderzoeksfaciliteit van het bedrijf bevond.

Op amper honderd meter van de hoofdingang van de wolkenkrabber knalde de voortdenderende trekker met oplegger frontaal op de rij massieve barrières van staalbeton die het bedrijf haastig had opgesteld na de terroristische aanslag op het Teller Instituut. Enorme brokken kapot beton vlogen alle kanten op, maar de barrières hielden het.

De zware vrachtwagen schaarde en explodeerde.

Een enorme oranjerode vuurbol schoot hoog de lucht in. Door de schokgolf werden over de hele gevel ramen van het labcomplex verbrijzeld. Messcherpe glasscherven regenden op de trottoirs en gazons in de diepte. Door de explosie werden stukken van de trekker en de oplegger verwrongen en in een brede boog weggeblazen; ze sloegen rafelige gaten in de stalen constructie van het gebouw en deden bomen in het omringende park omvallen.

Maar de nanotechlabs zelf, waar niemand was en die onder toezicht van de Japanse overheid waren verzegeld, bleven grotendeels ongeschonden. Er waren opvallend weinig slachtoffers, afgezien van de zelfmoordchauffeur en de ongelukkige Mitsuhara Noda.

Dertig minuten later arriveerde er een e-mailbericht van de Lazarusbeweging bij de kantoren van elke belangrijke mediaonderneming in Tokio. Daarin eiste de Japanse vleugel van de Beweging de verantwoordelijkheid op voor wat zij ‘een missie van heroïsche zelfopoffering ter verdediging van de planeet en de hele mensheid’ noemde.

Schuilplaats van het surveillanceteam, aan de rand van Santa Fe

Twee grote bestelbussen stonden dicht bij de vooringang van het afgelegen huis op de heuvel. Hun achterdeuren stonden wijd open, zodat er een verzameling dozen en apparatuurkoffers te zien was die achter in elk van beide wagens was gepropt. Vijf mannen stonden in de buurt van de busjes bij elkaar te wachten op hun leider.

De oudere Hollander met het witte haar die Linden heette, was binnen en liep alle kamers af om zich ervan te vergewissen dat ze niets verdachts of belastends hadden achtergelaten. Wat hij zag, of liever gezegd, niet zag, beviel hem. De schuilplaats was volledig leeggehaald en gezuiverd. Afgezien van een paar piepkleine boorgaatjes in de wanden was er geen spoor meer te bekennen van alle camera's, radio- en microgolfontvangers, computers en communicatieapparatuur die ze geïnstalleerd hadden om elk aspect van het Telleronderzoek af te luisteren. Elk glad oppervlak en elk houten of metalen meubelstuk glom en was volledig ontdaan van vingerafdrukken en andere sporen van recente menselijke bewoning.

Hij kwam het huis uit en bleef met zijn ogen knipperend in het verblindende zonlicht staan. Hij wenkte een van zijn mannen met zijn vinger. 'Is alles ingepakt, Abrantes?'

De jongere man knikte. 'Wij zijn klaar.'

'Mooi, Vitor,' zei Linden. De leider van het surveillanceteam keek op zijn horloge. 'Laten we dan maar gaan. We moeten vliegtuigen halen.' Hij toonde zijn tabaksgele tanden in een snelle, vreugdeloze lach. 'Het tijdschema van het Centrum voor deze nieuwe missie is heel krap, maar het zal fijn zijn om deze hoge, droge woestijn te verlaten en terug te gaan naar Europa.'

25

Santa Fe
Het hoofdbureau van politie van Santa Fe bevond zich aan de Camino Entrada, aan de westelijke rand van de stad – niet ver van de districtsgevangenis en naast het gerechtshof. Een halfuur nadat hij het gebouw was binnengegaan, bevond Jon Smith zich in het kantoor van de hoogste officier van politie die dienst had. Aan twee van de kale witte muren hingen diverse foto's van een knappe vrouw en drie kleine kinderen. Een deel van een andere muur werd in beslag genomen door een aquarel van een van de nabijgelegen pueblo's. Dossiers in manilla mappen lagen keurig op een stapel aan een kant van een sober bureau, vlak naast een computer. Door een open deur naar de aangrenzende wachtkamer kwam achtergrondrumoer van rinkelende telefoons, gesprekken en ratelende toetsenborden.

Inspecteur Carl Zarate keek naar Smiths legeridentificatie en keek toen weer met een verbaasde frons op. 'Wat wilt u precies van mij, kolonel?'

Smith hield zijn toon nonchalant. Hij was naar Zarate doorverwezen door een hevig zwetende brigadier die zich erg ongemakkelijk voelde onder de vragen die hij stelde. 'Ik ben op zoek naar wat informatie, inspecteur,' zei hij kalm. 'Een paar feiten met betrekking tot het vuurgevecht gisteravond laat op de Plaza.'

Zarates smalle, knokige gezicht kreeg een nietszeggende uitdrukking. 'Welk vuurgevecht?' vroeg hij behoedzaam. Zijn donkerbruine ogen waren op hun hoede.

Smith hield zijn hoofd schuin. 'U weet wel,' zei hij ten slotte. 'Het verbaasde me een beetje dat de pers zich niet te buiten ging aan wilde speculaties over al die schoten in het hartje van de stad. Toen dacht ik dat iemand misschien druk had uitgeoefend op de plaatselijke kranten en de tv- en radiozenders om het stil te houden – even althans, alleen zolang er een onderzoek aan de gang was. Dat zou ik begrijpelijk vinden nu de situatie zo gespannen is na die ramp bij het Teller Instituut. Maar het zou me heel erg verbazen om te horen dat jullie bij de politie van Santa Fe hetzelfde spelletje speelden.'

De politieman bleef hem nog even aankijken. Toen haalde hij zijn schouders op. 'Als er daadwerkelijk een spreekverbod zou zijn, kolonel Smith, dan zou ik bij god niet weten waarom ik voor u de regels zou breken.'

'Misschien omdat die regels op mij niet van toepassing zijn, inspecteur Zarate?' opperde Jon ontspannen. Hij gaf de politieman de stapel onderzoeksvolmachten die Fred Klein voor hem had geregeld. Hij gebaarde er met zijn hoofd naar. 'Volgens die orders moet ik elk aspect van het Telleronderzoek observeren en rapporteren. *Elk* aspect. En als u naar de laatste pagina daar kijkt, zult u de handtekening zien van de voorzitter van de chefs van staven. Wilt u werkelijk verstrikt raken in een wedstrijdje tussen het Pentagon en de FBI wie het verst kan pissen, vooral omdat we ten aanzien van deze toestand allemaal aan dezelfde kant staan, toch?'

Zarate bladerde snel de papieren door, waarbij zijn frons zich verdiepte. Hij schoof ze met een verachtelijk gesnuif terug over zijn bureau. 'Er zijn momenten, kolonel, dat ik goddomme erg blij zou zijn als de nationale overheid met haar grote, onhandige poten van mijn zaken af zou blijven.'

Smith knikte begripvol. 'Er zijn mensen in Washington met de subtiliteit en de tact van een vijfhonderd pond zware gorilla en het gezond verstand van een kind van twee.'

Zarate grijnsde opeens. 'Krasse taal, kolonel. Misschien kunt u beter op uw woorden passen tegenover de bureaucraatjes. Ik hoor dat ze niet veel op hebben met soldaten die niet in de pas lopen.'

'Ik ben in de allereerste plaats arts en wetenschapper en dan pas een legerofficier,' zei Smith. Hij haalde zijn schouders op. 'Ik betwijfel of ik op iemands shortlist sta voor een bevordering tot generaal.'

'Huh-huh,' zei de politie-inspecteur sceptisch. 'Daarom loopt u rond met persoonlijke orders die getekend zijn door het hoofd van de chefs van staven.' Hij hield zijn handen op. 'Helaas kan ik u echt niet veel vertellen. Ja, er was gisteravond inderdaad een of ander vuurgevecht op de Plaza, waarbij één man gedood is. Misschien zijn er ook anderen getroffen. Wij waren nog steeds bloedsporen aan het natrekken toen mijn forensische team werd teruggefloten.'

Smith dook daar meteen bovenop. 'Uw team werd teruggefloten?'

'Ja,' zei Zarate uitdrukkingsloos. 'De FBI kwam aanzetten en nam het over. Zei dat het om een kwestie van staatsveiligheid ging en dat het onder hun jurisdictie viel.'

'Wanneer was dat?' vroeg Jon.

'Misschien een uur nadat we daar waren aangekomen,' zei de politieman tegen hem. 'Maar ze schopten ons daar niet alleen weg. Ze confisqueerden ook elke lege kogelhuls, elk stukje papierwerk en elke foto van de plaats delict. Ze namen zelfs de tapes mee van gesprekken tussen de meldkamer en de eenheden die op de melding reageerden!'

Smith floot zachtjes van verbazing. Dit was meer dan louter gekibbel over jurisdictie. De FBI had ieder stukje concreet bewijsmateriaal in beslag genomen. 'Op wiens gezag?' vroeg hij zachtjes.

'Waarnemend adjunct-directeur Katherine Pierson heeft de orders getekend,' antwoordde Zarate. Zijn mond verstrakte. 'Ik zal niet doen alsof het me lekker zit dat ik met mijn staart tussen mijn benen ben afgedropen, maar bij B en W wil niemand op dit moment de FBI tegen de haren in strijken.'

Jon knikte dat hij het begreep. Met een grote ramp direct om de hoek was Santa Fe erg afhankelijk van financiële hulp en bijstand van federale instanties. En plaatselijke trots en territoriumneigingen moesten uiteraard wijken voor deze dringende noodzaak.

'Nog maar één vraag,' beloofde hij Zarate. 'U zei dat er een dode was. Weet u wat er met het stoffelijk overschot is gebeurd? Of wie de autopsie heeft verricht?'

De politie-inspecteur schudde beduusd zijn hoofd. 'Op dat punt wordt deze hele wantoestand pas echt geheimzinnig.' Hij keek kwaad. 'Ik heb een paar telefoontjes gepleegd naar diverse lijkschouwers en ziekenhuizen, om louter uit persoonlijke interesse wat navraag te doen. En voorzover ik kan vaststellen heeft helemaal niemand ook maar enige poging ondernomen het lijk te identificeren. In plaats daarvan lijkt het wel alsof de FBI de dode meteen in een ambulance heeft geschoven en hem naar een uitvaartcentrum in Albuquerque heeft gestuurd om meteen gecremeerd te worden.' Hij keek Smith strak aan. 'Nou, wat denkt u daar in godsnaam van, kolonel?'

Met moeite lukte het Jon om zijn gezicht in de plooi te houden en een onbewogen uitdrukking te bewaren. Waar was Kit Pierson precies mee bezig hier in Santa Fe, vroeg hij zich af. Wie dekte ze?

Het was kort voor het middaguur toen Smith bij de Camino Entrada het politiebureau uit kwam. Hij keek even snel naar links en naar rechts, om in beide richtingen de straat af te speuren, maar voor het overige gaf hij geen blijk van grote belangstelling voor zijn omgeving. In plaats daarvan stapte hij, schijnbaar diep in gedachten, in zijn gehuurde donkergrijze Ford Mustang en reed weg. Door in de buurt een paar keer snel af te slaan kwam hij op de drukke parkeerplaats rondom het overdekte winkelcentrum van de stad, de Villa Linda Mall. Eenmaal daar baande hij zich een weg door diverse rijen geparkeerde auto's, terwijl hij deed alsof hij alleen op zoek was naar een parkeerplaats. Ten slotte reed hij weg van het winkelcentrum, stak de Wagon Road die eromheen liep over en parkeerde zijn auto in de schaduw van enkele bomen naast een ondiep ravijn dat op zijn kaart stond aangegeven als de Arroyo de los Chamisos.

Twee minuten later ging er vlak achter hem een andere auto, een witte vierdeurs Buick, naar rechts. Peter Howell stapte uit en rekte zich uit terwijl hij zorgvuldig de omgeving opnam. Tevreden dat ze niet geobserveerd werden slenterde hij naar de Mustang. Hij deed de deur aan de passagierskant open en liet zich toen in het kuipstoeltje naast Smith zakken.

In de uren sinds ze elkaar bij het ontbijt hadden getroffen, had de Engelsman de tijd gevonden om zijn haar modieus kort te laten knippen. Hij had ook andere kleren aangedaan. De vale spijkerbroek en het dikke flanellen overhemd dat hij als Malachi MacNamara had gedragen, had hij ingewisseld voor een kaki sportpantalon, een keurig, effen blauw overhemd en een sportjasje met een visgraatmotief. De onstuimige fanaat van de Lazarusbeweging had plaatsgemaakt voor een magere, gebruinde Engelse toerist die zo te zien een middagje ging winkelen.

'Iets gezien?' vroeg Jon hem.

Peter schudde zijn hoofd. 'Niet eens een verdacht omgedraaid hoofd. Je wordt niet gevolgd.'

Smith ontspande zich een beetje. De andere man had gefungeerd als zijn schaduw op afstand, had zich op de achtergrond gehouden terwijl hij het politiebureau inging en was vervolgens achter hem aan gereden om te kijken of hij niet gevolgd werd toen hij naar buiten kwam.

'Ben je zelf iets wijzer geworden?' vroeg Peter. 'Of waren je nijpende vragen aan dovemansoren gericht?'

'O, ik ben heel wat te weten gekomen,' zei Jon grimmig. 'Misschien zelfs meer dan waarop ik had gerekend.'

Peter trok vragend een wenkbrauw op maar zei verder niets. Hij luisterde aandachtig terwijl Smith hem vertelde wat hij te weten was gekomen. Toen hij hoorde dat het lijk van Dolan gecremeerd was, schudde hij zuur geamuseerd zijn hoofd. 'Nou, nou, nou... stof zijt gij en tot stof zult gij wederkeren. En er zijn geen vingerafdrukken of heikele gebitsafdrukken meer die iemand zou kunnen vergelijken met pijnlijke personeelsdossiers. Ik neem aan dat ongeacht hoe grondig de databanken van de CIA en de FBI zijn gezuiverd, er uiteindelijk ergens iemand die kerel herkend zou hebben.'

'Jep.' Jon trommelde met zijn vingers op het stuur van zijn auto. 'Handig, hè?'

'Het roept wel een stel intrigerende vragen op,' beaamde Peter. Hij telde ze af op zijn eigen vingers. 'Voor wie werken die geheimeoperatiesjongens zoals wijlen Michael Dolan werkelijk? Voor de Lazarusbeweging, zoals je op het eerste gezicht zou denken? Of onder strikte geheimhouding voor een andere organisatie? Misschien zelfs jullie allereigenste CIA? Allemaal erg verwarrend, vind je niet?'

'Eén ding is zeker,' zei Smith tegen hem. 'Kit Pierson moet hier tot aan haar nek in zitten. Waarschijnlijk heeft ze de autoriteit om de plaats delict bij de Plaza over te nemen. Maar ze kan onmogelijk de crematie van Dolans lijk rechtvaardigen, niet binnen de reguliere praktijken en werkwijze van de FBI.'

'Zou het kunnen dat zij een dubbelrol speelt voor Lazarus?' vroeg Peter zachtjes. 'Dat zij het FBI-onderzoek van binnenuit probeert te saboteren?'

'Kit Pierson als een mol voor Lazarus?' Jon schudde resoluut zijn hoofd. 'Dat zie ik niet voor me. Daarvoor heeft ze veel te veel haar best gedaan alles wat er bij het Instituut is gebeurd op de Beweging af te schuiven.'

Peter knikte. 'Dat is waar. Dus als ze niet vóór Lazarus werkt, moet ze ertegen werken – wat suggereert dat zij fungeert als dekmantel voor een clandestiene operatie tegen de Beweging van de kant van de FBI, de CIA of allebei.'

Smith keek hem aan. 'Denk je dat ze werkelijk zo'n gevoelige operatie zouden uitvoeren zonder de goedkeuring van de president?'

Peter haalde zijn schouders op. 'Dat komt voor, Jon, dat weet je best.' Hij glimlachte droogjes. 'Herinner je je die arme ouwe Hendrik de Tweede? Die raakt op een avond een beetje bezopen en buldert: "Zal dan niemand mij van deze onstuimige priester verlossen?" En dan, nagenoeg voordat hij nuchter kan worden, is de hele vloer van de kathedraal van Canterbury één grote bloedplas en is Thomas Becket opeens een heilige en een martelaar. En kan de bedroefde, berouwvolle koning met kater het boetekleed aandoen en een ronde van kastijding en publieke boetedoening ondergaan.'

Smith knikte langzaam. 'Ja, ik weet het. Inlichtingendiensten gaan soms hun bevoegdheden te buiten. Maar het is wel een verdomd gevaarlijk spelletje.'

'Natuurlijk,' zei Peter. 'Het kan mensen hun carrière kosten. En zelfs hooggeplaatste functionarissen kunnen de gevangenis ingaan. Dat is precies de reden waarom ze besloten kunnen hebben om jou te doden.'

Jon fronste zijn wenkbrauwen. 'Een geheime operatie van de CIA en de FBI om de Lazarusbeweging van binnenuit kapot te maken, dat kan ik begrijpen. Het zou stom en volslagen illegaal zijn, maar dat kan ik begrijpen. En ik kan me ook voorstellen waarom de Beweging zou proberen om de labs van het Instituut te saboteren. Maar wat ik in geen van beide scenario's kan inpassen is het vrijkomen van de nanofagen waardoor al die demonstranten zijn vermoord.'

'Ja,' zei Peter langzaam, terwijl hij alle gruwelen weer voor zich zag. 'Dat is het enige puzzelstukje dat pertinent niet wil passen. En goddomme, wat een gruwelijk stukje.'

Smith knikte, boog zich van het stuur achterover en haalde zijn telefoon uit zijn zak. 'Misschien is het tijd om er niet meer omheen te draaien.' Hij toetste een nummer in. De eerste keer dat de telefoon overging werd er opgenomen. 'Dit is kolonel Jonathan Smith, agent Latimer,' zei hij scherp. 'Ik wil waarnemend adjunct-directeur Pierson spreken, en wel nu!'

'Ga je de leeuwin in haar hol trotseren?' mompelde Peter. 'Zelfs voor jouw doen is dat niet erg subtiel, hè, Jon?'

Smith grijnsde over de telefoon naar hem. 'Ik zal de subtiliteit aan jullie Engelsen overlaten, Peter. Soms moet je gewoon je bajonet vellen en ouderwets frontaal ten aanval gaan.' Maar terwijl hij luisterde naar de stem aan de andere kant, verflauwde zijn grijns langzaam. 'Juist ja,' zei hij zachtjes. 'En wanneer was dat?'

Hij hing op.

'Problemen?' vroeg Peter.

'Misschien.' Smith fronste zijn voorhoofd. 'Kit Pierson is al op weg terug naar Washington voor dringend, niet nader omschreven overleg. Ze vliegt wat later vanmiddag met een directiejet vanuit Albuquerque.'

'De vogel vliegt er dus vandoor, hè? Interessante timing, niet?' zei Peter met een plotselinge glinstering in zijn ogen. 'Ik begin te vermoeden dat mevrouw Pierson net een nogal verontrustend telefoontje van de plaatselijke politie heeft gekregen.'

'Je hebt waarschijnlijk gelijk,' beaamde Smith, die zich de nerveuze blikken herinnerde van de lagergeplaatste politieman die hem naar Zarate had doorgestuurd. De brigadier moest de FBI hebben getipt dat een luitenant-kolonel van het leger die Jonathan Smith heette, vragen stelde over een incident dat de FBI onder het vloerkleed probeerde te vegen. Hij wierp een blik op de Engelsman. 'Heb je zin in een reisje naar Washington? Ik weet dat het buiten je huidige werkterrein is, maar ik zou best wat hulp kunnen gebruiken. Kit Pierson is het enige concrete spoor dat ik heb en ik ben niet van plan om haar er zomaar vandoor te laten gaan.'

'Je kunt op me rekenen,' antwoordde Peter met een trage, roofdierachtige grijns. 'Ik zou dit voor geen goud willen missen.'

26

Het Witte Huis
'Ik begrijp u best, meneer de voorzitter,' gromde president Samuel Adam Castilla in de telefoon. Hij keek op en zag Charles Ouray, zijn stafchef, zijn neus om de hoek van de deur van het Oval Office steken. Castilla wenkte hem naar binnen en wendde zich toen weer tot de telefoon. 'Nu is het tijd dat u mij begrijpt. Ik laat me niet opjagen tot presidentieel ingrijpen als dat mij onverstandig lijkt. Niet door de CIA of de FBI. Niet door de Senaat. En niet door u. Is dat duidelijk? Heel goed dan. Goedendag, meneer.'

Castilla hing op en weerstond de aandrang om de hoorn op de haak te smijten. Hij wreef met een grote hand over zijn vermoeide gezicht. 'Ze zeggen dat Andrew Jackson ooit heeft gedreigd om iemand met een rijzweep het terrein van het Witte Huis af te ranselen. Ik dacht altijd dat dat gewoon Old Hickory in een woeste bui was, overmand door zijn beroemde opvliegendheid. Maar nu heb ik zelf veel zin om zijn voorbeeld te volgen.'

'Krijgt u nog meer goede raad van het Congres?' vroeg Ouray droog terwijl hij met zijn hoofd naar de telefoon gebaarde.

De president vertrok zijn gezicht. 'Dat was de voorzitter van het Huis van Afgevaardigden,' zei hij. 'Die zo sympathiek was om te suggereren dat ik onmiddellijk een presidentieel besluit teken om de Lazarusbeweging tot een terroristische organisatie te bestempelen.'

'En anders?'

'Anders zullen het Huis en de Senaat op eigen initiatief een wetsbesluit uitvaardigen,' maakte Castilla zijn zin af.

Ouray trok een wenkbrauw op. 'Met een meerderheid die niet weggestemd kan worden?'

De president haalde zijn schouders op. 'Misschien wel. Misschien niet. In beide gevallen verliezen we. Politiek. Diplomatiek. Noem maar op.'

Zijn stafchef knikte ernstig. 'Ik neem aan dat het er niet veel toe doet of er ooit echt een anti-Lazaruswet wordt uitgevaardigd. Als het Congres er vóór is, zullen onze steeds wankeler internationale bondgenootschappen weer een ernstige klap krijgen.'

'Dat is maar al te waar, Charlie,' zei Castilla met een zucht. 'Wereldwijd zullen de meeste mensen zo'n wet zien als nog een teken dat wij overreageren en op de paranoïde, panische toer gaan. O, ik denk dat enkelen van onze vrienden, die zich zorgen maken over die bommen in Chicago en Tokio, misschien stilletjes zullen juichen, maar de meeste mensen zullen slechts denken dat wij de zaken erger maken. Dat wij een anders vreedzame groepering tot geweld aanzetten – of dat we onze eigen misdaden verdoezelen.'

'Het is een vreselijke situatie,' beaamde Ouray.

'Ja, dat is het.' Castilla zuchtte. 'En het gaat nog veel erger worden.' Omdat hij zich achter zijn bureau opgesloten voelde, stond hij op en liep naar de ramen. Hij staarde een tijdje over het zuidelijke gazon en zag de groepjes zwaarbewapende bewakers die met helmen en kogelvrije vesten nu openlijk op het terrein patrouilleerden. Na de aanslag van de Lazarusbeweging in Tokio had de Geheime Dienst erop gestaan de beveiliging rond het Witte Huis aan te scherpen.

Hij keek over zijn schouder naar Ouray. 'Voordat de voorzitter me overviel met dat besluitultimatumpje van hem, kreeg ik nog een telefoontje – van ambassadeur Nichols bij de VN.'

De stafchef van het Witte Huis fronste zijn wenkbrauwen. 'Is er in de Veiligheidsraad iets op til?'

Castilla knikte. 'Nichols heeft net lucht gekregen van een resolutie die door een aantal van de niet-gebonden landen in de Raad zal worden ingediend. In wezen gaan ze eisen dat we al onze nanotechonderzoeksfaciliteiten openstellen – zowel de publieke als de particuliere – voor volledige internationale inspectie, inclusief een onderzoek naar alle eigendomsrechtelijke aspecten. Volgens hen is dat de enige manier om zeker te weten dat wij niet bezig zijn met een geheim programma voor nanotechwapens. En Nichols zegt dat hij denkt dat het niet-gebonden blok genoeg stemmen in de Raad heeft om de resolutie erdoor te krijgen.'

Ouray vertrok zijn gezicht. 'Dat kunnen we niet toelaten.'

'Nee, dat kan niet,' beaamde Castilla zwaarmoedig. 'Het is in wezen een vrijbrief om al onze ontwikkelingen op het gebied van nanotechnologie te stelen. Onze ondernemingen en universiteiten hebben miljarden aan dit onderzoek uitgegeven. Ik kan al dat werk niet naar de knoppen laten gaan.'

'Kunnen we een van de andere permanente leden overreden om

voor ons hun vetorecht over deze resolutie uit te spreken?' vroeg Ouray.

Castilla haalde zijn schouders op. 'Nichols zegt dat Rusland en China ons graag een loer willen draaien. Zij willen weten hoe ver wij zijn op het gebied van nanotechnologie. We mogen van geluk spreken als de Fransen besluiten om zich van stemming te onthouden. Dan blijven alleen de Engelsen nog over. En ik weet niet zeker hoe ver de premier op dit moment kan gaan om ons politiek te dekken. Zijn macht over het parlement is in het gunstigste geval gering.'

'Dan zullen we zelf ons vetorecht moeten gebruiken,' besefte Ouray. Hij klemde zijn kaken op elkaar. 'En dat zal een slechte indruk maken. Erg slecht.'

Castilla knikte grimmig. 'Ik kan me niets voorstellen dat de ergste angsten van de wereld omtrent wat wij doen nog meer zou bevestigen. Als wij ons veto uitspreken over een resolutie van de Veiligheidsraad met betrekking tot nanotechnologie, zullen we meteen de meest buitensporige beweringen van de Lazarusbeweging geloofwaardiger doen overkomen.'

Kirtland Luchtmachtbasis, Albuquerque, New Mexico

Nog steeds in zijn gehuurde Ford Mustang reed Smith bij de wachtpost bij de Trumanpoort in zuidelijke richting weg over de uitgestrekte luchtmachtbasis. Aan zijn rechterhand passeerde hij honkbalvelden voor de juniorenklasse vol teams en juichende ouders. Het seizoen zat er bijna op, en de plaatselijke kampioenschappen waren in volle gang.

Hij volgde de aanwijzingen die de bewaking van de luchtmacht hem had gegeven en baande zich een weg door de doolhof van straten en gebouwen om bij een klein parkeerterrein vlak bij de hangars uit te komen. Peter Howells witte Buick LeSabre parkeerde naast hem.

Smith klom uit de Mustang en hing zijn laptop en een kleine reistas over zijn schouder. Hij gooide de sleutels op de stoel van de bestuurder en liet de deur open. Hij zag dat Peter hetzelfde deed. Na hun vertrek zou een van de mensen die Fred Klein af en toe hand- en spandiensten verleenden ervoor zorgen dat de twee huurauto's ongeschonden werden teruggebracht.

Bontgekleurde commerciële passagiersvliegtuigen, die met strikt geregelde tussenpozen opstegen en landden, bulderden laag over hun hoofd. Kirtland deelde zijn start- en landingsbanen met de internationale luchthaven van Albuquerque. De hitte deed de lucht boven het beton trillen en de scherpe geur van vliegtuigbrandstof hing in de hete lucht.

Een groot C-17 Globemaster transportvliegtuig in de vaalgrijze camouflagekleuren van de Amerikaanse luchtmacht stond reeds met draaiende motoren op de teermacadambaan te wachten. Jon en Peter liepen ernaartoe.

De *loadmaster*, een oudere onderofficier van de luchtmacht met een breed, hard gezicht en permanent gefronste wenkbrauwen, kwam hun tegemoet. 'Is een van jullie luitenant-kolonel Jonathan Smith?' vroeg hij na een blik op het klembord in zijn hand om zich ervan te vergewissen dat hij de naam en de rang goed had.

'Dat ben ik, sergeant,' zei Jon tegen hem. 'En dit is meneer Howell.'

'Als u me dan allebei wilt volgen, meneer,' zei de loadmaster na een lange, sceptische blik op Smiths burgerkleding. 'We hebben maar vijf minuten de tijd om op te stijgen, en majoor Harris zegt dat hij geen zin heeft om zijn kans te missen en uiteindelijk in de rij te staan achter een zootje godvergeten vliegende toeristenbussen.'

Smith verborg een spottende grijns. Hij had een sterk vermoeden dat de piloot van de C-17 heel wat meer dan dat had gezegd toen hij hoorde dat hij een ongeplande vlucht naar de andere kant van het land moest maken – alleen om één luitenant-kolonel uit het leger en een buitenlander, een burger, naar Washington te brengen. Weer had Fred Klein met het toverstokje van Covert-One gezwaaid, waarbij hij ditmaal gebruik had gemaakt van contacten binnen de bureaucratie van het Pentagon. Hij en Peter volgden het bemanningslid van de C-17 in het spelonkachtige vrachtruim van het vliegtuig en toen naar de cockpit.

Daar zaten de piloot en de copiloot op hen te wachten, die al de laatste punten van hun checklist voor het opstijgen doornamen. Ze hadden allebei actieve informatieschermen, *heads-up* displays, die in de ruit vóór hen waren aangebracht. Op het instrumentenpaneel onder de voorruit flitsten allerlei schema's over vier grote multifunctionele computerschermen, die de toestand van de motoren, het hydraulische systeem, de vliegtuigelektronica en andere bedieningsmechanismen toonden.

Majoor Harris, de piloot, draaide zijn hoofd om toen ze binnenkwamen. 'Bent u klaar voor vertrek, heren?' vroeg hij met opeengeklemde tanden, waarbij hij het woord 'heren' benadrukte om duidelijk te maken dat hij liever een ander woord gebruikt zou hebben.

Smith knikte verontschuldigend. 'Wij zijn klaar, majoor,' zei hij. 'En het spijt me dat het zo kort dag was. Als het enige troost is, dit is werkelijk een missie van vitaal belang – en niet slechts een verkapt vip-uitstapje.'

Enigszins vermurwd gebaarde Harris met zijn duim naar de twee zitplaatsen voor waarnemers achter hem. 'Nou, doe dan de gordels maar om.' Hij boog zich naar zijn copiloot. 'Laten we de vaart erin zetten, Sam. De tijd dringt.'

De twee luchtmachtofficieren wijdden zich aan de bediening en reden het grote vliegtuig rommelend het platform op, om traag in de richting van de grote startbaan te taxiën. Het gebulder van de vier turbomotoren van de C-17 werd nog luider toen Harris met zijn linkerhand de gashendels naar voren duwde.

Nadat Jon en Peter hun gordels hadden omgedaan, gaf de loadmaster hun allebei een helm met een ingebouwde radio. 'Verbindingen met de grond zijn zo'n beetje het enige vermaak dat we op deze vlucht te bieden hebben,' zei hij tegen hen, waarbij hij zijn stem verhief om boven de huilende motoren uit te komen.

'Wat? Bedoel je dat er geen stewardessen zijn? Geen champagne en geen kaviaar?' vroeg Peter met een ontzette blik.

Bijna ongewild grijnsde het bemanningslid van de C-17 terug. 'Nee, meneer. Alleen ik en mijn koffie, vrees ik.'

'Vers gezet, hoop ik?' vroeg de Engelsman.

'Nee. Instant cafeïnevrij,' antwoordde de luchtmachtsergeant, die nu nog breder grijnsde. Hij verdween en ging naar zijn eigen zitplaats in het enorme spelonkachtige vrachtruim van het schip.

'Mijn god! De opofferingen die ik mij getroost voor koningin en vaderland,' mompelde Peter met een snelle knipoog naar Smith.

Het straalvliegtuig maakte een scherpe bocht en kwam daarmee op de lange hoofdstartbaan. Voor hen steeg een 737 van Southwest Airlines op die naar het noorden zwenkte. 'Air Force Charlie One-Seven, u hebt toestemming om meteen op te stijgen,' kraakte de stem van de verkeersleider in de toren opeens door Smiths hoofdtelefoon.

'Roger, toren,' antwoordde Harris. 'Charlie One-Seven vertrekt nu.' Hij duwde de vier gashendels helemaal naar voren.

De C-17 ging steeds sneller de startbaan af en maakte in hoog tempo vaart. Jon voelde hoe hij in de bekleding van zijn stoel werd gedrukt. Nog geen minuut later waren ze in de lucht en klommen ze steil over de lappendeken van huizen, snelwegen en parken van Albuquerque.

Ze vlogen ergens over het westen van Texas op elf kilometer hoogte toen de copiloot achteroverleunde en Smith op zijn knie tikte. 'Er is een beveiligd bericht voor u, kolonel,' zei hij. 'Ik zal het doorschakelen naar uw headset.'

Smith knikte dankbaar.

'Ik breng u even op de hoogte van de huidige stand van zaken, kolonel,' zei de vertrouwde stem van Fred Klein. 'Uw doelwit is ook in de lucht en vliegt oostwaarts naar de luchtmachtbasis Andrews. Zij heeft een voorsprong van ongeveer 640 kilometer op jullie.'

Jon maakte een berekening. De C-17 had een kruissnelheid van grofweg vijfhonderd knopen, wat betekende dat Kit Piersons directiejet van de FBI minstens drie kwartier eerder dan hij en Peter op Andrews zou landen. Hij fronste zijn voorhoofd. 'Is er een kans dat ze opgehouden kan worden? Kan de FAA haar vliegtuig misschien in de wacht zetten tot wij kunnen landen?'

'Helaas niet,' zei Klein resoluut. 'Niet zonder ons volledig in de kaart te laten kijken. Het was al lastig genoeg om deze vlucht te regelen.'

'Verdomme.'

'Misschien is de situatie niet zo slecht als je denkt,' zei Klein tegen hem. 'Ik heb bevestiging dat ze eerst een afspraak in het Hoovergebouw heeft en dat er een officiele auto klaarstaat om haar daar direct heen te brengen. Wat ze verder ook van plan mag zijn, zal zich vermoedelijk pas later kunnen afspelen, en dat zou jou de tijd moeten geven om haar spoor in Washington terug te vinden.'

Smith dacht daarover na. Het hoofd van Covert-One had waarschijnlijk gelijk, besloot hij. Hoewel hij er vrij zeker van was dat het werkelijke doel van Kit Piersons terugkeer naar Washington veel verder ging dan domweg persoonlijk verslag uitbrengen aan haar hoogste superieuren bij de FBI, zou ze het spel moeten spelen alsof dat wel zo was.

'Hoe zit het met de auto's en de uitrusting waar ik om verzocht heb?' vroeg hij.

'Die staan allemaal klaar voor je,' beloofde Klein. Zijn stem werd scherper. 'Maar ik heb nog enkele heel ernstige bedenkingen over de zo nauwe betrokkenheid van Howell bij deze operatie, kolonel. Hij is een intelligente kerel... misschien te intelligent en zijn fundamentele loyaliteit ligt niet in dit land.'

Smith wierp een blik op Peter. De Engelsman zat uit de raampjes van de cockpit te staren en leek op te gaan in de aanblik van het uitgestrekte panorama van langstrekkende wolkenmassa's en het schijnbaar eindeloze, bruine platteland waar ze overheen vlogen. 'Je zult me hierin moeten vertrouwen,' zei hij zachtjes tegen Klein. 'Destijds toen jij me hiervoor aannam, zei je me dat je individualisten nodig had, mensen met initiatief die niet goed pasten in de strakke organisatieschema's van alle anderen. Mensen die bereid waren om tegen het systeem in te gaan om resultaten te behalen, weet je nog?'

'Ik weet het nog,' zei Klein. 'En dat meende ik ook.'

'Nou, dat is precies wat ik nu doe,' zei Smith vastberaden. 'Peter is in wezen al bezig met hetzelfde probleem als wij. Bovendien heeft hij vaardigheden, instincten en denkvermogens waar wij ons voordeel mee kunnen doen.'

Even was het stil aan de andere kant terwijl Klein daarover nadacht. 'Een overtuigend betoog, kolonel,' zei hij ten slotte. 'Goed dan, werk zo nauw mogelijk met Howell samen, maar denk erom: hij mag nooit iets over Covert-One te weten komen. Is dat begrepen?'

'Dat zweer ik, op mijn erewoord,' antwoordde Smith.

Klein snoof. 'Oké, Jon.' Hij schraapte zijn keel. 'Laat het me weten zodra je geland bent, goed?'

'Komt voor elkaar,' zei Jon. Hij leunde naar voren om naar het navigatiescherm te kijken, waarop hun positie, hun afstand van Andrews en hun huidige vliegsnelheid te zien waren. 'Zo te zien zou dat rond een uur of negen vanavond moeten zijn, volgens jouw tijd.'

27

La Courneuve, bij Parijs

De onaangename, zielloze hoogbouwprojecten van de Parijse sloppenwijken, de *cités*, rezen zwart op tegen de nachthemel. Hun ontwerp – massief, bedrukkend lelijk en opzettelijk steriel – was een schoolvoorbeeld van de groteske idealen van de Zwitserse architect Le Corbusier, die alleen in kille, utilitaire termen dacht. De projecten waren ook een getuigenis van de vrekkigheid van Franse bureaucraten – die alleen zoveel mogelijk van 's lands ongewenste immigranten, voor het merendeel moslims, in de kleinst mogelijke ruimtes wilden proppen.

Er brandden weinig lichten rondom de met graffiti besmeurde betonnen massa van de *Cité des Quatre Mille*, de 'stad van vierduizend', een beruchte vrijplaats voor dieven, moordenaars, drugsdealers en radicale moslims. De eerlijke armen zaten feitelijk vast in een gevangenis die door de criminelen en terroristen onder hen werd gerund. De meeste straatverlichting was afgebrand of kapot. De straten vol kuilen waren bezaaid met de verkoolde wrakstukken van gesloopte auto's. De weinige winkels in de buurt waren gebarricadeerd met stalen tralies of veranderd in geplunderde, geblakerde puinhopen.

Ahmed ben-Belbouk zwalkte door de nacht, een schaduw onder de andere schaduwen. Hij droeg een lange, zwarte regenjas tegen de nachtlucht en een kalotje om zijn hoofd te bedekken. Hij was ongeveer één meter tachtig en cultiveerde een volle baard die een deel van de acnelittekens maskeerde die zijn ronde, zachte gezicht pokdalig maakten. Ben-Belbouk was in Frankrijk geboren, van Algerijnse afkomst, geloofsmatig een aanhanger van de radicale islam. Als ronselaar voor de jihad tegen Amerika en het decadente Westen opereerde hij vanuit een kantoortje achter in een van de plaatselijke moskeeën, waar hij stil en zorgvuldig de mensen doorlichtte die gehoor gaven aan de oproep tot de heilige oorlog. Degenen die naar zijn oordeel het meest veelbelovend waren kregen valse paspoorten, contant geld en vliegtickets en werden naar het buitenland gestuurd om daar verder getraind te worden.

Nu keerde hij, na een lange dag, eindelijk terug naar de naargeestige, grauwe sociale woning die de staat hem zo genadig had aangeboden. Als hij de geheime fondsen in aanmerking nam die hem ter beschikking stonden, had hij genoeg geld om op een betere plek te wonen, maar ben-Belbouk geloofde dat het beter was om te wonen tussen de mensen wier loyaliteit hij zocht. Als zij zagen dat hij hun ontberingen en hun vertwijfeling deelde, waren ze meer bereid om te luisteren naar zijn haatpreken en zijn oproepen tot wraak op hun westerse onderdrukkers.

Plotseling zag de terroristenronselaar iets bewegen langs de verduisterde avenue die voor hem lag. Hij bleef staan. Dat was vreemd. Op deze uren waren de straten van deze wijk doorgaans verlaten. De bange en eerlijke mensen hadden zich al thuis teruggetrokken achter hun gesloten deuren, en de criminelen en de drugsdealers sliepen doorgaans nog of hadden het te druk met het botvieren van hun verdorven gewoontes om op straat rond te lopen.

Ben-Belbouk glipte in de donkere deuropening van een uitgebrande bakkerij en bleef daar staan kijken. Hij liet zijn rechterhand in de zak van zijn regenjas glijden en betastte de greep van het pistool dat hij bij zich had, een compacte Glock 19. De straatbendes en de andere kleine criminelen die op de bewoners van de *Cité* aasden liepen meestal in een grote boog om mensen zoals hij heen, maar hij zorgde liever zelf voor zijn eigen veiligheid.

Vanuit deze schuilplaats observeerde hij de activiteit met toenemende achterdocht. Bij een van de kapotgeslagen straatlantaarns stond een busje geparkeerd. Twee mannen in overall stonden naast de auto en hielden een ladder vast voor een derde technicus die werkte aan iets wat zich bijna boven aan de donkere metalen paal bevond. Moest dit een werkploeg zijn van het energiebedrijf van de staat? Die hierheen was gestuurd met een of andere wereldvreemde opdracht om de straatverlichting te repareren die al tien keer was vernield door de buurtbewoners?

De ogen van de bebaarde man vernauwden zich en hij spoog stilletjes naast zich. Het idee alleen al was belachelijk. Vertegenwoordigers van de Franse overheid werden veracht in deze wijk. Politieagenten werden door hordes mensen aangevallen zodra ze zich lieten zien. BAISE LA POLICE, 'naai de politie', was veruit de meest populaire graffiti. De grove, obscene leus was op elk gebouw gespoten dat je maar kon zien. Zelfs de brandweerlieden die erop af werden gestuurd om de regelmatige, aangestoken branden te blussen werden begroet met regens van molotovcocktails en stenen. Ze moesten begeleid worden door pantservoertuigen. Een elektricien die ze alle vijf op een rijtje had zou toch zeker geen voet in La Courneuve durven zetten? Niet als het donker was – en zeker niet zonder een zwaarbewapende mobiele eenheid om hem te bewaken.

Dus wie waren die mannen, en wat waren ze werkelijk aan het doen? Ben-Belbouk keek wat beter. De technicus op de ladder leek een of ander apparaatje te installeren – een soort grijs, rechthoekig plastic doosje.

Hij keek naar de andere straatlantaarns in zijn blikveld. Tot zijn verbazing zag hij dat op een aantal daarvan dezelfde grijze doosjes waren aangebracht met precieze, regelmatige tussenruimtes. Hoewel het in het slechte licht moeilijk was om het met zekerheid te zeggen, dacht hij dat hij donkere ronde openingen in de doosjes kon zien. Waren dat cameralenzen? Zijn verdenkingen gingen over in een stellige overtuiging. Die *cochons*, die varkens, waren iets aan het installeren – misschien een nieuw surveillancesysteem – waardoor de overheid meer vat zou krijgen op deze wetteloze zone. Dat kon hij niet zonder slag of stoot toelaten.

Even vroeg hij zich af of hij al dan niet moest wegglippen om de plaatselijke moslimbroederschappen op te roepen. Toen zag hij daarvan af. Door de onvermijdelijke vertraging konden deze spionnen makkelijk hun werk afmaken en verdwijnen. Bovendien waren ze ongewapend. Het zou veiliger zijn en meer voldoening verschaffen om ze zelf aan te pakken.

Ben-Belbouk trok het kleine Glockpistool uit zijn jaszak en begaf zich op straat, waarbij hij het wapen onopvallend naast zich hield. Hij bleef op een paar passen afstand van de drie technici staan. 'Jullie daar!' riep hij. 'Waar zijn jullie mee bezig?'

De twee die de ladder vasthielden schrokken op en draaiden zich naar hem om. De derde man, die de schroeven aandraaide van de beugels waarmee het doosje aan de lantaarnpaal vastzat, bleef doorwerken.

'Ik zei, waar zijn jullie mee bezig?' vroeg ben-Belbouk nogmaals, ditmaal luider.

Een van de twee onder aan de ladder haalde zijn schouders op. 'Ons werk is uw zaak niet, *m'sieur*,' zei hij laatdunkend. 'Loopt u door en laat ons met rust.'

De bebaarde moslimextremist werd rood. Zijn dunne lippen trokken naar beneden in een felle, dreigende uitdrukking en hij haalde de Glock tevoorschijn zodat ze hem goed konden zien. 'Dit maakt het wél mijn zaak,' snauwde hij terwijl hij het pistool op hen richtte. Hij kwam dichterbij. 'Geef nu antwoord, tuig, voor ik mijn geduld verlies!'

Hij hoorde het gedempte schot niet waardoor hij werd geveld.

De 7.62mm-geweerkogel trof Ahmed ben-Belbouk achter zijn rechteroor, ging dwars door zijn hersenen, en sloeg een groot gat in de linkerkant van zijn schedel. Stukjes verbrijzeld bot en grijze massa spatten op het wegdek. De terroristenronselaar was al dood toen hij in elkaar zakte.

Op enige afstand, verborgen in de schaduw van een met afval bezaaide steeg, gaf de lange, breedgeschouderde man die zich Nones noemde zijn sluipschutter een licht schouderklopje. 'Dat was een aardig schot.'

De andere man liet zijn Heckler & Koch PSG-1-geweer zakken en glimlachte dankbaar. Loftuitingen van een van de Horatiërs waren zeldzaam.

Nones stemde zijn radiomicrofoon af en sprak met de twee waarnemers die hij op naburige daken had geplaatst om op zijn technici te letten. 'Nog tekenen van activiteit?'

'Nee,' antwoordden ze allebei. 'Alles is rustig.'

De man met de groene ogen knikte in zichzelf. Het incident was onfortuinlijk maar kennelijk geen ernstige bedreiging voor de veiligheid van zijn operatie. Moorden en vermissingen kwamen vrij vaak voor in dit deel van La Courneuve. Eentje meer betekende weinig tot niets. Hij schakelde over op de frequentie van de technici. 'Hoe lang nog?' vroeg hij.

'Wij zijn bijna klaar,' meldde hun leider. 'Nog twee minuten.

'Mooi.' Nones wendde zich weer tot de sluipschutter. 'Blijf paraat. Shiro en ik zullen het lijk opruimen.' Toen keek hij om naar de veel kleinere man die achter hem gehurkt zat. 'Kom mee.'

Ongeveer honderd meter van de plek waar Ahmed ben-Belbouk nu dood op de grond lag, bleef een slanke vrouw in dekking liggen achter het gesloopte, uitgebrande chassis van een kleine Renault personenauto. Ze was van top tot teen in het zwart, met een zwarte katoenen overall voor haar bovenlijf, armen en benen, zwarte handschoenen, zwarte laarzen en een zwarte wollen muts om haar blonde haar te verbergen. Ze staarde naar het beeld in haar nachtkijker. 'Godnondeju!' vloekte ze zachtjes. Toen sprak ze zachtjes in haar eigen radio. 'Zag je dat, Max?'

'Ja, ik zag het wel,' bevestigde haar ondergeschikte, die verder weg in de beschutting van een klein groepje dode bomen was opgesteld. 'Ik weet niet zeker of ik het geloof, maar ik zag het zeker.'

CIA-agent Randi Russell stelde haar kijker scherp op de drie mannen rond de straatlantaarn. Ze keek zwijgend toe terwijl nog twee mannen – van wie de ene heel lang was en kastanjebruin haar had en de andere een Aziaat was – de straat overstaken en zich bij de anderen voegden. De twee nieuwkomers werkten snel en rolden het lijk van ben-Belbouk in een zwart stuk plastic om het vervolgens weg te slepen.

Randi knarsetandde. Met de dode man verdwenen de vruchten van diverse maanden hard, geconcentreerd onderzoek, complexe planning en riskante heimelijke surveillance. Zo lang was haar sectie van de Parijse afdeling van de CIA bezig geweest met de opdracht om de werving van potentiële moslimterroristen in Frankrijk te traceren. Toen ben-Belbouk in beeld was gekomen, was dat een geschenk uit de hemel geweest. Door zijn contacten in de gaten te houden waren ze begonnen met het aanleggen van uitgebreide dossiers met betrekking tot een hele horde zeer gevaarlijke figuren, precies het soort zieke klootzakken dat het geweldig zou vinden om duizenden onschuldigen te vermoorden.

En nu was haar hele operatie weggevaagd – met één enkel gedempt schot volledig om zeep geholpen.

Ze wreef met een met een handschoen bedekte vinger over haar volmaakt rechte neus terwijl ze verwoed nadacht. 'Wie zijn die lui in godsnaam?' mompelde ze.

'Misschien DGSE? Of GIGN?' speculeerde Max hardop, waarbij hij de afkortingen gebruikte van zowel de Franse buitenlandse inlichtingendienst als 's lands antiterreurspecialisten.

Randi knikte in zichzelf. Dat was mogelijk. De Franse inlichtingendiensten en antiterreureenheden stonden bekend om hun harde – erg harde – aanpak. Was ze zojuist getuige geweest van een door de regering goedgekeurde liquidatie met de bedoeling om Frankrijk te ontdoen van een veiligheidsrisico zonder het ongemak en de kosten van een arrestatie en een openbaar proces?

Misschien, dacht ze onbewogen. Maar als dat zo was, was het wel bijzonder stom. Toen hij nog leefde, had Ahmed ben-Belbouk hen regelrecht zicht verschaft op de dodelijke ondergrondse wereld van het moslimterrorisme – een wereld waarin de inlichtingendiensten van Amerika en andere landen bijna niet konden doordringen. Dood had niemand iets aan hem.

'Ze gaan ervandoor, baas,' klonk de stem van Max in haar oor.

Randi keek aandachtig hoe de drie mannen in overall hun ladder opklapten, hem achter in hun busje schoven en wegreden. Even later reden er twee auto's, een donkerblauwe BMW en een kleinere Ford Escort, de verduisterde straat in en volgden het busje. 'Heb je de nummerplaten van die auto's genoteerd?'

'Ja, die heb ik,' antwoordde Max. 'Allemaal nummers van hier uit de buurt.'

'Mooi, die zullen we door de computer halen zodra we hier klaar zijn. Misschien dat we dan enig idee krijgen welke klungels net de boel voor ons verpest hebben,' zei ze grimmig.

Randi bleef nog even roerloos liggen, terwijl ze nu haar kijker scherpstelde op de grijze doosjes die aan een aantal lantaarns langs de avenue en in de nabijgelegen zijstraten waren bevestigd. Hoe meer ze de doosjes bestudeerde, hoe vreemder ze haar toeschenen. Ze leken erg op houders voor allerlei sensoren, besloot ze – compleet met een aantal openingen voor camera's, gaten om luchtmonsters te nemen en bovenop korte, stompe antennes om gegevens door te zenden.

Vreemd, dacht ze. Heel vreemd. Waarom zou iemand geld verspillen aan het installeren van een heel netwerk van dure wetenschappelijke instrumenten in een criminele sloppenwijk als La Courneuve? De doosjes waren redelijk onopvallend, maar ze waren niet onzichtbaar. Als de buurtbewoners ze eenmaal zouden zien, zouden zij en de apparatuur die erin zat hooguit een paar minuten heel blijven. Dus waarom zouden ze ben-Belbouk dan doden alleen omdat hij moeilijk begon te doen? Ze schudde gefrustreerd haar hoofd. Zonder meer stukjes van de puzzel kon ze niets maken van wat ze vanavond had gezien.

'Weet je, Max, ik denk dat we van dichtbij moeten kijken naar wat die lui aan het installeren waren,' zei ze tegen haar ondergeschikte. 'Maar daarvoor zullen we met een ladder terug moeten komen.'

'In elk geval niet vanavond,' waarschuwde de andere man. 'De gekken, verslaafden en de jihadjongens kunnen nu elk moment de straat opgaan, baas. We moeten ervandoor nu we nog kunnen.'

'Ja,' beaamde Randi. Ze borg haar kijker op en gleed elegant achterwaarts onder de verkoolde Renault vandaan. Haar hoofd draaide nog steeds op volle toeren. Hoe meer ze erover nadacht, hoe minder waarschijnlijk het leek dat het vermoorden van ben-Belbouk het hoofddoel was geweest van de mannen die die vreemde sensorsystemen geïnstalleerd hadden. Misschien was zijn dood niet meer dan een onbedoelde bijkomstigheid. Wie waren ze dan, vroeg ze zich af, en wat waren ze werkelijk van plan?

28

Zondag 17 oktober
Het platteland van Virginia
Kit Pierson, de waarnemend adjunct-directeur van de FBI, zag de verweerde wegwijzer in de hooggerichte lichtbundels van haar groene Volkswagen Passat. HARDSCRABBLE HOLLOW – 600 m. Dat was haar volgende oriëntatiepunt. Ze drukte zachtjes op de rem om vaart te minderen. Ze wilde niet het risico lopen dat ze de afslag naar de vervallen boerderij van Hal Burke zou missen.

Het golvende platteland van Virginia was bijna volledig in duisternis gehuld. Alleen de kwartmaan wierp een vaag schijnsel door het dichte wolkendek hoog boven haar hoofd. Enkele andere boerderijen en huizen bevonden zich her en der in deze lage, beboste heuvels, maar het was al na middernacht en de bewoners ervan sliepen al lang. De meeste mensen in dit deel van de staat gingen vroeg naar bed vanwege de huiselijke werkjes en de vroege kerkdiensten die hen 's zondags te wachten stonden.

Even verderop zag ze het ingesleten grindweggetje naar het weekendverblijf van haar tegenhanger bij de CIA. Ze ging nog langzamer rijden. Maar voordat ze het weggetje indraaide, keek ze nogmaals in haar achteruitkijkspiegeltje. Niets. Er waren geen andere koplampen te zien op deze verlaten provinciale weg. Ze was nog steeds alleen.

Daardoor gedeeltelijk gerustgesteld stuurde Pierson haar Passat het weggetje op, dat ze heuvelopwaarts volgde naar het huis. Het licht was aan, en scheen door deels dichtgetrokken gordijnen over de door onkruid en braamstruiken overwoekerde heuvel. Burke verwachtte haar.

Ze zette haar auto naast de zijne, een oude Mercury Marquis, en liep snel naar de voordeur. Die ging open voordat ze zelfs maar kon kloppen. De stevige CIA-agent met zijn vierkante kaak stond daar in zijn hemdsmouwen. Hij maakte een vermoeide, verfomfaaide indruk en had dikke, bloeddoorlopen ogen.

Burke wierp een achterdochtige blik in het rond om zich ervan te vergewissen dat ze alleen was en deed toen een stap achteruit zodat ze het kleine halletje in kon. 'Had je problemen?' vroeg hij scherp.

Kit Pierson wachtte tot hij de deur dichtdeed voordat ze hem antwoordde. 'Onderweg hierheen? Nee,' zei ze koeltjes. 'Bij mijn bespreking met de directeur en zijn staf? Ja.'

'Wat voor problemen?'

'Ze waren niet bijzonder blij dat ik in Washington was en niet nog in het veld,' zei ze vlak. 'In feite werd mij meerdere malen nadrukkelijk te verstaan gegeven dat mijn voorlopige rapporten veel te "mager" waren om mijn persoonlijke terugkeer te rechtvaardigen.'

De CIA-agent haalde zijn schouders op. 'Dat was jouw beslissing, Kit,' herinnerde hij haar. 'We hoefden elkaar hier niet persoonlijk te zien. Als je gewoon was gebleven waar je was, hadden we dit probleem telefonisch door kunnen nemen.'

'Met Smith op mijn hielen?' snauwde ze terug. 'Geen sprake van, Hal.' Ze schudde haar hoofd. 'Ik weet niet hoe veel hij al weet, maar hij komt te dichtbij. Het was een vergissing om het onderzoek van de politie van Santa Fe stop te zetten. We hadden gewoon de plaatselijke politie door moeten laten gaan met proberen om het stoffelijk overschot van jouw man te identificeren.'

Burke schudde zijn hoofd. 'Te riskant.'

'Onze dossiers zijn gewist,' zei Pierson koppig. 'Die Dolan had onmogelijk met een van ons beiden in verband gebracht kunnen worden. Of zelfs met de rest van de CIA of FBI.'

'Nog altijd te riskant,' zei hij tegen haar. 'Andere diensten hebben hun eigen databanken – databanken waarover wij niets te zeggen hebben. Wat dat aangaat heeft het leger zijn eigen dossiers. Verdomme, Kit, jij bent degene die zich zo druk maakt over Smith en zijn mysterieuze werkgevers! Jij weet net zo goed als ik dat iedereen die erachter zou komen dat Dolan een ex-commando en officier was, uiteindelijk een stel verdomd lastige vragen zou gaan stellen.'

Burke liet haar voorgaan in zijn studeerkamer. Het kleine, donker gelambriseerde vertrek stond vol met een bureau, een computerscherm en een toetsenbord, twee stoelen, diverse boekenkasten, een televisie en rekken vol met computer- en communicatieapparatuur. Een geopende, halflege fles Jim Beam whiskey en een borrelglaasje stonden op het bureau, vlak naast het toetsenbord van de computer. Er hing een vage muffe geur van zweet, ongewassen borden, schimmel en algemene verwaarlozing.

Pierson trok vol afkeer haar neus op. De man bezweek onder de druk door het afbrokkelen van TOCSIN, dacht ze onbewogen.

'Borrel?' gromde Burke, terwijl hij zich zwaar in de draaistoel aan zijn bureau liet ploffen. Hij gebaarde dat zij in de andere stoel moest gaan zitten, een haveloze leunstoel met een bekleding vol kuilen en rafels.

Ze schudde haar hoofd en ging toen zitten kijken hoe hij er eentje voor zichzelf inschonk. De whiskey ging over de rand en vormde een vochtkring op zijn bureau. Hij negeerde de gemorste drank en sloeg zijn borrel in één snelle slok achterover. Vervolgens zette hij het glas met een knal neer en keek hij haar aan. 'Oké, Kit, waarom ben je nou precies hier?'

'Om je te overreden om TOCSIN af te blazen,' zei ze zonder aarzeling.

Een hoek van de mond van de CIA-agent ging geërgerd naar beneden. 'Hier hebben we het al over gehad. Mijn antwoord is nog steeds hetzelfde.'

'Maar de situatie is niet dezelfde, Hal!' zei Pierson krachtig. Ze kneep haar lippen opeen. 'En dat weet je. De aanslag op het Teller Instituut was bedoeld om president Castilla ertoe te dwingen om tegen de Lazarusbeweging op te treden voordat het te laat was – om iedereen op een relatief bloedeloze manier wakker te schudden. Het was niet de bedoeling dat Lazarus sterker zou worden. En het was zeker niet de bedoeling dat het een wereldwijde golf van bomaanslagen en moorden tot gevolg zou hebben die wij niet kunnen stuiten.'

'Oorlogen hebben altijd onbedoelde gevolgen,' zei Burke terwijl hij zijn kaken op elkaar klemde. 'En wij zíjn in oorlog met de Beweging. Misschien ben je vergeten wat er in deze zaak op het spel staat.'

Ze schudde haar hoofd. 'Ik ben niets vergeten. Maar TOCSIN is niet meer dan een middel tot een doel – niet het doel zelf. Die hele rottige operatie brokkelt sneller af dan je hem kunt herstellen. Daarom zeg ik dat we het schip moeten verlaten nu het nog kan. Roep je actieteams terug. Zeg dat ze alle lopende missies moeten afblazen en weer uit het zicht moeten verdwijnen. Als dat eenmaal gedaan is, kunnen we onze volgende zet plannen.'

Om zichzelf wat tijd te verschaffen voordat hij daarop antwoordde, pakte Burke de whiskeyfles en schonk hij zich nog een borrel in. Maar ditmaal raakte hij het glas niet aan. Hij keek haar aandachtig aan. 'Je kunt er nu niet tussenuit knijpen, Kit. Daarvoor is het te ver gegaan. Zelfs als we TOCSIN op dit moment afblazen en ons gedeisd houden, zal je vriendje dr. Jonathan Smith nog steeds rondlopen om vragen te stellen die wij níet beantwoord willen zien.'

'Dat weet ik,' zei ze bitter. 'Proberen om Smith te doden was een vergissing. Daar niet in slagen was een ramp.'

'Gebeurd is gebeurd,' zei Burke, terwijl hij zijn schouders ophaalde. 'Een van mijn beveiligingseenheden maakt jacht op de kolonel. Als die weet waar hij is, zullen ze hem omleggen.'

Pierson keek hem geërgerd aan. 'Wat betekent dat jij absoluut geen idee hebt waar hij op dit moment is.'

'Hij is weer ondergedoken,' gaf Burke toe. 'Ik heb mensen naar de politie van Santa Fe gestuurd nadat je belde om me te vertellen dat Smith daar rondsnuffelde, maar hij verdween voordat ze daar waren.'

'Geweldig.'

'Die nieuwsgierige klootzak kan nergens heen, Kit,' zei de CIA-agent vol zelfvertrouwen. 'Ik heb agenten die de vertrekhallen van de vliegvelden in zowel Santa Fe als Albuquerque in de gaten houden. En ik heb een contact bij Binnenlandse Veiligheid dat de passagierslijsten van elke commerciële vlucht op zijn naam controleert. Zodra hij opduikt, weten wij het. En dan zullen onze mensen hem insluiten.' Hij glimlachte flauw. 'Vertrouw me, oké? Smith is zo goed als dood.'

Op de provinciale weg onder aan de heuvel zetten de chauffeurs van de twee donkere auto's die langzaam en zonder koplampen reden hun motor af om langzaam in zijn vrij tot stilstand te komen in de berm niet ver van het grindweggetje dat heuvelopwaarts ging. Jon Smith, die nog steeds de AN/PVS 7-nachtzichtbril op had die hij had gebruikt om zonder licht te rijden, klom stijf uit de tweede auto en liep naar de wagen die voor hem stond.

Peter Howell deed zijn raampje naar beneden toen Smith eraan kwam. Onder zijn eigen nachtzichtbril glinsterden de tanden van de Engelsman wit in de bijna volslagen duisternis. 'Spannend ritje, hè, Jon?'

Smith knikte laconiek. 'Fantastisch.' Hij rolde zijn nek en schouders heen en weer en hoorde gespannen spieren en gewrichten kraken en knakken. Het laatste kwartier van de rit was zenuwslopend geweest.

De restlichtversterkers waren van topkwaliteit, maar dan nog waren de beelden die deze derde-generatiebrillen opleverden niet perfect – ze waren monochroom, met een groenig kleurzweem, en een klein beetje korrelig. Je kon ermee zonder licht rijden, maar je moest je erg inspannen en concentreren om niet van de weg te raken of op je voorligger te botsen.

Het was daarentegen een makkie geweest om de overheidsauto te volgen die Kit Pierson van het Hoovergebouw van de FBI naar haar eigen huis in Upper Georgetown had gebracht. Zelfs zaterdagavond laat waren de straten van Washington vol auto's, trucks, busjes en taxi's. Het was heel makkelijk geweest om twee of drie auto's achter haar te blijven zonder opgemerkt te worden.

Noch Jon noch Peter was verrast toen Pierson slechts even later vertrok, ditmaal met haar eigen auto. Ze waren er allebei van meet af aan van overtuigd geweest dat deze onverwachtse briefing voor haar superieuren slechts een voorwendsel was, een manier om de werkelijke reden te verhullen dat ze zo plotseling uit New Mexico was teruggevlogen. Nogmaals, haar onopvallend volgen was een vrij makkelijke taak geweest – aanvankelijk althans. Het was pas echt moeilijk geworden toen ze de snelweg verliet en over een reeks kleinere wegen ging waar weinig of geen verkeer was. En Kit Pierson was niet gek. Ze zou achterdochtig zijn geworden als ze al die kilometers door het donkere, bijna verlaten platteland dezelfde twee paar koplampen in haar achteruitkijkspiegel had gezien.

Toen waren Smith en Peter Howell allebei gedwongen om hun nachtzichtbril op te zetten en hun licht uit te doen. Dan nog hadden ze meer afstand tot haar Passat moeten houden dan hen lief was en hadden ze steeds moeten hopen dat ze de afslag of kruising niet zouden missen, die ze uiteindelijk zou nemen naar haar rendezvous.

Smith keek het grindweggetje af. Hij kon net een klein huis onderscheiden boven op een lage heuvel. Het licht was aan en hij kon buiten twee auto's zien staan. Zo te zien kon dit de plaats zijn waarnaar ze op zoek waren.

'Wat denk jij?' vroeg hij zachtjes aan Peter.

De Engelsman wees naar de 1:20.000-kaart van de Amerikaanse geologische dienst die op de stoel naast hem lag. Die maakte deel uit van de spullen die voor hen waren achtergelaten bij de luchtmachtbasis Andrews. Dankzij de infraroodverlichting van hun bril konden ze de kaart lezen. 'Deze kleine oprit gaat alleen naar die boerderij daar,' zei hij. 'En ik betwijfel ten zeerste of onze mevrouw Pierson van plan is om erg ver van de weg te gaan met haar personenauto.'

'En, wat gaan we doen?' vroeg Smith.

'Ik stel voor dat we ongeveer vijfhonderd meter terugrijden,' zei Peter. 'Ik zag daar een klein groepje bomen dat we kunnen gebruiken om onze auto's aan het zicht te onttrekken. Als we eenmaal de rest van onze uitrusting aanhebben, kunnen we stilletjes te voet naar die boerderij gaan.' Hij liet weer zijn tanden zien. 'Ik zou in elk geval dolgraag willen weten bij wie mevrouw Pierson zo laat op de avond op bezoek gaat. En waar ze het precies over hebben.'

Smith knikte grimmig. Hij was er opeens stellig van overtuigd dat een deel van de antwoorden die hij moest hebben daar in dat vaag verlichte huis op de heuvel lag.

29

Bij Meaux, ten oosten van Parijs
De ruïnes van het Château de Montceaux, dat bekendstond als het Koninginnenkasteel, werden omgeven door het woud van Montceaux – een uitgestrekt stuk bos dat oprees boven de zuidoever van de kronkelende rivier de Marne, ongeveer vijftig kilometer ten oosten van Parijs. Het elegante buitenpaleis en het enorme park en jachtterrein waren gebouwd en aangelegd in het midden van de zestiende eeuw, op bevel van de machtige, sluwe en doortrapte koningin Katharina de Medici, de vrouw van één Franse koning en de moeder van drie andere, en werden uiteindelijk ergens halverwege de zeventiende eeuw verlaten. Nu was er, na eeuwen van verwaarlozing, weinig van over: alleen het holle karkas van een groots stenen entreepaviljoen, de langwerpige slotgracht en stukken verbrokkelde muur met gapende ramen.

Mistslierten kronkelden tussen de omringende bomen, om langzaam te verdampen naarmate de ochtendzon hoger aan de hemel scheen. De klokken van de kathedraal van St-Etienne in Meaux, acht kilometer verderop, luidden en riepen de weinige gelovigen die er vandaag de dag nog waren op tot de zondagsmis. Andere kerkklokken galmden over het vredige platteland toen de oproep door de kleinere parochiekerken in de naburige dorpen werd herhaald.

Twee busjes met aanhangers erachter stonden op een grote open plek niet ver van de ruïnes. Volgens felgekleurde opschriften op de voertuigen maakten ze deel uit van een organisatie die de *Groupe d'Aperçu Météorologique* heette, de Groep voor Meteorologisch Onderzoek. Diverse technici waren achter beide aanhangers druk bezig met het opzetten van twee schuine lanceerrails, die bijna pal naar het westen waren gericht. Elke lanceerinstallatie was voorzien van een pneumatisch katapultsysteem met een persluchtaandrijving. Andere mannen waren verdiept in een paar onbemande vliegtuigjes met propellers, UAV's, die elk ongeveer anderhalve meter lang waren en een spanwijdte van twee meter tien hadden.

De lange man met het kastanjebruine haar die zich Nones noemde, stond vlakbij en keek hoe zijn team het werk afrondde. Van tijd tot tijd kraakten rapporten van de wachtposten in de bossen rondom de open plek in zijn koptelefoon. Er was niets wat erop wees dat ze werden gadegeslagen door boeren uit de buurt.

Een van de UAV-technici, een Aziatische man met gebogen schouders en dunnend zwart haar, stond langzaam op. Hij draaide zich naar de derde Horatiër met een opgeluchte uitdrukking op zijn doorgroefde, vermoeide gezicht. 'De ladingen zijn gezekerd. De UHF en alle motorische, elektronische en autonome controlesystemen zijn getest en on line. Alle oriëntatiepunten voor de GPS zijn ingesteld en bevestigd. Beide toestellen zijn klaar om de lucht in te gaan.'

'Mooi,' antwoordde Nones. 'Dan kun je de lancering voorbereiden.'

Hij ging uit de weg toen de technici de UAV's voorzichtig optilden, die elk ongeveer honderd pond wogen, en ze naar de twee lanceerinstallaties droegen. Zijn felgroene ogen volgden hen goedkeurend. Deze twee onbemande vliegtuigjes waren geënt op de radiografisch bestuurde vliegtuigjes die het Amerikaanse leger gebruikte voor tactische verkenning over korte afstanden, het storen van communicatiesystemen, en het detecteren van nucleaire, biologische en chemische wapens in de lucht. Nu zouden hij en zijn mannen de eersten zijn die deze robotvliegtuigjes op een totaal nieuwe manier gebruikten.

Nones ging over op een andere frequentie en nam contact op met het net gearriveerde surveillanceteam dat hij in Parijs had geposteerd. 'Ontvangen jullie gegevens van het doelgebied, Linden?' vroeg hij.

'Ja,' bevestigde de Hollander. 'Alle sensoren en camera's ter plekke zijn operationeel.'

'En de weersomstandigheden?'

'De temperatuur, luchtdruk, vochtigheid, windrichting en windsnelheid zijn allemaal ruim binnen de vooraf ingestelde missiewaarden,' rapporteerde Linden. 'Het Centrum bericht dat je door moet gaan als je zo ver bent.'

'Begrepen,' zei Nones zachtjes. Hij draaide zich om naar de wachtende UAV-technici. 'Maskers op en handschoenen aan,' beval hij.

Snel gehoorzamend zetten ze de gasmaskers en de ademhalingsapparaten op en trokken ze de dikke handschoenen aan, die bedoeld waren om hen genoeg tijd te geven om uit de directe omgeving weg te komen als een van hun vliegtuigen bij de lancering neer zou storten. Het derde lid van de Horatiërs deed hetzelfde en trok zijn eigen beschermende uitrusting aan.

'De katapulten zijn onder druk en klaar voor gebruik,' zei de Aziatische technicus tegen hem. De technicus hurkte bij een bedieningspaneel tussen de twee lanceerinrichtingen. Zijn vingers zweefden boven een verzameling schakelaars.

Nones glimlachte. 'Ga door.'

De technicus knikte. Hij zette twee schakelaars om. 'Start motor en propeller.'

De tweebladige propellers van beide UAV's kwamen opeens in beweging en draaiden rond met een laag gegons dat meer dan een paar meter verderop haast niet te horen was.

'Motoren op volle kracht.'

'Lanceren!' commandeerde de lange man met de groene ogen.

Met een zachte *zoef!* vuurde de eerste pneumatische katapult, die het onbemande vliegtuigje dat eraan bevestigd was over de schuine rail in een hoge boog de lucht in schoot. Even leek de UAV op het punt te staan om naar de grond terug te storten, maar toen klom het weer, gedragen door het hefvermogen van zijn eigen vleugels en propeller. Nog steeds stijgend liet het de bomen achter zich en ging het in westelijke richting op zijn voorgeprogrammeerde koers.

Tien seconden later ging het tweede onbemande vliegtuigje de lucht in, het eerste achterna. Nu vanaf de grond bijna onzichtbaar en te klein om door de meeste radars te worden waargenomen, klommen ze allebei gestaag naar hun kruishoogte van negenhonderd meter en vlogen ze met ongeveer 160 kilometer per uur naar Parijs.

Het platteland van Virginia

Jon Smith bleef laag en volgde Peter Howell naar het westen over een uitgestrekt veld dat overwoekerd werd door hoog onkruid en bosjes stekelige braamstruiken. Hun omgeving had een vaag groene gloed door hun nachtzichtbrillen. Een paar honderd meter links van hen trok de verharde weg een rechte lijn door het donkere landschap. Voor hen liep het terrein flauw hellend op boven een stilstaande, met een vlies bedekte vijver aan hun rechterhand. Het grindweggetje dat Kit Pierson had genomen ging kronkelend de lage heuvel voor hen op.

Iets scherps bleef aan Smiths schouder haken en prikte dwars door de dikke stof, diep genoeg om hem te doen bloeden. Knarsetandend ging hij verder. Peter deed zijn best om hen door de ergste wirwar van begroeiing te leiden, maar er waren plekken waar ze er gewoon door moesten ploegen, en de doorns en stekels moesten negeren die aan hun donkere kleding en hun zwarte leren handschoenen trokken.

Halverwege de heuvel liet de Engelsman zich op een knie vallen. Hij speurde zorgvuldig de omgeving af en gebaarde toen dat Smith zich bij hem moest voegen. In de boerderij op de heuveltop was het licht nog aan.

Beide mannen waren gekleed en uitgerust voor een nachtelijke verkenningsmissie op ruw terrein. Afgezien van hun AN/PVS 7-brillen, hadden ze allebei een gevechtsvest dat was volgepropt met de surveillancespullen – camera's en verschillende soorten afluisterapparaten – die voor hen op de luchtmachtbasis Andrews waren achtergelaten. Smith had een holster voor zijn SIG-Sauer, die met een band aan zijn dij vastzat, terwijl Peter net zo iets had voor de Browning Hi-Power waar hij de voorkeur aan gaf. Voor extra vuurkracht in een echt noodgeval hadden ze allebei ook een Heckler & Koch MP5 over hun rug.

Peter schudde een van zijn handschoenen uit en hield toen een natte vinger op om de richting van de zachte, koele, fluisterende nachtwind vast te stellen. Hij knikte, tevreden met de uitkomst. 'Dat is boffen. De wind komt uit het westen.'

Smith wachtte. De andere man had tientallen jaren in het veld doorgebracht, eerst voor de SAS en toen voor MI6. Peter Howell was meer vergeten over verplaatsing door potentieel vijandelijk gebied dan Smith ooit had geleerd.

'Deze wind zal onze geur niet voor ons uit meevoeren,' legde Peter uit. 'Als er honden zijn, zullen ze ons niet ruiken.'

Peter deed zijn handschoen weer aan en ging weer voorop. Beide mannen bukten nog dieper toen ze boven de top van de lage heuvel uitkwamen. Ze bevonden zich enkele meters van een oude, vervallen schuur – een ingestorte ruïne zonder dak die eerder een hoop kapotte, rottende planken was dan een bouwsel. Daarachter konden ze de vormen van twee geparkeerde auto's onderscheiden, de Volkswagen Passat van Kit Pierson, en een andere auto, een ouder model van Amerikaanse makelij. En er kwam genoeg licht door de grotendeels dichte gordijnen van hun doelwit, een kleine, gelijkvloerse boerderij, om die fel te doen oplichten in hun nachtzichtbrillen.

Smith zag dat wie de eigenaar ook mocht zijn de moeite had genomen om het hoogste onkruid en de ergste braamstruiken in een grove cirkel rond het gebouw weg te wieden. Hij volgde Peter op zijn buik en kronkelde door het lage gras achter hem aan, om zo snel mogelijk de open ruimte over te steken om de dekking van de geparkeerde auto's te bereiken.

'Waar nu naartoe?' vroeg hij zachtjes.

Peter knikte in de richting van een groot raam aan deze kant van het huis, niet ver van de voordeur. 'Daarheen, zou ik denken,' zei hij zachtjes. 'Ik dacht dat ik daarnet een schaduw achter die gordijnen zag bewegen. In elk geval de moeite waard om te kijken.' Hij wierp een blik op Smith. 'Kun jij me dekking geven, Jon?'

Smith trok zijn SIG-Sauer uit de holster. 'Wanneer je zover bent.'

De andere man knikte één keer. Toen kroop hij snel over de plaat beton met olievlekken en verdween hij in wat hoog struikgewas dat tegen de zijkant van de boerderij op groeide. Alleen door de nachtzichtbril die hij op had kon Smith hem volgen. Voor iedereen die met het blote oog zou kijken, zou Peter niets meer hebben geleken dan een bewegende schaduw, een schaduw die gewoon in de duisternis opging.

De Engelsman kwam op zijn knieën overeind en bestudeerde zorgvuldig het raam boven hem. Tevreden liet hij zich op zijn buik vallen, waarna hij Jon gebaarde dat hij moest komen.

Smith kroop zo snel hij kon naar hem toe, en had het gevoel dat hij daarbij vreselijk in de gaten liep. Hij kronkelde de laatste meter het onkruid in en bleef stil liggen, hijgend.

Peter boog zich naar zijn oor en gebaarde naar het raam. 'Pierson is absoluut binnen.'

Smith glimlachte geforceerd. 'Blij dat te horen. Ik zou erg de pest in hebben als ik net voor niets mijn knieën kapot had gemaakt.' Hij rolde op zijn zij en haalde een draagbare lasersurveillanceset uit een van de met klittenband afgesloten zakken van zijn gevechtsvest. Hij zette de hoofdtelefoon daarvan op, drukte een knop in om de infrarode laser met laag vermogen te activeren en richtte het apparaat zorgvuldig op het raam boven hen.

Als hij hem stil genoeg kon houden, zou de laserstraal door het glas worden teruggekaatst en de trillingen oppikken die daarin werden opgewekt door iedereen die in het vertrek sprak. Vervolgens zou de elektronica, als alles naar behoren functioneerde, in staat moeten zijn om die trillingen terug te vertalen in begrijpelijke geluiden over zijn hoofdtelefoon.

Het systeem werkte, bijna tot zijn verbazing.

'Verdomme, Kit,' hoorde hij een mannelijke stem kwaad grommen. 'Je kunt nu niet terugkrabbelen uit deze operatie. We gaan ermee door, ongeacht of het jou aanstaat. Er zijn geen andere opties. Of wij vernietigen de Lazarusbeweging – of zij vernietigt ons!'

30

Privé-kantoor van Lazarus
In zijn privé-kantoor zat de man die Lazarus werd genoemd kalm aan een massief teakhouten bureau dat donker was van ouderdom. Het vertrek was rustig, koel en schemerig. Een ventilatiesysteem gonsde zachtjes op de achtergrond en voerde lucht aan waaruit elk spoortje van de buitenwereld grondig was verwijderd.

Het bureau werd grotendeels in beslag genomen door een groot computerscherm. Met een lichte druk van zijn vinger op het toetsenbord, schakelde Lazarus snel tussen beelden die door camera's over de hele wereld werden doorgegeven. Een daarvan, zo te zien aan boord van een vliegtuig, toonde een rivier die zes- tot negenhonderd meter lager in de diepte kronkelde. Dorpjes, wegen, bruggen en stukken bos verschenen en verdwenen weer uit beeld. Een andere camera toonde een sjofele straat vol leeggeroofde en gesloopte auto's. Langs de straat stonden de grauwe betonblokken van gebouwen. De ramen en deuren waren zwaar gebarricadeerd met stalen tralies.

Onder de beelden op zijn scherm toonden drie digitale tellers de plaatselijke tijd, de tijd in Parijs en de tijd aan de oostkust van de Verenigde Staten. Naast de computer stond een beveiligde satelliettelefoon. Twee knipperende groene lampjes gaven aan dat hij verbinding had met twee van zijn speciale actieteams.

Lazarus glimlachte. Hij genoot er intens van om te kijken hoe een complex, zorgvuldig uitgekiend plan zich met een absoluut perfecte timing ontvouwde. Met één commando had hij de laatste van de benodigde veldexperimenten in gang gezet – de testen die zo noodzakelijk waren om de instrumenten te verfijnen die hij had gekozen om de planeet te redden. Met een ander commando zou hij de aanzet geven tot de activiteiten die bedoeld waren om de CIA, de FBI en de Engelse geheime dienst in een zelfdestructieve chaos te storten.

Spoedig, dacht hij onbewogen, heel spoedig. Als de zon vandaag hoger aan de hemel stond, zou een geschokte wereld beginnen te zien hoe haar ergste angsten omtrent de Verenigde Staten bevestigd werden. Bondgenootschappen zouden sneuvelen. Oude wonden zouden opnieuw opengaan. Langdurige rivaliteiten zouden weer opbloeien tot openlijke conflicten. En tegen de tijd dat de volle omvang van wat er werkelijk gebeurde duidelijk werd, zou niemand hem meer tegen kunnen houden. Zijn intercom ging één keer over. Lazarus drukte op de spreekknop. 'Ja?'

'Onze onbemande vliegtuigen bevinden zich op minder dan vijftig kilometer van het doelwit,' rapporteerde de stem van zijn hoofdtechnicus. 'Ze functioneren allebei binnen de verwachte normen.'

'Heel goed. Ga door volgens plan,' beval Lazarus. Hij drukte de toets nogmaals in en verbrak de verbinding. Met nog een lichte druk van zijn vinger bracht hij de satellietverbinding met een van zijn actieteams tot stand.

'De Parijse operatie is in gang,' zei hij tegen de man die aan de andere kant geduldig wachtte. 'Sta paraat om bij mijn volgende signaal je instructies uit te voeren.'

Het platteland van Virginia

Drie grote trucks met vierwielaandrijving stonden in een bosje dwergdennen geparkeerd dat langs een heuveltop groeide, een paar honderd meter ten westen van de vervallen boerderij van Burke. Twaalf mannen in zwarte jacks, truien en donkere spijkerbroeken wachtten in de beschutting van dit groepje kleine bomen. Vier van hen stonden als wachtposten opgesteld op verschillende punten langs de buitenrand en hielden de boel in de gaten door Simrad-restlichtkijkers van Engelse makelij. Zeven anderen zaten geduldig gehurkt op de zandige grond, dieper het bosje in. Ze waren druk bezig met een laatste controle van hun hele arsenaal aan legergeweren, machinepistolen en gewone pistolen.

De twaalfde, de lange man met de groene ogen die Terce werd genoemd, zat in de cabine van een van de trucks. 'Begrepen,' sprak hij in zijn beveiligde mobiele telefoon. 'Wij staan paraat.' Hij hing op en ging verder met het afluisteren van een verhitte discussie die doorkwam via zijn radio. Een boze stem klonk in zijn hoofdtelefoon. 'Of wij vernietigen de Lazarusbeweging – of zij vernietigt ons!'

'Melodrama past je niet, Hal,' reageerde een vrouwenstem ijzig. 'Ik wil niet zeggen dat we ons overgeven aan de Beweging. Maar TOCSIN zelf is niet meer de prijs waard die we nu betalen – of de risico's die we lopen. En ik meende wat ik eerder over de telefoon zei: als deze rotoperatie in het honderd loopt, ben ik niet van plan om als enige de schuld te krijgen.'

Het tweede lid van de Horatiërs luisterde naar het signaal van een verborgen microfoontje dat hij zelf eerder die avond had geïnstalleerd en knikte in zichzelf. De CIA-agent had groot gelijk. Waarnemend adjunct-directeur van de FBI Katherine Pierson was niet meer te vertrouwen. Niet dat het er nog veel toe deed, bedacht hij met een vage, macabere binnenpret.

Onwillekeurig controleerde Terce de kogelhouder van zijn Walther. Hij schroefde de geluiddemper erop, liet het pistool toen weer in de zak van zijn jas glijden en keek naar de lichtgevende wijzerplaat van zijn horloge. Het zou nog hooguit enkele minuten duren voordat hij zou moeten optreden.

Een zachte, dringende pieptoon maakte hem attent op een voorrangsgesprek van een van zijn wachtposten. Hij wisselde van kanaal. 'Zeg het maar.'

'Dit is McRae. Er beweegt iets bij het huis,' waarschuwde de uitkijk in een zacht Schots laaglandaccent.

'Ik kom eraan,' zei Terce. De grote man gleed uit de truck, bukte om zijn hoofd niet aan het chassis te stoten en haastte zich naar de rand van het dennenbos. Hij vond McRae ineengedoken achter een omgevallen, met klimplanten overwoekerde boomstam en ging gebukt naast hem zitten.

'Kijk zelf maar. Daar in die bosjes en het hoge gras bij de voordeur,' zei de kleine, pezige Schot terwijl hij wees. 'Let wel, ik kan nu niets zien, maar daar zag ik net iets bewegen.'

De man met de groene ogen bracht zijn eigen verrekijker omhoog en speurde daarmee langzaam de zuidkant van Burkes huis af. Twee mensvormige vlekken werden onmiddellijk zichtbaar, als helderwitte aura's van warmte tegen het koelere grijs van de dichte begroeiing waarin ze verborgen lagen.

'Je hebt heel goede ogen, McRae,' zei Terce kalm. De nachtkijkers die zijn wachtposten gebruikten werkten door al het aanwezige achtergrondlicht te versterken. Zij veranderden de nacht in een vreemde, groengetinte dag, maar ze konden geen 'warmte' zien zoals zijn speciale apparatuur dat wel kon. Zijn 'Sophie'-warmtekijker van Franse makelij woog meer dan vijf pond, kostte bijna zestigduizend dollar en was in elk opzicht het beste van het beste en veel effectiever. 's Nachts, onder deze bewolkte lucht, hadden de beste passieve restlichtversterkers een maximaal bereik van drie- tot vierhonderd meter, en dikwijls veel minder. Maar met behulp van thermische beeldvorming kon hij tot op drie kilometer afstand de warmte bespeuren die door een mens werd afgegeven – zelfs door dicht struikgewas.

Terce vroeg zich af of het louter toeval was dat deze twee spionnen zo kort na de komst van Kit Pierson verschenen. Of had zij ze – bewust of onbewust – meegenomen? De grote man zette de gedachte van zich af. Hij geloofde niet in toeval. Net zomin trouwens als degene voor wie hij uiteindelijk werkte.

Terce woog zijn mogelijkheden tegen elkaar af. Even betreurde hij de beslissing van het Centrum om zijn gespecialiseerde scherpschutter over te plaatsen naar de beveiligingseenheid in Parijs. Het zou veel simpeler en veel minder gevaarlijk zijn geweest om die twee vijanden op lange afstand te elimineren met een paar goed gemikte geweerschoten. Al gauw besefte hij dat wensen niets zouden veranderen aan de situatie. Zijn team was getraind en uitgerust voor lijf-aan-lijfgevechten – dus dat waren de tactieken waarvan hij zich moest bedienen.

Terce gaf McRae de kijker. 'Hou die twee in de gaten,' beval hij onbewogen. 'Laat het me weten als ze plotseling in beweging komen.' Toen pakte hij zijn mobiel en toetste een nummer uit het geheugen in.

De telefoon aan de andere kant ging één keer over. 'Met Burke.'

'Dit is Terce,' zei hij zachtjes. 'Reageer hoe dan ook niet openlijk op wat ik ga zeggen. Begrijp je me?'

Even was het stil. 'Ja, ik begrijp je,' zei Burke ten slotte.

'Oké. Nou, luister dan goed. Mijn bewakingsteam heeft vijandige activiteit bij jouw huis ontdekt. Je wordt van dichtbij geobserveerd. Heel dichtbij. Een paar meter zelfs.'

'Dat is heel... interessant,' zei de CIA-agent slechts. Hij aarzelde even. 'Kunnen jouw mensen deze situatie zelf aan?'

'Absoluut,' verzekerde Terce hem.

'En kun je ook aangeven op welke termijn?' vroeg Burke.

De felgroene ogen van de man glommen in het donker. 'Minuten, meneer Burke. Slechts enkele minuten.'

'Juist.' Weer aarzelde Burke. Ten slotte vroeg hij. 'Moet ik dit zien als iets wat tussen verschillende diensten speelt?'

Terce wist dat de andere man vroeg of Kit Pierson op de een of andere manier verantwoordelijk was voor de snuffelaars die nu bijna letterlijk bij hem op de drempel stonden. Hij glimlachte. Op dit moment maakte dat niet uit. 'Ik denk dat dat verstandig is.'

'Dat is jammer,' zei de CIA-agent gespannen. 'Heel jammer.'

'Ja, inderdaad,' beaamde de grote man. 'Blijf vooralsnog waar je bent. Over en uit.'

Terce klapte de telefoon dicht. Toen nam hij zijn warmtekijker weer over van McRae. 'Ga terug naar de wagens en breng de anderen hierheen,' zei hij. 'Maar ik wil dat ze stil doen als ze komen.' Hij grijnsde wolfachtig. 'Zeg tegen ze dat we op jacht gaan.'

'Wie was dat, Hal?' vroeg Kit Pierson, duidelijk verbaasd.
'De officier van dienst in Langley,' zei Burke langzaam en duidelijk tegen haar. Hij klonk zenuwachtig en onnatuurlijk. 'De NSA heeft net een koerier gestuurd met een paar onderschepte berichten die te maken hebben met de Beweging...'

Jon luisterde aandachtig. Hij fronste zijn wenkbrauwen. Terwijl hij de lasermicrofoon op het raam boven hem gericht hield, wierp hij een blik op Peter Howell. 'Er is iets mis,' fluisterde hij. 'Burke kreeg net een telefoontje en nu is hij helemaal verstijfd. Hij zwetst maar wat, zonder eigenlijk iets te zeggen.'

'Denk je dat hij weet dat we er zijn?' vroeg Peter zachtjes.

'Misschien. Maar ik zou niet weten hoe.'

'Misschien hebben we die kerel onderschat,' zei Peter. Zijn mondhoeken gingen naar beneden. 'Een doodzonde in dit soort werk, vrees ik. Ik vermoed dat meneer Burke van de CIA meer bronnen tot zijn beschikking heeft dan wij gehoopt hadden.'

'Je bedoelt dat hij ondersteuning heeft?'

'Heel goed mogelijk.' De Engelsman diepte de kaart van de geologische dienst op uit een zak van zijn vest en bestudeerde die, waarbij hij de hoogtelijnen en de kenmerken van het terrein volgde met een gehandschoeide vinger. Hij tikte op de omtrek van een beboste heuvel niet ver naar het westen. 'Als ik dit huis goed in de gaten zou willen houden, zou ik daar mijn observatiepost opstellen.'

Smith voelde dat de haren in zijn nek overeind kwamen. Peter had gelijk. Die heuvel gaf een goed zicht op het grootste deel van het terrein rond de boerderij, inclusief hun huidige positie. 'Wat stel jij voor?'

'Onmiddellijk terugtrekken,' zei de man met de lichte ogen resoluut, terwijl hij de overzichtskaart weer in de zak van zijn vest stopte. Hij trok de Heckler & Koch MP5 over zijn hoofd en rukte de vrijgavehendel terug om een 9mm-kogel door te laden. 'Wij weten niet hoe sterk de tegenstander is, en ik zie de zin er niet van in om hier rond te hangen om daar door schade en schande achter te komen. We hebben wat bruikbare informatie opgedaan, Jon. Laten we ons geluk vanavond niet verder op de proef stellen.'

Smith knikte. Hij was reeds bezig om de lasermicrofoon en toebehoren op te bergen. 'Zit wat in.' Hij maakte zijn eigen machinepistool vuurklaar.

'Volg me dan.' Peter rolde op zijn voeten en rende toen, bijna dubbelgebogen, terug naar de dekking van de twee auto's die dicht bij het huis geparkeerd stonden. Smith volgde hem zo snel als hij kon en bleef eveneens laag bij de grond. Elk moment verwachtte hij een opgeschrikte kreet te horen of de plotselinge inslag van een kogel te voelen. Maar hij hoorde en voelde slechts de nachtelijke stilte en het bonken van zijn eigen versnelde hartslag.

Vandaar gingen ze langs de vervallen schuur, de helling af naar het met braamstruiken overwoekerde veld beneden, waarbij ze de dekking van de kleine heuvel tussen hen en de hogere heuvel in het westen probeerden te houden. Peter ging voorop en gleed stilletjes als een geest door de knoestige doornbosjes en het heuphoge onkruid met een souplesse die het gevolg was van jarenlange training en ervaring.

Ze waren dicht bij de rand van het stilstaande water toen de Engelsman plotseling languit op zijn buik ging liggen, achter een stel frambozenstruiken. Smith liet zich plat naast hem vallen en kroop toen op zijn knieën en ellebogen voorwaarts terwijl hij de MP5 voor zijn borst hield. Hij deed erg zijn best om niet te diep te ademen. Ze bevonden zich onder de koele wind die over het veld fluisterde en de lucht was vergeven van de stank van algen en rottende vruchten die niet weg kon.

'Jezus,' mompelde Peter. 'Dat doet de deur dicht! Luister.'

Smith hoorde het vage geluid van een krachtige motor, dat steeds harder werd. Behoedzaam richtte hij zijn hoofd op om over het meest nabije bosje te kijken. Ongeveer tweehonderd meter bij hen vandaan reed een grote zwarte truck met vierwielaandrijving langzaam voorbij over de provinciale weg, in oostelijke richting. Hij reed zonder licht.

'Denk je dat ze onze auto's zien?'

Peter knikte grimmig. Het kleine groepje bomen waarin ze de auto's hadden weggezet zou die niet verbergen als er doelgericht naar gezocht zou worden. 'Dat moet wel,' zei hij. 'En dan barst de hel los – als dat nog niet gebeurd is.' Hij wierp een blik over zijn schouder. 'En dat is het, helaas,' mompelde hij. 'Kijk eens achter ons, Jon. Maar langzaam.'

Smith draaide voorzichtig zijn hoofd om en zag een slaglinie van vijf mannen met nachtzichtbrillen en donkere kleding langzaam de flauwe heuvel achter hen afkomen. Elk had een machinepistool of een legergeweer in zijn handen.

Jon voelde dat zijn mond droog werd. De dichtstbijzijnde van de gewapende mannen die op hen joegen was nog maar iets meer dan honderd meter van hen verwijderd. Hij en Peter zaten in de val.

'Ideeën?' siste Smith.

'Ja. We zorgen dat die vijf in dekking gaan en dan gaan we er allebei als een haas vandoor,' antwoordde Peter. 'Maar blijf bij de weg vandaan. Aan die kant is niet genoeg dekking. We gaan naar het noorden.' Hij draaide zich om en kwam op een knie overeind met zijn machinepistool in de aanslag, een seconde later gevolgd door Smith.

Even aarzelde Jon, met zijn vinger al aan de trekker, terwijl hij zich afvroeg of hij moest schieten om te doden of gewoon om ze bang te maken. Waren dit enkele van dezelfde mannen die al hadden geprobeerd hem te doden? Of waren ze gewone CIA-mensen of privé-bewakers die Burke had aangetrokken om zijn terrein te bewaken?

Hun plotselinge beweging trok de aandacht van een van de gewapende mannen die de heuvel afkwamen. 'Contact, vóór ons!' riep hij in Engels met een zwaar accent. Toen opende hij het vuur met zijn machinepistool en schoot een regen van 9mm-kogels in de richting van de twee geknielde mannen.

Smiths twijfels verdwenen toen de patronen rondom hem door de lucht gierden en suisden. Deze kerels waren huurlingen, en ze waren er niet op uit gevangenen te nemen. Hij en Peter vuurden terug met een reeks gerichte drie-schotssalvo's van hun MP5's – waarbij ze van tegengestelde kanten van de vijandelijke linie naar het midden vuurden. Een van de vijf schutters schreeuwde opeens en klapte dubbel, in zijn buik getroffen. De andere vier doken in dekking.

'Kom op!' zei Peter scherp, terwijl hij Smith op zijn schouder tikte.

Beide mannen sprongen overeind en sprintten de duisternis in, in noordelijke richting, bij de provinciale weg vandaan. Weer ging de Engelsman voorop, maar ditmaal verspilde hij geen tijd met pogingen om een makkelijker route te vinden door de wirwar van bosjes en braamstruiken. In plaats daarvan denderde hij dwars door zelfs de dichtste doornstruiken. Snelheid was nu belangrijker dan onopvallendheid. Ze moesten zo ver mogelijk zien te komen voordat de overlevende schutters over hun verrassing heen waren en weer begonnen te schieten.

Smith rende hard, met een bonkend hart, in het kielzog van Peter. Hij hield zijn met handschoenen bedekte handen en het machinepistool voor hem om te voorkomen dat zijn gezicht werd opengereten door de chaos van versplinterde takken en scherpe doorns. Braamstruiken trokken en rukten aan zijn armen en benen en prikten dwars door de dikke stof. Zweet druppelde langs zijn onderarmen en brandde als vuur toen het zich vermengde met zijn krassen, sneeën en schrammen.

Achter hen barstte meer geweervuur los. Kogels suisden door het dichte kreupelhout aan weerskanten, om bladeren en twijgen af te snoeien en de stukjes alle kanten op te doen spatten.

De twee mannen wierpen zich op de grond en draaiden zich om, om de kant op te kijken waar ze vandaan kwamen, terwijl ze dekking zochten in een ondiepe holte die was uitgesleten door water dat van de heuvel boven hen was afgestroomd. 'Hardnekkige etters,' merkte Peter koeltjes op terwijl geweerkogels en machinepistoolpatronen vlak over hun hoofd vlogen. 'Dat moet ik ze nageven.' Hij luisterde aandachtig. 'Dat zijn maar twee man die daar vuren. Wij hebben er eentje geraakt. Waar zijn die andere twee dan?'

'Die sluiten ons in,' zei Smith grimmig. 'Terwijl hun maatjes hen dekking geven.'

'Heel waarschijnlijk,' beaamde Peter. Opeens glimlachte hij. 'Zullen we ze duidelijk maken dat dat niet zo'n goed idee is?'

Jon knikte.

'Oké,' zei Peter kalm. 'Daar gaan we.'

Beide mannen negeerden de kogels die nog steeds het struikgewas rondom hen aan flarden reten. Ze kwamen overeind en begonnen te vuren, waarbij ze weer het veld voor hen bestreken door met drieschotssalvo's heen en weer te gaan. Smith meende even geschrokken kreten te horen en uiterst vage gedaantes achter bosjes hoog onkruid en braamstruiken te zien duiken. Meer wapens begonnen luid te ratelen toen de schutters die ze in dekking hadden gedreven terug begonnen te schieten.

Smith en Peter trokken zich terug in de ondiepe afwateringsgeul en kropen snel weg via het kronkelige spoor daarvan. Dat liep naar het oosten en volgde de lichte helling van het lang verwaarloosde veld. Toen ze ongeveer vijftig meter verder waren, namen ze het risico om hun hoofd op te richten voor nog een snelle blik. Een van hun achtervolgers vuurde nog steeds korte salvo's hun kant op in een poging om ze klem te zetten. De andere drie schutters waren weer in beweging, maar die gingen ook naar het oosten – en stelden zich snel in een verspreide vuurlinie op over de breedte van het veld van 160 hectare.

'Verdomme,' zei Peter zachtjes. 'Wat zijn ze nu in godsnaam van plan?'

Smiths ogen vernauwden zich. Hun vijanden leken er niet meer in geïnteresseerd om de afstand tussen hen te verkleinen. In plaats daarvan waren de schurken een kordon aan het opzetten dat hen van de weg zou afsnijden en van de auto's die ze daar, nog een paar honderd meter verderop, verborgen tussen de bomen hadden achtergelaten. 'We worden opgedreven!' besefte hij opeens.

De Engelsman staarde hem even aan. Toen verstrakte zijn kaak en knikte hij abrupt. 'Je hebt gelijk, Jon. Ik had het eerder moeten zien. Zij dienen als drijvers – die ons uit onze dekking moeten opjagen voor de rest van de schutters.' Hij schudde zijn hoofd vol afschuw. 'Wij worden behandeld als een koppel patrijzen of kwartels.'

Bijna tegen zijn zin grijnsde Smith terug naar hem, terwijl hij de aandrang onderdrukte om hardop te lachen. Zijn oude vriend klonk oprecht beledigd doordat ze zo verachtelijk door hun vijanden werden gemanipuleerd.

Peter draaide zijn hoofd om en keek peinzend naar het ruwere, nog meer overwoekerde stuk oude landbouwgrond in het noorden. 'Ze zullen daar ergens een linke hinderlaag hebben opgezet,' zei hij, terwijl hij het lege magazijn uit zijn machinepistool haalde en er een nieuwe dertig-kogelsclip in deed. 'Het zal lastig worden daarlangs te komen.'

'Zeker,' zei Smith. 'Maar we hebben ten minste één voordeel.'

Peter trok verbaasd een wenkbrauw op. 'O? Zou je mij willen vertellen wat dat is?'

'Ja.' Smith klopte op zijn eigen MP5. 'Voorzover ik weet schieten patrijzen en kwartels niet terug.'

Ditmaal was het Peters beurt om een sardonisch gegnuif te onderdrukken. 'Inderdaad,' beaamde hij zachtjes. 'Goed dan, Jon, laten we gaan en kijken of we van de jagers de opgejaagden kunnen maken.'

Ze verlieten de afwateringsgeul en kropen naar het noorden. Ze maakten een omtrekkende beweging door het dichte kreupelhout en volgden de kronkelende smalle sporen van kleine dieren die hun holen en legers in de overwoekerde velden hadden gebouwd. Beide mannen bleven heel laag. Ze drukten zich tegen de grond en gebruikten hun voeten, knieën en ellebogen om zo snel ze konden te tijgeren zonder al te veel lawaai te maken of de wirwar van struiken en gras boven hen te doen bewegen. Door de wetenschap dat de vijand ergens vóór hen onzichtbaar op de loer lag was onopvallendheid opnieuw bijna net zo belangrijk als snelheid.

Smith voelde zweetdruppeltjes over zijn vuile voorhoofd lopen.

Hij schudde ze ongedurig af, omdat hij niet wilde dat ze onder het masker van zijn nachtzichtbril kwamen. Plantenstengels en kronkelende klimplanten doemden opeens in zijn groenige blikveld op en verdwenen toen opzij uit beeld toen hij erlangs kronkelde. Midden in dit dichte struikgewas kon hij niet verder zien dan een meter. De lucht was warm en vergeven van de geur van vochtige, mossige aarde en verse uitwerpselen van dieren.

Kogels suisden van tijd tot tijd over hun hoofd of rukten de bosjes en struiken naast hen aan flarden. De huurlingen die alle vier een linie achter hen vormden schoten nu en vuurden af en toe salvo's in het veld af om hun onzichtbare prooi in de richting van hun dodelijke hinderlaag te drijven.

Smith raakte buiten adem door de spanning en de lichamelijke uitputting van het zo ver en zo snel kruipen. Hij concentreerde zich erop om zo dicht mogelijk bij Peter te blijven terwijl hij hem volgde en hij keek goed waar de oudere man zijn ellebogen en voeten plaatste om de begroeiing waar ze doorheen gingen niet in beroering te brengen.

Opeens verstarde Peter. Ogenblikken lang bleef hij volkomen roerloos kijken en luisteren. Toen stak hij langzaam en voorzichtig een in een handschoen gehulde hand op en gebaarde dat Jon bij hem moest komen.

Smith tuurde behoedzaam door een scherm van hoog gras en bestudeerde het terrein voor hem. Ze waren heel dicht bij de noordelijke rand van het veld. De verweerde en rottende resten van een oud houten hek strekten zich naar het oosten en westen uit. Vlak achter het kapotte hek liep het terrein af in een ondiepe kom voordat het weer omhoogging in een lage wal die naar het noordoosten liep. Op de voorste glooiingen van deze helling stonden wat miezerige bosjes en kleine berkenboompjes, maar het terrein was hier over het geheel genomen meer open – en bood dus minder dekking en schuilplaatsen.

Peter wees naar de verhoging. Toen maakte hij het handgebaar voor 'vijand'.

Smith knikte. Die wal was een goede plek voor de hinderlaag waar ze heen werden gedreven. Iedereen die net achter de rand was opgesteld zou een goed zicht- en schootsveld hebben langs het grootste deel van deze kant van de vervallen boerderij. Hij fronste zijn wenkbrauwen. Hun kansen namen in hoog tempo af.

Peter zag zijn gezichtsuitdrukking en haalde zijn schouders op. 'Niets aan te doen,' mompelde hij. Hij haalde de lege kogelhouder van zijn MP5 uit de munitiebuidel van zijn gevechtsvest en wachtte tot Jon hetzelfde deed.

'Oké dan,' zei Peter heel zacht. 'Dit is het plan.' Hij hield het lege magazijn op. 'Bij wijze van afleiding gooien we deze zo ver mogelijk naar rechts. Dan sprinten we over de heuvelrand, gaan naar rechts en vallen aan via de helling aan de andere kant – om alle tegenstanders die we tegenkomen te doden.'

Smith staarde hem aan. 'Is dat alles?'

'Er is geen tijd voor een meer subtiele aanpak, Jon,' zei de Engelsman geduldig tegen hem. 'We moeten ze hard en snel treffen. Snelheid en stoutmoedigheid zijn onze enige troeven. Als een van ons neergaat, moet de ander zonder hem doorgaan. Mee eens?'

Smith knikte. Het beviel hem allemaal maar niks, maar de andere man had gelijk. In deze situatie zou elk oponthoud – om welke reden dan ook, zelfs het helpen van een gewonde vriend – fataal zijn. Ze waren zozeer in de minderheid dat hun enige kans op ontsnapping was om dwars door iedereen heen te gaan die ze tegenkwamen en vervolgens in beweging te blijven.

Met het lege magazijn in zijn linkerhand en de MP5 in zijn rechter, kwam hij langzaam op een knie overeind, klaar om het op een rennen te zetten over het gammele hek en het open terrein daarachter. Naast hem deed Peter hetzelfde.

Achter hen barstte weer een salvo van ongerichte schoten los. Het stierf weg, waarna het doodstil was.

'Daar gaan we,' siste Peter. 'Klaar? Nu!'

Beide mannen wierpen de lege magazijnen zo ver ze konden, hoog in de lucht en naar rechts. De kromme metalen magazijnen landden ritselend en rammelend – opeens luid in de nacht.

Onmiddellijk sprong Smith op en rende naar voren. Hij dook gewoon over het kapotte hek, rolde door toen hij de grond raakte en kwam meteen weer overeind met Peter maar een paar meter bij hem vandaan.

Smith hoorde kreten achter en rechts van hen, maar de vijand had hen te laat gezien. Hij en Peter holden nog steeds zo hard als ze konden de lichte helling op en over de rand van de lage wal.

Smith draaide zich meteen naar rechts, met zijn machinepistool in beide handen, op zoek naar doelen in de vreemde groenige schemering van zijn nachtzichtbril. Daar! Minder dan tien meter bij hem vandaan zag hij een gedaante bewegen onder de laaghangende takken van een berkenboom. Het was een man die op zijn buik over de rand had liggen kijken, die nu vertwijfeld hun kant op draaide en probeerde zijn eigen wapen, een uzi, op hen te richten.

Jon reageerde sneller, richtte zijn eigen MP5 op hem en haalde de trekker over, waardoor hij van vlakbij drie 9mm-kogels in de vijandelijke schutter joeg. Met een ontzettende kracht troffen ze alle drie doel. Door de inslag werd de man naar achteren geworpen. Hij gleed op de grond en bleef languit liggen tegen de krijtwitte stam van de berk.

Ze slopen voort en volgden de wal waar die met een hoek in noordoostelijke richting ging. Terwijl ze liepen gingen ze uit elkaar zodat ze niet allebei tegelijk geraakt konden worden door één enkel salvo van de vijand. De helling was aan deze kant een mengeling van berken, dwergdennen en struikgewas, allemaal onderbroken door kleine open plekken. In verwarring door de plotselinge uitbarsting van geweervuur schoten de vier huurlingen die waren ingezet om hen naar de hinderlaag te drijven nu in het wilde weg aan de verkeerde kant van de helling. Kogels die van bomen afketsten vlogen hoog over hun hoofd, zoemend als nijdige bijen.

Smith begaf zich behoedzaam op een kleine open plek en ving opeens een glimp van beweging op in de hoek van zijn rechteroog. Hij draaide zich om en zag de zwarte loop van een M-16-legergeweer, die van achter een met klimplanten overwoekerde boomstronk uitstak. De loop bewoog zich zijn kant op! Op hetzelfde moment dat de schutter vuurde gooide hij zich op de grond. Een 5.56mm-kogel schampte zijn linkerschouder en trok een bloedig spoor door zijn kleren en zijn huid. Nog twee geweerkogels trokken lange voren door de nabije aarde.

Jon rolde weg en probeerde vertwijfeld uit de vuurlinie van de vijandige schutter te komen. Meer kogels volgden hem en sloegen weer op slechts enkele centimeters van zijn hoofd in de grond. Nog steeds rollend zocht hij een plek – wat voor plek dan ook – waar hij in dekking kon gaan. Er was niets. Hij zat klem op de open plek.

En toen verscheen Peter achter hem, die het vuur opende en de boomstronk methodisch bestookte met gecontroleerde salvo's. Stukken schors en afgerukte klimplanten vlogen door de lucht. De verscholen schutter schreeuwde één keer, een doordringende gil, en maakte toen geen geluid meer.

'Gaat het, Jon?' riep Peter zachtjes.

Smith liep zichzelf na. Het schampschot bij zijn schouder bloedde en zou spoedig behoorlijk zeer gaan doen. Maar wonderlijk genoeg was dat de enige verwonding die hij had opgelopen.

'Ik ben oké,' meldde hij, nog steeds hijgend terwijl hij herstelde van de schok dat hij bijna met zo'n gemak was neergeschoten. Hij besefte dat het een grote vergissing was geweest om zich op die open plek te begeven – het soort blunder dat groentjes maakten in hun training. Hij schudde zijn hoofd een keer, kwaad op zichzelf vanwege de fout.

'Ga dan even kijken of die klootzak er werkelijk geweest is. Ik zal je dekking geven,' zei Peter met klem. 'Maar doe het wel snel.'

'Ik ga al.' Smith krabbelde overeind en verliet de kleine open plek. Hij maakte een omtrekkende beweging door het kreupelhout om buiten het schootsveld van de Engelsman te blijven en van achteren bij de boomstronk uit te komen. Hij baande zich voorzichtig een weg door een wirwar van hoge struiken en zag een lichaam op de grond liggen, met het gezicht naar beneden. De M-16 lag ongeveer een meter verderop.

Was de schutter werkelijk dood of zwaargewond of deed hij maar alsof, vroeg hij zich af. Even overwoog Jon om een snel salvo in het lichaam af te vuren om het werk af te maken. Zijn vinger spande zich om de trekker. Toen ontspande hij zich, met een frons op zijn voorhoofd. In het heetst van de strijd kon hij een vijand zonder aarzeling neerschieten, maar hij wilde niet iemand doodschieten die misschien hulpeloos op de grond lag en vreselijke pijn leed. Niet als hij de eden trouw wilde blijven die hij had gezworen en, wat misschien nog wel belangrijker was, niet als hij trouw wilde blijven aan zijn eigen gevoel van goed en kwaad.

Smith kwam een stap dichterbij, terwijl hij langs de loop van de MP5 keek. Hij zag bloed op de grond, dat van onderen uit het lichaam van de man liep. De getroffen schutter was klein en pezig, met een dun laagje kortgeknipt rossig haar op de achterkant van zijn kleine ronde hoofd. Jon kwam nog wat dichterbij, klaar om zich voorover te buigen en zijn pols te voelen.

Meer geweerschoten klonken ergens niet ver daarvandaan. Ze werden onmiddellijk beantwoord door een kort salvo van het wapen van Peter.

Afgeleid draaide Smith zijn hoofd om om te kijken waar het geweervuur vandaan kwam. Hij dook nog wat meer in elkaar om dekking te zoeken.

Dat was het moment waarop de 'dode' bliksemsnel een uitval naar hem deed. Hij beukte met zijn hoofd in Jons buik en stootte hem omver. Het machinepistool vloog de bosjes in.

Smith kromp ineen en zag een mes op zich afkomen. Hij rolde opzij en kwam weer overeind, net op tijd om nog een steek met de buitenkant van zijn linkerarm te blokkeren. Het lemmet sneed door zijn mouw en maakte een keep in de huid daaronder. Met een knarsend geluid gleed het af op het bot, zodat er een golf van pijn door hem heen ging. Hij zette zich daar overheen en sloeg terug met de zijkant van zijn rechterhand, waarmee hij hard op de pols van de roodharige man inhakte.

Het mes viel uit de opeens verlamde vingers van de man.

Smith bleef in beweging en haalde zijn rechterarm de andere kant op, zodat zijn elleboog de kleinere schutter vol op diens neus trof. Hij voelde een misselijkmakend gekraak toen de klap stukken kraakbeen verbrijzelde en die opwaarts in de hersenen van zijn vijand dreef. De roodharige man viel zonder geluid te maken en bleef roerloos liggen. Ditmaal was hij echt dood.

Jon leunde hijgend achterover. Hij voelde bloed uit de diepe jaap in zijn linkerarm druppelen. Die kan ik beter nu verbinden, dacht hij sloom. Het was niet goed om een bloedspoor achter te laten dat de schurken konden volgen. Hij schudde een noodverband uit een van de zakken van zijn vest en wikkelde snel het gaas en de watten om de gewonde arm.

Vanuit het bos klonk een zacht gefluit. Hij keek op en zag Peter uit de duisternis opdoemen.

'Sorry,' zei Peter. 'Er stak er weer eentje de kop op die op me schoot.'

'Heb je hem te pakken gekregen?'

'O ja,' zei Peter tevreden. 'En niet zo'n beetje ook.' Hij liet zich op een knie vallen en rolde de roodharige man die Smith had gedood op zijn rug. Peters lichtblauwe ogen werden iets groter toen hij het gezicht van de man zag en hij ademde sissend in.

'Herken je die vent?' vroeg Jon die zijn reactie zag.

Peter knikte. Hij keek op met een grimmige, bezorgde uitdrukking op zijn verweerde gezicht. 'Hij heet McRae,' zei hij zachtjes. 'Toen ik hem kende was hij een soldaat bij de SAS. Had een reputatie als probleemschopper – heel goed in elk gevecht, daarbuiten een smerige klootzak. Een paar jaar terug ging hij een keer te vaak over de schreef en werd uit het regiment geschopt. Het laatste wat ik heb gehoord was dat hij als huurling in Afrika en Azië werkte – met zo nu en dan wat werk als freelancer voor verschillende inlichtingendiensten.'

Hij stond op om Jons machinepistool te pakken.

'Ook MI6?' vroeg Jon zachtjes, terwijl hij het wapen van hem aanpakte en moeizaam overeind kwam.

Peter knikte met tegenzin. 'Af en toe.'

'Denk je dat er enkele van jouw mensen in Londen betrokken kunnen zijn bij deze geheime oorlog van Pierson en Burke?' vroeg Smith.

Peter haalde zijn schouder op. 'Op dit moment weet ik werkelijk niet wat ik moet denken, Jon.' Hij keek op toen het staccato geratel van automatisch geweervuur weer opklonk aan de andere kant van de lage wal. 'Maar nu worden onze vrienden daar rusteloos. En ze zullen met zijn allen heel gauw deze kant op komen. Ik denk dat we er het beste vandoor kunnen gaan nu dat nog kan. We moeten een plek vinden waar we veilig nieuw vervoer kunnen regelen.'

Smith knikte. Daar zat iets in. Hun vijanden zouden nu zeker de auto's hebben gevonden waarmee ze van de luchtmachtbasis Andrews waren gekomen. Proberen bij de twee auto's te komen zou alleen maar betekenen dat ze terugliepen in de val waaraan ze net ontsnapt waren.

Hij voelde aan het verband om zijn linkerarm, om te controleren of het nog niet helemaal doorweekt was. Het was aan de buitenkant nog droog. Hij wendde zich weer tot de Engelsman. 'Oké, ga maar voorop, Peter. Ik hou achter ons de boel wel in de gaten.'

De twee mannen draaiden zich om en holden naar het noorden, om dieper in het donkere landschap te verdwijnen, waarbij ze zoveel mogelijk gebruikmaakten van de beschutting van de bomen en het hoge struikgewas. Achter hen stierf het harde, galmende geratel van geweervuur geleidelijk weg.

31

Bij het eerste salvo van automatisch geweervuur buiten stond Kit Pierson haastig op. De FBI-agente trok haar dienstpistool, een 9mm Smith & Wesson, liep snel naar het raam en tuurde door de smalle kier tussen de gordijnen. Ze kon niets zien, maar het geluid van geweervuur ging door en weergalmde luid over de lage, golvende heuvels van het platteland van Virginia. Haar hart bonkte toen ze dieper bukte. Wat er ook aan de hand was, het had er alle schijn van dat er vlakbij een fel gevecht werd geleverd.

'Problemen, Kit?' hoorde ze Hal Burke zeggen met een nare ondertoon.

Pierson keek over haar schouder naar hem. Ze zette grote ogen op. De CIA-agent met de vierkante kin had zijn eigen wapen getrokken, een Beretta. En die hield hij recht op haar gericht.

'Wat voor spelletje speel jij, Hal?' vroeg ze, zonder zich te verroeren – ze was zich er maar al te zeer van bewust dat hij, dronken of niet, haar op deze afstand niet kon missen. Haar mond was droog. Ze zag zweetdruppeltjes verschijnen op Burkes voorhoofd. De spieren rond zijn rechteroor trokken enigszins.

'Dit is geen spelletje,' beet hij terug. 'Zoals je volgens mij best weet.' Hij gebaarde met de loop van de Beretta. 'Nu wil ik dat jij je wapen op de vloer legt – maar voorzichtig... heel voorzichtig. En dan wil ik dat je weer in je stoel gaat zitten. Met je handen waar ik ze kan zien.'

'Rustig, Hal,' zie Pierson zachtjes, terwijl ze haar best deed om haar angst te verbergen en haar plotselinge overtuiging dat Burke zijn vat op de werkelijkheid had verloren. 'Ik weet niet wat je denkt dat ik gedaan heb, maar ik beloof je dat...'

Haar woorden gingen verloren in een ander salvo van geweervuur buiten het huis.

'Doe verdomme wat ik zeg!' gromde de CIA-agent. Zijn vinger spande zich vervaarlijk om de trekker. 'Schiet op!'

Met een ijskoud gevoel knielde Pierson langzaam om haar Smith & Wesson, met de greep eerst, op de grond te leggen.

'Schop hem nu naar me toe – maar voorzichtig!' beval Burke.

Ze gehoorzaamde en schoof het pistool over de bevlekte hardhouten vloer naar hem toe.

'Zitten!'

Pierson was nu boos, zowel op Burke als op zichzelf omdat ze zo bang voor hem was, maar ze gehoorzaamde en liet zich langzaam zakken in de vormeloze, rafelige leunstoel. Ze hield haar handen op, met de palmen naar boven, zodat hij kon zien dat ze geen directe bedreiging vormde. 'Ik zou nog steeds graag willen weten wat je denkt dat ik gedaan heb, Hal – en waarom daar zo geschoten wordt.'

Burke trok sceptisch een wenkbrauw op. 'Waarom zou je proberen te doen alsof je onschuldig bent, Kit? Daarvoor is het te laat. Je bent geen idioot. En ik ook niet, wat dat aangaat. Dacht je werkelijk dat je stiekem een surveillanceteam van de FBI mee kon smokkelen naar mijn terrein zonder dat ik het te weten zou komen?'

Ze schudde haar hoofd, vertwijfeld nu. 'Ik weet niet waar je het over hebt. Niemand is met me meegekomen – of heeft me gevolgd. Van Washington tot hier heb ik niemand gezien!'

'Met liegen kom je nergens,' zei hij onbewogen. Zijn rechteroog trok weer, een snelle trilling doordat de spieren zich samentrokken en zich toen weer ontspanden. 'Eigenlijk word ik daar alleen maar pissig van.'

De telefoon op zijn bureau ging één keer over. Zonder zijn ogen of zijn pistool van haar af te wenden stak Burke zijn hand uit om hem op te nemen voordat hij weer kon overgaan. 'Ja?' zei hij gespannen. Hij luisterde even en schudde toen zijn hoofd. 'Nee, ik heb de situatie hier onder controle. Je kunt doorlopen. De deur is niet op slot.' Hij hing op.

'Wie was dat?' vroeg ze.

De CIA-agent glimlachte flauwtjes, zonder enige humor. 'Iemand die jou heel graag wil leren kennen,' zei hij.

Kit Pierson, die spijt had van haar eerdere beslissing om persoonlijk de confrontatie met Burke aan te gaan, zat gespannen in de leunstoel. Ze woog snel diverse plannen tegen elkaar af om zich uit deze knoeiboel te redden en verwierp ze snel weer als onpraktisch, suïcidaal of allebei. Ze hoorde de voordeur open- en dichtgaan.

Ze zette grote ogen op toen een heel lange en heel breedgeschouderde man zachtjes de studeerkamer binnenkwam, die zich bewoog met de vervaarlijke gratie van een tijger. Zijn wonderlijke groene ogen glinsterden in het zwakke licht van de lamp op Burkes bureau. Even dacht ze dat hij dezelfde man was die kolonel Smith had beschreven in zijn rapport over de nasleep van de ramp bij het Teller Instituut – de leider van de 'terroristische' eenheid die de aanslag had uitgevoerd. Toen schudde ze haar hoofd. Dat was onmogelijk. De leider van die aanslag was verteerd door de nanofagen die waren ontketend door de bommen die de labs van het Instituut hadden verwoest.

'Dit is Terce,' zei Hal Burke bruusk. 'Hij heeft de leiding over een van mijn TOCSIN-actieteams. Zijn mannen hielden buiten de wacht. Zij waren degenen die jouw surveillancemensen bij dit huis rond zagen sluipen.'

'Wie daarbuiten ook is, die heeft niets met mij te maken,' zei Pierson nogmaals, terwijl ze alle overtuigingskracht die ze kon opbrengen in haar stem probeerde te leggen. Elk FBI-handboek over de psychologie van samenzweringen benadrukte de inherente en overweldigende angsten van de betrokkenen voor verraad van binnen uit. Als hoofd van de antiterreurafdeling van de FBI had ze dikwijls gebruikgemaakt van die angsten door erop in te spelen om vermoedelijke cellen open te breken, en ervoor te zorgen dat de vermeende terroristen zich tegen elkaar keerden als ratten in de val. Ze beet op haar onderlip en proefde de zilte smaak van haar eigen bloed. Nu waren hier dezelfde krachten van paranoia en verdenkingen aan het werk en werd haar leven daardoor bedreigd.

'Die vlieger gaat niet op, Kit,' zei Burke ijskoud tegen haar. 'Ik geloof niet in toeval, dus of je bent een leugenares – of een kluns. En deze operatie kan zich geen van beiden veroorloven.'

De grote man die Terce heette zei aanvankelijk niets. In plaats daarvan raapte hij haar pistool op van de grond. Hij liet het in een van de zakken van zijn zwarte windjack glijden en wendde zich toen tot de CIA-agent. 'Geef mij nu uw eigen wapen, meneer Burke,' zei hij zachtjes. 'Alstublieft.'

De kleinere man knipperde met zijn ogen van verbazing, duidelijk overvallen door dit verzoek. 'Wat?'

'Geef me uw wapen,' herhaalde Terce. Hij kwam dichter bij Burke staan, hoog boven de CIA-agent uittorenend. 'Dat zou... voor ons allemaal... veiliger zijn.'

'Waarom?'

De man met de groene ogen maakte een hoofdgebaar naar de halflege fles Jim Beam op het bureau. 'Omdat u wat meer heeft gedronken dan verstandig is, meneer Burke, en ik op dit moment niet volledig vertrouw op uw oordeel of uw reflexen. U kunt gerust zijn. Mijn mannen hebben de situatie onder controle.'

In de verte ratelde meer geweervuur, nu verder weg.

Een hartslag lang bleef Burke naar de langere man opkijken. Zijn ogen knepen zich kwaad samen. Maar toen deed hij wat hem gevraagd werd, en gaf Terce de Beretta met een gemelijke frons.

Kit Pierson voelde een deel van de spanning uit haar schouders verdwijnen. Ze ademde uit. Wat hij verder ook mocht zijn, de leider van dit TOCSIN-actieteam was geen idioot. Het was een verstandige zet om Burke zo snel te ontwapenen en tevens een die haar misschien zou helpen om deze belachelijke en explosieve situatie te bezweren. Ze boog zich voorover. 'Hoor eens, laten we kijken wat we kunnen doen om een redelijke verklaring te vinden voor deze janboel,' zei ze kalm. 'Ten eerste, als mensen van de FBI me inderdaad hierheen zijn gevolgd, dan hebben ze dat gedaan zonder mijn medeweten of toestemming...'

'Zwijg, mevrouw Pierson!' zei de man met de groene ogen kil. 'Het kan me niet schelen hoe of waarom u bent gevolgd. Uw motieven en uw competentie, of incompetentie, zijn niet van belang.'

Kit Pierson staarde hem op haar beurt aan en besefte plotseling dat ze van deze man evenveel te vrezen had als van Burke – en misschien wel veel meer.

Bij Parijs

Met zacht brommende motoren vlogen de twee UAV's door op negenhonderd meter hoogte. Onder hen gleden bossen, wegen en dorpjes voorbij om vervolgens achter hen in de vroege ochtendmist te verdwijnen. De zon, die in het oosten opkwam boven de diepe, golvende dalen van de Seine en de Marne, was een grote, rode vuurbal die zich aftekende tegen de dunne, optrekkende grijze nevel.

Dichter bij Parijs begon het landschap te veranderen, werd het voller en drukker. Oude dorpjes omringd door bossen en landbouwgrond maakten plaats voor grotere, modernere voorsteden omringd door een vlechtwerk van snelwegen en spoorlijnen. Er verschenen torenflats, die op onregelmatige afstanden de lucht in staken in een grote boog rondom het hart van de stad zelf.

Langgerekte, witte condensstrepen vormden zich in de hemel hoog boven de twee robotvliegtuigjes, enorme sporen van ijskristallen die in de heldere, koude lucht zweefden, en de baan van een groot passagiersvliegtuig markeerden. De UAV's naderden de vliegroutes naar en van twee vliegvelden – Le Bourget en Charles de Gaulle. Gezien hun zeer geringe omvang, was de kans zeer klein dat ze door de radar ontdekt zouden worden, maar degenen die ze bestuurden wilden geen nodeloze risico's nemen. Beide onbemande vliegtuigjes reageerden op voorgeprogrammeerde instructies en zakten tot ongeveer 150 meter en namen gas terug om een bijna constante vliegsnelheid van ongeveer 160 kilometer per uur te handhaven.

Controlekamer voor het veldexperiment, in het Centrum

De controlekamer van het Centrum bevond zich diep in het complex, veilig achter een aantal gesloten deuren die alleen geopend konden worden door degenen met de allerhoogste autorisatie. Binnen in de verduisterde ruimte zat een aantal wetenschappers en technici aan grote bedieningspanelen, dat voortdurend de beelden en gegevens die vanuit Parijs binnenkwamen in de gaten hield – zowel van de grondsensoren die op diverse punten waren geïnstalleerd als van die aan boord van de twee UAV's. De meest recente gegevens omtrent de windrichting, de snelheid, de vochtigheid en de luchtdruk werden automatisch ingevoerd in een geavanceerd geleidingsprogramma. Op twee grote schermen was het terrein voor en onder de twee onbemande vliegtuigjes te zien. Cijfers in de rechteronderhoek van elk scherm – de afstand tot het doel – telden af en flikkerden zo nu en dan wanneer het programma door middel van zorgvuldige berekeningen het richtpunt van elke UAV aanpaste. Het personeel in de controlekamer ging rechterop zitten en keek met toenemende spanning en opwinding toen de afstandsmeting zich stabiliseerde en steeds sneller naar nul begon af te tellen.

0.4 km, 0.3 km, 0.15 km... het commando 'activeren' flitste rood op beide schermen. Onmiddellijk verzond het geleidingsprogramma via een communicatiesatelliet hoog boven de aarde een gecodeerd radiosignaal naar de onbemande vliegtuigjes even ten noorden van Parijs.

La Courneuve

Steeds meer mensen waagden zich buiten op de armoedige, verwaarloosde straten rondom de gore woonkazernes van La Courneuve. Enkelen gingen naar het dichtstbijzijnde metrostation, op weg naar de minne baantjes die ze hadden kunnen vinden. Het merendeel bestond uit vrouwen met manden en tassen – moeders, echtgenotes en oma's die erop uit waren gestuurd om de dagelijkse inkopen te doen. Er waren ook gezinnen bij die door de groenstroken en parken ten noorden van de voorstad wandelden. Zondagochtend was voor ouders een van de schaarse gelegenheden om hun kinderen kennis te laten maken met de open lucht ver van de criminele, met graffiti besmeurde straten en stegen en de hallen met bergen afval van de *Cité des Quatre Mille*. De meeste dieven, moordenaars, pushers en drugsverslaafden die op hen aasden sliepen nog, verschanst in de kale betonnen woningen die de Franse verzorgingsstaat hen had verschaft.

De twee UAV's, die nu op een parallelle koers vlogen, stegen weer tot even boven de driehonderd meter. Nog steeds met honderdzestig kilometer per uur vlogen ze over een brede avenue het luchtruim boven La Courneuve binnen. Aan boord van eerst het ene en toen het andere onbemande vliegtuigje klikten controlecircuits die de dubbele cilinders onder aan hun vleugels activeerden. Met een sinister gesis begon elke cilinder in een onzichtbare stroom zijn inhoud uit te braken.

Honderden miljarden Fase Drie-nanofagen daalden neer over een enorme strook van La Courneuve en dwarrelden traag uit de hemel in een heimelijke wolk van dood en dreigend verderf. Enorme hoeveelheden zweefden tussen de duizenden nietsvermoedende mensen die buiten waren en werden ongemerkt geïnhaleerd – met elke ademhaling in hun longen gezogen. Nog tientallen miljarden microscopische nanofagen werden in de kolossale luchtkokers boven op de hoogbouw van de sloppenwijk gezogen en via ventilatieschachten verspreid naar appartementen op alle verdiepingen. Als de nanofagen eenmaal binnen waren, werden ze door luchtstromingen door elk vertrek gevoerd, om onzichtbaar neer te dalen op degenen die sliepen, suften in een drugsroes of wezenloos tv keken.

De meeste nanofagen bleven inactief om hun beperkte energie te sparen, terwijl ze zich stilletjes verspreidden door het bloed en de weefsels van degenen die ze geïnfecteerd hadden in afwachting van het startsignaal dat ze zou ontketenen. Maar net als bij de Fase Twee-nanoinstrumenten die bij het Teller Instituut waren ingezet, was ongeveer één op de honderdduizend een besturingsnanofaag – een grote siliconenbol die was volgestouwd met allerlei geavanceerde biochemische sensoren. Hun energiebron werd meteen geactiveerd. Ze struinden het gastlichaam af, op zoek naar sporen van een van de tientallen van tevoren ingeprogrammeerde afwijkingen, ziektes, allergieën en syndromen. Zodra ook maar één sensor op een positieve waarde uitkwam, kwam er meteen een stroom boodschappermoleculen op gang, die de kleinere dodelijke nanofagen tot een orgie van verwoesting aanzette.

Enkele kilometers ten zuidwesten van La Courneuve had het surveillanceteam van zes man de bovenste verdieping en de zolder van een oud grijs stenen gebouw betrokken in het hart van de Maraiswijk in Parijs. Het steile, schuin aflopende dak boven hen was bezaaid met straal- en radioantennes, die elk stukje informatie verzamelden dat door de rond het doelgebied van de nanofagen opgestelde sensoren en camera's hun kant op werd gestuurd. Vandaar stroomde de informatie in de geheugenbanken van een computernetwerk, waar zij werd opgeslagen en geëvalueerd om uiteindelijk door middel van gecodeerde signalen en satellietverbindingen aan het verre Centrum te worden doorgezonden. Om de bandbreedte zo klein mogelijk te houden en de operationele veiligheid te handhaven werd alleen de meest cruciale informatie in real time doorgegeven.

De witharige man die Linden heette staarde over de schouder van een van zijn mannen en keek naar de gegevens die zijn apparaten binnenstroomden. Linden meed het om al te aandachtig naar een tv-scherm te kijken met beelden van de straten rondom de *Cité des Quatre Mille*. Laat die wetenschappers maar naar hun eigen werk kijken, dacht hij grimmig. Hij had zijn eigen taken. In plaats daarvan wierp hij een blik op een ander scherm, met beelden die door de twee UAV's werden doorgegeven. Die waren aan het eind van hun baan over La Courneuve gekomen en vlogen nu naar het oosten, ongeveer parallel aan de loop van het Canal de l'Ourcq.

Hij schakelde de radiomicrofoon van zijn headset in en bracht rapport uit aan Nones op de plaats van de lancering bij Meaux. 'Veldexperiment Drie is in gang. Informatievergaring verloopt naar verwachting. De koers en snelheid van uw UAV's zijn zoals geprogrammeerd. Verwachte tijd van aankomst ongeveer twintig minuten.'

'Is er enig teken dat men het ontdekt heeft?' vroeg de derde Horatiër kalm.

Linden keek naar Vitor Abrantes. De jonge Portugees had de taak om alle frequenties van politie, brandweer, ambulances en luchtverkeersleiding af te luisteren. Computers die waren geprogrammeerd om naar bepaalde sleutelwoorden te zoeken hielpen hem daarbij. 'En?' vroeg Linden.

De jonge man schudde zijn hoofd. 'Nog niets. De Parijse nooddiensten hebben diverse telefoontjes uit het doelgebied binnengekregen, maar tot dusver niets waar ze iets van kunnen maken.'

Linden knikte. Hij en zijn team hadden een beknopte voorlichting gekregen over de effecten van de Fase Drie-nanofagen – genoeg om te weten dat de zachte weefsels van de mond en de tong tot de eerste behoorden die oplosten. Hij schakelde zijn microfoon weer in. 'Tot dusver geen problemen,' zei hij tegen Nones. 'De autoriteiten slapen nog.'

Nouria Besseghir had bruine ogen en bruin haar, was knap en nog slank. Ze hield de hand van haar vijfjarige dochterje, Tasa, stevig vast en trok het meisje snel over straat. Ze wist dat haar dochtertje zowel nieuwsgierig was als makkelijk afgeleid. Als je haar haar gang liet gaan, was het best mogelijk dat Tasa midden op straat stil bleef staan – verdiept in een interessant patroon van barsten en gaten in het asfalt of een of andere intrigerende graffiti op een nabijgelegen gebouw. Er waren op dit uur weliswaar niet veel auto's in de straten van La Courneuve, maar weinig chauffeurs bekommerden zich hier om de verkeersregels of de veiligheid van voetgangers. In deze wetteloze buurt, die deel uitmaakte van wat de Fransen de Zone noemden, kwam het vrij vaak voor dat er werd doorgereden na een ongeval, in elk geval veel vaker dan dat de politie een onderzoek instelde naar zulke 'ongelukken'.

Haar verlangen om in beweging te blijven was voor Nouria bijna even belangrijk – om geen ongewenste aandacht te trekken van een van de loerende mannen die rondhingen in de buurt van deze groezelige straten of ineengedoken zaten in schaduwrijke stegen. Zes maanden geleden was haar man teruggekeerd naar zijn geboorteland Algerije voor 'familiezaken' zoals hij tegen haar zei. En nu was hij dood, omgekomen in een botsing tussen de Algerijnse veiligheidstroepen en de islamitische rebellen die van tijd tot tijd de autoritaire regering van dat land uitdaagden. Het had weken geduurd voor het bericht van zijn dood haar bereikte, en ze wist nog steeds niet welke van de twee strijdende partijen hem had vermoord.

Dat maakte van Nouria Besseghir een weduwe – een weduwe wier Franse geboorte haar recht gaf op een bescheiden uitkering van de Franse regering. In de ogen van de dieven, pooiers en bandieten die in wezen de baas waren in de *Cité des Quatre Mille*, maakte die kleine wekelijkse toelage haar ook tot een gewild object. Ze zouden haar allemaal maar wat graag hun dubieuze 'bescherming' aanbieden – althans in ruil voor de kans om zich aan haar lichaam en haar geld te vergrijpen.

Haar lippen vertrokken van walging bij die gedachte. Alleen Allah wist dat haar dode man, Hakkim, zelf niet veel bijzonders was geweest, maar dan nog zou ze liever doodgaan dan betast en vervolgens beroofd te worden door de menselijke parasieten die ze aan alle kanten om zich heen zag loeren. En dus liep Nouria buiten haar kleine woninkje altijd en overal snel en hield ze haar blik altijd strak op de grond voor zich gericht. Zij en haar dochter droegen ook allebei de *hijab* – de wijde kleding met hoofddoek waaraan te zien was dat ze fatsoenlijke, achtenswaardige moslimvrouwen waren.

'Mama, kijk!' riep Tasa opeens, terwijl ze in de blauwe hemel boven hen wees. De stem van het meisje klonk opgewonden, schril en doordringend. 'Een grote vogel! Kijk eens naar die grote vogel die daar vliegt! Hij is enorm. Is het een condor? Of Rok misschien? Net als in de verhalen? O, wat zou papa er graag eentje gezien hebben!'

Geprikkeld zei Nouria streng tegen haar dochter dat ze haar mond moest houden. Opvallen was op dit moment wel het allerlaatste wat ze nodig hadden. Ze liep nog steeds snel en trok Tasa aan haar pols voort over het met afval bezaaide trottoir. Het was te laat.

Een dronkenlap met een samengeklitte baard en een pokdalige huid kwam uit een naburige steeg gewankeld en versperde hen de weg. Nouria kokhalsde toen de verstikkende stank van zure sterke drank en ongewassen vlees haar tegemoetkwam. Na haar eerste ontstelde blik op dit schuifelende wrak, sloeg ze haar ogen neer en probeerde ze om de man heen te lopen.

Hij kwam naar haar toe gewaggeld en dwong haar om achteruit te gaan. De dronkenlap, wiens ogen uitpuilden, kuchte, spoog en kreunde toen – een laag keelgeluid dat meer op dat van een hond dan op dat van een mens leek.

Vol afkeer vertrok Nouria haar gezicht. Ze stapte nog verder achteruit, terwijl ze Tasa meetrok. Er ging een steek door haar heen dat haar mooie meisje aan zoveel smerigheid, verloedering en verdorvenheid werd blootgesteld! Dit varken was zo stomdronken dat hij niet eens kon praten! Ze wendde haar ogen ervan af, terwijl ze zich afvroeg wat ze moest doen om aan deze stinkende bruut te ontkomen. Zou ze Tasa in haar armen moeten nemen om naar de andere kant van de straat te rennen? Of zou ze daarmee nog meer ongewenste aandacht trekken?

'Mama!' mompelde haar dochtertje. 'Er gebeurt iets vreselijks met hem. Zie je? Hij bloedt overal!'

Nouria keek op en zag vol afgrijzen dat Tasa gelijk had. De dronkenlap was voor haar ineengezakt en op zijn handen en knieën gevallen. Op het trottoir druppelde bloed uit zijn mond en uit de vreselijke wonden die zich over zijn armen en benen verspreidden. Repen vlees, die reeds overgingen in een rossig, doorzichtig slijm, lieten los van zijn gezicht en vielen op de grond. Hij kreunde nogmaals, en sidderde heftig terwijl stuiptrekkingen van pijn zijn uiteenvallende lichaam teisterden.

Nouria onderdrukte haar eigen ontstelde kreten en deinsde terug van de stervende man. Ze legde haar hand over de ogen van haar dochtertje om haar de afschuwelijke aanblik te besparen. Achter zich hoorde ze nog meer gekweld gehuil. Ze draaide zich om. Veel van de andere mannen, vrouwen en kinderen die ook buiten op straat waren zaten op hun knieën of lagen opgerold in hun doodsstrijd. Ze schreeuwden, kreunden en graaiden naar zichzelf in een gedachteloze, krampachtige paniek. Tientallen waren reeds getroffen. En terwijl ze toekeek vielen er steeds meer ten prooi aan de onzichtbare verschrikking die hun buurt belaagde.

Schijnbaar eindeloze ogenblikken lang staarde Nouria slechts naar het helse tafereel rondom haar. Haar ontzetting nam toe en ze was amper in staat om de omvang van het bloedbad dat zich hier vlak voor haar angstige ogen voltrok te bevatten. Toen nam ze Tasa in haar armen en rende ze weg, in de richting van de dichtstbijzijnde deuropening in een vertwijfelde poging om een schuilplaats te vinden.

Maar het was al veel te laat.

Nouria Besseghir voelde hoe de eerste brandende golven van pijn zich met elke ademhaling vanuit haar longen naar de rest van haar lichaam verbreidden. Ze gilde luid van angst, struikelde en viel, terwijl ze tevergeefs haar dochtertje tegen de val probeerde te beschermen met armen die al in losse flarden uit elkaar vielen doordat haar huid- en spierweefsels oplosten en van haar botten loslieten.

Nog meer gloeiendhete messen staken in haar ogen. Haar zicht werd vaag, donkerder en toen zag ze niets meer. Met de laatste sporen van zenuwen in de resten van haar ooit knappe gezicht voelde ze hoe iets nats en zachts uit haar oogkassen gleed. Ze zonk ter aarde, bad om vergetelheid, om een dood die de pijn zou doen ophouden waardoor elk deel van haar spartelende, schokkende lichaam werd geteisterd. Ze bad ook vertwijfeld voor haar dochtertje en hoopte tegen beter weten in dat deze pijn haar kleine meid bespaard zou blijven.

Maar uiteindelijk, voordat ze in de eeuwige duisternis verdween, wist ze dat zelfs dit laatste gebed niet werd verhoord.

'Mama,' hoorde ze Tasa jammeren. 'Mama, het doet pijn... het doet zo'n pijn.'

32

Het platteland van Virginia

Terce leunde met zijn rug tegen een donker gelambriseerde muur van Burkes kleine studeerkamer. Zijn houding was ontspannen, bijna nonchalant, maar zijn blik was alert en geconcentreerd. Hij had nog steeds de Beretta die hij van de CIA-agent had afgenomen. Het 9mm-pistool leek klein in de grote handschoen aan zijn rechterhand. Hij glimlachte koud, omdat hij de toenemende ongerustheid bespeurde van de twee Amerikanen die daar roerloos zaten terwijl hij hen goed in de gaten hield. Noch Hal Burke noch Kit Pierson was eraan gewend om helemaal te zijn overgeleverd aan de wil van iemand anders. Terce vond het leuk om deze twee hoge inlichtingenfunctionarissen zo volledig onder de duim te hebben.

Hij keek op de kleine antieke klok op het bureau van Burke. Buiten was het laatste salvo van geweervuur een paar minuten geleden weggestorven. De door zijn mannen opgejaagde spionnen zouden nu dood moeten zijn. Hoe goed hun training ook mocht zijn, twee FBI-agenten konden onmogelijk een partij zijn voor zijn eigen eenheid van ex-commando's.

Een stem klonk krakend door zijn headset. 'Dit is Uchida. Ik heb een situatierapport.'

Terce rechtte zijn rug en verborg zijn verbazing. Uchida, een voormalige Japanse para, was een van de vijf mannen die hij opdracht had gegeven om de twee indringers naar de zorgvuldig gelegde hinderlaag aan de noordkant van Burkes boerderij te drijven. Als er al rapporten waren, dan zouden die moeten komen van de mensen die vanuit de hinderlaag zouden aanvallen. 'Ga door,' zei hij.

Hij luisterde zwijgend naar het rampzalige verhaal van de andere man en kon zijn toenemende woede maar net in bedwang houden. Vier van zijn mannen waren dood, onder wie McRae, zijn beste spoorzoeker en verkenner. De door hem geplande hinderlaag was vanuit de flank opgerold en uitgeschakeld. Dat was al erg genoeg.

Maar het allerergste was het nieuws dat de geschokte overlevenden van zijn veiligheidsteam de zich terugtrekkende Amerikanen volledig uit het zicht waren verloren. Het was een schrale troost om te horen dat zijn mensen twee auto's hadden gevonden en onklaar hadden gemaakt die van de indringers waren. Nu hadden ze ongetwijfeld al contact opgenomen met hun hoofdkwartier, om alles te melden wat ze gehoord hadden en dringend om versterking te vragen.

'Moeten we ze achternagaan?' vroeg Uchida ten slotte.

'Nee,' snauwde Terce. 'Ga terug naar jullie auto's en wacht op mijn instructies.' Hij was overmoedig geweest, en zijn team had daarvoor een hoge prijs betaald. In het donker was de kans te klein dat ze de Amerikanen terug zouden kunnen vinden voordat die hulp kregen. En zelfs in dit open, dunbevolkte platteland moest het geluid van zoveel geweervuur wel onwelkome aandacht trekken. Het was tijd om hier weg te gaan voordat de FBI of andere politieorganisaties het terrein zouden afzetten.

'Problemen?' vroeg Kit Pierson ijzig. De donkerharige vrouw had de woede en onzekerheid in zijn stem bespeurd. Ze ging rechterop in haar leunstoel zitten.

'Een kleine tegenslag,' loog Terce gladjes, terwijl hij erg zijn best deed om zijn toenemende irritatie en ongeduld te verbergen. Al zijn training en psychologische conditionering hadden hem doordrongen van de nutteloosheid van de zwakkere emoties. Met een bijna onmerkbaar gebaartje van de Beretta beduidde hij haar dat ze rustig moest blijven zitten. 'Blijft u kalm, mevrouw Pierson. Alles zal op zijn tijd duidelijk worden gemaakt.'

De tweede Horatiër keek nogmaals op de bureauklok en hield rekening met het tijdverschil van zes uur tussen Virginia en Parijs. Spoedig zou hij gebeld worden, dacht hij. Maar zou dat snel genoeg zijn? Zou hij iets moeten doen zonder specifieke orders? Hij zette de gedachte van zich af. Zijn instructies waren duidelijk.

Plotseling ging zijn beveiligde mobiele telefoon over. Hij nam op. 'Ja?'

Aan de andere kant sprak een kalme stem, die enigszins werd vervormd door de versleutelsoftware en de doorgifte via verschillende satellieten. De stem gaf het commando waarop hij had gewacht. 'Veldexperiment Drie is begonnen. Je kunt doorgaan volgens plan.'

'Begrepen,' zei Terce. 'Over en uit.'

Met een flauwe glimlach nu keek hij door de kamer naar de donkerharige FBI-agent. 'Ik hoop dat u van tevoren mijn excuses wilt aanvaarden, mevrouw Pierson.'

Ze fronste haar wenkbrauwen. Het was duidelijk dat ze hem niet begreep. 'Je excuses? Waarvoor?'

Terce haalde zijn schouders op. 'Hiervoor.' Met een soepele beweging richtte hij het pistool dat hij van Burke in beslag had genomen, om twee keer de trekker over te halen. Het eerste schot trof haar midden in haar voorhoofd. Het tweede ging dwars door haar hart. Met een zachte zucht zakte ze ineen tegen de met bloed besmeurde rugleuning van de leunstoel. Haar dode leigrijze ogen staarden terug naar hem, voorgoed verstard in een uitdrukking van totale verbijstering.

'God nog aan toe!' Hal Burke omklemde de armleuningen van zijn stoel. Het bloed week uit zijn gezicht, dat een bleke kleur kreeg. Hij rukte zijn ontzette blik los van de vermoorde vrouw en wendde zich tot de grote man die boven hem uittorende. 'Wat... wat doe jij in godsvredesnaam?' stamelde hij.

'Ik volg mijn orders op,' zei Terce domweg tegen hem.

'Ik heb je nooit gevraagd om haar te doden!' riep de CIA-agent. Hij slikte krampachtig en moest duidelijk de aandrang onderdrukken om over te geven.

'Nee, dat is waar,' beaamde de man met de groene ogen. Hij legde de Beretta voorzichtig op de grond en haalde de Smith & Wesson van Kit Pierson uit zijn zak. Hij glimlachte nogmaals. 'Maar aan de andere kant is het zo dat u de situatie niet goed begrijpt, meneer Burke. Dat zogenaamde TOCSIN van u was slechts een dekmantel voor een veel grotere operatie en nooit een werkelijkheid. En u bent hier niet de baas – slechts een dienaar. Een overbodige dienaar, helaas.'

Burkes ogen gingen wijd open toen het plotseling tot zijn ontzetting tot hem doordrong. Hij deinsde terug en probeerde vertwijfeld om op te staan, iets te doen, wat dan ook, om terug te vechten. Dat lukte hem niet.

Terce vuurde van dichtbij drie 9mm-patronen in de buik van de CIA-agent. Elke kogel sloeg een groot gat in zijn rug en deed bloed, botsplinters en stukjes ingewand over de draaistoel, het bureau en het computerscherm achter hem spatten.

Burke viel terug in zijn stoel. Zijn vingers graaiden tevergeefs naar de verschrikkelijke wonden in zijn buik. Zijn mond ging open en dicht als de bek van een vis in een net die vertwijfeld naar lucht hapte.

Verachtelijk op zijn gemak stak Terce zijn voet uit en duwde de draaistoel omver, zodat de stervende CIA-agent op de hardhouten vloer viel. Toen liep hij naar Kit Pierson en liet de Smith & Wesson in haar bebloede schoot vallen.

Toen hij zich omdraaide, zag hij Burke roerloos liggen, opgerold in zijn laatste doodsstuipen. De lange man met de groene ogen stak zijn hand in de zak van zijn jas en haalde er een klein, met plastic omwikkeld pakketje uit met daarbovenop een digitale timer. Met snelle, bedreven bewegingen stelde hij de timer in op twintig seconden, waarna hij hem activeerde en het pakketje op het bureau zette – vlak onder de planken met Burkes computer – en communicatieapparatuur. De digitale cijfers begonnen af te tellen.

Terce stapte behoedzaam om het lijk van de CIA-agent de smalle gang in. Achter hem ging de teller op nul. Met een zachte plof en een plotselinge withete lichtflits ging de door hem geplante brandbom af. Tevreden liep hij naar buiten en trok hij de voordeur achter zich dicht.

Vervolgens draaide hij zich om. Door de bijna dichte gordijnen van het studeerkamerraam waren al vlammen te zien, die dansten en steeds hoger oplaaiden terwijl ze zich snel over de meubels, boeken, apparatuur en lijken daarbinnen verspreidden. Hij toetste een nummer in uit het geheugen van zijn mobiele telefoon en wachtte geduldig tot er werd opgenomen.

'Breng je rapport uit,' beval dezelfde kalme stem die hij eerder had gehoord.

'Uw instructies zijn uitgevoerd,' zei Terce tegen hem. 'De Amerikanen zullen niets dan rook en as vinden – en aanwijzingen voor hun eigen medeplichtigheid. Zoals bevolen gaan mijn team en ik meteen terug naar het Centrum.'

Enkele duizenden kilometers verderop glimlachte de man die Lazarus werd genoemd in het koele, verduisterde vertrek waar hij zat. 'Heel goed,' zei hij zachtjes. Toen draaide hij zich weer om om naar de gegevens te kijken die vanuit Parijs binnenkwamen.

Deel Vier

33

Parijs

De leider van het surveillanceteam van het Centrum, Willem Linden, klikte snel van het ene beeld naar het andere op het grote scherm voor hem en nam in hoog tempo de tv-beelden door die werden doorgestuurd door de sensorsystemen die aan de lantaarnpalen in de buurt van La Courneuve waren bevestigd. De beelden waren vrijwel identiek. Ze lieten allemaal grote stukken trottoir en avenues zien die bezaaid waren met kleine, zielige hoopjes met slijm besmeurde kleding en gebleekte botten. Op beelden van diverse camera's, die aan de rand van het doelgebied waren opgesteld, waren vernielde politieauto's, brandweerwagens en ambulances te zien, de meeste nog met lopende motor en flitsende zwaailichten. De eerste hulpverleners, die waren toegesneld in reactie op vertwijfelde noodoproepen, waren regelrecht de onzichtbare nanofagenwolk binnengereden en waren gestorven met de mensen die ze te hulp waren gekomen.

Linden sprak in zijn microfoon en rapporteerde aan het verre Centrum. 'Onder degenen die zich buiten bevonden lijken geen overlevenden te zijn.'

'Dat is uitstekend nieuws,' zei de licht vervormde stem van de man die Lazarus werd genoemd.' En de nanofagen zelf?'

'Een momentje,' zei Linden. Hij voerde een reeks codes in op het toetsenbord voor hem. De tv-beelden verdwenen van zijn scherm en maakten plaats voor een reeks grafieken – eentje voor elk sensorenpakket dat was ingezet. Ieder grijs doosje had een luchtinlaat om een representatief monster te vergaren van de nanofagen die in de lucht eromheen zweefden. Terwijl de witharige man toekeek, vertoonden de lijnen op elke grafiek plotseling een piek. 'Hun zelfvernietigingsmechanismen zijn net geactiveerd,' meldde hij.

De bolvormige halfgeleiderschil van elke Fase Drie-nanofaag bevatte een zelfvernietigingsmechanisme met een timer, die de actieve kern ontregelde – de chemische ladingen die de verbindingen tussen peptiden vernietigden. Als deze microscopische bommetjes afgingen, kwam er een kleine uitbarsting van intense hitte vrij, die werd opgepikt door IR-detectoren in de sensordoosjes.

Linden keek hoe de lijnen van elke grafiek terugvielen naar de nullijn. 'Zelfvernietiging van de nanofagen voltooid,' zei hij.

'Mooi,' antwoordde Lazarus. 'Ga over tot de laatste fase van Veldexperiment Drie.'

'Begrepen,' zei Linden. Via zijn toetsenbord voerde hij nog een reeks commando's in. Flitsende rode letters verschenen op zijn scherm. 'Springladingen geactiveerd.'

Enkele kilometers naar het noorden en het oosten gingen de slopersexplosieven af die onder aan elk grijs sensorendoosje waren bevestigd. Verblindend witte vlammen spoten hoog de lucht in toen de witte fosforvulling in elke lading ontbrandde. In milliseconden bereikte de temperatuur in het hart van elke hoog oprijzende vuurkolom een hoogte van 2760 graden – waardoor alle afzonderlijke metalen en kunststof onderdelen van de sensorsystemen verbrandden en onontwarbaar werden vermengd met het nu gesmolten staal en ijzer van de lantaarnpalen. Toen de rook en de vlammen optrokken, waren er geen bruikbare sporen meer over van de instrumenten, camera's en communicatieapparatuur die waren opgesteld om het bloedbad in La Courneuve te bestuderen.

Het Witte Huis

Het hardnekkige snerpen van zijn telefoon wekte president Sam Castilla uit een onrustige, door dromen geplaagde slaap. Hij zocht op de tast naar zijn bril, zette die op en zag op de wekker op het nachtkastje dat het bijna halfvijf in de ochtend was. Buiten de woonverblijven van het Witte Huis was de hemel nog pikzwart en was er nog geen spoor van de naderende dageraad te bekennen. Hij greep de telefoon. 'Met Castilla.'

'Sorry dat ik u wakker maak, meneer de president,' zei Emily Powell-Hill. Zijn nationale veiligheidsadviseur klonk zowel moe als terneergeslagen. 'Maar bij Parijs gebeurt iets waarvan u op de hoogte moet zijn. Het eerste nieuws is net in de lucht – CNN, Fox, de BBC, ze hebben in grote lijnen allemaal dezelfde bijzonderheden.'

Castilla ging rechtop in bed zitten en wierp onwillekeurig een verontschuldigende blik naar links vanwege de storing zo vroeg in de ochtend, voordat hij zich herinnerde dat zijn vrouw, Cassie, weg was voor de zoveelste internationale goodwillreis, ditmaal door Azië. Een steek van eenzaamheid ging door hem heen. Hij onderdrukte de golf van droevigheid waarmee die gepaard ging. De plichten van het presidentschap waren onverbiddelijk, dacht hij. Je kon er niet onderuit. Je kon ze niet negeren. Je kon slechts volharden en proberen om het vertrouwen te eren dat de mensen in je hadden gesteld. Dat betekende onder andere dat je af en toe gescheiden werd van de vrouw die je liefhad.

Hij drukte op de afstandsbediening van de tv, waarmee hij een van de diverse concurrerende kabelzenders inschakelde die vierentwintig uur per dag nieuwsuitzendingen verzorgden. Op het scherm waren de verlaten straten te zien van een voorstad even buiten Parijs, gefilmd vanuit een helikopter die er hoog boven cirkelde. Plotseling werd er ingezoomd en kwamen er honderden groteske hopen gesmolten vlees en bot in beeld, die ooit levende mensen waren geweest.

'... wordt gevreesd dat er vele duizenden dood zijn, hoewel de Franse regering pertinent weigert om te speculeren over zowel de oorzaak als de omvang van deze ogenschijnlijke ramp. Externe waarnemers hebben echter gewezen op de opvallende overeenkomsten tussen de vreselijke sterfgevallen waarvan hier melding wordt gemaakt en de sterfgevallen die worden toegeschreven aan de nanofagen die slechts enkele dagen geleden zijn vrijgekomen bij het Teller Instituut voor Geavanceerde Technologie in Santa Fe, New Mexico. Tot dusver is het echter onmogelijk hun verdenkingen te bevestigen. Slechts enkele eenheden van de Bescherming Burgerbevolking met volledige chemische beschermingspakken hebben toestemming gekregen La Courneuve binnen te gaan in een vertwijfelde zoektocht naar overlevenden en antwoorden...'

Diep geschokt deed Castilla met een bruuske beweging de tv uit. 'Mijn god,' mompelde hij. 'Het gebeurt opnieuw.'

'Ja, meneer,' antwoordde Powell-Hill grimmig. 'Ik ben bang van wel.'

Met de telefoon nog steeds in zijn hand hees Castilla zich uit bed en schoot een badjas aan over zijn pyjama. 'Haal iedereen hierheen, Emily,' zei hij, terwijl hij moeite deed kalmer en beheerster te klinken dan hij zich voelde. 'Ik wil zo snel mogelijk een bespreking met de volledige Nationale Veiligheidsraad in de Situation Room.'

Hij hing op en toetste een nieuw nummer in. De telefoon aan de andere kant ging maar één keer over voordat hij werd opgenomen.

'Met Klein, meneer de president.'

'Slaap jij nooit, Fred?' hoorde Castilla zichzelf vragen.

'Wanneer ik maar kan, Sam,' antwoordde het hoofd van Covert-One. 'Wat veel minder vaak voorkomt dan me lief is. Een beroepsrisico, vrees ik – net als bij jouw baan.'

'Heb je het nieuws gezien?'

'Ja, dat heb ik,' bevestigde Klein. Hij aarzelde. 'In feite stond ik op het punt om jou te bellen.'

'Naar aanleiding van die nieuwe verschrikking in Parijs?' vroeg de president.

'Niet precies,' zei de andere man zachtjes. 'Hoewel ik bang ben dat er best een verband kan zijn, dat ik nog niet helemaal begrijp.' Hij schraapte zijn keel. 'Ik heb net een bijzonder verontrustend rapport van kolonel Smith ontvangen. Weet je nog wat Hideo Nomura zei over de overtuiging van zijn vader dat de CIA een geheime oorlog tegen de Lazarusbeweging voerde?'

'Ja, dat weet ik nog,' zei Castilla. 'Als ik het me goed herinner zag Hideo het aanvankelijk als een aanduiding van Jinjiro's steeds labielere geestestoestand. En dat waren wij allebei met hem eens.'

'Dat klopt. Nou, tot mijn spijt moet ik je vertellen dat het ernaar uitziet dat Jinjiro Nomura gelijk had,' zei Klein somber. 'En dat wij het allebei mis hadden. Helemaal mis, Sam. Ik vrees dat hogere functionarissen bij de CIA en de FBI en mogelijk andere diensten inderdaad een illegale campagne van sabotage, moord en terrorisme hebben gevoerd met de bedoeling om de Beweging in diskrediet te brengen en haar te gronde te richten.'

'Dat is een nare beschuldiging, Fred,' zei Castilla kortaf. 'Een heel nare beschuldiging. Je kunt me maar beter precies vertellen wat voor bewijs je daarvoor hebt.'

De hoogste leider van het land luisterde in verbijsterd stilzwijgen toe terwijl Klein het belastende materiaal opsomde dat Jon Smith en Peter Howell hadden vergaard – zowel in New Mexico als bij het landhuis van Hal Burke. 'Waar zijn Smith en Howell nu?' vroeg Castilla toen het hoofd van Covert-One hem op de hoogte had gebracht.

'In een auto op weg terug naar Washington,' zei de andere man. 'Ze wisten te ontkomen aan de huurlingen die hen ongeveer een uur geleden vanuit een hinderlaag aanvielen. Ik heb ondersteuning en vervoer voor hen geregeld zodra Jon veilig contact met mij kon opnemen.'

'Mooi,' zei Castilla. 'Nou, hoe zit het met Burke, Pierson en hun huurlingen? We moeten hen arresteren en er een begin mee maken om deze zaak tot op de bodem uit te zoeken.'

'Wat dat betreft heb ik nog meer slecht nieuws,' zei Klein langzaam. 'Mijn mensen hebben de frequenties van de politie en de brandweer voor dat deel van Virginia afgeluisterd. De boerderij van Burke staat in brand. Op dit moment is het vuur nog niet onder controle. En de plaatselijke politie heeft niemand kunnen vinden die verantwoordelijk was voor al het geschiet waarvan zijn buren melding maakten. Ook hebben ze in de velden bij het huis geen lijken aangetroffen.'

'Ze zijn op de vlucht,' besefte Castilla.

'Iemand is op de vlucht,' beaamde het hoofd van Covert-One. 'Maar wie en waarheen staat nog te bezien.'

'Hoe ver gaat de rottigheid?' vroeg Castilla. 'Helemaal tot het niveau van David Hanson? Is mijn CIA-directeur pal onder mijn neus een clandestiene oorlog aan het voeren?'

'Ik wou dat ik daar antwoord op kon geven, Sam,' zei Klein langzaam. 'Maar dat kan ik niet. Niets van wat Smith heeft gevonden wijst erop dat hij erbij betrokken is.' Hij aarzelde. 'Ik wil wel zeggen dat ik niet geloof dat Burke en Katherine Pierson helemaal op eigen houtje zo'n operatie als TOCSIN hadden kunnen opzetten. Om te beginnen is het te duur. Als we alleen het weinige wat wij weten in beschouwing nemen, moet de rekening in de miljoenen dollars lopen. En geen van beiden was gemachtigd om geheime fondsen van die omvang op te nemen.'

'Die Burke was toch een van Hansons topmensen?' vroeg de president bars. 'Destijds toen hij de leiding had over de afdeling Operaties van de CIA?'

'Ja,' gaf Klein toe. 'Maar ik wil geen overhaaste conclusies trekken. De financiële controle bij de CIA is buitengewoon gedegen. Ik zie niet hoe iemand van binnenuit de noodzakelijke hoeveelheid overheidsgeld had kunnen verdonkeremanen – niet zonder een levensgroot spoor na te laten. Het is nog tot daar aan toe om te knoeien met de gecomputeriseerde personeelsbestanden van de CIA. Maar de accountants omzeilen is heel iets anders.'

'Nou, misschien kwam het geld ergens anders vandaan,' opperde Castilla. Hij fronste zijn wenkbrauwen. 'Je hebt gehoord wat Jinjiro Nomura verder nog geloofde – dat de Lazarusbeweging werd belaagd door grote ondernemingen en andere inlichtingendiensten dan de CIA. Misschien had hij daar ook gelijk in.'

'Mogelijk,' beaamde Klein. 'En er is nog een stukje van de puzzel waarmee we rekening moeten houden. Ik heb Burkes meest recente opdrachten even nagetrokken. Een daarvan springt erg in het oog. Voordat hij de met de Lazarusbeweging belaste speciale eenheid van de CIA overnam, had Hal Burke de leiding over een van de CIA-teams die naar Jinjiro Nomura zocht.'

'O, barst,' mompelde Castilla. 'Wij hebben goddomme zonder het te weten de kat op het spek gebonden...'

'Ik ben bang van wel,' zei Klein zachtjes. 'Maar wat ik van dit alles maar niet begrijp is het verband tussen het vrijkomen van de nanofagen in Santa Fe – en nu mogelijk in Parijs – en deze TOCSIN-operatie. Als Burke, Pierson en anderen proberen om de Lazarusbeweging te vernietigen, waarom zouden ze dan bloedbaden orkestreren waardoor die alleen maar sterker wordt? En hoe zouden ze aan een dergelijk supergeavanceerd nanotechwapen komen?'

'Wat je zegt,' beaamde de president. Hij haalde een hand door zijn verwarde haar, in een poging om het glad te strijken. 'Dit is een enorme puinzooi. En nu krijg ik te horen dat ik niet eens op de CIA of de FBI kan vertrouwen om de waarheid aan het licht te brengen. Verdomme, ik moet Hanson, zijn naaste assistenten en elke hogere functionaris in de CIA door de wringer halen voordat deze illegale oorlog tegen de Beweging uitlekt. Want uitlekken zal hij.' Hij zuchtte. 'En als het gebeurt, zal het tumult in het Congres en de media het Iran-Contraschandaal op een storm in een glas water doen lijken.'

'Je hebt nog altijd Covert-One,' bracht Klein hem in herinnering.

'Dat weet ik,' zei Castilla somber. 'En ik reken op jou en je mensen, Fred. Je moet erop uit en de antwoorden vinden die ik moet hebben.'

'Wij zullen onze best doen, Sam,' verzekerde de andere man hem. 'Onze uiterste best.'

De Chiltern Hills, Engeland

Er was weinig verkeer 's zondags vroeg op de ochtend op de M-40, de meerbaansweg die Londen en Oxford met elkaar verbond. De zilveren Jaguar van Oliver Latham racete in zuidoostelijke richting door een landschap van groene golvende krijtheuvels, kleine dorpjes met grijze stenen Normandische kerken, stukken ongerept bos en in mist gehulde dalen. Maar de pezige Engelsman met de holle wangen schonk geen aandacht aan het natuurschoon rondom hem. In plaats daarvan ging het hoofd van de Lazarus-surveillancesectie van MI6 helemaal op in het nieuws dat uit zijn autoradio kwam.

'De eerste rapporten van de Franse regering lijken inderdaad een verband te leggen tussen de sterfgevallen in La Courneuve en die bij het Amerikaanse onderzoeksinstituut in de staat New Mexico,' zei de nieuwslezer van de BBC op de kalme, beschaafde toon waarvan men zich bediende bij ernstige internationale ontwikkelingen. 'En tienduizenden bewoners van de omringende voorsteden van Parijs vluchten naar verluidt in paniek de stad uit, en zorgen daarbij voor files op de avenues en snelwegen. Eenheden van het leger en de politie worden ingezet om de evacuatie te regelen en het gezag te handhaven...'

Latham stak zijn hand uit en deed abrupt de radio uit. Tot zijn ergernis beefden zijn handen enigszins. Hij was diep in slaap geweest in zijn weekendhuisje op het platteland toen de eerste geagiteerde oproep van het hoofdkwartier van MI6 hem had bereikt. Sindsdien had hij een reeks schokken ondergaan. De eerste daarvan was dat hij geen contact kon krijgen met Hal Burke om erachter te komen wat er in godsnaam werkelijk aan de hand was in Parijs. Net op het moment dat TOCSIN volledig in de vernieling ging, was de Amerikaan volledig uit het zicht verdwenen. Vervolgens kwam de afschuwelijke ontdekking dat zijn superieur, sir Gareth Southgate, zijn eigen agent, Peter Howell, op de Lazarusbeweging had gezet zonder dat Latham het wist. Dat was al erg genoeg. Maar nu stelde het hoofd van MI6 scherpe vragen over Ian McRae en de andere freelancers die Latham soms inhuurde voor diverse missies.

De Engelsman vertrok zijn gezicht terwijl hij zijn keuzes tegen elkaar afwoog. Hoeveel wist Howell? Hoeveel had hij aan Southgate gerapporteerd? Als TOCSIN volledig was ontmaskerd, wat voor verhaal kon hij dan verzinnen om zijn relatie met Burke te verhullen?

In gedachten verzonken trapte Latham het gaspedaal van de Jaguar diep in, terwijl hij naar rechts uitweek om in een oogwenk een zware, trage vrachtwagen te passeren. Met amper een meter tussenruimte ging hij weer scherp naar links. De vrachtwagenchauffeur knipperde geïrriteerd met zijn lichten en drukte toen op zijn claxon – zodat er een luide toet over de snelweg klonk, die door de omringende heuvels werd weerkaatst.

Latham negeerde de boze signalen en concentreerde zich er in plaats daarvan op om zo snel mogelijk terug te gaan naar Londen. Als hij geluk had, kon hij zich ongeschonden uit de nesten werken. Zo niet, dan zou hij misschien een of andere deal kunnen maken – informatie verschaffen over TOCSIN in ruil voor de belofte dat hij niet vervolgd zou worden.

Plotseling ratelde en knalde de Jaguar, door elkaar geschud door een reeks kleine ontploffingen. De rechtervoorband klapte en ging aan flarden. Stukjes rubber en metaal stuiterden en rolden her en der weg over het asfalt. Een regen van vonken vloog hoog op over de motorkap en de voorruit. De auto zwenkte scherp naar rechts.

Luid vloekend omklemde Latham het stuur met beide handen, om het naar rechts te draaien in een poging de slip onder controle te krijgen. Er gebeurde niets. Dezelfde reeks kleine springladingen die de voorband van de Jaguar hadden doen klappen hadden ook de stuurinrichting verwoest. Hij schreeuwde schril, terwijl hij nog steeds vertwijfeld het nu nutteloze stuur ronddraaide.

De nu volledig stuurloze auto raasde voort over de snelweg en sloeg toen over de kop – om nog enkele honderden meters ondersteboven over het wegdek door te glijden. Ten slotte kwam de Jaguar tot stilstand in een wirwar van gescheurd metaal, glasscherven en verwrongen kunststof. Nog geen seconde later deed nog een kleine springlading de brandstof die uit de kapotte benzinetank sijpelde ontbranden en veranderde het wrak in een laaiende brandstapel.

De vrachtwagen reed langs het brandende wrak zonder te stoppen. Hij vervolgde zijn weg in zuidoostelijke richting over de M-40 in de richting van de drukke straten van Londen. In de cabine schoof de chauffeur, een man van middelbare leeftijd met hoge Slavische jukbeenderen, de afstandsbediening terug in de plunjezak aan zijn voeten. Hij leunde achterover, voldaan over de resultaten van zijn werk die ochtend. Lazarus zou tevreden zijn.

34

Washington
Luitenant-kolonel Jonathan Smith keek vanuit het raam van zijn kamer op de zevende verdieping in het Capital Hilton neer op K Street. Het was net na zonsopgang en de eerste zonnestralen begonnen de schaduwen uit de straten van Washington te verdrijven. Krantenbusjes en vrachtwagens van leveranciers denderden over de lege avenues en verbraken de stilte van een vroege zondagochtend.

Er werd op zijn deur geklopt. Hij wendde zich van het raam af en liep met enkele lange passen de kamer door. Toen hij behoedzaam door het spionnetje keek, zag hij het vertrouwde bleke gezicht van Fred Klein met zijn lange neus.

'Het is goed je te zien, kolonel,' zei het hoofd van Covert-One, toen hij eenmaal binnen was en de deur veilig achter hem was gesloten en vergrendeld. Hij keek het vertrek rond en merkte het onbeslapen bed op en de televisie die met het geluid uit stond afgestemd op een zender die alleen nieuws uitzond. Er waren livebeelden te zien van het kordon dat leger en politie rond La Courneuve hadden gelegd. Enorme hordes Parijzenaren verzamelden zich vlak achter de barricades en schreeuwden en scandeerden in een geluidloos unisono. Borden en en spandoeken gaven *'Les Américains'* en hun *'armes diaboliques'*, hun 'duivelse wapens', de schuld van de ramp die minstens twintigduizend levens had gekost volgens de meest recente schattingen.

Klein trok een wenkbrauw op. 'Nog steeds te opgewonden om te slapen?'

Smith glimlachte flauwtjes. 'Ik kan in het vliegtuig slapen, Fred.'

'O?' zei Klein kalm. 'Ben je van plan om ergens heen te gaan?'

Smith haalde zijn schouders op. 'Niet dan?'

De andere man gaf toe. Hij wierp zijn aktetas op het bed en ging op een hoek daarvan zitten. 'In feite heb je helemaal gelijk, Jon,' bekende hij. 'Ik wil dat je naar Parijs vliegt.'

'Wanneer?'

'Zo snel als ik je maar op Dulles kan krijgen,' zei Klein tegen hem. 'Rond tien uur vertrekt er een Lufthansavlucht naar Charles de Gaulle. Ik heb je tickets en reispapieren in mijn koffer.' Hij wees naar het verband om Smiths linkerarm. 'Ga je last krijgen van die steekwond?'

'Er zouden wat hechtingen in kunnen,' zei Jon terughoudend. 'En ik zou voor de zekerheid wat antibiotica moeten nemen.'

'Ik zal het regelen,' beloofde Klein. Hij keek op zijn horloge. 'Ik zal er ook voor zorgen dat een andere dokter je op het vliegveld treft voordat je vlucht vertrekt. Hij is discreet en heeft in het verleden goed werk voor ons verricht.'

'En hoe zit het met Peter Howell?' vroeg Smith. 'Ik zou zijn hulp kunnen gebruiken bij wat voor missie het ook mag zijn die je voor mij in Parijs gepland hebt.'

Klein fronste zijn voorhoofd. 'Howell zou daar op eigen gelegenheid naartoe moeten,' zei hij vastberaden. 'Ik ga niet het risico lopen dat ik Covert-One in gevaar breng door een reis te boeken voor iemand die bekendstaat als een agent van de Engelse inlichtingendienst. Bovendien moet jij de illusie handhaven dat jij voor het Pentagon werkt.'

'Dat is redelijk,' zei Smith. 'En wat is mijn dekmantel voor dit uitstapje?'

'Geen dekmantel,' zei Klein. 'Je zult reizen als jezelf, als dokter Jonathan Smith van USAMRIID. Ik heb geregeld dat je tijdelijk wordt toegewezen aan de Amerikaanse ambassade in Parijs. Met deze aanzwellende storm van politieke hysterie,' hij gebaarde met zijn hoofd naar het tv-scherm, waarop demonstranten nu enkele Amerikaanse vlaggen verbrandden, 'kan de Franse regering het zich niet veroorloven dat men haar ziet samenwerken met een van de Amerikaanse inlichtingendiensten of het Amerikaanse leger. Maar ze zijn bereid om medische en wetenschappelijke deskundigen als "waarnemers" toe te laten. Zolang ze daarbij "maximale discretie" in acht nemen. Als je in de problemen raakt, zullen de autoriteiten daar uiteraard ontkennen dat je ooit een officiële uitnodiging hebt gekregen.'

Smith snoof. 'Uiteraard.' Hij beende terug naar het raam en staarde, nog altijd rusteloos, naar beneden. Toen draaide hij zich weer om. 'Heb je iets specifieks dat ik moet uitzoeken als ik er eenmaal ben? Of moet ik gewoon wat rondsnuffelen en kijken wat dat oplevert?'

'Iets specifieks,' zei Klein zachtjes. Hij stak zijn hand uit en trok een manilla map uit zijn aktetas. 'Kijk hier eens naar.'

Smith sloeg de map open. Die bevatte slecht twee velletjes – allebei kopieën van een TOPGEHEIM telegram van de Parijse afdeling van de CIA naar het hoofdkwartier in Langley. Ze waren allebei binnen de afgelopen tien uur verstuurd. Het eerste maakte melding van een reeks verbijsterende observaties door een surveillanceteam dat een terreurverdachte in La Courneuve schaduwde. Smith voelde dat zijn nekharen overeind gingen staan toen hij de beschrijving las van de 'doosjes met sensoren' die her en der in die wijk aan lantaarnpalen waren bevestigd. Het tweede telegram meldde de gemaakte vorderingen met het natrekken van de nummerborden van de auto's waarin de betrokkenen reden. Hij keek Klein verbluft aan. 'Jezus! Dit materiaal is bloedlink. Wat doen ze eraan in Langley?'

'Niets.'

Smith was verbijsterd. 'Niets?'

'De CIA,' legde Klein geduldig uit, 'heeft het op dit moment te druk met een zelfonderzoek naar grove ambtsmisdrijven, moord, het witwassen van geld, sabotage en terrorisme. Dat geldt trouwens ook voor de FBI.'

'Vanwege Burke en Pierson,' besefte Smith.

'En mogelijk anderen,' beaamde Klein. 'Er zijn aanwijzingen dat minstens één hogere functionaris bij MI6 wellicht ook bij TOCSIN betrokken is. Het hoofd van hun Lazarus-surveillancesectie is een paar uur geleden omgekomen bij een ongeval waarbij één auto was betrokken... een ongeval dat de plaatselijke politie nu al verdacht noemt.' Hij keek naar zijn vingertoppen. 'Ik moet je ook vertellen dat de politie zowel Hal Burke als Kit Pierson heeft gevonden.'

'En die zijn ook dood, neem ik aan,' zei Smith grimmig.

Klein knikte. 'Hun lijken werden ontdekt in de verkoolde resten van Burkes boerderij. Het forensische vooronderzoek lijkt erop te wijzen dat ze elkaar hebben doodgeschoten voordat het vuur zich verspreidde.' Hij snoof. 'Eerlijk gezegd vind ik dat een al te mooi verhaal. Ergens speelt iemand een heleboel vuile spelletjes met ons.'

'Geweldig.'

'Het is een rotsituatie, Jon,' beaamde het hoofd van Covert-One somber. 'Door de instorting van deze illegale operatie zijn drie van de beste inlichtingendiensten ter wereld lamgelegd – juist op het moment dat er de meeste behoefte is aan hun inzet en expertise.' Hij tastte in de zak van zijn jasje naar zijn pijp en zijn tabakszak, zag het 'niet-roken'-bordje dat duidelijk zichtbaar aan de deur was opgehangen, en stopte ze toen met een verstrooide frons weer terug. 'Wonderlijk, hè?'

Smith floot zachtjes. 'Jij denkt dat dat van meet af aan de opzet was, niet dan? Door degene, wie het ook mag zijn, die werkelijk verantwoordelijk is voor deze massale aanslagen met nanofagen.'

Klein haalde zijn schouders op. 'Misschien. Zo niet, dan is het allemaal wel verdomd toevallig.'

'Zelf geloof ik niet zo in toeval,' zei Smith dof.

'Ik ook niet.' Het lange, magere hoofd van Covert-One stond op. 'Wat betekent dat we hier te maken hebben met een heel gevaarlijke tegenstander, Jon. Die over enorme middelen beschikt en de meedogenloosheid om elk beetje macht dat hij heeft ten volle uit te buiten. Erger nog,' zei hij zachtjes, 'dit is een vijand wiens identiteit ons nog steeds volslagen onbekend is. Wat betekent dat we er niet achter kunnen komen wat zijn plannen zijn – of hoe we ons daartegen moeten verdedigen.'

Smith knikte, erg beklemd door Kleins waarschuwing. Hij liep weer naar het raam, om weer naar de stille straten van 's lands hoofdstad te staren. Wat was het werkelijke doel achter het loslaten van de nanofagen in zowel Santa Fe als Parijs? Zeker, bij beide aanslagen waren duizenden onschuldige burgers omgekomen, maar er waren makkelijker – en goedkopere – manieren om op die schaal massamoord te plegen. De nanoinstrumenten die op die twee plaatsen waren gebruikt wezen op een ongelooflijk hoog niveau aan biotechniek en productietechnologie. Het had tientallen miljoenen dollar – misschien zelfs wel honderden miljoenen – moeten kosten om die te ontwikkelen.

Hij schudde zijn hoofd. Wat er allemaal gebeurde leek nergens op te slaan, op het eerste gezicht althans. Voor terroristische groeperingen met zoveel geld zou het veel veiliger en makkelijker zijn om kernwapens, gifgas of bestaande biologische wapens op de zwarte wereldmarkt te kopen. Ook zou het voor gewone terroristen niet eenvoudig zijn om toegang te krijgen tot het soort hypermoderne labapparatuur en ruimtes dat nodig was voor de productie van die dodelijke nanofagen.

Smith rechtte zijn rug. Opeens was hij ervan overtuigd dat deze onzichtbare vijand een veel dieper en duisterder doel voor ogen had, waar hij snel en precies op afging. De bloedbaden in New Mexico en Frankrijk waren slechts het begin, dacht hij koud, slechts een voorproefje van daden die nog duivelser en destructiever waren.

35

Productiefaciliteit voor nanofagen, in het Centrum

Over een groot beeldscherm gleed langzaam een eindeloze reeks cijfers en grafieken, die door een satellietverbinding vanuit Parijs werd doorgegeven. In het verduisterde vertrek werd de stroom van cijfers en grafieken mysterieus weerspiegeld in de dikke veiligheidsbrillen van twee moleculair wetenschappers. Deze mannen, de hoofdontwerpers van het nanofagenontwikkelingsprogramma, bestudeerden alle nieuwe gegevens zodra die binnenkwamen.

'Het is duidelijk dat het verspreiden van de nanofagen vanuit de lucht buitengewoon effectief was,' zei de oudste van de twee. 'De verbeterde sensorsystemen in onze besturingsnanofagen leverden ook optimale resultaten op. Evenals trouwens ons nieuwe zelfvernietigingsmechanisme.'

Zijn ondergeschikte knikte. Praktisch gezien waren de resterende technische problemen van hun eerste nanofagen allemaal opgelost. Hun Fase Drie-instrumenten hadden geen specifieke verzamelingen precies gedefinieerde biologische kenmerken nodig om hun doelwitten te vinden. Met één kleine stap was hun mortaliteit gestegen van slechts ongeveer een derde van degenen die besmet waren tot bijna iedereen die zich in de nanofagenwolk bevond. Bovendien hadden de verbeterde chemische ladingen in elke schil hun effectiviteit bewezen door allen die erdoor aangetast werden bijna volledig te verteren. De bleke, glimmende stukjes bot die op de trottoirs van La Courneuve waren achtergebleven, waren heel iets anders dan de opgezwollen half verteerde lijken waarmee Kusasa was bezaaid of het akelige bloederige slijm op het terrein bij het Teller Instituut.

'Mijn aanbeveling is dat we de wapens volledig operationeel verklaren en ze meteen volledig in productie nemen,' zei de jongere man vol zelfvertrouwen. 'Eventuele verdere wijzigingen in het ontwerp naar aanleiding van nieuwe gegevens kunnen later worden uitgevoerd.'

'Mee eens,' zei de hoofdwetenschapper. 'Lazarus zal tevreden zijn.'

Buiten het Centrum
Geflankeerd door twee bodyguards in burgerkleding stapte Jinjiro Nomura voor het eerst in bijna een jaar de openlucht in. Even stond de kleine, oudere Japanse man als aan de grond genageld. Hij knipperde met zijn ogen, korte tijd verblind door de zon die hoog aan de hemel stond. Een koele zeewind speelde door de dunne plukjes wit haar op zijn hoofd.

'Alstublieft, meneer,' prevelde een van de bewakers beleefd, terwijl hij hem een zonnebril aanbood, 'ze zijn nu klaar voor ons. Het eerste *Thanatos*-prototype zal zo dadelijk landen.'

Jinjiro Nomura knikte kalm. Hij nam de zonnebril aan en zette hem op.

Achter hem gleed de zware deur dicht, waardoor de hoofdgang weer werd afgesloten die naar de woonverblijven, het controlecentrum en de administratie van het Centrum leidde, en uiteindelijk naar de productiefaciliteit voor de nanofagen die diep in het kolossale gebouw verscholen lag. Van buitenaf en vanuit de lucht leek het hele complex niet meer dan een betonnen magazijn met een metalen dak – dat in wezen niets verschilde van de duizenden andere goedkope industriële opslagplaatsen die her en der over de aardbol verspreid lagen. De ingewikkelde systemen voor de opslag en het transport van chemische stoffen, de luchtsluizen, de concentrische lagen van steeds strenger 'steriel' gehouden ruimtes en de complexe netwerken van met elkaar verbonden supercomputers werden volledig gecamoufleerd door die onooglijke, roestige, verweerde buitenkant.

In het door zijn bewakers gedicteerde tempo stapte Nomura over een grindpad naar de rand van een platform, dat deel uitmaakte van een ontzettend lange betonnen landingsbaan die zich kilometers naar het noorden en zuiden uitstrekte. Aan weerskanten waren grote hangars en tanks met vliegtuigbrandstof te zien, en ook enkele geparkeerde vracht- en passagiersvliegtuigen. Het vliegveld en de bijbehorende gebouwen werden omgeven door een hoog metalen hek, met daar bovenop rollen scheermesdraad. De westelijke horizon was een ononderbroken panorama van deinende golven, die overal schuimend tegen de kust sloegen. Naar het oosten liepen vlakke groene velden, bezaaid met grazende schapen en vee, kilometers ver door, oplopend naar een met bomen bedekte bergtop in de verte.

Hij bleef staan bij een klein groepje ingenieurs en wetenschappers, die allemaal vol verwachting de noordelijke horizon afspeurden.

'Nog heel even,' zei een van hen tegen de anderen, terwijl hij op zijn horloge keek. Hij draaide zijn hoofd om, om naar de stand van de zon te kijken met zijn ogen samengeknepen tegen het felle licht. 'Het zonne-energiesysteem van het vliegtuig functioneert perfect. En de brandstofcellen zijn op stand-by overgegaan.'

'Daar is het!' zei een ander opgewonden, terwijl hij naar het noorden wees. Daar verscheen opeens een dunne donkere streep, aanvankelijk amper zichtbaar tegen de helderblauwe hemel, die gestaag groter werd terwijl hij langzaam in de richting van de landingsbaan daalde.

Jinjiro Nomura keek gespannen toe toen het vreemde vliegtuig naderde, dat van zijn ontwerpers de codenaam *Thanatos* had gekregen. Het was een enorme vliegende vleugel, zonder romp of staart maar met een grotere spanwijdte dan een Boeing 747. Veertien kleine dubbelbladige propellers die over de hele lengte van de vleugel waren aangebracht zoemden bijna geluidloos, en trokken hem met minder dan vijftig kilometer per uur door de lucht. Toen de vleugel een lichte zwenking maakte, om parallel te komen aan de landingsbaan, schitterden de zestigduizend zonnecellen die op het flinterdunne bovenlaagje waren aangebracht fel in het zonlicht.

Voetstappen knerpten zachtjes over het teermacadam achter hem. Nomura bleef roerloos staan, terwijl hij toekeek hoe het enorme vliegtuig nog lager aan kwam zweven voor zijn landing. Voor het eerst kregen de technische specificaties en tekeningen die hij bestudeerd had een vaste vorm.

Thanatos was geënt op prototypes die voor het eerst door de NASA werden gevlogen en was een ultralichte vliegende vleugel van radarabsorberende materialen – koolstofvezel, grafietepoxy, kevlar en nomex deklagen en geavanceerde kunststoffen. Zelfs met een volle lading woog hij minder dan tweeduizend pond. Maar hij kon hoogtes van bijna dertig kilometer bereiken en weken en maanden achterelkaar op eigen kracht in de lucht blijven en hele continenten en oceanen bestrijken. Vijf aërodynamische gondels onder de vleugel bevatten de vluchtcomputers, instrumenten om gegevens te verwerken, cellen met reservebrandstof voor nachtelijke vluchten en bevestigingspunten voor de diverse cilinders met zijn sinistere vracht.

De NASA had haar testvleugel *Helios* genoemd, naar de oude Griekse zonnegod. Het was een toepasselijke naam voor een vliegtuig dat bedoeld was om op zonne-energie door de hoogste luchtlagen te vliegen. Jinjiro fronste zijn wenkbrauwen. Zo was ook *Thanatos*, de Griekse personificatie van de dood, een perfecte benaming gezien het gebruik waarvoor deze vliegende vleugel was bestemd.

'Mooi, hè?' zei een maar al te bekende stem zachtjes in zijn oor. 'Zo groot. En toch, zo teer... zo sierlijk... zo vederlicht. U moet toch zien dat *Thanatos* eerder een wolkje is dat door de adem der goden wordt voortgeblazen dan een schepping van de brute mens.'

Jinjiro knikte ernstig. 'Dat is waar. Op zich is dit inderdaad een prachtig ding.' Hij draaide zich grimmig om, zodat hij de man naast hem kon aankijken. 'Maar jouw kwade plannen perverteren het, zoals alles wat jij aanraakt... Lazarus.'

'U eert me met die naam... vader,' zei Hideo Nomura met een strakke glimlach. 'Alles wat ik heb gedaan, heb ik gedaan om onze gemeenschappelijke doelen, onze gedeelde dromen te verwezenlijken.'

De oudere man schudde krachtig het hoofd. 'Onze doelen zijn niet dezelfde. Mijn vrienden en ik wilden de aarde herstellen en verlossen – om deze geteisterde wereld te behoeden voor de gevaren van de ongebreidelde wetenschap. Onder onze leiding was de Beweging het leven toegewijd, en niet de dood.'

'Maar u en uw kameraden hebben één fundamentele fout gemaakt, vader,' zei Hideo zachtjes tegen hem. 'U heeft zich vergist in de aard van de crisis waarmee onze wereld wordt geconfronteerd. Wetenschap en technologie vormen geen bedreiging voor het voortbestaan van de aarde. Het zijn slechts instrumenten, middelen tot een noodzakelijk doel. Instrumenten voor mensen zoals ik, die de moed en de visie hebben om ze ten volle te gebruiken.'

'Als massavernietigingswapens!' beet Jinjiro hem toe. 'Ondanks al je nobele woorden ben je niets meer dan een moordenaar.'

Hideo reageerde onbewogen. 'Ik zal doen wat gedaan moet worden, vader. In zijn huidige staat is het menselijk ras zelf de vijand – de ware bedreiging voor de wereld die wij allebei liefhebben.' Hij haalde zijn schouders op. 'In je hart weet je dat ik gelijk heb. Stel je voor: zeven miljard gulzige, inhalige, gewelddadige dieren die over deze ene kleine, kwetsbare planeet rondzwerven. Zij zijn een even groot gevaar voor de aarde als een ongeremd kankergezwel voor het lichaam zou zijn. Zo'n zware last kan de wereld niet aan. Daarom moet zoals elke muterende vorm van kanker het ergste deel van de mensheid geëlimineerd worden – ongeacht hoe pijnlijk en onaangenaam die taak zal zijn.'

'Door gebruik te maken van jouw duivelse wapen, die nanofagen,' zei zijn vader scherp.

De jongere Nomura knikte. 'Stel je voor hoe *Thanatos* en tientallen van zijn soortgenoten hoog boven het aardoppervlak zweven – stil en haast volledig onzichtbaar voor radar. Daaruit zal een zachte regen neerdalen, druppels die zo klein zijn dat zij evenmin opgemerkt zullen worden... althans niet tot het veel te laat is.'

'Waar?' vroeg Jinjiro met een asgrauw gezicht.

Hideo liet zijn tanden zien. 'Het eerst zullen *Thanatos* en zijn aanverwanten naar Amerika vliegen, een land dat zielloos, machtig en corrupt is. Dat moet vernietigd worden om ruimte te scheppen voor de nieuwe wereldorde. Europa, eveneens een materialistische besmettingshaard, zal volgen. Dan zullen mijn nanofagen Afrika en het Midden-Oosten zuiveren, die beerputten van terreur, ziektes, honger, wreedheid en religieus fanatisme. Ook China, gezwollen en te vol van zijn vroegere macht, moet vernederd worden.'

'En hoeveel mensen zullen er sterven voordat jij klaar bent?' fluisterde zijn vader.

Hideo haalde zijn schouders op. 'Vijf miljard? Zes miljard?' opperde hij. 'Wie kan het precies zeggen? Maar diegenen die het overleven zullen spoedig de waarde inzien van het geschenk dat ze hebben gekregen: een wereld waarin het evenwicht is hersteld. Een wereld waarvan de hulpbronnen en de infrastructuur intact zijn gebleven, onaangetast door de waanzin van oorlog of tomeloze hebzucht.'

Een lang ogenblik kon de oudere man slechts vol afschuw staren naar zijn zoon, de man die nu Lazarus was. 'Je beschaamt me,' zei hij ten slotte. 'En je beschaamt onze voorouders.' Hij wendde zich tot zijn bewakers. 'Breng me terug naar mijn cel,' zei hij zachtjes. 'Alleen al de aanwezigheid van dit monster in menselijke vorm maakt me ziek.'

Hideo Nomura knikte kort naar de twee mannen met hun uitdrukkingsloze gezichten. 'Doe wat de oude dwaas vraagt,' zei hij ijzig. Toen ging hij een stap achteruit en bleef zwijgend staan kijken hoe zijn vader wegliep naar zijn hernieuwde gevangenschap.

Zijn ogen waren halfdicht. Zoals zo vaak tevoren had Jinjiro hem teleurgesteld – hem zelfs verraden – met de oppervlakkigheid van zijn gedachten en met zijn gebrek aan moed. Zelfs nu was zijn vader te blind om de prestaties van zijn enige zoon te bewonderen. Of misschien, dacht Hideo, koesterde zijn vader een oude en bittere wrok uit zijn vervlogen kindertijd en was hij domweg te jaloers of te ongevoelig om hem de lof te doen toekomen die hij verdiende.

En hij was ervan overtuigd dát hij lof verdiende.

Jarenlang had het jongere hoofd van Nomura PharmaTech bijna dag en nacht gewerkt om zijn visie van een schonere, legere en vreedzamere wereld te realiseren. Eerst had zorgvuldige planning het mogelijk gemaakt om dit verborgen nanotechnologielab te bouwen, te bemannen en te financieren zonder de onwelkome aandacht te trekken van zijn aandeelhouders of van wie dan ook. Geen van zijn vele concurrenten had ooit vermoed dat Nomura, schijnbaar achterop in de wedloop voor toepassingen van nanotechnologie, in feite maanden of jaren op hen voorlag.

Vervolgens kwam de netelige taak om de Lazarusbeweging te ondermijnen en de ongedisciplineerde organisatie langzaam en onweerstaanbaar naar zijn onzichtbare wil te schikken. Leiders van de beweging die zich tegen hem verzetten waren terzijde geschoven of gedood, doorgaans door een van de Horatiërs, het moordenaarstrio waarvan hij de schepping en training had gefinancierd. Het beste was dat elk onverklaard sterfgeval had gefungeerd als een prikkel tot verdere radicalisering bij de overlevenden.

Het was relatief kinderspel geweest om de verdwijning van zijn eigen vader te regelen, de laatste van de oorspronkelijke negen Lazarusleden. Toen dat eenmaal was volbracht, was Hideo vrij geweest om heimelijk alle teugels van de bange Beweging in zijn eigen handen te nemen. Maar het mooiste was dat de door de CIA geleide zoektocht naar Jinjiro hem in contact had gebracht met Hal Burke. En daarmee was het laatste stukje van Hideo's plan opeens op zijn plek gevallen.

Hideo lachte kil en zachtjes, terwijl hij terugdacht aan het gemak waarmee hij de CIA-agent had beetgenomen en, via hem, anderen bij de Amerikaanse en Engelse inlichtingendiensten – door in te spelen op hun paranoïde angst voor terrorisme. Door hun steeds meer bezwarende informatie over de Beweging te verschaffen, had hij Burke en zijn collega's zo gemanipuleerd dat ze hun dwaze en illegale oorlog begonnen. Vanaf die dag ging alles zoals hij en hij alleen het wilde.

De resultaten spraken voor zich. De wereldbevolking was steeds banger en zocht naar zondebokken. Zijn concurrenten zoals Harcourt Biosciences waren hulpeloos, bedolven onder een lawine van nieuwe overheidsrestricties op hun onderzoek. De Lazarusbeweging werd sterker en gewelddadiger. En nu waren de Amerikaanse en Engelse inlichtingendiensten hulpeloos door schandalen en slopende verdenkingen. Tegen de tijd dat de eerste moordende regen van nanofagen op Washington, New York, Chicago en Los Angeles neer zou dalen, zou niemand de vreselijke waarheid kunnen achterhalen.

Hideo Nomura glimlachte in zichzelf. Hoe kon je uiteindelijk het spel beter winnen, dacht hij meedogenloos, dan door beide partijen tegen elkaar uit te spelen?

36

Toespraak van Lazarus

De nieuwe digitale video van Lazarus die door de Beweging werd vrijgegeven, herhaalde het patroon van zijn eerste wereldwijde uitzending na het bloedbad bij het Teller Instituut. Ontraceerbaar beeldmateriaal arriveerde tegelijkertijd bij tv-studio's over de hele wereld, telkens met een ander digitaal geconstrueerd beeld van Lazarus, dat een bepaald publiek moest aanspreken.

'Het is niet meer mogelijk om ons aan de waarheid te onttrekken,' zei Lazarus bedroefd. 'De gruwelen waarvan wij getuige zijn geweest bewijzen dat er een nieuw wapen op de mensheid is losgelaten – een wapen dat het product is van een wrede en tegennatuurlijke wetenschap. De mensheid staat op een tweesprong. Aan het eind van de ene weg, de weg die door onze Beweging wordt aangegeven, ligt een wereld van rust en vrede. Aan het eind van de andere weg, die is uitgestippeld door hebzuchtige mensen met een obsessie voor macht en winst, ligt een wereld die te gronde gaat aan oorlog en volkerenmoord – een wereld van bloedbaden en rampen.'

De Lazarusfiguur staarde recht in de camera. 'Wij moeten kiezen welke van deze twee toekomsten wij willen omarmen,' zei hij. 'De rampzalige ontwikkelingen in nanotechnologie, genetische manipulatie en kloontechniek moeten opgegeven of verboden worden voordat zij ons allemaal te gronde richten. De Beweging roept alle regeringen dan ook op – vooral die in de zogenaamde beschaafde landen van het Westen en met name de Verenigde Staten – om onmiddellijk het onderzoek naar en de ontwikkeling en het gebruik van deze sinistere, levensvernietigende technologieën te verwerpen.'

Het gezicht van Lazarus werd streng. 'Als een regering geen gehoor geeft aan deze eis, zullen wij de zaken zelf in de hand nemen. Wij moeten iets doen. Wij moeten onszelf redden, onze familie, ons ras en de aarde die ons allen lief is. Dit is een strijd om de toekomst van de mensheid en er is geen tijd voor verder dralen, geen ruimte meer voor neutraliteit. In dit conflict zal iedereen die zich niet bij ons aansluit onze tegenstander zijn. Laat wie wijs is acht slaan op deze waarschuwing!'

Berlijn

Duizenden demonstranten stroomden Berlijns grote centrale boulevard, Unter den Linden, op. Met elke minuut die verstreek werden het er meer. Massa's rood-groene vaandels van de Lazarusbeweging wapperden voor aan de scanderende menigte toen die van de met een strijdwagen bekroonde Brandenburger Tor oostwaarts trok. Achter hen kwam een steeds grotere verzameling andere vlaggen, spandoeken en plakkaten. De Groenen en Duitslands andere belangrijke ecologische groeperingen en antiglobaliseringsgroepen sloten zich bij de Beweging aan in een groots machtsvertoon.

Hun leuzen galmden schril van de stenen gevels van de enorme openbare gebouwen langs de brede allee. 'NEE TEGEN NANOTECH! STOP DE WAANZIN! BREEK DE AMERIKAANSE OORLOGSMACHINE! LAAT LAZARUS LEIDEN!'

De CNN-ploeg die de demonstratie versloeg, trok zich terug op de steile trap van de Staatsopera, een nog steeds elegant negentiende-eeuws gebouw met een façade van zware zuilen, zowel om een beter overzicht te krijgen als om beschutting tegen de boze menigte te vinden. De verslaggeefster, een slanke, knappe brunette van voor in de dertig, moest in de microfoon schreeuwen om zich verstaanbaar te maken boven het rumoer dat zich door de straten van de Duitse hoofdstad verspreidde. 'Deze demonstratie lijkt de autoriteiten hier bijna volledig verrast te hebben, John! Wat twee uur geleden begon als slechts een klein groepje demonstranten geïnspireerd door de meest recente Lazarusvideo is nu een van de grootste politieke bijeenkomsten sinds de val van de Muur geworden! En nu schijnen zich in steden over de hele wereld soortgelijke massademonstraties tegen nanotechnologie en het Amerikaanse beleid te ontwikkelen – in Rome, Madrid, Tokio, Caïro, Rio de Janeiro, San Francisco en vele andere.'

Ze keek uit over de zee van vlaggen en borden die langs het operagebouw stroomde. 'Tot dusver is de menigte hier in Berlijn betrekkelijk vreedzaam gebleven, maar in officiële kringen wordt gevreesd dat anarchisten zich elk moment kunnen afscheiden om winkels en kantoorgebouwen van diverse Amerikaanse ondernemingen te vernielen – ondernemingen die volgens de Lazarusbeweging "deel uitmaken van de doodsmachinecultuur". Als er zich nieuwe ontwikkelingen voordoen, zullen wij ter plekke zijn om u daar live verslag van te doen!'

Bij Kaapstad, Zuid-Afrika
Vijfentwintig kilometer ten zuiden van Kaapstad stegen dichte wolken zwarte rook hoog op boven het Capricorn Bedrijfs- en Technologiepark, die de rossige avondhemel bezoedelden. Binnen de hightech industrie- en onderzoeksfaciliteit stond bijna een dozijn ooit glimmende gebouwen in brand. Duizenden relschoppers zwermden over de ringweg rond een centraal meer, om ramen in te slaan, auto's omver te gooien en overal waar ze maar konden nieuwe branden te stichten. Eerst had de woeste menigte zich op Amerikaanse biotechlabs geconcentreerd, maar nu trok zij, bevangen door hysterie en razernij, van leer tegen alle wetenschappelijk georiënteerde bedrijven en ondernemingen die zij tegenkwamen – waarbij zij volledig door het dolle heen onroerend goed en apparatuur verwoestte ter waarde van tientallen miljoenen dollars.

De politie, die zwaar in de minderheid was en geen zin had om de schreeuwende menigte met dodelijk geweld te lijf te gaan, had zich uit Capricorn teruggetrokken en vormde nu een kordon op flinke afstand van het complex – in de hoop althans te voorkomen dat de vernielingen zich naar de omringende buitenwijken verspreidden. Meer rookwolken stegen op van het verwoeste technologiepark toen de aanwakkerende wind nieuwe branden in de geplunderde gebouwen deed ontstaan.

CBS-Speciaal nieuwsbulletin: 'Amerika's geheime oorlog'
Televisiekijkers die overdag in Amerika de tv aandeden om naar hun favoriete spelprogramma's of soapopera's te kijken, ontdekten dat er in plaats daarvan non-stop nieuwsbulletins werden uitgezonden terwijl de grote omroepen en kabelzenders hun uiterste best deden om bij te houden wat er over de hele wereld gebeurde.

Toen het geweld zich door landen op vijf werelddelen verspreidde, kon zelfs de doorgewinterde nieuwslezer van CBS zijn toenemende opwinding niet bedwingen. 'Hou je vast, mensen,' zei hij, in een lijmerig, zuidelijk accent dat steeds sterker werd. 'Want deze dolle kermis wordt nog doller. Met de bewering dat de CIA en de FBI, met hulp van de Engelsen, een geheime moord- en sabotagecampagne hebben gevoerd tegen de Lazarusbeweging, heeft de Franse televisie zojuist een onthulling gedaan die als een bom is ingeslagen. Verslaggevers in Parijs zeggen dat zij kunnen bewijzen dat voormalige Amerikaanse en Engelse commando's en spionnen verantwoordelijk zijn voor de dood van Lazarusleiders en activisten over de hele wereld, waaronder ook hier in de Verenigde Staten. Zij beweren tevens dat deze aanslagen alleen in "de allerhoogste regionen van de Amerikaanse en Engelse regering" gemachtigd hadden kunnen worden.'

De nieuwslezer keek op en sprak met een ernstige gezichtsuitdrukking rechtstreeks in de camera. 'Toen onze verslaggevers functionarissen in Washington en Londen om commentaar vroegen, werden ze met een forse kluit in het riet gestuurd. Iedereen, van de president en de premier tot de laagste ambtenaar, weigert om ook maar iets wezenlijks tegen de pers te zeggen. Niemand weet of dat niet meer dan de gebruikelijke tegenzin is om commentaar te leveren op operaties van inlichtingendiensten en strafrechtelijke onderzoeken of dat het is omdat er achter al deze rook ook vuur is. Maar één ding is zeker. De woedende mensen die overal ter wereld al die Amerikaanse vlaggen verbranden en al die Amerikaanse bedrijven vernielen zullen niet op het antwoord wachten.'

De Situation Room van het Witte Huis

'Luister heel goed, meneer Hanson. Ik wil geen geleuter, gedraai of bureaucratisch abracadabra meer horen. Ik wil de waarheid, en wel nu!' gromde president Sam Castilla. Hij keek boos over de lange tafel naar zijn ongebruikelijk stille CIA-directeur.

David Hanson zag er doorgaans onder zelfs de meest benarde omstandigheden keurig netjes uit, maar leek nu wel een wrak. Hij had diepe schaduwen onder zijn ogen en zijn gekreukte pak zag eruit alsof hij erin had geslapen. Hij hield een pen stevig tussen de vingers van zijn rechterhand geklemd in een vergeefse poging om te verbergen dat zijn handen een beetje beefden. 'Het weinige wat wij weten heb ik u verteld, meneer de president,' zei hij vermoeid. 'Wij spitten zo diep we kunnen in onze dossiers, maar tot dusver hebben we niets gevonden wat ook maar in de verste verte verband houdt met deze zogenaamde TOCSIN-operatie. Als Hal Burke bij iets illegaals betrokken was, ben ik ervan overtuigd dat hij dat op eigen houtje deed – zonder goedkeuring of hulp van iemand anders binnen de CIA.'

Emily Powell-Hill boog zich voorover in haar stoel. 'Hoe dom denk je dat de mensen zijn, David?' vroeg de nationale veiligheidsadviseur bitter. 'Denk jij dat iemand zal geloven dat Burke en Pierson een geheime operatie van vele miljoenen dollars uit hun eigen zak betaalden – louter van hun spaarcentjes en hun overheidsinkomen?'

'Ik begrijp de problemen!' beet Hanson haar getergd toe. 'Maar mijn mensen en ik werken hieraan zo hard en zo snel als we kunnen. Op dit moment is mijn beveiligingspersoneel alle rapporten en verslagen van elke operatie waarbij Burke ooit betrokken was aan het uitkammen. Bovendien zijn we bezig met leugendetectortests voor elke agent en analist in Burkes sectie voor de Lazarusbeweging. Als er nog iemand binnen de CIA bij betrokken was, zullen we die te pakken krijgen, maar het zal wat tijd kosten.'

Hij fronste zijn voorhoofd. 'Ik heb ook orders gestuurd aan elke CIA-post over de hele wereld dat elke operatie met betrekking tot de Beweging onmiddellijk stopgezet moet worden. Er zou nu geen enkel surveillanceteam van de CIA meer moeten zijn binnen gehoorsafstand van enig Lazarusgebouw of -medewerker.'

'Dat is niet goed genoeg,' zei Powell-Hill tegen hem. 'We worden hierover afgemaakt – zowel thuis als overzee.'

Rondom de vergadertafel in de Situation Room werd grimmig geknikt. De nieuwsberichten van een clandestiene operatie tegen de Lazarusbeweging volgden direct op het nanofagenbloedbad in La Courneuve en waren perfect getimed om de Amerikaanse geloofwaardigheid allerwege maximaal te ondermijnen. Ze waren op het wereldtoneel aangekomen als een lucifer die in een ruimte vol lekkende olievaten was gegooid. En de Beweging bevond zich in een perfecte positie om te profiteren van de resulterende uitbarsting van woede en verontwaardiging. Wat voor de meeste regeringen en ondernemingen een vrij onbeduidende ergernis was geweest, ontwikkelde zich in hoog tempo tot een belangrijke kracht in de wereldpolitiek. Steeds meer landen sloten zich aan bij de eisen van de Beweging voor een onmiddellijk verbod op al het nanotechnologisch onderzoek.

'En nu wordt elke gek die beweert dat wij een of ander op nanotech gebaseerd massavernietigingswapen uittesten met respect behandeld door de internationale media – de BBC, de andere Europese zenders, al-Jazeera en de rest,' vervolgde de nationale veiligheidsadviseur. 'De Fransen hebben hun ambassadeur al teruggeroepen, zogenaamd voor overleg. Veel andere landen zullen in een ijltempo hetzelfde doen. Hoe langer dit zich voortsleept, hoe meer onze bondgenootschappen en ons vermogen om de gebeurtenissen te sturen daaronder zullen lijden.'

Castilla knikte kort. Het telefoontje dat hij van de Franse president had ontvangen was doorspekt met akelige beschuldigingen en nauwverholen verachting.

'In het Congres zitten we bijna net zo in de problemen,' voegde

Charles Ouray daaraan toe. De stafchef van het Witte Huis zuchtte. 'Nagenoeg alle congresleden en senatoren die schreeuwden dat we de Lazarusbeweging moesten aanpakken zijn nu volledig omgeslagen. Nu struikelen ze over elkaar om een soort onderzoekscommissie in Watergatestijl in het leven te roepen. De meer vermetele kopstukken hebben het al over een mogelijk *impeachment* en zelfs onze gebruikelijke vrienden houden zich op de vlakte terwijl ze wachten om te kijken hoe de politieke wind gaat waaien.'

Castilla vertrok zijn gezicht. Al te veel van de mannen en vrouwen die in het Congres zaten, waren uit gewoonte, overtuiging en ervaring politieke opportunisten. Als een president populair was, gingen ze op zijn lip zitten, in de hoop dat ze daarmee ook in de schijnwerpers zouden komen. Maar bij het eerste teken van problemen of zwakte wilden ze zich maar al te graag aansluiten bij de horde die om zijn bloed brulde.

Het Witte Huis

Estelle Pike, reeds lange tijd de persoonlijke secretaresse van de president, deed de deur naar de Oval Office open. 'Meneer Klein is hier, meneer,' zei ze kregelig. 'Hij heeft geen afspraak, maar hij beweert dat u hem toch wel zult willen zien.'

Castilla wendde zich van de ramen af. Zijn gezicht was doorgroefd en vermoeid. Hij leek de afgelopen vierentwintig uur tien jaar ouder te zijn geworden. 'Hij is hier omdat ik hem daarom gevraagd heb, Estelle. Laat hem binnen, als je wilt.'

Ze snoof, het er duidelijk niet mee eens, maar gehoorzaamde toen toch.

Met een gemompeld 'dank je' waar ze niet op inging liep Klein langs haar. Hij bleef staan wachten tot de deur achter hem dichtging. Toen haalde hij zijn schouders op. 'Ik geloof niet dat die mevrouw Pike van jou mij erg mag, Sam.'

De president glimlachte geforceerd. 'Estelle is niet bepaald een hartelijk, aaibaar, mensvriendelijk iemand. Iedereen die haar dagindeling in de war schopt krijgt dezelfde behandeling. Het is helemaal niet persoonlijk.'

'Wat een opluchting,' zei Klein droogjes. Hij keek aandachtig naar zijn oude vriend. 'Afgaande op je gekwelde uitdrukking neem ik aan dat de bespreking met de Nationale Veiligheidsraad niet goed is verlopen?'

Castilla snoof. Dat is bijna net zo iets als mevrouw Lincoln vragen of ze het een leuk toneelstuk vond.'

'Zo erg?'

De president knikte somber. 'Zo erg.' Hij gebaarde dat Klein in een van de twee stoelen moest gaan zitten die voor de grote tafel stonden die hij als bureau gebruikte. 'Het hogere echelon binnen de CIA, FBI, NSA en de andere inlichtingendiensten hebben het godverdomme te druk met het afschuiven van de schuld van dat TOCSIN-fiasco. Niemand weet tot op welk niveau de samenzwering ging, dus niemand weet in hoeverre hij van anderen op aan kan. Ze draaien allemaal behoedzaam om elkaar heen, terwijl ze wachten om te kijken wie het voor zijn kiezen krijgt.'

Klein knikte zwijgend. Dat verbaasde hem niet in het minst. Zelfs in het gunstigste geval waren slopende territoriale oorlogen de gewoonste zaak van de wereld binnen de Amerikaanse inlichtingengemeenschap. Hun langdurige vetes en onderlinge conflicten waren een van de belangrijkste redenen waarom Castilla hem überhaupt had gevraagd om Covert-One op te zetten. Nu de twee grootste internationale en nationale inlichtingendiensten in een groot schandaal verwikkeld waren, zouden de spanningen snel toenemen. Onder de gegeven omstandigheden zou niemand die zijn of haar carrière moest beschermen het riskeren om zijn of haar nek uit te steken.

'Is kolonel Smith onderweg naar Parijs?' vroeg Castilla ten slotte, om de stilte te verbreken.

'Inderdaad,' zei Klein. 'Ik verwacht dat hij daar naar onze tijd vanavond laat zal zijn.'

'En geloof je echt dat Smith een kans heeft om erachter te komen waar we hier werkelijk mee te maken hebben?'

'Een kans?' herhaalde Klein. Hij aarzelde. 'Ik geloof het wel.' Hij fronste zijn wenkbrauwen. 'Althans, dat hoop ik.'

'Maar hij is wel je beste man?' vroeg Castilla scherp.

Ditmaal aarzelde Klein niet. 'Voor deze missie? Ja, absoluut. Jon Smith is de juiste man voor deze klus.'

De president schudde geërgerd het hoofd. 'Belachelijk, hè?'

'Belachelijk?'

'Hier zit ik,' verklaarde Castilla, 'de opperbevelhebber van de machtigste strijdkrachten in de geschiedenis van de mensheid. Het volk van de Verenigde Staten verwacht van mij dat ik die macht gebruik om hen te beschermen. Maar dat kan ik niet. Niet dit keer. Nog niet althans.' Hij liet zijn brede schouders hangen. 'Alle bommenwerpers, raketten, tanks en schutters ter wereld zijn geen flikker waard als ik ze geen doel kan geven. En dat is het enige wat ik ze niet kan geven.'

Klein staarde op zijn beurt naar zijn vriend. Hij had de president nooit echt benijd om de diverse voordelen en privileges van zijn positie. Nu had hij slechts medelijden met de vermoeide, droef ogende man tegenover hem. 'Covert-One zal zijn plicht doen,' beloofde hij. 'Wij zullen dat doel voor je vinden.'

'Ik hoop in godsnaam dat je gelijk hebt,' zei Castilla zachtjes. 'Omdat we snel door onze tijd en onze opties heen raken.'

37

Maandag 18 oktober
Parijs
Jon Smith keek uit de raampjes van de taxi, een zwarte Mercedes, die met hoge snelheid van het vliegveld Charles de Gaulle zuidwaarts in de richting van de slapende stad reed. Het duurde nog een paar uur voordat de zon opkwam, en het enige wat van de uitgestrekte voorsteden rondom de Franse hoofdstad te zien was, was de wazige lichtgloed aan weerskanten van de meerbaansweg de A1. De snelweg zelf was bijna verlaten – zodat de taxichauffeur, een kleine Parijzenaar met een zuur gezicht en bloeddoorlopen ogen, met de Mercedes de maximumsnelheid aan kon houden en daar vervolgens flink overheen kon gaan.

Met meer dan 120 kilometer per uur flitsten ze langs diverse verduisterde wijken waar vlammen hoog oplaaiden, die zich rood en oranje tegen de zwarte nacht aftekenden. Daar stonden vervallen flatgebouwen in brand, die een flakkerende gloed over de aangrenzende gebouwen wierpen. Vlak bij die wijken waren alle op- en afritten van de snelweg afgezet met rollen prikkeldraad en haastig ingezette betonnen barrières. Elke controlepost werd bemand door een grote hoeveelheid politie en soldaten in volledige gevechtsuitrusting. Pantserwagens met traangaskanonnen en machinegeweren, troepentransportwagens met rupsbanden en zelfs zware Leclerc gevechtstanks stonden op strategische punten langs de weg geparkeerd.

'*Les Arabes!*' De taxichauffeur snoof verachtelijk, terwijl hij zijn sigaret uitdrukte in een overvolle asbak. Hij haalde zijn smalle schouders op. 'Ze zijn aan het relschoppen om wat er in La Courneuve is gebeurd. Ze branden hun eigen huizen en winkels af – zoals gewoonlijk. Bah!'

Hij zweeg even om met beide handen nog een sigaret zonder filter op te steken, terwijl hij met zijn knieën de zware Duitse sedan bestuurde. 'Het zijn idioten. Het kan niemand echt iets schelen wat er in die rattennesten gebeurt. Maar als ze daar één voet buiten zetten, dan *ppffft*.' Hij haalde een vinger langs zijn keel. 'Dan zullen de machinegeweren gaan spreken, hè?'

Smith knikte zwijgend. Het was niet echt een geheim dat de overbevolkte en van misdaad vergeven sociale woningbouwwijken buiten Parijs met zorg zo waren ontworpen dat ze snel en makkelijk konden worden afgesloten in geval van ernstige onrust.

De Mercedes ging van de A1 af, de boulevard Périphérique op, naar het zuidoosten, rond de drukke stad met zijn doolhof van stegen, straten, avenues en boulevards. Nog steeds mopperend over de stomheid van een regering die hém belasting liet betalen om uitkeringen te bekostigen voor moordenaars, dieven en *'les Arabes'*, verliet de taxichauffeur de ringweg bij de Porte de Vincennes. De taxi ging in westelijke richting de stad in, rond de Place de la Nation, en raasde over de rue du Faubourg-St. Antoine, gierde rond de Place de la Bastille, en baande zich toen een weg dieper in de smalle straatjes met eenrichtingsverkeer van de Marais, in het Derde Arrondissement van de stad.

Dit deel van Parijs was ooit een moeras geweest en was een van de weinige delen die niet waren aangetast door de grootse negentiende-eeuwse sloop- en wederopbouwprojecten die op bevel van keizer Napoleon III door baron Hausmann werden uitgevoerd. Veel van de gebouwen stamden uit de Middeleeuwen. Verwaarloosd en vervallen rond het midden van de twintigste eeuw had de Marais een hergeboorte ondergaan. Het was nu een van de populairste wijken om te wonen, als toerist te bezichtigen en te winkelen. Elegante stenen herenhuizen, musea en bibliotheken gingen hand in hand met bars, antiekwinkels en modebewuste kledingboeticks.

Met een laatste zwierige beweging van zijn door de tabak geel geworden handen stopte de chauffeur bij de voordeur van het Hôtel des Chevaliers – een klein boetiekhotel amper een straat verwijderd van de elegante, door oude bomen omzoomde Place des Vosges. 'We zijn er, *m'sieur*! En in een recordtijd!' kondigde hij aan. Hij grijnsde zuur. 'Misschien moeten we de relschoppers dankbaar zijn, hè? Want volgens mij hebben de *flics*,' hij gebruikte het Franse slang voor politie, 'het te druk met hun hersens breken om verkeersboetes uit te delen aan eerlijke mensen zoals ik!'

'Misschien wel,' beaamde Smith, die stilletjes opgelucht was dat hij heelhuids was aangekomen. Hij schoof de taxichauffeur een handvol euro's toe, pakte zijn handbagage en de reistas die hij had opgepikt voordat hij op Dulles in het vliegtuig was gestapt, en klom uit de taxi de stoep op. Bijna op hetzelfde moment dat hij de passagiersdeur dichtdeed, scheurde de Mercedes weg de nacht in.

Smith bleef even zwijgend staan om te genieten van de herstelde stilte en de rust van de natte straat. Het had hier onlangs nog geregend en de koele nachtlucht voerde een verfrissende, zuivere geur mee. Hij rekte zijn ledematen die in zijn krappe zitplaats in het vliegtuig stijf waren geworden en ademde toen een paar keer diep in om de laatste resten van de meegerookte walm van de scherpe tabak van de taxichauffeur uit zijn longen te verwijderen. Toen hij zich beter en wakkerder voelde, hing hij zijn bagage over zijn schouder en liep hij naar het hotel. Boven de deur brandde een licht, en de nachtreceptionist – die eerder door een telefoontje van het vliegveld was gewaarschuwd dat hij Smith kon verwachten – deed zonder problemen de deur voor hem open.

'Welkom in Parijs, dokter Smith,' zei de receptionist gladjes in duidelijk, vlot Engels. 'Blijft u lang bij ons?'

'Misschien een paar dagen,' zei Jon voorzichtig. 'Heeft u zo lang een kamer voor me?'

De nachtreceptionist, een keurige man van middelbare leeftijd, die ondanks het vroege uur helder was, zuchtte. 'In goede tijden niet.' Hij haalde veelzeggend zijn schouders op. 'Maar helaas, door die narigheid in La Courneuve zijn er veel afzeggingen en zijn er veel mensen eerder weggegaan. Dus zal het geen probleem zijn.'

Smith tekende het register, terwijl hij onwillekeurig keek of hij iets verdachts zag aan de namen boven de zijne. Hij zag niets wat hem zorgen baarde. Er waren slechts enkele andere gasten, bijna allemaal uit andere Europese landen of uit Frankrijk zelf. De meesten leken, net als hij, alleen te reizen. Hij had de indruk dat ze hier of voor dringende zaken waren of dat het anders wetenschappers waren die de nabijgelegen historische archieven en musea afstruinden. Stelletjes die op romantiek uit waren zouden tot de eersten behoren die Parijs zouden verlaten na de nanofagenaanslag en de daaropvolgende rellen.

De receptionist pakte een kleine vierkante kartonnen doos die hij boven op de balie zette. 'Verder is dit pakje een uur geleden door een koerier voor u gebracht.' Hij wierp een blik op het briefje dat erbovenop zat. 'Het is van de MacLean Medical Group uit Toronto in Canada. Ik geloof dat u het verwachtte?'

Smith knikte, terwijl hij in zichzelf glimlachte. Je kon ervan op aan dat Fred Klein zijn zaakjes voor elkaar had, dacht hij dankbaar. MacLean was een van de vele lege BV's die Covert-One gebruikte voor clandestiene zendingen naar zijn agenten over de hele wereld.

Boven, in de privacy van zijn kleine maar elegant gemeubileerde kamer, verbrak hij de verzegeling van de doos en rukte hij de verpakkingstape eraf. In de doos vond hij een hard plastic foedraal met een gloednieuwe 9mm SIG-Sauer, een doos met munitie, en drie reservekogelhouders. Een leren schouderholster was apart ingepakt.

Smith ging zitten op het comfortabele tweepersoonsbed, haalde het pistool helemaal uit elkaar, maakte zorgvuldig elk onderdeel schoon en zette het toen weer in elkaar. Tevreden duwde hij er een volle kogelhouder in waarna hij de SIG-Sauer in de schouderholster schoof. Hij liep naar het raam, dat uitkeek op de piepkleine binnenhof achter het hotel. Boven de daken van donkere lei van de oude gebouwen aan de overkant verscheen het eerste zweem van grijs aan de oostelijke hemel. Achter sommige van de andere ramen die op de kleine beklinkerde binnenhof uitkeken, floepten de eerste lichten aan. De stad werd wakker.

Hij toetste Kleins nummer in op zijn mobiele telefoon en meldde dat hij veilig in Parijs was aangekomen. 'Nog nieuwe ontwikkelingen?' vroeg hij.

'Hier niets,' zei het hoofd van Covert-One tegen hem. 'Maar naar het schijnt heeft het CIA-team in Parijs een van de auto's die het in La Courneuve heeft gesignaleerd achterhaald op een adres niet ver vanwaar jij nu bent.'

Smith hoorde de onzekerheid in Kleins stem. 'Naar het schijnt?' vroeg hij verbaasd.

'Ze zijn heel terughoudend,' legde de andere man uit. 'In het meest recente bericht van het team aan Langley werd gesproken over een eerste succes, maar werd geen specifieke locatie genoemd.'

'Dringt Langley dan niet aan op bijzonderheden bij de afdeling Parijs?'

Klein snoof. 'Het hoofd van de CIA en zijn topmensen hebben het veel te druk met dringende accountantsonderzoeken van de volledige Sectie Operaties, om veel aandacht aan hun veldagenten te schenken.'

'Waarom denk jij dan dat dit surveillanceteam zich op een gebouw in of om de Marais concentreert?' vroeg Jon.

'Omdat ze hun belangrijkste RV op de Place des Vosges hebben gekozen,' zei Klein.

Smith knikte in zichzelf. Hij begreep de gedachtengang van de andere man. Het RV – of rendez-vous – voor een geheim surveillanceteam dat in een stad opereerde, werd bijna altijd gekozen binnen korte loopafstand van het doelwit in kwestie. Het was doorgaans een vrij openbare gelegenheid, die druk genoeg was om discrete ontmoetingen tussen agenten te camoufleren als die informatie uitwisselden of nieuwe orders doorgaven. De in 1605 aangelegde Place des Vosges was het oudste plein in Parijs en was voor dit doel perfect. De drukke restaurants, cafés en winkels die het aan vier kanten omgaven boden een ideale dekking.

'Daar zit wat in,' beaamde hij. 'Maar aan die wetenschap heb ik niet veel, hè? Ze zouden bij wel een paar honderd gebouwen hier in de buurt rond kunnen snuffelen.'

'Dat is een probleem,' beaamde Klein. 'En daarom zul jij direct contact moeten leggen met het CIA-team.'

Smith trok verbaasd een wenkbrauw op. 'O? En hoe had je precies gedacht dat ik dat aanpak?' vroeg hij. 'Door over de Place des Vosges rond te paraderen met een groot bord waarop ik vraag om een ontmoeting?'

'In feite wel zoiets,' zei Klein droog.

Met toenemende verbazing en pret luisterde Smith terwijl de andere man uitlegde wat hij bedoelde. Toen ze klaar waren, hing Smith op en toetste een ander nummer in.

'De Lusten van Parijs, VOF,' zei een zware, diepe Engelse stem. 'Geen dienst te klein. Geen bed onopgemaakt. Geen redelijk verzoek geweigerd.'

'Overweeg je een andere loopbaan, Peter?' vroeg Smith grijnzend.

Peter Howell grinnikte. 'Helemaal niet. Alleen een mogelijke bijverdienste als aanvulling op mijn magere pensioentje.' Hij werd serieus. 'Ik neem aan dat je nieuws hebt?'

'Inderdaad,' bevestigde Smith. 'Waar zit jij?'

'Een aardig pensionnetje op de *Rive Gauche*,' antwoordde Peter. 'Niet ver van de boulevard Saint-Germain. Ik ben hier net vijf minuten geleden aangekomen, dus je timing is feilloos.'

'Hoe zit het met jouw uitrusting?'

'Geen problemen,' verzekerde de Engelsman. 'Ik ben even langsgewipt bij een ouwe makker toen ik van het vliegveld kwam.'

Smith knikte in zichzelf. Peter Howell leek in het merendeel van Europa over betrouwbare contacten te beschikken – oude vrienden en wapenbroeders die hem van wapens en ander materiaal zouden voorzien en hem zouden helpen zonder lastige vragen te stellen.

'Waar en wanneer zullen we elkaar dan treffen?' vroeg Peter zachtjes. 'En met welk doel precies?'

Smith bracht hem op de hoogte, waarbij hij de informatie doorgaf die Klein hem had verschaft, hoewel hij erbij zei dat hij het gewoon had van een 'vriend' met goede contacten binnen de CIA. Toen hij klaar was, hoorde hij de onverhulde verbazing in de stem van de andere man.

'Wat een rare wereld, hè, Jon?' zei Peter ten slotte. 'En verdomd klein ook.'

'Dat is het zeker,' beaamde Smith glimlachend. Toen verflauwde zijn glimlach terwijl hij dacht aan de verschrikkingen die mogelijk nog in het verschiet lagen voor deze kleine wereld waar alles en iedereen met elkaar verbonden was, als hij en de Engelsman weer slechts een doodlopend spoor najoegen. Ergens waren degenen die de nanofagen hadden ontworpen ongetwijfeld een nog dodelijker partij van hun nieuwe wapens aan het vervaardigen. Tenzij ze gevonden en tegengehouden konden worden – en snel ook – zouden er nog veel meer onschuldigen sterven en levend worden opgegeten door nieuwe golven van moorddadige machines die te klein waren om gezien te worden.

38

Parijs

Een herfstbries ruiste door de bladeren van de kastanjebomen die rond de keurig verzorgde randen van de Place des Vosges waren aangeplant. De wind werd frisser en joeg bij vlagen door het opspuitende water van een van de gorgelende fonteinen. Een fijne nevel van druppeltjes dwarrelde opzij, die de brede trottoirs nat maakte en als vroege ochtenddauw glinsterde op het weelderig groene gras.

De bries danste en kolkte schelms rond de verweerde grijze en bleekroze stenen gevels van de overdekte galerijen langs de Place. In de noordwestelijke hoek van het plein wapperden stoffen servetten die door waterglazen op hun plaats werden gehouden op de glimmende rotantafels van brasserie Ma Bourgogne.

Jon Smith zat alleen aan een tafel aan de rand van de galerij en hing gemakkelijk in een van de stoelen met hun rode rugleuningen van het restaurant. Hij keek uit over het omsloten plein en lette goed op de vele mensen die nonchalant over de trottoirs liepen of op bankjes zaten en verveeld broodkruimels naar de koerende duiven wierpen.

'Un café noir, m'sieur,' zei een norse stem vlakbij.

Smith keek op. Een van de obers, een serieuze, stugge, oudere man met het strikje en de zwarte schort die een kenmerk van Ma Bourgogne waren, zette een kopje zwarte koffie op de tafel.

Smith knikte beleefd. *'Merci.'* Hij schoof een paar euro's over de tafel.

De ober mompelde iets, stopte het geld in zijn zak, draaide zich om en liep statig naar een ander tafeltje, waaraan twee plaatselijke zakenlieden zaten die bij een zo te zien vroege lunch een deal sloten. Smith kon de heerlijke geur van de borden met een berg *saucisson de Beaujolais* en *pommes frites* ruiken. Het water liep hem in de mond. Het was een hele tijd geleden dat hij in het Hôtel des Chevaliers had ontbeten, en de twee kopjes sterke koffie die hij al op had terwijl hij hier zat te wachten knaagden aan zijn maagwand.

Even overwoog hij om de ober terug te roepen, maar toen besloot hij om dat niet te doen. Volgens Klein was dit het voornaamste trefpunt van de CIA. Als hij een beetje mazzel had, hoefde hij hier niet veel langer te zitten niksen.

Smith wijdde zich weer aan het gadeslaan van de mensen die over het plein en tussen de gebouwen daaromheen liepen. Zelfs midden op de ochtend was het redelijk druk op de Place des Vosges, vol leerlingen en leraren van de nabijgelegen scholen die pauze hadden, jonge moeders die baby's in wandelwagentjes voortduwden en gillende peuters die gelukzalig zaten te spitten in de zandbak in de schaduw van een ruiterstandbeeld van Louis XIII. Oude mannen die over van alles kibbelden, van politiek tot sport en de kans om de volgende staatsloterij te winnen, stonden her en der in kleine groepjes, en ondersteunden hun betoog door wijds en krachtig met hun armen door de lucht te zwaaien.

Vóór de Franse Revolutie, toen dit nog de Place Royal werd genoemd, was dit fraaie stukje open terrein de plek geweest waar zich talloze duels hadden afgespeeld. Op elke vierkante centimeter waar gewone Parijzenaren nu genoten van de herfstzon en hun verwende honden los lieten lopen, hadden galante heren en jonge aristocraten gestreden en waren ze gestorven – terwijl ze met zwaarden op elkaar inhakten of van dichtbij om beurten een pistool afschoten, allemaal om hun moed te bewijzen of hun eer te verdedigen. Hoewel het nu gebruikelijk was om deze duels lacherig af te doen als typerend voor een wrede, bloeddorstige tijd, vroeg Smith zich af of dat eigenlijk wel helemaal terecht was. Want hoe zouden toekomstige historici uiteindelijk deze zogenaamde moderne tijd omschrijven – een tijd waarin sommigen vastbesloten waren om waar en wanneer ze maar konden onschuldigen af te slachten?

Een onooglijke, stevige jonge vrouw met donker haar in een zwarte jas tot op haar knieën en een spijkerbroek liep vlak langs zijn tafeltje. Ze merkte dat hij naar haar keek en bloosde, om gehaast en met haar hoofd naar beneden door te lopen. Jon volgde haar met zijn ogen terwijl hij zich afvroeg of zij het contact was waarop hij had zitten wachten.

'Is deze stoel bezet, *m'sieur*?' kraste een stem die schor was van tientallen jaren elke dag drie tot vier pakjes sigaretten roken.

Smith draaide zijn hoofd om en zag de slanke, kaarsrechte gestalte van een bejaarde Parijse douairière die scherp op hem neerkeek. Hij had een algemene indruk van een bos onberispelijk gekapt grijs haar, een diep doorgroefd gezicht, een geprononceerde haviksneus en een felle, roofdierachtige blik. Ze trok een welverzorgde wenkbrauw op om uiting te geven van haar afkeer van zijn traagheid en stompzinnigheid. 'Spreekt u geen Engels, *m'sieur? Pardon. Sprechen Sie Deutsch?*'

Voordat hij zich kon herstellen, wendde ze zich af om haar hond aan te spreken, een al even bejaard poedeltje dat vast van plan leek om een van de niet-bezette stoelen door te knagen. Ze trok aan zijn riem. 'Af, Pascal! Laat dat meubilair maar vanzelf in elkaar storten!' beet ze hem in idiomatisch Frans toe.

Kennelijk in de overtuiging dat Smith doof, stom of een imbeciel was, ging de oude vrouw tegenover hem aan het tafeltje zitten – zachtjes kreunend terwijl ze langzaam haar krakende botten in de stoel liet zakken. Hij wendde opgelaten zijn blik af.

'Wat doe je hier verdomme op mijn stek, Jon?' hoorde hij een heel bekende en heel geïrriteerde stem zachtjes vragen. 'En probeer me alsjeblieft niet een of ander lulverhaal te verkopen dat je hier bent voor de bezienswaardigheden van Parijs!'

Smith draaide zich verbluft weer om naar de oude vrouw. Ergens achter al dat grijze haar, die rimpels en plooien bevond zich de gladde, blonde, knappe CIA-agente Randi Russell. Hij voelde dat hij bloosde. Randi, de zus van zijn gestorven verloofde, was een heel goede vriendin, iemand met wie hij altijd ging eten of drinken als ze allebei in Washington waren. Desondanks, en hoewel hij had geweten dat zijn aanwezigheid op het trefpunt van haar team uiteindelijk haar aandacht zou trekken, was ze erin geslaagd om hem te verrassen.

Om zichzelf wat tijd te verschaffen om zijn verbazing te boven te komen, nam hij voorzichtig een slokje van zijn koffie. Toen grijnsde hij terug naar haar. 'Leuke vermomming, Randi. Nu weet ik hoe je er over veertig, vijftig jaar uit zult zien. Dat hondje is ook een aardig detail. Is dat van jou? Of is het een vast onderdeel van de CIA-uitrusting?'

'Pascal is van een vriend, een collega van de ambassade,' antwoordde Randi kortaf. Haar mond verstrakte. 'En de poedel is bijna net zo'n lastpost als jij, Jon. Bijna, maar niet helemaal. Hou nu op met eromheen draaien en geef antwoord op mijn vraag.'

Hij haalde zijn schouders op. 'Oké. Het is eigenlijk heel simpel. Ik ben hier naar aanleiding van de rapporten die jij en jouw team de afgelopen vierentwintig uur naar de Verenigde Staten hebben gestuurd.'

'En dát noem jij simpel?' vroeg Randi ongelovig. 'Onze rapporten zijn uitsluitend voor intern CIA-gebruik.'

'Nu niet meer,' zei Smith tegen haar. 'Op dit moment is het in Langley een enorme puinhoop vanwege die clandestiene oorlog tegen de Lazarusbeweging. Hetzelfde geldt voor de FBI. Misschien heb je het gehoord.'

De CIA-agente knikte bitter. 'Ja, ik heb het gehoord. Slecht nieuws verspreidt zich snel.' Ze keek fronsend naar de tafel. 'Die stomme klootzak van een Burke zal uiteindelijk de CIA nog de grootste slag toebrengen die we ooit te verduren hebben gehad.' Haar blik verscherpte. 'Maar dat verklaart nog altijd niet voor wie jij ditmaal werkt.' Ze zweeg even veelbetekenend. 'Of althans voor wie je zult bewéren te werken.'

Stilletjes vervloekte Smith de voortdurende noodzaak om het bestaan van Covert-One strikt geheim te houden. Net zoals bij Peter Howell betekende het feit dat zij aan een andere inlichtingendienst was verbonden dat Smith in haar buurt op zijn tellen moest passen, en hele aspecten van zijn werk verborgen moest houden – zelfs voor zijn naaste vrienden, mensen aan wie hij zijn leven zou toevertrouwen. Het was hem en Randi eerder gelukt om samen te werken, in Irak en Rusland, hier in Parijs en de laatste keer in China, maar het was altijd lastig om haar scherpe vragen te omzeilen.

'Het is geen groot geheim, Randi,' loog hij. Hij voelde zich schuldig omdat hij tegen haar loog maar deed zijn best om dat te verbergen. 'Je weet dat ik in het verleden wat werk voor de inlichtingendienst van het leger heb gedaan. Nou, de top van het Pentagon heeft me voor deze missie weer aangetrokken. Iemand is bezig met de ontwikkeling van een nanotechwapen, en daar zijn de chefs van staven helemaal niet blij mee.'

'Maar waarom uitgerekend jij?' vroeg ze met klem.

Smith keek haar recht in de ogen. 'Omdat ik op het Teller Instituut werkte,' zei hij zachtjes. 'Dus ik weet wat dat wapen mensen kan aandoen. Ik heb het zelf gezien.'

Randi's gezicht verzachtte. 'Dat moet vreselijk zijn geweest, Jon.'

Hij knikte, terwijl hij de misselijkmakende herinneringen die hem in zijn slaap nog steeds achtervolgden van zich afzette. 'Dat was het ook.' Hij keek over de tafel. 'Maar ik geloof dat het hier nog erger was, in La Courneuve.'

'Er waren veel meer doden, en naar het schijnt geen overlevenden,' beaamde Randi. 'Afgaande op de persverslagen was het absoluut gruwelijk wat er met die arme mensen is gebeurd.'

'Dan zou je moeten begrijpen waarom ik de mensen onder de loep wil nemen die jij daar de nacht voor de aanslag een of ander "sensorsysteem" hebt zien installeren,' zei Smith tegen haar.

'Denk je dat die twee zaken iets met elkaar te maken hebben?'
Hij trok een wenkbrauw op. 'Jij dan niet?'

Randi knikte met tegenzin. 'Jawel.' Ze zuchtte. 'En we zijn erin geslaagd om de meeste van de auto's die die lui gebruikten te achterhalen.' Ze zag de volgende vraag in zijn ogen en gaf er antwoord op voordat hij iets kon zeggen. 'Juist, je raadt het al: ze komen allemaal samen bij hetzelfde adres hier in Parijs.'

'Een adres dat je nadrukkelijk hebt vermeden in je telegrammen naar het thuisfront,' zei Smith met klem.

'Om een aantal verdomd goeie redenen,' zei Randi fel. Ze vertrok haar gezicht. 'Het spijt me dat ik zo pissig klink, Jon. Maar ik kan niet veel van wat wij te weten zijn gekomen inpassen in een of ander rationeel, samenhangend patroon, en eerlijk gezegd begint dat op mijn zenuwen te werken.'

'Nou, misschien kan ik helpen met het uitzoeken van enkele van de ongerijmdheden,' bood hij aan.

Voor het eerst reageerde Randi met een flauwe glimlach. 'Mogelijk. Voor een amateurspion heb je een eng talent om antwoorden te vinden,' beaamde ze traag. 'Meestal bij toeval, uiteraard.'

Smith grinnikte. 'Uiteraard.'

De CIA-agente leunde achterover tegen de stoel, terwijl ze afwezig de mensen bestudeerde die over het trottoir langswandelden. Plotseling verstijfde ze, alsof ze haar ogen niet kon geloven. 'Jezus,' mompelde ze verbijsterd. 'Wat is dit... een reünie of zo?'

Smith volgde haar blik en zag een ogenschijnlijke oude, slordige Fransman met een baret en een vaak opgelapte trui die fluitend op hen af kwam sjokken, met beide handen in de zakken van zijn verschoten werkbroek. Hij keek wat beter en onderdrukte een grijns. Het was Peter Howell.

De gebruinde Engelsman kwam de straat tussen het restaurant en het plein overgeslenterd, liep rechtstreeks naar hun tafeltje en nam beleefd zijn baret af voor Randi. 'Blij dat u er zo goed uitziet, *madame*,' mompelde hij. Zijn lichtblauwe ogen glommen van plezier. 'En dit is ongetwijfeld uw jonge zoon. Een beste, stoer ogende knaap.'

'Hallo, Peter,' zei Randi gelaten. 'Dus jij bent ook bij het leger gegaan?'

'Het Amerikaanse leger?' zei Peter met gespeelde afschuw. 'Hemeltje, nee, lieve meid! Het is niet meer dan wat informele samenwerking tussen oude vrienden en bondgenoten, zie je. Het wassen van twee handen op één buik en zo. Nee, Jon en ik kwamen gewoon even langs om te kijken of je erin geïnteresseerd was om je bij ons verbondje aan te sluiten.'

'Geweldig. Wat ben ik daar blij om.' Ze schudde haar hoofd. 'Oké, ik geef me over. Ik zal mijn informatie met jullie delen, maar het moet wel twee kanten opgaan. Ik wil dat jullie ook al je kaarten op tafel leggen. Begrepen?'

De Engelsman glimlachte vriendelijk. 'Glashelder. Wees maar niet bang. Alles zal mettertijd duidelijk worden. Je kunt je oom Peter vertrouwen.

'Ja, dat zal wel.' Randi snoof. 'Trouwens, ik heb niet echt veel keuze, onder de gegeven omstandigheden.' Ze hees zich langzaam overeind, om de illusie te handhaven dat ze een bejaarde vrouw van ergens midden in de zeventig was. Ze trok het poedeltje resoluut onder de tafel vandaan, waar het de afgelopen paar minuten tevergeefs op Smiths schoenen had gekauwd. Ze ging weer over op haar schorre, nasale Frans. 'Kom Pascal. We moeten deze heren niet verder lastigvallen.'

Toen dempte ze haar stem, zodat alleen zij haar instructies konden horen. 'We gaan dit als volgt doen. Wacht vijf minuten nadat ik vertrokken ben en ga dan naar nummer 6 – het Victor Hugohuis. Doe alsof jullie toeristen of literatuurhistorici of zo zijn. Een witte Audi met een deuk in de rechterachterdeur zal daar stoppen. Stap daar in zonder de aandacht te trekken. Begrepen?'

Jon en Peter knikten gehoorzaam.

Nog steeds met een gefronst voorhoofd liep Randi weg zonder naar hen om te kijken. Ze wandelde kwiek naar de dichtstbijzijnde hoek van de Place des Vosges – voor iedereen leek ze werkelijk het zinnebeeld van een Parijse *grande dame* die met haar erg verwende poedel haar ochtendwandelingetje maakte.

Tien minuten later stonden de twee mannen voor het Maison de Victor Hugo, terwijl ze benieuwd naar de eerste verdieping staarden, waar de grote schrijver, de auteur van *Les Misérables* en *De bochelaar van de Notre-Dame*, zestien jaar van zijn lange leven had doorgebracht. 'Een vreemde kerel,' merkte Peter Howell peinzend op. 'In zijn latere leven had hij last van aanvallen van waanzin, weet je. Iemand trof hem ooit aan terwijl hij meubels met zijn tanden probeerde te bewerken.'

'Net Pascal,' opperde Smith.

Peter keek verbaasd. 'De beroemde filosoof en wiskundige?'

'Nee,' zei Smith grijnzend. 'Randi's hondje.'

'Hemeltje,' reageerde Peter droog. 'Wat je in Parijs allemaal niet leert.' Hij wierp een achteloze blik over zijn schouder. 'Ha, daar is ons vervoer.'

Smith draaide zich om en zag dat de witte Audi, compleet met zijn gedeukte achterdeur, langs de stoep tot stilstand kwam. Hij en Peter gingen achterin zitten. De auto reed meteen weg, rond de Place des Vosges, en toen naar links, terug de rue de Turenne op. Vandaar begon de sedan aan een reeks schijnbaar willekeurige bochten, waarbij hij steeds dieper het hart van de doolhof van straten met eenrichtingsverkeer inging die het district Marais vormden.

Jon keek even naar de chauffeur met zijn bleke gezicht, een zwaargebouwde man met een stoffen pet. 'Hallo, Max,' zei hij ten slotte.

'Morgen, kolonel,' zei de andere man, terwijl hij in zijn achteruitkijkspiegeltje grijnsde. 'Leuk u weer te zien.'

Smith knikte. Hij en Max hadden ooit heel wat uren in elkaars gezelschap doorgebracht – toen ze een groep Arabische terroristen helemaal van Parijs naar de Spaanse kust volgden. De CIA-man was misschien niet het grootste licht bij het Bureau, maar als veldagent was hij heel competent.

'Worden we gevolgd?' vroeg Smith, die zag dat de ogen van de man voortdurend in beweging waren en elk onderdeeltje van de omgeving rond de Audi in zich opnamen terwijl hij door de drukke Parijse straten reed.

Max schudde zelfverzekerd zijn hoofd. 'Nee. Dit is slechts bij wijze van voorzorg. We zijn extra voorzichtig, meer niet. Randi is op dit moment nogal gespannen.'

'Zou je me willen vertellen waarom?'

De CIA-agent snoof. 'Daar komt u snel genoeg achter, kolonel.' Hij reed met de Audi een smalle doorgang in. Aan weerskanten rezen hoge stenen gebouwen op, zodat je de zon of de hemel bijna niet kon zien. Hij parkeerde vlak achter een grijs Renaultbusje dat de steeg grotendeels versperde. 'Laatste halte,' zei hij.

Smith en Peter stapten uit.

De achterdeuren van het busje zwaaiden open en onthulden een interieur dat was volgepropt met tv-, audio- en computerapparatuur. Daar was Randi Russell, nog steeds in haar vermomming als oude vrouw, samen met een andere man die Jon niet herkende. Pascal de poedel was nergens te bekennen.

Jon klom de Renault in, op de voet gevolgd door de Engelsman. Ze trokken de deuren achter zich dicht en stonden toen onbeholpen in elkaar gedoken in de krappe ruimte.

'Blij dat jullie konden komen,' zei Randi. Ze lachte even snel naar hen en gebaarde met haar hand naar de apparatuur die aan weerskanten van het interieur van het busje in rekken was opgesteld. 'Welkom in ons nederige stulpje, het zenuwcentrum van onze surveillanceoperatie. Afgezien van menselijke waarnemers, hebben we een aantal verborgen camera's op belangrijke punten rondom het doel kunnen opstellen.'

Ze knikte naar de andere man, die op een krukje aan een computerscherm en een toetsenbord zat. 'Laat ze maar zien wat we hebben, Hank. Eerst camera 2. Ik weet dat onze gasten razend benieuwd zijn wat wij hier doen.'

Haar ondergeschikte voerde op zijn toetsenbord een reeks commando's in. Het scherm voor hem floepte onmiddellijk aan, met een duidelijk tv-beeld van een steil, grijsblauw leien dak. Op het dak stonden antennes in alle soorten en maten.

Smith floot zachtjes.

'Ja.' Randi knikte uitdrukkingsloos. 'Die lui kunnen zo'n beetje elk soort signaal dat je maar kunt bedenken zenden en ontvangen. Radio, straal, laser, puls, satelliet... noem maar op.'

'Wat is het probleem dan?' vroeg Jon haar, die het nog steeds niet snapte. 'Waarom zijn jullie zo bang om Langley het hele verhaal te vertellen?'

Randi glimlachte sardonisch. Ze boog zich voorover en tikte de man die voor haar de apparatuur bediende op zijn schouder. 'Schakel eens naar camera 1, Hank.' Ze keek om naar Smith en Peter. 'Dit is de straatingang van hetzelfde gebouw. Kijk eens heel goed.'

Op het scherm was het beeld te zien van een gebouw van vier verdiepingen. Door eeuwen van vervuiling en slecht weer was de kale stenen gevel pokdalig en donker geworden. Hoge, smalle ramen keken op elke verdieping op de straat neer en liepen helemaal door tot aan een reeks dakkapelramen die van zolderkamers vlak onder het dak moesten zijn.

'Nu inzoomen,' zei Randi tegen haar assistent.

Het beeld kwam snel dichterbij, om zich ten slotte te centreren rond een klein koperen bordje naast de voordeur. In diep gegraveerde letters stond erop:

18 RUE DE VIGNY
PARTI LAZARE

'O, godverdomme,' mompelde Peter.

Randi knikte grimmig. 'Precies. Dat gebouw is toevallig het Parijse hoofdkwartier van de Lazarusbeweging.'

39

Een uur later stond Jon Smith voor de deur van zijn kamer in het Hôtel des Chevaliers. Hij knielde en controleerde zijn verklikker – een dikke zwarte haar tussen de deur en het kozijn, ongeveer dertig centimeter boven het tapijt in de gang. Die was er nog steeds, volledig onaangeroerd.

Toen hij zich ervan had vergewist dat de kamer veilig was, liet hij Randi en Peter binnen. Het Renault busje van het CIA-team was te krap voor een langere bespreking, en de nabijgelegen cafés en restaurants waren veel te druk en openbaar. Ze hadden behoefte aan een meer besloten plek om te proberen een oplossing te vinden voor het dilemma waar ze plotseling voor stonden. En op dit moment kwam het Hôtel des Chevaliers nog het meest in de buurt van een *safe house*.

Randi, nu weer als zichzelf, met kort, mooi blond haar en in een zwarte overall, liep rusteloos de kamer door. Met haar lange benen en haar slanke postuur van één meter vijfenzeventig werd ze vaak ten onrechte voor een danseres versleten. Niemand die haar nu zag zou die vergissing maken. Ze ijsbeerde als een gekooid, gevaarlijk dier dat op zoek was naar een uitweg. Ze was erg gefrustreerd door de manier waarop de CIA zichzelf had lamgelegd – een verlamming die haar beroofde van serieuze ondersteuning of advies juist op het moment dat ze dat het hardst nodig had. Haar onzekerheid over de vraag wat ze met de verbijsterende ontdekking aan moest, had haar een ongemakkelijk gevoel bezorgd, zelfs tegenover haar oude vrienden en bondgenoten.

Randi wierp een sceptische blik op de elegante stoffering en inrichting van de kamer en keek over haar schouder naar Smith. 'Niet slecht voor iemand met een onkostenvergoeding van het Amerikaanse leger, Jon.'

'Daar gaan je belastingcenten,' antwoordde hij met een snelle grijns.

‘Typisch een Amerikaanse soldaat,’ zei Peter, zacht grinnikend. ‘Overbetaald, oververwend en overuitgerust.’

‘Met vleierij bereik je niets bij mij,’ zei Smith droog tegen hem. Hij liet zich in de dichtstbijzijnde stoel vallen en keek naar zijn twee vrienden. ‘Hoor eens, we moeten ophouden met dit steekspel en serieus met elkaar gaan praten over wat we nu gaan doen.’

De andere twee draaiden zich om en keken hem aan.

‘Nou, ik geef toe dat het een beetje een lastig parket is,’ zei Peter langzaam, terwijl hij in een weelderig beklede leunstoel ging zitten.

Randi staarde ongelovig naar het leerachtige gezicht van de Engelsman. ‘Een béétje lastig?’ herhaalde ze. ‘Allemachtig, hou eens op met dat flegmatieke Engelse gedoe, Peter? Het is een nagenoeg onmógelijk parket, en dat weet je best.’

‘“Onmogelijk” is wel een erg groot woord, Randi,’ zei Smith met een geforceerde flauwe glimlach.

‘Niet vanuit mijn positie,’ snauwde ze terug. Ze schudde wanhopig haar hoofd, terwijl ze nog steeds tussen de twee mannen heen en weer ijsbeerde. ‘Oké, eerst gaan jullie twee helden crop uit en bewijzen jullie dat een aantal van onze eigen mensen een heel vuile, heel illegale geheime oorlog tegen de Lazarusbeweging hebben gevoerd. Waardoor iedereen, inclusief de president en de premier, in paniek is geraakt, toch? Dus die trekken van leer tegen de inlichtingendiensten – en bestoken ons met orders om onmiddellijk álle geheime acties te staken die Lazarus betreffen. En moeten zich dan ook nog eens voorbereiden op onderzoeken van het congres en het parlement die makkelijk maanden, misschien zelfs jaren zouden kunnen duren.’

De twee mannen knikten.

Er verscheen een diepe frons in Randi’s voorhoofd. ‘Let wel, ik heb daar niet echt moeite mee. Iedereen die stom genoeg is om mee te doen met Hal Burke, Kit Pierson en de anderen verdient het om afgemaakt te worden. Met een botte bijl.’ Ze zuchtte diep. ‘Maar nu, nú, nu we deze hele regen van kritiek over ons heen krijgen, willen jullie daar lijnrecht tegenin gaan… om wat te doen? Nou, natuurlijk inbreken in een gebouw van de Lazarusbeweging! En uiteraard niet zomaar een of ander oud gebouw, maar het Parijse hoofdkwartier voor de hele beweging!’

‘Zeker,’ zei Peter kalmpjes tegen haar. ‘Hoe denk je dat we anders te weten moeten komen wat ze daar van plan zijn?’

‘Jezus,’ mompelde Randi. Ze draaide zich om naar Smith. ‘En denk jij daar net zo over?’

Hij knikte somber. ‘Ik ben er haast van overtuigd dat iemand van buiten de inlichtingendiensten Burke en de anderen manipuleerde, hun onverklaarde oorlog gebruikte als een dekmantel voor iets nog ergers, zoiets als wat er bij het Teller Instituut of hier in Parijs is gebeurd... maar dan honderd keer erger,' zei hij zachtjes. 'Ik zou graag willen weten wie... en waarom. Voordat we daar door schade en schande achter komen.'

Randi beet op haar lip, terwijl ze daarover nadacht. Ze liep door de kamer om uit het raam naar het binnenhofje achter het hotel te staren.

'Of het nou al dan niet de Lazarusbeweging was, er was althans een aantal mensen dat in rue de Vigny 18 werkte dat wist dat de nanofagenaanslag op La Courneuve ophanden was,' vervolgde Smith. Hij boog zich voorover in zijn stoel. 'Daarom installeerden ze die sensoren die jij hebt gezien. Daarom waren ze bereid om iedereen te vermoorden die hen voor de voeten liep.'

'Maar de beweging is faliekant tegen technologie – met name nanotechnologie!' barstte ze getergd los. 'Waarom zouden aanhangers van Lazarus iemand helpen bij het plegen van een massamoord, en dan nog wel door gebruik te maken van een middel waar ze zo fel tegen zijn? Dat slaat nergens op!'

'Dat zou best eens kunnen betekenen dat Jons bijzondere personage – misschien moeten we hem afkorten als meneer X. – de Beweging gebruikt als dekmantel voor zijn werkelijke plannen,' bracht Peter onder hun aandacht. 'Zoals we ook geloven dat hij een stel dwazen binnen de CIA en de FBI heeft gebruikt. En helaas ook binnen MI6.'

'Jullie hebben die meneer X. wel verdomd hoog zitten,' merkte Randi bijtend op. Ze wendde zich van het raam af om hen allebei aan te kijken met haar kin koppig geheven. 'Misschien wel te hoog.'

'Dat geloof ik niet,' zei Smith, en zijn gezicht kreeg een grimmige uitdrukking. 'We weten al dat X., ongeacht of hij een persoon of een groep is, over enorme financiële middelen beschikt. Als je geen flinke smak geld hebt, kun je niet honderden miljarden nanofagen ontwerpen en produceren. Minstens honderd miljoen dollar en waarschijnlijk veel meer. Als je zelfs maar een fractie van dat bedrag aan steekpenningen uitgeeft, wed ik dat je de steun van heel wat mensen binnen de Lazarusbeweging kunt kopen.'

Hij stond plotseling op, omdat hij het niet meer kon uithouden om stil te zitten. Toen liep hij naar Randi. Hij legde zijn hand licht op haar arm. 'Kun je een andere manier bedenken om de puzzelstukjes die we hebben aan elkaar te passen?' vroeg hij zachtjes.

De CIA-agente zweeg een lang, pijnlijk ogenblik. Toen schudde ze langzaam haar hoofd en zuchtte. Al haar opgekropte energie en irritatie leek weg te ebben.

'Nou, ik ook niet,' zei Smith zachtjes. 'Daarom moeten we bij dat gebouw binnen zien te komen. We moeten ontdekken wat voor informatie die sensorsystemen daar in La Courneuve vergaarden. En wat misschien nog wel belangrijker is, we moeten erachter komen wat er met die informatie is gebeurd.' Hij fronste zijn wenkbrauwen. 'Jouw technische mensen hebben zeker niets kunnen oppikken van wat er binnen wordt gezegd, hè?'

Met tegenzin schudde ze weer haar hoofd om toe te geven dat het hen niet gelukt was. 'Nee. Het gebouw lijkt opmerkelijk bestand tegen afluisterapparatuur. Zelfs de ramen trillen lichtjes om lasersurveillance onmogelijk te maken.'

'Alle ramen?' vroeg Peter nieuwsgierig.

Ze haalde haar schouders op. 'Nee. Alleen die op de bovenste verdieping en die van de zolderkamers.'

'Aardig van ze om een bordje voor ons op te hangen,' mompelde de Engelsman, terwijl hij naar Jon keek.

Smith knikte. 'Dat komt heel goed uit.'

Randi keek fronsend naar de twee mannen. 'Misschien al te goed,' suggereerde ze. 'Stel dat het een valstrik is?'

'Dat risico moeten we nemen,' zei Peter traag. 'Het is niet aan ons om daar vraagtekens bij te zetten.' Voordat ze iets naar hem terug kon snauwen, trok hij een meer gepast serieus gezicht. 'Maar ik betwijfel het. Dat zou betekenen dat die Lazarustypes jou en je mensen met opzet hadden laten zien hoe ze die kleine grijze doosjes van ze installeerden. Waarom zou je al die moeite, kosten en risico's aanhalen alleen om een stelletje afgeleefde ouwe soldaten te snappen?'

'Plus een eersteklas veldagente van de CIA,' zei ze, na een korte aarzeling. Ze keek bescheiden naar beneden. 'Dat ben ik, uiteraard.'

Smith trok een wenkbrauw op. 'Ben je van plan om mee te komen?'

Randi zuchtte. 'Een verantwoordelijk iemand zal op jullie beiden moeten passen, overjarige kinderen.'

'Je weet wat er met je carrière zal gebeuren als we betrapt worden?' vroeg Smith zachtjes.

Ze wierp hem een scheve grijns toe. 'O, kom op, Jon,' zei ze, op een geforceerd vrolijke toon. 'Als wij in dat gebouw betrapt worden, weet je best dat het beschermen van mijn carrière wel de minste van onze zorgen zal zijn!'

Nu ze haar besluit had genomen, spreidde Randi een verzameling foto's van het Parijse hoofdkwartier van de Lazarusbeweging op de grond voor hen uit. Daarop was het oude stenen gebouw aan de rue de Vigny 18 vanuit bijna elke hoek te zien, op verschillende tijden overdag en 's nachts. Ze vouwde ook een gedetailleerde plattegrond uit waarop het hoofdkwartier van de Beweging was afgebeeld in relatie tot zijn naaste buren en de omringende straten en stegen.

Ze knielden alle drie om de foto's en de kaart aandachtig te bestuderen, waarbij ze elk zochten naar een manier om binnen te komen waarbij ze niet onmiddellijk ontdekt zouden worden, met zekere desastreuze gevolgen. Na enkele ogenblikken ging Peter op zijn hurken zitten. Hij keek Randi en Jon met een flauwe glimlach aan. 'Ik ben bang dat er maar één realistische mogelijkheid is,' zei hij terwijl hij zijn schouders ophaalde. 'Hij is misschien niet bijzonder elegant of origineel, maar het zou wel moeten werken.'

'Vertel me alsjeblieft dat je niet van plan bent om halsoverkop door de voordeur en vier, vijf trappen op te stormen,' smeekte Randi.

'O, nee. Dat is helemaal niet mijn stijl.' Hij tikte zachtjes met een vinger op de kaart, een vinger die bleef rusten op een van de flats naast de rue de Vigny 18. 'Om *Hamlet* te verminken: er zijn meer manieren om een gebouw binnen te komen, beste meid, dan er denkbaar zijn in jouw filosofie.'

Smith keek aandachtiger naar de kaart en zag wat de andere man bedoelde. Hij kneep zijn lippen samen. 'We zullen wat speciaal materiaal nodig hebben. Ken jij iemand die dat voor ons kan verzorgen, Peter?'

'Het zou best eens kunnen dat ik her en der in Parijs nog wat spulletjes heb liggen,' gaf Peter rustig toe. 'De restanten van mijn oude, verdorven leven in dienst van Hare Majesteit. En ik weet zeker dat de vrienden van mevrouw Russell bij de plaatselijke CIA-afdeling ons kunnen voorzien van wat we verder nog nodig hebben. Dat wil zeggen, als ze het vriendelijk vraagt.'

Randi fronste haar voorhoofd en bestudeerde nogmaals de kaart en de foto's. Ze trok haar wenkbrauwen op. 'O, geweldig, laat me raden,' zei ze, zachtjes zuchtend. 'Je bent van plan om weer eens "de zwaartekracht te trotseren", niet dan?'

Peter keek haar aan en deed alsof hij geschokt was. 'De zwaartekracht trotseren?' herhaalde hij hoofdschuddend. 'Helemaal niet. In feite zullen we de dwingende wetten van de zwaartekracht strikt in acht nemen,' zei hij met een sluwe grijns. 'Tenslotte moet wat omhooggaat ook naar beneden komen.'

40

Dinsdag 19 oktober
Het was na middernacht maar er waren nog steeds wat fuifnummers en verzadigde late eters die naar huis wandelden door de goedverlichte straten van Parijs. De rue de Vigny lag op enige afstand van de meeste van de drukke cafés, brasseries en clubs in de Marais en was rustiger dan de meeste andere, maar ook daar waren voetgangers.

Een van hen, een rimpelige oude vrouw die zich goed had ingepakt tegen de kilte van de herfstavond, hobbelde moeizaam over straat. Haar hoge hakken galmden over de versleten klinkers. Ze hield haar grote stoffen handtas stevig onder haar arm geklemd, duidelijk vastbesloten om haar bezit te verdedigen tegen dieven als die op de loer lagen. Omdat ze zere voeten had en moe was, bleef ze even voor nummer 18 staan, om daar uit te rusten en op adem te komen. Er brandde licht achter de ramen op de bovenste verdieping onder het steile leien dak van het oude stenen gebouw. De ramen aan de straatkant op de lager gelegen verdiepingen waren donker.

De oude vrouw mompelde zachtjes iets en strompelde naar de aangrenzende flat van drie verdiepingen op nummer 16. Een lang, pijnlijk moment bleef ze in de nis van de entree voor de voordeur staan. Eerst rommelde ze in haar enorme handtas en toen had ze zo te zien moeite om haar sleutel in het slot te krijgen. Ten slotte leek het haar te lukken. Het slot klikte. Met moeite duwde ze de zware deur open, om langzaam naar binnen te wankelen.

Weer was het stil op straat.

Enkele minuten later kwamen er twee mannen, eentje met donker en eentje met grijs haar, aangelopen over de rue de Vigny. Beide mannen droegen donkere overjassen en zware plunjezakken over hun schouders. Ze liepen naast elkaar en babbelden gemoedelijk in alledaags Frans over het weer en de absurde beveiliging op vliegvelden tegenwoordig. Iedereen zou hebben gedacht dat ze twee reizigers waren die thuiskwamen nadat ze een weekend waren weggeweest.

Ze gingen bij nummer 16 van straat af. De jongere man met het donkere haar trok de deur open en hield die vast voor zijn oudere metgezel. 'Na jou, Peter,' zei hij zachtjes met een uitnodigend gebaar.

'De privileges van de oude dag, hè?' grapte de andere man. Hij liep de kleine, donkere hal binnen, terwijl hij de oudere vrouw die daar stond te wachten beleefd begroette.

Jon Smith schoot zelf ook de flat in, nadat hij eerst terloops een stuk isolatietape had verwijderd dat de 'oude vrouw' daar had bevestigd om te voorkomen dat de deur in het slot viel. Hij rolde het op, deed het in zijn jaszak en liet de deur zachtjes achter zich dichtvallen.

'Dat was een aardig staaltje slotpeuteren,' complimenteerde Smith de dik ingepakte oude dame die naast Peter Howell stond.

Randi Russell grijnsde terug naar hem. Onder de vermomming van rimpels en groeven die haar veertig jaar ouder maakte dan ze was, fonkelden haar ogen van de nerveuze energie en opwinding. 'Tja, ik was toen ik afstudeerde aan de Farm wel de beste van mijn klas,' zei ze, waarbij ze naar Camp Perry verwees, de trainingsfaciliteit van de CIA bij Williamsburg, Virginia. 'Het is fijn om te weten dat mijn tijd daar geen totale verspilling was.'

'Waar nu naartoe?' vroeg Smith.

Ze knikte in de richting van een gang vanuit de hal. 'Die kant op,' zei ze. 'Er gaat een centraal trappenhuis helemaal naar boven. Op elke verdieping is een overloop met deuren naar de diverse appartementen.'

'Nog rusteloze bewoners?' vroeg Peter zich af.

Randi schudde haar hoofd. 'Nee. Onder een paar deuren is licht te zien, maar verder is het vrij stil. En laten we proberen om dat zo te houden, oké, jongens? Ik zou liever niet de komende vierentwintig uur doorbrengen met het beantwoorden van lastige vragen op het dichtstbijzijnde politiebureau.'

Met Randi op kop liep het drietal behoedzaam de trap op, stilletjes langs overlopen die volstonden met fietsen, kinderwagens en kleine tweewielige boodschappenkarretjes. Helemaal bovenaan was nog een afgesloten deur die ze al snel open kreeg. Via die deur betraden ze een daktuin van het soort waar Parijzenaars zo dol op zijn – een stedelijke miniatuurversie van een open plek in het bos, die werd gevormd door een doolhof van grote aardewerken potten met dwergboompjes, struiken en bloeiende planten. Ze bevonden zich aan de achterkant van de flat, die van de rue de Vigny werd gescheiden door een reeks hoge, beroete schoorstenen en een woud van radio- en tv-antennes.

Op deze hoogte voerde de kille herfstwind de gedempte geluiden van de stad mee – auto's die toeterden op de boulevard Beaumarchais, het schrille gieren van scooters die door smalle straten raceten, en gelach en muziek die ergens vlakbij uit de open deur van een nachtclub kwamen. De met schijnwerpers verlichte witte koepels van de Byzantijns geïnspireerde Sacré-Coeurbasiliek glansden in het noorden, hoog op de dichtbebouwde hellingen van Montmartre.

Smith liep voorzichtig naar de rand en keek omlaag over een sierlijke smeedijzeren balustrade. In de duistere diepte kon hij net een rij vuilnisbakken onderscheiden, die een smalle steeg versperde. De muur van een ander oud gebouw, dat ook in appartementen was gesplitst, rees aan de andere kant van dat piepkleine straatje op. Warm geel lamplicht scheen door de kieren van dichtgetrokken luiken en gordijnen. Hij liep een paar passen terug en voegde zich bij Peter en Randi in de bescheiden dekking die de bomen en struiken van de daktuin boden.

Aan hun rechterhand doemde de donkere massa van het Parijse hoofdkwartier van de Lazarusbeweging op. De twee gebouwen stonden naast elkaar, maar rue de Vigny 18 was één verdieping hoger. Een zes meter hoge blinde muur scheidde hen van het steil aflopende dak van hun doel.

'Oké,' fluisterde Peter, die al op zijn knieën zat om de eerste van hun twee plunjezakken open te maken. Hij begon kleding en uitrusting uit te delen. 'Aan de slag.'

Snel begon het drietal zich in de koude nachtlucht om te kleden van gewone burgers tot volledig uitgeruste commando's. Eerst trok Randi de grijze pruik van haar hoofd die erg strak over haar eigen blonde haar zat. Toen verwijderde ze de speciaal vervaardigde rimpels en groeven die haar tientallen jaren ouder hadden doen lijken.

Ze trokken alle drie hun zware jassen uit, waaronder ze een zwarte trui met een col en een zwarte spijkerbroek aanhadden. Hun haar bedekten ze met donkere mutsen. Ze maakten met camouflagesticks hun gezicht en voorhoofd zwart. Hun straatschoenen werden ingewisseld voor zware klimschoenen. Ter bescherming deden ze zware leren handschoenen aan. Ze hulden zich alle drie in een kevlar bodyprotector om zich vervolgens in een gevechtsvest in SAS stijl te wurmen en holsters voor hun vuurwapens om te doen – Smith zijn SIG-Sauer, Peter een Browning Hi-Power en Randi een 9mm Beretta. Toen hesen ze zich in een klimharnas en hingen ze tassen met rollen klimtouw over hun schouders.

Peter deelde allerlei speciale spullen uit. Ten slotte gaf hij elk van hen twee cilinders, die ongeveer het formaat van een bus scheerschuim hadden. 'Flash-banggranaten,' zei hij koeltjes. 'Heel handig om verwarring te zaaien bij de vijand. Naar het schijnt ook een heel populair geintje op de beste feestjes.'

'We zouden dit stilletjes doen,' bracht Randi hem scherp in herinnering. 'Niet schietend binnenvallen en de Derde Wereldoorlog beginnen.'

'Zeker,' zei Peter. 'Maar je kunt beter het zekere voor het onzekere nemen, vind ik. Tenslotte is het best mogelijk dat die lui,' hij knikte in de richting van de hoge, donkere vorm van het hoofdkwartier van de Lazarusbeweging, 'het slecht opnemen als ze zien dat wij ze begluren.' Hij liep om Jon en Randi, terwijl hij hun harnas en diverse spullen inspecteerde en eraan trok om zich ervan te vergewissen dat alles goed vastzat. Vervolgens onderwierp hij zich geduldig aan Smith die bij hem dezelfde laatste controle uitvoerde.

'Wat betreft dat stukkie muur,' begon Peter. Hij stak zijn hand in zijn plunjezak en haalde er een klein luchtdrukpistool uit dat al was voorzien van een titanium pijltje met weerhaken, dat vastzat aan een rol met nylon beklede kabel. Met een lichte buiging gaf hij de spullen aan Randi. 'Zou u de honneurs willen waarnemen?'

Randi stapte een meter terug. Ze tuurde naar het in schaduw gehulde stuk muur voor hen, op zoek naar iets wat een goed verankeringspunt leek. Haar oog viel op een smalle scheur. Ze richtte zorgvuldig langs de loop van het luchtdrukpistool en haalde de trekker over. Het pistool kuchte zachtjes en het minuscule titanium pijltje schoot weg, met de kabel erachteraan. Met een zacht metalig geluid boorden de weerhaken van het kleine werpanker zich diep in het steenwerk, waar ze stevig vast bleven zitten.

Smith stak zijn hand uit en gaf een flinke ruk aan de bungelende, met nylon beklede kabel. Die bleef stevig zitten. Hij draaide zich om naar de anderen. 'Klaar?'

Ze knikten.

Een voor een klommen ze tegen de muur op en hesen ze zich behoedzaam op de punt van het steile leien dak van het gebouw aan rue de Vigny 18.

Het Lazaruscentrum, de Azoren

Hideo Nomura zat achter het sobere teakhouten bureau in zijn kantoor en keek met steeds meer voldoening naar de versnelde computersimulatie van de eerste *Thanatos*-vluchten. Op een groot scherm zag hij een digitale kaart van het westelijk halfrond. Iconen gaven de voortdurend bijgewerkte positie aan van elke *Thanatos*-vleugel als die was vertrokken van zijn basis hier op de Azoren – zo'n vierduizend kilometer van de Amerikaanse kust verwijderd.

Toen elke knipperende stip de Atlantische Oceaan was overgestoken en hoog boven het vasteland van de Verenigde Staten vloog, begonnen hele landstreken op de digitale kaart van kleur te veranderen – waarmee gebieden werden aangegeven die getroffen werden door wolken Fase Vier-nanofagen die werden losgelaten door zijn onopgemerkte, hoogvliegende vleugels en vervolgens door de wind werden verspreid. Verschillende tinten toonden de voorspelde mortaliteit overal waar ze overvlogen. Felrood wees op nagenoeg algehele uitroeiing van iedereen die zich in de aangegeven zone bevond.

Terwijl Nomura toekeek, lichtten de stadsagglomeraties van New York, Washington, Philadelphia en Boston rood op, hetgeen wees op de geschatte dood van meer dan 35 miljoen Amerikaanse mannen, vrouwen en kinderen. Hij knikte en glimlachte in zichzelf. Op zich hadden die doden niets te betekenen, waren ze niet meer dan een voorproefje van de noodzakelijke slachting die hij van plan was aan te richten. Maar deze eerste aanval zou een doel dienen dat veel verder ging. De snelle vernietiging van zoveel van zijn dichtstbevolkte centra van politieke en economische macht zou de Verenigde Staten ongetwijfeld in een crisis storten – zodat de overlevende leiders totaal niet meer in staat zouden zijn om de oorsprong te achterhalen van de verwoestende aanvallen die tegen hun hulpeloze land werden uitgevoerd.

Zijn interne telefoon ging één keer over en eiste zijn aandacht op. Met tegenzin wendde Nomura zijn ogen af van de door de computer gegenereerde glorie die zich aan hem openbaarde. Hij toetste de spreekknop in. 'Ja? Wat is er?'

'Wij hebben alle noodzakelijke gegevens van het Parijse doorgiftepunt binnen, Lazarus,' meldde de droge, academische stem van zijn belangrijkste moleculair wetenschapper. 'Afgaande op de resultaten van Veldexperiment Drie, achten wij het niet nodig om op dit moment verdere wijzigingen in het ontwerp aan te brengen.'

'Dat is uitstekend nieuws,' zei Nomura. Hij wierp weer een blik op de simulatie. De sterfzones die daarop te zien waren verspreidden zich snel landinwaarts, tot diep in het hart van Amerika. 'En wanneer zal de eerste partij Fase Vier-nanofagen klaar zijn?'

'Over ongeveer twaalf uur,' beloofde de wetenschapper voorzichtig.

'Heel goed. Hou me op de hoogte.' Nomura schakelde de aanvalssimulatie uit en riep een andere op – die hield hem voortdurend op de hoogte van het werk dat werd uitgevoerd in de enorme hangars aan weerskanten van zijn landingsbaan. Daarop was te zien dat de werkploegen op schema lagen, die de onderdelen monteerden van zijn vloot op afstand bestuurde *Thanatos*-vleugels. Tegen de tijd dat de eerste cilinders met de nieuwe nanofagen uit zijn verborgen productiefaciliteit werden gereden, zou hij drie vleugels klaar hebben om ze te monteren.

Nomura nam zijn beveiligde satelliettelefoon en toetste een vooraf ingestelde code in.

Nones, de derde van de Horatiërs, nam onmiddellijk op. 'Wat zijn uw orders, Lazarus?'

'Je werk in Parijs zit erop,' zei Nomura tegen hem. 'Kom zo snel mogelijk hier terug naar het Centrum. Tickets en de nodige papieren voor jou en je beveiligingseenheid zullen bij de Air Francebalie op Orly Sud op je liggen te wachten.'

'En hoe zit het met Linden en zijn surveillanceteam?' vroeg Nones zachtjes. 'Welke regelingen wilt u dat er voor hen getroffen worden?'

Nomura haalde zijn schouders op. 'Linden en de anderen hebben de hun toegewezen taken efficiënt afgerond. Maar ik geloof niet dat hun diensten in de toekomst nodig zullen zijn. Helemaal niet. Begrijp je wat ik bedoel?' vroeg hij onbewogen.

'Ik begrijp het,' bevestigde de andere man. 'En de apparatuur in rue de Vigny 18?'

'Vernietig alles,' beval Nomura. Hij glimlachte wreed. 'Laten we een geschokte wereld bewijzen dat Amerikaanse en Engelse spionnen nog steeds hun illegale oorlog tegen de nobele Lazarusbeweging voeren!'

41

Parijs

Smith kroop voort langs de hoge, scherpe punt van het dak van rue de Vigny 18. Hij gebruikte zijn handen en armen om zich voort te trekken, omdat hij liever niet het risico liep dat de rubberen zolen van zijn zware schoenen een schrapend en krassend geluid zouden maken op de gebarsten dakleien. Hij verplaatste zich langzaam en maakte gebruik van elk houvast dat hij kon vinden op het glimmende, gladde oppervlak.

Het hoofdkwartier van de Lazarusbeweging was een van de hoogste gebouwen in dit deel van de Marais, dus er was niets wat beschutting bood tegen de koude oostenwind die over Parijs woei. De ijzige bries huilde door de verzameling dicht opeengeplaatste antennes en satellietschotels op het dak. Een sterkere windvlaag wervelde plotseling langs het steil aflopende dak en trok hard aan zijn kleding en uitrusting.

Door deze windvlaag werd Jon door elkaar geschud en hij voelde dat hij van de rand van het dak begon te glijden. Hij klemde zijn kaken op elkaar en klampte zich vertwijfeld vast. Het was dertig meter naar beneden en er was niets om zijn val te breken dan hekken met ijzeren punten, geparkeerde auto's en klinkers. Hij voelde zijn hartslag bonken in zijn oren, die de vage geluiden overstemde die uit de straten van de stad ver onder hem opstegen. Hij drukte zich dichter tegen het dak, zwetend ondanks de kou, en wachtte tot de wind een beetje afnam. Toen drukte hij zich weer op en kroop hij verder, nog steeds licht bevend.

Een minuut later bereikte Smith de bescheiden beschutting van een grote bakstenen schoorsteen. Randi en Peter waren daar al eerder dan hij. Ze hadden al een ankerlijn rond de onderkant van de schoorsteen gebonden. Hij haakte zich eraan vast met een zachte, dankbare zucht en ging toen hijgend zitten, net als de anderen ongemakkelijk op de scherpe rand van het dak.

Peter grinnikte en keek opzij naar zijn twee metgezellen die naast hem zaten. ‘Nou, daar zitten we dan,’ zei hij zachtjes. ‘Iedereen zal ons voor een nogal zielig en verfomfaaid groepje kraaien houden.’

‘Maak daar maar twee lelijke kraaien en één sierlijke zwaan van,’ verbeterde Randi hem, zelf ook met een flauwe glimlach. Ze drukte op de zendknop van haar portofoon. ‘Nog tekenen van leven, Max?’ vroeg ze.

Vanuit zijn verborgen post een eindje verderop in de rue de Vigny antwoordde haar ondergeschikte. ‘Nee, baas. Het is allemaal heel rustig. Een paar minuten geleden ging er een licht aan, op de derde verdieping, maar verder is er niets wat erop wijst dat er iemand komt of gaat.’

Tevreden knikte ze naar de anderen. ‘We kunnen.’

‘Oké,’ zei Smith dof. ‘Laten we ertegenaan gaan.’

Een voor een kropen ze dichter naar de schoorsteen om hun *abseil*-uitrusting klaar te maken – waarbij ze er vooral op letten dat hun touwen, klimharnassen en musketons goed zaten.

‘Wie wil er eerst?’ vroeg Randi.

‘Ik,’ bood Smith aan, terwijl hij omlaag keek naar het dak dat zich voor hem uitstrekte. ‘Het was mijn briljante idee om het zo aan te pakken, weet je nog?’

Ze knikte. ‘Zeker. Hoewel “briljant” niet precies het bijvoeglijk naamwoord is dat ik gebruikt zou hebben.’ Maar toen legde ze een in een handschoen gehulde hand op zijn schouder. ‘Pas je op, Jon,’ zei ze zachtjes. Ze keek bezorgd.

Hij grijnsde snel en geruststellend naar haar. ‘Ik zal mijn best doen,’ beloofde hij.

Smith haalde een paar keer diep adem om zijn gierende zenuwen tot rust te brengen. Toen draaide hij zich om en liet hij zich langzaam achteruit van de helling glijden, waarbij hij zorgvuldig met een hand aan het zich afwikkelende touw de snelheid van zijn afdaling regelde. Flintertjes afgebrokkelde lei kletterden zachtjes voor hem uit en verdwenen toen in de duistere diepte.

Binnen in rue de Vigny 18 kwam de lange reus met het kastanjebruine haar die Nones werd genoemd met grote passen uit het kantoor op de derde verdieping dat hij meteen toen hij in Parijs was aangekomen in beslag had genomen. Omdat het gewoonlijk was voorbehouden aan het hoofd van de Afrikaanse hulp- en onderwijsprogramma’s van de Beweging, was het het grootste en fraaist gemeubileerde kantoor in het hele gebouw. Maar de plaatselijke activisten waren wel zo wijs om niet tegen zijn bruuske besluiten te protesteren of lastige vragen te stellen. Uiteindelijk had Nones machtigingen bij zich van Lazarus zelf. Voorlopig was zijn woord wet. Hij glimlachte kil. Heel spoedig zouden de volgelingen van de Beweging een goede reden heb om hun klakkeloze gehoorzaamheid te betreuren, maar dan zou het veel te laat zijn.

Vijf mannen van zijn beveiligingseenheid zaten op de overloop voor het kantoor geduldig op hem te wachten. Hun rugzakken en hun wapens lagen klaar aan hun voeten. Ze stonden zwijgend op toen hij eraan kwam.

'We hebben onze orders,' zei hij tegen hen. 'Van Lazarus zelf.'

'De orders die je verwachtte?' vroeg de kleine Aziatische man die Shiro werd genoemd kalm.

Het derde lid van de Horatiërs knikte. 'Tot in elk detail.' Hij trok zijn pistool, controleerde het en schoof het toen weer in zijn schouderholster. Zijn mannen deden hetzelfde met hun eigen wapens en bukten toen om hun rugzakken te pakken.

Ze gingen uiteen. Twee gingen de centrale trap af naar de kleine garage aan de achterkant van de begane grond van het gebouw. De rest volgde Nones de trap op en ging vastberaden naar de kamers op de vierde verdieping die bezet werden door het team dat toezicht had gehouden op het veldexperiment.

Smith staakte zijn afdaling en balanceerde hachelijk op het uiterste randje van het dak. Terwijl hij het touw stevig vasthield, dwong hij zich om ver naar achteren in de lucht te hangen en goed te kijken naar de ramen van de dakkapellen die aan weerskanten uit de schuinte naar voren staken. Deze ramen behoorden tot kleine zolderkamers vlak onder het dak en waren goed met luiken afgesloten, zoals al was gebleken uit de foto's die ze eerder hadden bestudeerd.

Smith knikte in zichzelf. Ze zouden niet door die zware houten luiken kunnen breken, althans niet zonder heel veel lawaai te maken. Ze zouden een andere manier moeten vinden om in het gebouw te komen.

Hij leunde verder naar achteren en tuurde nu langs de zijkant van het gebouw onder hem. Achter de ramen op de vierde verdieping brandde licht en daar waren de luiken open. Met korte, behoedzame sprongen daalde hij langs de muur af. Hij maakte bijna geen geluid – alleen het zachte kraken van het touw dat door de metalen musketon aan zijn harnas gleed en het zachte bonzen van zijn schoenen wanneer hij de muur raakte om zich weer af te zetten. Toen hij zeven meter lager was, trok hij het touw strakker aan, zodat hij afremde en vlak naast een van die verlichte ramen tot stilstand kwam.

Hij wierp een blik omhoog.

Randi en Peter hingen daar aan de rand van het dak, twee donkere gedaantes die zich aftekenden tegen de zwarte, met sterren bezaaide hemel. Ze keken over hun schouders naar beneden en wachtten op zijn teken dat ze veilig konden komen.

Smith gebaarde dat ze moesten blijven waar ze waren. Toen strekte hij zijn nek uit en probeerde hij goed door het dichtstbijzijnde raam naar binnen te kijken. Hij had een vluchtige indruk van een lange, smalle kamer – die minstens tot halverwege deze kant van het gebouw doorliep. Enkele van de andere ramen op deze verdieping kwamen ook op deze grote kamer uit.

Binnen stonden allerlei computers, tv-schermen, radio-ontvangers en satellietcommunicatiesystemen opgestapeld op een rij tafels die tegen de muur aan de andere kant waren geschoven. Andere tafels met nog meer apparatuur stonden daar loodrecht op en verdeelden het vertrek in een reeks geïmproviseerde computerhoeken of werknissen, en kabels voor elektriciteit en gegevensoverdracht kronkelden over een kale hardhouten vloer. De muren zelf waren groezelig, vlekkerig door eeuwenlang gebruik en met een kwak gebarsten en afbladderende verf erover.

In een donkere hoek kon Smith een rij van zes veldbedden onderscheiden. Vier daarvan waren bezet. Hij kon voeten zien uitsteken vanonder grove wollen dekens.

Maar minstens twee mannen waren wakker en hard aan het werk. Een van hen, een oudere man met wit haar en een onverzorgde baard, zat aan een computerconsole en voerde met bliksemsnelle vingers commando's in. De tweede man had een headset op en zat in een stoel naast een van de satellietcommunicatiesystemen. Hij zat voorovergebogen en luisterde aandachtig naar de signalen die door zijn hoofdtelefoon binnenkwamen en stelde af en toe zijn knoppen een beetje bij. Hij was jonger en gladgeschoren en zijn donkerbruine ogen en olijfkleurige huid suggereerden de zonovergoten landen van Zuid-Europa. Was hij een Spanjaard? Een Italiaan?

Jon haalde zijn schouders op. Spanjaard, Italiaan of iemand uit de South Bronx. Wat maakte het ook uit? De Lazarusbeweging recruteerde haar activisten over de hele wereld. Op dit moment was er maar één ding belangrijk. Ze konden rue de Vigny 18 niet onopgemerkt binnenkomen – althans niet op deze verdieping. Hij wierp een blik naar beneden en onderzocht de rijen donkere ramen onder hem.

Opeens ving hij vanuit zijn ooghoeken een flits van beweging in de kamer op. Smith zag de man met de baard en het witte haar wegzwenken van zijn toetsenbord en opstaan. Hij leek verrast maar niet erg geschrokken toen er nog vier mannen achter elkaar door een smalle, gewelfde deuropening de kamer binnenkwamen.

Smith keek aandachtig toe. Deze nieuwkomers waren mannen met harde gezichten, donkere kleren en uitpuilende rugzakken over hun schouders. Ze droegen getrokken pistolen. Een derde hield een geweer in zijn armen. De vierde man, veel langer dan de anderen en duidelijk de leider, snauwde zijn mannen een order toe. Ze gingen onmiddellijk uit elkaar en liepen elk doelbewust naar een ander deel van het vertrek. De reus met het kastanjebruine haar wierp even een blik op de rij ramen en draaide zich toen om. Met een sinistere, soepele beweging trok hij een pistool uit zijn schouderholster.

Jon voelde dat hij geschokt en ongelovig zijn ogen opensperde. Een huivering van bijgelovige angst liep over zijn rug. Hij had datzelfde gezicht en diezelfde opvallende groene ogen eerder gezien – slechts zes dagen geleden. Bij de terroristenleider die hem bijna in een lijf-aan-lijfgevecht bij het Teller Instituut had gedood. Dit was onmogelijk, dacht hij vertwijfeld. Volkomen onmogelijk. Hoe kon een man die helemaal verteerd was door nanofagen uit de dood herrijzen?

42

Nones wendde zich van het raam af in de richting van Willem Linden. Langzaam richtte hij zijn pistool op het doel. Met zijn enorme duim zette hij de veiligheidspal om.

De Hollander met het witte haar staarde naar het wapen dat recht op zijn voorhoofd was gericht. 'Wat doe je?' stamelde hij.

'Dit is je ontslagregeling. Je diensten zijn niet meer nodig,' zei Nones tegen hem. 'Maar Lazarus bedankt je voor je inspanningen voor hem. Vaarwel, Herr Linden.'

De derde Horatiër wachtte net lang genoeg om ontzet begrip in de ogen van de andere man te zien verschijnen. Toen haalde Nones twee keer de trekker over en schoot hij van dichtbij twee kogels in Lindens hoofd. Bloed, botsplinters en stukjes van zijn hersenen vlogen achter uit de verbrijzelde schedel van de Hollander en spatten tegen de muur. De dode man viel om en zakte op de grond in elkaar.

Op hetzelfde moment weergalmde de knal van een geweer uit de donkere hoek van het vertrek – meteen gevolgd door een tweede en toen een derde knal. Nones keek even die kant op. Een van zijn drie mannen was net klaar met het vermoorden van de vier slapende leden van het surveillanceteam. Op hun veldbedden waren zij een makkelijke prooi. Drie kaliber-twaalfhagelpatronen, van minder dan drie meter afgevuurd, veranderden hen in zielige flarden uiteengereten vlees en gebroken botten.

De grote man hoorde links van hem plotseling een gesmoorde angstkreet. Hij draaide snel die kant op en zag het jongste lid van Lindens team, de Portugese seinexpert die Vitor Abrantes heette, wankelend overeind komen. Abrantes rukte vertwijfeld aan zijn headset, maar hij zat nog steeds met een kronkelig stuk kabel vast aan de satellietzender.

Al lopend vuurde Nones nog twee keer. De eerste 9mm-kogel trof de jonge man hoog in zijn borst. De tweede boorde zich in zijn linkerschouder en deed hem volledig om zijn as tollen. Met een wit gezicht van de schrik viel Abrantes achterover tegen de zender. Kreunend gleed hij op de grond, waar hij bleef zitten en zijn verbrijzelde schouder vastgreep.

Nones fronste zijn wenkbrauwen om zijn eigen slordigheid, kwam een stap dichter bij de gewonde man en hief nogmaals zijn pistool. Ditmaal zou hij met meer zorg en precisie richten. Hij keek langs de loop. Zijn vinger spande zich om de trekker en begon die over te halen...

Maar toen spatte het raam naast hem naar binnen uiteen in een rinkelende wolk van scherpe glasscherven.

Jon Smith, die nog steeds vlak buiten het vertrek in zijn abseilharnas hing, zag hoe binnen de koelbloedige slachting begon. Die schoften maken hun eigen mensen af, besefte hij met een schok – ze ruimen losse eindjes, bewijsmateriaal en potentiële getuigen op. Getuigen en bewijsmateriaal dat hij dringend nodig had. Gegrepen door een golf van withete woede reageerde hij meteen door zijn SIG-Sauer uit de holster op zijn heup te trekken. Hij richtte op het glas.

Drie snelle schoten, van boven naar beneden, bliezen het raam aan diggelen en joegen glasscherven en kogels met een boog het vertrek in. Voordat de laatste scherven waren gevallen, deed hij het pistool weer in zijn holster en trok hij een van zijn twee flash-banggranaten uit een kogeltas die aan zijn linkerdij was gebonden. Met zijn gehandschoeide rechterduim trok hij aan de ring. De veiligheidshendel van de granaat wipte op.

Smith wierp de zwarte cilinder door het kapotte raam naar binnen en zette zich met zijn zware schoenen hard tegen de muur af, in een rechte lijn van de opening af. Aan het eind van zijn slingerbeweging zette hij zich weer en nog harder af, waarna hij weer en nog sneller naar het raam zwaaide.

En toen ging de granaat af in een snel salvo van verblindende lichtflitsen en oorverdovende ontploffingen die bedoeld waren om iedereen te overrompelen en te desoriënteren die zich binnen het bereik van de knal bevond. Een dichte rookwolk dreef naar buiten en wervelde wild in de lucht die in beroering werd gebracht door de aanhoudende reeks korte knallen.

Jon kwam met zijn voeten vooruit door het raam gezeild. Hij landde zwaar op de grond en ging toen met een rol in dekking. Onder hem knarsten kleine glassplinters. Hij trok nogmaals zijn SIG-Sauer, reeds op zoek naar doelwitten in de nevel en de rook.

Smith zocht eerst naar de grote man met de groene ogen. Er waren bloedvegen op de hardhouten vloer waar hij had gestaan toen hij het uiteenspattende raam over zich heen kreeg, maar meer ook niet. De reus met het kastanjebruine haar moest in dekking zijn gedoken toen de flash-banggranaat afging. Het bloedspoor dat hij had achtergelaten liep door de gewelfde deuropening naar buiten.

Vlakbij, aan de andere kant van een zware tafel, klonken strompelende voetstappen.

Smith richtte zich op en zag een van de andere schutters wankelend uit de snel optrekkende rookwolk komen. Hoewel hij versuft was van de zenuwslopende explosie van lawaai en verblindend licht, had hij nog steeds zijn pistool in een tweehandige schuttersgreep. Terwijl hij snel met zijn ogen knipperde om zijn blik helder te krijgen, zag hij Jons hoofd boven de tafel uitsteken. Hij draaide zich om en probeerde hem op de korrel te krijgen.

Smith schoot twee keer en trof hem één keer in het hart en één keer in zijn nek.

De schutter klapte dubbel en viel voorover, duidelijk dood voordat hij de vloer raakte.

Jon trok zich terug achter de tafel en rolde zo snel hij kon de andere kant op, terwijl hij haastig het klimtouw dat nog steeds door het raam hing losmaakte van zijn abseilharnas. Zolang hij daar nog aan vastzat, zou het touw hem belemmeren in zijn bewegingen. Het zou ook als een reusachtige pijl dienen, die precies aanwees waar hij heen ging. Ten slotte slaagde hij erin het stuk touw los te trekken en kroop hij op zijn buik weg over de gehavende vloer.

Eentje omgelegd. Als hij de grote man meetelde, had hij er nog drie te gaan, dacht hij grimmig. Waar waren de andere vijandelijke schutters precies geweest toen zijn granaat door het raam kwam zeilen? En, wat belangrijker was, waar waren ze nu?

Hij kronkelde om de hoek van een tafel en zag de man met het witte haar languit voor zich liggen. Smith vertrok zijn gezicht toen hij de smeerboel zag die van onderen uit de verbrijzelde schedel van de dode man sijpelde. Die met kogels doorzeefde hersenen hadden informatie bevat die zij nodig hadden.

Hij kroop langs het lijk, in de richting van de donkere hoek van de kamer die hij als tijdelijk slaapverblijf had zien gebruiken.

Ergens achter hem knalde een pistool drie keer kort op elkaar. Eén kogel suisde vlak over zijn hoofd. Een ander sloeg ruwe splinters van de massief eiken tafelpoot naast zijn gezicht. De derde 9mm-kogel beukte in zijn rug en ketste vervolgens af op zijn kevlar bodyprotector. Het was alsof hij door een muilezel tussen zijn schouderbladen werd geschopt.

Smith rolde opzij terwijl hij overspoeld door een golf van withete pijn naar adem hapte en lucht probeerde binnen te krijgen in longen die aanvoelden alsof ze geplet waren. Nog twee schoten sloegen in de vloer, precies op de plek waar hij een seconde eerder nog had gelegen, en hakten er grote stukken hout uit voordat ze wegketsten. Hij draaide zich om en probeerde vertwijfeld een glimp op te vangen van de man die op hem schoot.

Daar!

Een gedaante bewoog vaag in zijn van pijn doortrokken zicht. Een van de schutters knielde achter een tafel ongeveer zeven meter verderop en richtte koelbloedig zijn pistool. Jon schoot in het wilde weg terug met de SIG-Sauer, waarbij hij zo snel als hij kon de trekker overhaalde. Het pistool sprong op in zijn handen. Kogels gingen dwars door de tafel en boorden zich in de computerapparatuur die daar was opgesteld. Een regen van houtsplinters, vonken en stukken kunststof en metaal vloog door de lucht. Geschrokken dook de schutter uit het zicht.

Smith rolde weg over de vloer en probeerde een betere dekking te vinden. Hij stopte ongeveer halverwege een van de U-vormige werknissen die werd gevormd door drie aaneengeschoven tafels en riskeerde een behoedzame blik in de richting waar hij vandaan kwam. Niets.

Vervolgens keek hij op naar het beeldscherm op de tafel voor hem, om plotseling te verstarren toen hij zijn eigen dood in het donkere scherm weerspiegeld zag.

De derde vijandelijke schutter kwam uit de aangrenzende werknis omhoog en had reeds een legergeweer recht op zijn achterhoofd gericht.

Peter en Randi, die aan de rand van het dak hingen, hoorden de plotselinge uitbarsting van geweervuur, zagen de verblindende flits van een granaat en vervolgens hoe Jon zich plotseling in het gebouw onder hen stortte. Ze keken geschrokken naar elkaar.

'Lieve hemel. Tot zover de subtiliteit en de discretie,' mompelde Peter. Hij trok zijn Browning Hi-Power uit zijn holster en hield die in de aanslag.

Er klonken meer schoten, steeds harder, doordat ze weerkaatst werden door het metselwerk en de stenen van de omringende gebouwen.

'Kom op!' grauwde Randi, die reeds met korte, snelle sprongen van de muur abseilde. Peter vloog haar achterna, even snel maar met grotere sprongen.

Smith wist dat het veel te laat was, dat de vinger van de schutter de trekker van het geweer al begon over te halen. Toch draaide hij zich vertwijfeld om en probeerde hij zijn eigen wapen te richten. De adrenaline die door zijn lichaam raasde leek de tijd zelf te vertragen en het nachtmerrieachtige ogenblik te verlengen voor een regen van kaliber-twaalf hagel zijn hoofd in een bloederige massa veranderde...

En toen spatte een ander raam naar binnen uiteen – verbrijzeld door meerdere 9mm-patronen die er van dichtbij doorheen werden gejaagd. De vijandelijke schutter die diverse malen in borst, nek en hoofd werd geraakt wankelde opzij en zakte toen ineen over een van de tafels. Het geweer viel uit zijn levenloze vingers en kletterde op de vloer.

Gevolgd door Peter zwaaide Randi door het kapotte raam naar binnen. Nadat ze zich op de grond hadden laten vallen, maakten ze snel hun touwen los en namen ze aan weerskanten van Jon hun positie in, om de lange, smalle kamer af te speuren naar tekenen van beweging.

Smith glimlachte zwakjes, nog steeds geschokt doordat hij ternauwernood aan de dood was ontkomen. 'Blij dat jullie konden komen,' fluisterde hij. 'Ik dacht dat ik het allemaal alleen moest opknappen.'

'Idioot,' mompelde Randi terug, maar haar blik was warm.

'Wil geen feestje missen,' zei Peter zachtjes. 'Hoeveel heb je er voor ons overgelaten?'

'Minstens eentje,' antwoordde Smith. Hij gebaarde met zijn hoofd in de richting van de andere kant van het vertrek. 'Hij is daar ergens in dekking gegaan. Een andere vent, hun leider, geloof ik, is 'm al via de deur gesmeerd.'

Peter keek naar Randi. 'Zullen we onze medische vriend hier eens laten zien hoe professionals wild opjagen?' Peter wendde zich tot Smith. 'Hou jij de deur onder schot, Jon.' Toen haalde hij een flashbanggranaat uit de kogeltas op zijn dij, trok de ring eraf en hield de veiligheidshendel vast. 'Vijf tellen. Vier. Drie. Twee...'

Peter kwam even omhoog en wierp de granaat over de tafel. Die beschreef een lange, lage boog, verdween uit het zicht en ontplofte. Een nieuwe rookwolk walmde door het vertrek, van binnenuit opgelicht door verblindende, pulserende lichtflitsen.

Randi was al onderweg. Ze rende snel en diep voorovergebogen. Ze ving een glimp op van een donkerder gedaante die in de rook bewoog en dook naar de grond. De overlevende schutter kwam op haar af gewankeld. Ze vuurde haar Beretta twee keer af en keek hoe hij neerviel. Hij huiverde een keer en bleef toen roerloos liggen, terwijl hij met levenloze ogen naar haar terugstaarde.

Randi bleef nog even liggen terwijl ze wachtte tot de rook en de nevel optrokken. 'Hier alles onder controle!' riep ze uit toen ze goed genoeg kon zien om dat met zekerheid te zeggen.

'Kijk eens rond of je iemand kan vinden die nog leeft,' opperde Smith, terwijl hij moeizaam opstond. Hij wierp een blik op Peter. 'In de tussentijd denk ik dat we achter die grote schoft aan moeten die ik heb gezien.'

'Die vent die 'm volgens jou via de deur was gepeerd?'

Smith knikte grimmig. 'Inderdaad.' Hij vertelde van de enge gelijkenis tussen de lange man met de groene ogen die hij hier had gezien en de terroristenleider die hij in New Mexico had zien sterven.

Peter floot zachtjes. 'Gut, wat een vervelend toeval.'

'Dat is het hem nou net,' zei Smith langzaam. 'Ik geloof dat het helemaal geen toeval is.'

'Waarschijnlijk niet,' beaamde Peter. Hij keek bezorgd. 'Maar we zullen snel moeten zijn, Jon. Misschien dat de Fransen het merendeel van hun politie buiten Parijs hebben ingezet, maar al dit kabaal zal zeker hun aandacht trekken.'

Met hun wapens in de aanslag liepen de twee mannen behoedzaam in de richting van de smalle, gewelfde deuropening. Smith wees zwijgend op de uitgesmeerde bloedsporen op de grond. De grote rode druppels leidden regelrecht naar de open deur. Peter knikte dat hij het begreep. Ze volgden een gewonde.

Smith bleef nog net binnen het vertrek staan. Hij tuurde door de deuropening naar buiten en zag een zwart-wit betegelde overloop die werd omsloten door een heuphoge smeedijzeren balustrade.

De bloedsporen liepen door, regelrecht in de richting van de brede marmeren trap die naar de lagergelegen verdiepingen leidde. De grote man die ze op het spoor waren zou wel eens kunnen ontsnappen! Vastbesloten om hem niet kwijt te raken negeerde Jon Peters geschrokken waarschuwing en stormde hij impulsief door de gewelfde deuropening.

Te laat besefte Jon dat het bloedspoor na twee treden abrupt ophield. Hij zette grote ogen op. Tenzij de man met de groene ogen op de een of andere manier had leren vliegen, moest hij op zijn schreden zijn teruggekeerd...

Smith voelde dat hij met geweld opzij werd gegooid. Hij werd volledig omvergemaaid, gleed over de overloop en beukte met zijn schouder tegen de ijzeren balustrade. Zijn SIG-Sauer schoot weg over de tegelvloer. Even staarde hij door de onderkant van de balustrade in een duizelingwekkende leegte.

Misselijk en versuft door de klap, hoorde hij opeens een gedempte kreet en zag hij dat Peter langs hem werd geworpen. De Engelsman tuimelde halsoverkop over de brede rand van de trap en verdween uit het zicht in een wegstervend gerammel en gekletter van losse delen van zijn uitrusting.

Met een wrede glimlach draaide de reus met het kastanjebruine haar zich weer in de richting van Smith. Zijn door vlijmscherpe glasscherven gefileerde gezicht was een masker van helderrood bloed. Zijn ene verwoeste oogkas was leeg, maar in de andere fonkelde een groen oog.

Jon krabbelde overeind, zich huiverend bewust van de enorme diepte vlak achter hem. Snel trok hij het gevechtsmes uit de schede op zijn heup. Hij dook dieper in elkaar terwijl hij het mes naast zich hield.

De grote man werd niet afgeschrokken door de aanblik van het mes, maar sloop op hem af. Zijn enorme handen bewogen in kleine, bedrieglijke lome cirkels terwijl hij dichterbij kwam, klaar om toe te slaan, te verminken en vervolgens te doden. Zijn glimlach werd breder.

Smith keek met samengeknepen ogen hoe hij naderde. Nog iets dichterbij, klootzak, dacht hij. Hij slikte en onderdrukte een toenemende angst vanwege de onverbiddelijke opmars van de andere man. Hij maakte zich niet echt illusies omtrent de vermoedelijke afloop van een langdurig handgemeen met deze man. Zelfs half verblind was deze vijand veel langer, sterker en ongetwijfeld veel meer bedreven in het lijf-aan-lijfgevecht dan hij.

De grote man met het kastanjebruine haar zag de angst op zijn gezicht. Hij lachte en schudde nog wat bloed van zich af voordat het in zijn ene goede oog zou druipen. 'Wat? Geen zin om te vechten zonder een pistool in je hand?' vroeg hij zachtjes op een cynische, spottende toon.

Jon liet zich niet verleiden om te vroeg iets te doen, maar bleef waar hij was, klaar om snel op elke opening te reageren. Hij hield zijn eigen blik strak gericht op het ene oog van de andere man – in de wetenschap dat dat elke echte actie zou verraden.

Het felgroene oog flikkerde plotseling. Nu kwam het!

Smith bracht zijn dekking omhoog.

Met angstaanjagende snelheid beschreef de grote man een korte boog en richtte hij een verbluffend snelle elleboogstoot op Jons gezicht. Hij kon maar net op tijd met zijn hoofd opzij duiken. De dodelijke slag miste hem op een fractie van een centimeter.

Smith blokkeerde nog een krachtige slag met zijn eigen linkeronderarm. Zijn omgeving veranderde in een rood waas en hij voelde hoe de hechtingen daar werden losgerukt. Door de zware klap sloeg hij met zijn rug tegen de balustrade. Hijgend dook hij nog dieper in elkaar.

De man met het groene oog kwam weer dichterbij, nu met een enorme grijns. Een van zijn handen bleef paraat om een uitval met het mes te blokkeren. De andere krachtige vuist werd teruggetrokken, ter voorbereiding van nog een mokerslag – die Smith over de balustrade zou drijven of zijn schedel zou verbrijzelen.

In plaats daarvan wierp Jon zich naar voren en dook hij pardoes tussen de benen van de langere man door. Hij draaide zich om en krabbelde net op tijd overeind om de volgende reeks aanvallen het hoofd te bieden – razendsnelle slagen die hij ternauwernood pareerde met zijn eigen linkerhand en beide onderarmen. Ze waren zo krachtig dat hij tegen de muur klapte en dat de lucht uit zijn longen werd gedreven. Wanhopig maaide hij met het mes, waardoor de andere man achteruit werd gedwongen – niet ver, slechts een paar korte passen, maar net zo ver dat hij met zijn rug tegen de ijzeren balustrade stond.

Nu of nooit, zei Smith tegen zichzelf.

Met een woeste brul rukte hij de laatste flash-banggranaat uit de kogeltas aan zijn been om die met alle kracht die hem restte recht in het gezicht van zijn vijand te werpen. De grote man reageerde instinctief en sloeg de ongevaarlijke granaat met beide handen opzij, zodat hij voor het eerst helemaal onbeschermd was.

In dat ene verstilde moment viel Jon uit en sloeg hij toe met de punt van zijn gevechtsmes. Slechts het uiteinde van het lemmet boorde zich midden in het ene groene oog van de man. Maar dat was genoeg. Bloed en vloeistof stroomde uit de nieuwe, vreselijke wond.

Verblind brulde de reus met het kastanjebruine haar in een mengeling van razernij en pijn. Hij haalde wild uit en sloeg het mes uit Smiths hand. Hij strompelde naar voren met zijn armen wijd in een laatste poging om zijn onzichtbare vijand te vangen en te verpletteren.

Jon dook snel onder de indrukwekkende, uitgestrekte armen door en stompte de grotere man hard in zijn keel, waardoor zijn strottenhoofd verbrijzeld werd. Jon sprong meteen weer terug, vastbesloten om veilig buiten bereik te blijven.

Hijgend en naar adem happend deed de reus verwoede maar vergeefse pogingen om de zuurstof binnen te krijgen die hij zo hard nodig had, terwijl hij langzaam op zijn knieën zakte. Onder het druppelende bloed werd zijn huid blauw. Toch probeerde hij nog steeds de man die hem had gedood te grijpen. Vertwijfeld stak hij nog een laatste maal zijn hand uit. Toen viel zijn arm omlaag. Hij zakte op de grond ineen, rolde op zijn rug en bleef toen liggen terwijl zijn lege oogkassen blind naar het plafond staarden.

Uitgeput viel Smith zelf ook op zijn knieën.

Ergens beneden barstte opeens een nieuwe barrage van schoten los, die luidruchtig door het trappenhuis galmde. Smith kwam wankelend overeind, raapte zijn pistool op van de grond waar het was gevallen en rende naar de rand van de trap.

Hij zag Peter zich traag de trap op slepen. Hij trok pijnlijk met zijn been. 'Ben verdomd lang en hard gevallen, Jon,' verklaarde de andere man bij het zien van zijn bezorgde gezicht. 'Maar ik heb wel mijn Browning bij me kunnen houden.' Hij glimlachte zwakjes. 'Maar goed ook. Ik stuitte prompt op nog twee van die kerels die de andere kant op gingen, weet je.'

'Ik neem aan dat we van hen geen last meer zullen hebben?' vroeg Smith.

'In elk geval niet in dit leven,' beaamde Peter droogjes.

'Jon! Peter! Kom hier! Snel!'

Beide mannen draaiden zich om toen ze Randi's stem hoorden, die hen dringend riep. Ze renden terug de kamer in.

De CIA-agente zat naast een van de mannen geknield. Ze keek verwonderd naar hen op. 'Deze kerel leeft nog!'

43

Op de voet gevolgd door Peter haastte Smith zich naar Randi, waar hij neerknielde om de enige overlevende te onderzoeken. Het was de jongere man die hij door het raam had gezien, degene die had geluisterd naar signalen die over een satellietcommunicatiesysteem waren binnengekomen. Hij was door twee schoten geraakt, eentje in zijn schouder en eentje in zijn borst.

'Zie wat je kunt doen voor de arme drommel,' opperde Peter. 'Zoek uit wat hij weet. Intussen zal ik snel even rondsnuffelen om te kijken wat ik verder nog in deze bende kan ontdekken.'

Peter ging op pad om te beginnen met een systematisch onderzoek van de lijken en eventuele apparatuur en elektronica die misschien nog onbeschadigd was. In de tussentijd deed Smith een van zijn handschoenen uit en voelde hij in de nek van de gewonde man of diens hart nog klopte. Hij had nog wel een hartslag, maar die was heel zwak en snel en verflauwde. De huid van de jonge man was ook bleek en koud en voelde vochtig aan. Zijn ogen waren gesloten en hij ademde oppervlakkig en moeizaam.

Smith wierp een blik op Randi. 'Hou zijn voeten een paar centimeter omhoog,' zei hij zachtjes. 'Hij verkeert in een behoorlijk diepe shock.'

Ze knikte en tilde de voeten van de gewonde man een beetje op. Om ze daar te houden, pakte ze een dikke computerhandleiding van de dichtstbijzijnde tafel, die ze voorzichtig onder zijn kuiten schoof.

Smith werkte snel, met behoedzame vingers, en onderzocht de wonden van de jonge man, waarbij hij de kleding verwijderde om goed te bekijken waar de kogels zijn lichaam waren in- en uitgegaan. Hij fronste zijn wenkbrauwen. De verbrijzelde linkerschouder was al erg genoeg. De meeste chirurgen zouden erop aandringen dat die arm meteen geamputeerd zou worden. De andere verwonding was veel erger. Zijn gezicht werd somber toen hij de contouren volgde van de enorme wond in de rug van de jonge man waar de kogel was uitgetreden. De 9mm-kogel die zich met de snelheid van het geluid voortplantte, had enorme schade aangericht toen hij dwars door zijn borst ging. Hij had bot verbrijzeld, bloedvaten uiteengereten en over een steeds grotere breedte vitaal weefsel vermorzeld.

Jon deed wat hij kon. Eerst schudde hij een pakket voor het aanleggen van een noodverband uit een van de zakken van zijn gevechtsvest. Dat bevatte onder andere twee opgerolde vellen plastic in een afgesloten zakje. Hij trok het zakje met zijn tanden open, rolde de velletjes plastic uit en drukte die toen stevig op hun plek over de twee gaten in de borst van de gewonde man – zodat er geen lucht bij de wond kon komen. Toen hij dat had gedaan, tapete hij steriele gaasverbanden over het plastic in een poging het bloeden te stelpen.

Toen hij opkeek, zag hij dat Randi naar hem keek. Ze trok haar wenkbrauw op in een onuitgesproken vraag.

Smith schudde lichtjes zijn hoofd. De gewonde man was stervende. Zijn inspanningen zouden het proces slechts vertragen, maar het niet tegenhouden. De schade was gewoon te groot, er waren te veel inwendige bloedingen. Zelfs als ze hem de komende paar minuten naar een eerste hulp zouden kunnen krijgen, dan zou het nog verspilde moeite zijn.

Randi zuchtte. Ze stond op. 'Dan ga ik zelf ook maar even rondkijken,' zei ze. Ze tikte op haar horloge. 'Wacht niet te lang, Jon. Iemand in de buurt zal nu wel zo'n beetje de politie hebben gebeld over al het kabaal. Max zal ons waarschuwen als hij op de scanner iets duidelijks hoort, maar we moeten al lang weg zijn voordat ze hier zijn.'

Hij knikte. Zo vlak na de geheime oorlog van Burke en Pierson tegen de Lazarusbeweging zou de arrestatie van een Amerikaanse legerofficier in actieve dienst en een CIA-agente in het kapotgeschoten Parijse hoofdkwartier van de Beweging alleen maar de ergste angsten en verdenkingen van elke aanhanger van paranoïde complottheorieën bevestigen.

Randi wierp hem een met bloed besmeurde portefeuille toe. 'Deze vond ik in een van zijn zakken,' zei ze. 'Ik kan me zo voorstellen dat het identiteitsbewijs een vervalsing is. Maar in dat geval is het eersteklas werk.'

Smith klapte hem open. Hij bevatte een internationaal rijbewijs op naam van Vitor Abrantes, met een vast adres in Lissabon. Abrantes. Hij zei de naam hardop.

De ogen van de stervende gingen knipperend open. Zijn huid was lijkbleek.

'Ben jij Portugees?' vroeg Smith.
'Sim. Ja. *Eu sou Portuguese.'* Abrantes knikte flauw.
'Weet je wie je heeft neergeschoten?' vroeg Smith zachtjes.
De jonge Portugees huiverde. 'Nones,' fluisterde hij. 'Een van de Horatiërs.'
De Horatiërs? Smith vroeg zich af wat dat betekende. Het woord, dat Latijns klonk, maakte ergens in zijn achterhoofd iets bij hem los. Hij dacht dat het iets was wat hij hier in Parijs in het verleden had gezien of gehoord, maar hij kon er niet de vinger op leggen – althans niet op dit moment.
'Jon!' riep Randi opgewonden. 'Kijk hier eens naar!'
Hij keek op. Ze stond bij de computer waar hij de oudere man met het witte haar had zien werken. Ze draaide het scherm zijn kant op. De computer bleef steken in een of andere programmaloop en draaide de hele tijd dezelfde digitale beelden af – gefilmd materiaal van straten vol voetgangers, dat kennelijk was opgenomen en verzonden door een vliegtuig dat laag overvloog. Drie woorden knipperden rood in de rechteronderhoek van het beeld: LOSSEN NANOFAGEN BEGONNEN
'Mijn god!' besefte Smith plotseling. 'Ze hebben La Courneuve vanuit de lucht getroffen.'
'Zo te zien wel,' beaamde Randi grimmig. 'Ik denk dat dat makkelijker en effectiever is dan die afschuwelijke wapens vanaf de grond verspreiden.'
'Veel effectiever,' zei Smith, terwijl hij het snel overdacht. 'Als je de nanofagen vanuit de lucht inzet, ben je niet alleen afhankelijk van de wind of de interne druk om de wolk te verspreiden. Op die manier heb je meer controle en kun je met dezelfde hoeveelheid een veel groter gebied bestrijken.'
Hij wendde zich weer tot Abrantes. De gewonde man balanceerde op het randje van de dood en was zich amper bewust van zijn omgeving. Als ze geluk hadden, zou hij nu misschien vragen beantwoorden waarop hij eerder zeker geen antwoord had gegeven. 'Waarom vertel je me niet over de nanofagen, Vitor?' opperde hij voorzichtig. 'Wat is hun werkelijke doel?'
'Als onze tests eenmaal afgerond zijn, zullen zij de wereld zuiveren,' zei de stervende kuchend. Bloed borrelde op in zijn mondhoeken. Maar zijn ogen hadden een fanatieke glans. Met moeite sprak hij weer. 'Zij zullen alles weer nieuw maken. Zij zullen de aarde bevrijden van het verderf. Zij zullen haar behoeden voor de plaag van een bandeloze mensheid.'
Smith voelde een huivering van afgrijzen door hem heen gaan

toen het ten volle tot hem doordrong waar Abrantes het precies over had. De bloedbaden bij het Teller Instituut en La Courneuve waren slechts proefnemingen geweest. En dat betekende op zijn beurt dat de dood van tienduizenden mensen van meet af aan was gepland in het kader van veldexperimenten – van tests om die dodelijke nanofagen te evalueren en hun effectiviteit verder te verfijnen buiten de steriele ruimtes van een laboratorium.

Hij staarde wezenloos naar de beelden die steeds weer op het scherm werden herhaald. De nanofagen waren meer dan het zoveelste oorlogs- of terreurwapen. Ze waren ontworpen als instrumenten voor een genocide – een genocide die was gepland op een schaal zoals die nog nooit eerder in de geschiedenis was vertoond.

Jon voelde een ontzettende woede in hem opkomen. De gedachte dat iemand genoegen beleefde aan een wrede, onmenselijke slachting zoals hij bij het Teller Instituut had gezien, riep bij hem een razernij op die hij in geen jaren had gevoeld. Maar om hem de informatie te ontfutselen die ze nodig hadden, was het essentieel dat deze jonge Portugees de stem van een vriend zou horen – van iemand die zijn perverse overtuigingen deelde. Met dat in gedachten deed Jon zijn best om zijn razende emoties weer in de hand te krijgen.

'Wie zal de leiding hebben over deze zuivering, Vitor?' hoorde hij zichzelf vriendelijk vragen. 'Wie zal de wereld opnieuw maken?'

'Lazarus,' zei Abrantes kortweg. 'Lazarus zal leven uit de dood brengen.'

Smith ging weer zitten. Een vreselijk, angstaanjagend beeld begon zich in zijn hoofd te vormen. Het was een beeld van een marionettenspeler zonder gezicht die koel een drama ensceneerde dat zijn eigen maniakale schepping was. Het ene moment verwierp Lazarus technologie als een gevaar voor de mensheid. Het andere misbruikte hij diezelfde technologie voor zijn eigen verderfelijke doeleinden – bediende hij zich ervan om zelfs zijn meest toegewijde volgelingen te vermoorden als waren zij laboratoriummuizen. Met zijn ene hand manipuleerde hij functionarissen van de CIA, FBI en MI6 zo dat ze een heimelijke oorlog tegen de door hem geleide Beweging voerden. Met de andere hand keerde hij diezelfde illegale oorlog tegen hen, zodat zijn vijanden op het kritieke moment blind, doof en stom waren.

'En waar is die man die jij Lazarus noemt?' vroeg hij.

Abrantes zweeg. Na één korte ademhaling begon hij onbeheersbaar te hoesten, kokhalzend, omdat hij zijn longen niet vrij kon maken. Smith wist dat hij letterlijk in zijn eigen bloed verdronk.

Snel draaide hij het hoofd van de jonge man opzij, zodat hij tijdelijk weer even wat lucht kon krijgen. Rode stroompjes bloed spetterden uit Abrantes' krampachtig bewegende mond. De hoestbui bedaarde.

'Vitor! Waar is Lazarus?' herhaalde Smith met klem. Randi liet de computer die ze had bestudeerd voor wat hij was en kwam weer bij hem. Ze stond aandachtig te luisteren.

'Os Açores,' fluisterde Abrantes. Hij kuchte nog een keer en spoog meer bloed op de grond. Hij haalde nog een keer kort, oppervlakkig adem. *'O console do sol. Santa María.'* Ditmaal werd de inspanning hem te veel. Opeens begon hij te schokken en te stuiptrekken, geteisterd door weer een lang, slopend paroxisme. Toen dat voorbij was, was hij dood.

'Was dat een gebed?' vroeg Randi.

Smith fronste zijn wenkbrauwen. 'Als het dat was, betwijfel ik of hij er iets mee zou opschieten.' Hij keek neer op het verwrongen lichaam op de grond en schudde toen zijn hoofd. 'Maar ik geloof dat hij de vraag die ik hem stelde probeerde te beantwoorden.'

Twaalf meter verderop knielde Peter naast het lijk van de schutter die Randi had neergeschoten. Hij doorzocht de zakken van de man en haalde er een portefeuille en een paspoort uit. Snel bladerde hij door het paspoort, terwijl hij in zijn hoofd een aantekening maakte van de meest recente stempels – Zimbabwe, de Verenigde Staten en Frankrijk, in die volgorde, en allemaal binnen de laatste vier weken. Zijn lichtblauwe ogen vernauwden zich terwijl hij rekende. Bijzonder onthullend, dacht hij onbewogen.

Hij stopte de documenten in zijn zak en ging verder met het inspecteren van een grote rugzak die hem eerder was opgevallen. De pukkel van effen groene stof stond verlaten in de dichtstbijzijnde hoek. En nu hij eraan terugdacht leek hij precies op twee andere rugzakken die hij in andere delen van het vertrek had zien liggen.

Peter trok de flap opzij en gluurde erin.

Hij ademde sissend in toen hij neerkeek op twee dertig centimeter lange, bijeengebonden blokken plastic springstof. Ze waren verbonden met een ontsteker en een digitaal horloge. Tsjechische semtex of Amerikaanse C4, besloot hij, met een geïmproviseerde timer. Hij wist dat het hoe dan ook genoeg plastic springstof was om een enorme knal te geven als het afging. En nu zag hij dat de cijfers op het horloge ritmisch knipperden en gestaag naar nul aftelden.

44

Het Witte Huis
'Ambassadeur Nichols is aan de telefoon, meneer,' zei de kelner van het Witte Huis eerbiedig. 'Op de beveiligde lijn.'

'Dank je, John,' zei president Sam Castilla, terwijl hij zijn onberoerde bord met eten wegschoof. Nu zijn vrouw weg was en de Lazaruscrisis met elk uur erger werd, at hij alleen, doorgaans, zoals vanavond, van een dienblad in het Oval Office. Hij nam de telefoon op. 'Wat is er, Owen?'

Owen Nichols, de Amerikaanse afgezant bij de Verenigde Naties, was een van Castilla's nauwste politieke bondgenoten. Ze waren vrienden sinds hun universiteitstijd. Geen van beiden vond het nodig om het decorum in acht te nemen in hun omgang met elkaar. En geen van beiden geloofde in het vergulden van bittere pillen. 'De Veiligheidsraad is bijna toe aan een slotstemming met betrekking tot de nanotechresolutie, Sam,' zei hij. 'Die verwacht ik binnen een uur.'

'Zo snel?' vroeg Castilla verbaasd. De VN kwamen bijna nooit snel in actie. De organisatie gaf de voorkeur aan consensus en langdurige, bijna eindeloze discussies. Hij had gedacht dat de Raad er nog een dag of twee over zou doen om de nanotechresolutie in stemming te brengen.

'Zo snel,' bevestigde Nichols. 'Het debat is louter pro forma geweest. Iedereen weet dat er genoeg stemmen zijn om dat verdomde ding unaniem aan te nemen – tenzij wij ons veto uitspreken.'

'En hoe zit het met Engeland?' vroeg Castilla geschokt.

'Hun afgezant, Martin Rees, zegt dat ze het zich niet kunnen veroorloven om in deze kwestie tegen de internationale consensus in te gaan, niet na de onthullingen dat MI6 betrokken was bij die geheime oorlog tegen Lazarus. Ze moeten hierbij wel tegen ons ingaan. Hij zegt dat de baan van de premier toch al aan een zijden draadje hangt.'

'Verdomme,' mompelde Castilla.

'Ik wou dat dat het ergste nieuws was dat ik had,' zei Nichols zachtjes.

De president omklemde de telefoon. 'Ga door.'

'Rees wilde dat ik nog iets anders doorgaf dat hij bij het Engelse ministerie van Buitenlandse Zaken gehoord had. Frankrijk, Duitsland en een aantal andere Europese landen zijn achter de schermen bezig geweest met het voorbereiden van nog een vervelende verrassing voor ons. Als wij ons veto uitspreken over de resolutie van de Veiligheidsraad, zijn zij van plan om onze onmiddellijke schorsing van alle militaire en politieke NAVO-taken te eisen – omdat we anders misschien NAVO-hulpmiddelen zouden kunnen inzetten als onderdeel van onze illegale oorlog tegen Lazarus.'

Castilla blies uit terwijl hij probeerde om de woede te bedwingen die hij in zich voelde opkomen. 'Ik heb de indruk dat de gieren rondcirkelen.'

'Ja, inderdaad, Sam,' zei Nichols vermoeid. 'Door de bloedbaden in Zimbabwe, Santa Fe en Parijs en nu die verhalen over door de CIA gesteunde moorden is onze goede naam overzee volledig verpest. Dus dit is het perfecte moment voor onze zogenaamde vrienden om ons een toontje lager te laten zingen.'

Toen zijn gesprek met Nichols erop zat en hij had opgehangen, bleef Castilla nog even zitten, met zijn hoofd gebogen onder het gewicht van gebeurtenissen die zich voltrokken zonder dat hij er invloed op kon uitoefenen. Hij wierp een vermoeide blik op het elegante staande horloge tegen een van de gebogen wanden. Fred Klein had gezegd dat volgens hem kolonel Smith in Parijs iets belangrijks op het spoor was. Zijn mondhoeken trokken naar beneden. Wat het ook was waar Smith achteraan zat, het kon maar beter iets opleveren – en snel ook.

Parijs

Peter bleef nog een fractie van een seconde langer naar de geactiveerde springlading staren. Ongewild bewonderde hij de buitengewone grondigheid van de oppositie. Als het eropaan kwam om hun sporen uit te wissen, dacht hij, dan deden die lui geen half werk. Waarom zou je eigenlijk ook tevreden zijn met het doden van een paar potentiële getuigen als je ook het hele gebouw kon opblazen? De timer versprong weer een seconde, nog steeds onstuitbaar aftellend naar het onvermijdelijke einde.

Hij sprong overeind en rende om de werktafels en de kapotgeschoten elektronica naar Jon en Randi. 'Weg!' riep hij, terwijl hij naar de ramen wees. 'Wegwezen!'

Ze staarden naar hem. Het was duidelijk dat ze niet begrepen waarom hij plotseling zo'n haast had.

Peter kwam slippend tot stilstand naast de twee verbaasde Amerikanen. 'Er is minstens één verdomd zware bom geplaatst die in dit gebouw zal afgaan – en waarschijnlijk meer!' legde hij snel uit, bijna struikelend over zijn eigen woorden. Toen greep hij hen allebei bij hun schouder en duwde hen in de richting van de twee ramen die ze hadden verbrijzeld om binnen te komen. 'Ga dan! Als we geluk hebben, dan hebben we misschien dertig seconden!'

Eindelijk verscheen er een uitdrukking van verschrikt begrip op het gezicht van Jon en Randi.

Ze grepen alle drie een van de drie touwen die nog door de ramen naar binnen bungelden. 'Verspil geen tijd met proberen om ze aan een harnas vast te maken,' zei Peter tegen hen. 'Gebruik verdomme alleen maar het touw!'

Smith knikte. Hij sprong op de stenen vensterbank, sloeg een stuk van het abseiltouw om zijn heup en diagonaal over de andere schouder, weer schuin over zijn rug terug naar dezelfde heup en toen langs zijn arm naar de hand die hij als rem zou gebruiken. Hij zag Peter en Randi hetzelfde doen met hun eigen touw.

'Klaar?' vroeg Peter.

'Klaar!' bevestigde Jon. Randi knikte.

'Hup dan! Hup! Hup!'

Smith leunde naar buiten, draaide zich zijdelings naar de grond en liet gewoon de zwaartekracht het meeste werk doen, terwijl hij met grote sprongen langs de zijkant van het gebouw zeilde. De grond kwam hem duizelingwekkend snel tegemoet. Hij rook dat het nylon touw door zijn leren handschoenen schroeide en voelde het branden aan zijn schouder en zijn heup.

Hij was zich ervan bewust dat Peter en Randi gelijk met hem opgingen. Ze kwamen alle drie met een hoge snelheid langs de muur naar beneden suizen.

Toen hij schatte dat hij nog slechts een meter of zeven boven de kleine klinkersteeg was, die achter het hoofdkwartier van de Beweging liep, verstevigde hij de greep van zijn remmende hand op het touw en trok hij diezelfde arm abrupt over zijn borst met een krachtige, snelle beweging. Hij wilde het niet riskeren om met die snelheid de grond te raken, en als hij zo snel ging, was het onmogelijk om zachtjes of langzaam te remmen. Hij kwam met een schok tot stilstand, en bleef slechts drie, drieëneenhalve meter boven de grond bungelen.

Op dat ogenblik daverden de bovenste verdiepingen van het gebouw dat boven hem oprees door een reeks enorme explosies, die van de ene kant van rue de Vigny 18 naar de andere raasden in een om zich heen grijpend inferno van vlammen en gloeiende oververhitte lucht. Helse vuurtongen barstten door alle ramen, om in één verblindend, vreselijk moment de nacht te verzengen en de duisternis fel op te lichten. Kapotte stukken steen, lei en ander puin tuimelden hoog door de lucht, van onderen verlicht door de vuurzee die het hoofdkwartier van de Lazarusbeweging verzwolg.

Smith voelde zijn touw meegeven – uiteengerukt door de explosie. Hij viel, raakte de grond hard en rolde door. Randi en Peter ploften naast hem neer. Ze krabbelden overeind en zetten het op een rennen, zo snel ze konden, door de donkere steeg, glibberend en slippend over de klamme, gladde klinkers. Overal om hen heen vielen enorme brokken puin – ze knalden op de nabijgelegen daken of kletterden met dodelijke kracht in de krappe steeg.

Het drietal kwam de steeg uitgestormd en ging een bredere dwarsstraat in. Ze renden nog steeds zo hard als ze konden en doken in de deurnis van een kleine tabakswinkel om dekking te zoeken. Een nieuwe golf van witheet puin regende naar beneden over de omringende straten en gebouwen en sloeg gaten in daken en trottoirs en veroorzaakte nieuwe branden in zijn kielzog. In geparkeerde auto's die heen en weer werden geschud door de vallende brokstukken gingen schrille antidiefstalalarmen af, die het heidense lawaai dat aan alle kanten opklonk alleen maar erger maakten.

'Heeft er nog iemand briljante ideeën?' vroeg Randi snel. Ze hoorden alle drie in de verte sirenes, die elk moment dichterbij kwamen.

'We moeten hier zo snel mogelijk vandaan en uit het zicht verdwijnen,' zei Smith grimmig. 'En snel ook.' Hij keek naar haar. 'Kun jij hulp inroepen met die radio van je?'

Ze schudde haar hoofd. 'Mijn radio is naar de filistijnen.' Ze rukte met een blik vol afschuw haar *headset* af. 'Ik moet boven op dat rotding zijn geland toen mijn touw brak door die bommen. Zo voelt het in elk geval wel!'

Een blauwe Volvo kwam met gierende banden de hoek van de rue de Vigny om. Hij zwenkte scherp in hun richting en kwam op hen af razen. Ze stonden in het felle licht van de koplampen, afgetekend tegen de met een rolluik afgesloten deur van de kleine tabakswinkel. Ze zaten in de val, konden geen kant op en konden zich nergens verstoppen.

Vermoeid draaide Smith zich om. Zijn hand ging naar zijn SIG-Sauer, maar Randi hield zijn arm tegen en schudde haar hoofd. 'Geloof het of niet, Jon,' zei ze verwonderd, 'maar dat is er zowaar een van ons.'

De Volvo ging vol in de rem en kwam slippend tot stilstand, slechts een meter bij hen vandaan. Een raampje ging naar beneden. Ze zagen het verbaasde gezicht van Max, die hen van achter het stuur aankeek. Hij grijnsde zwakjes. 'Man! Toen dat gebouw de lucht in ging, dacht ik dat ik jullie nooit meer zou zien – althans niet in één stuk.'

'Ik denk dat dit gewoon je geluksdag is, Max,' zei Randi tegen hem. Ze ging haastig op de bijrijdersplaats zitten terwijl Jon en Peter op de achterbank kropen.

'Waar naartoe?' vroeg de CIA-agent aan haar.

'Maakt niet uit,' zei Randi gespannen. 'Zorg alleen maar dat we... daarvan wegkomen!' Ze wees bruusk met haar duim over haar schouder naar de laaiende, bulderende vuurzuil die hoog tegen de nachtelijke hemel oprees.

'Best, baas,' antwoordde Max rustig. Hij gooide het stuur een halve draai om en reed weer de straat in. Toen reed hij met een gematigde maar gestage snelheid weg, terwijl hij behoedzaam zijn achteruitkijkspiegel in de gaten hield.

Tegen de tijd dat de eerste brandweerwagens en politieauto's bij de brandende, door bommen verwoeste puinhopen van rue de Vigny 18 aankwamen, waren ze al meer dan anderhalve kilometer verwijderd en op weg naar de rand van Parijs.

Het Bos van Rambouillet lag ongeveer zestig kilometer ten zuidwesten van de stad. Het was een prachtige omgeving van bossen, meren en oude stenen abdijen die verscholen lagen tussen de hoge bomen. Het elegante herenhuis en het prachtige park van het château de Rambouillet bevonden zich midden in dit golvende bosgebied. Het meer dan zes eeuwen oude château zelf was ooit een weekendverblijf op het platteland geweest voor diverse Franse koningen. Nu diende het datzelfde doel voor presidenten van de Franse Republiek.

De noordelijke uitlopers van het bos bevonden zich echter op vele kilometers afstand van de pracht en praal van het château en waren grotendeels verlaten – een toevluchtsoord voor kuddes schichtige herten en wat wilde zwijnen. Onder de bomen liepen hier en daar smalle kronkelweggetjes, waardoor wandelaars en af en toe mensen van staatsbosbeheer het bos in konden.

Op een kleine open plek vlak naast een van die hobbelige bosweggetjes zat luitenant-kolonel Jon Smith op een boomstronk, terwijl hij de meswond op zijn linkeronderarm verbond, die opnieuw was opengegaan. Toen testte hij zijn nieuwe noodverband, waarbij hij zijn arm naar voren en naar achteren draaide om zich ervan te vergewissen dat het de belasting van plotselinge bewegingen kon weerstaan.

Smith besefte dat op een gegeven moment de wond opnieuw gehecht zou moeten worden, maar dit verband zou in elk geval het ergste bloeden moeten stelpen. Nadat hij dat had gedaan, trok hij een schoon overhemd aan, om enigszins ineen te krimpen toen de katoenen stof over nieuwe snijwonden, blauwe plekken en pijnlijke spieren gleed.

Terwijl hij opstond, rekte en draaide hij zich in een poging om wat van de vermoeidheid te verdrijven die bezit begon te nemen van zijn uitgeputte geest. De halve maan hing laag in het westen, amper zichtbaar boven het bladerdak van het omringende bos. Maar een vaag zweem van bleekgrijs licht aan de oostelijke horizon wees op de traag naderende dageraad. Over een paar uur zou de zon op zijn.

Hij wierp een blik op zijn metgezellen. Peter sliep op de bijrijdersplaats van de Volvo en maakte met het routineuze gemak van een doorgewinterde soldaat van de gelegenheid gebruik om zoveel mogelijk uit te rusten. Randi stond naast een kleine zwarte Peugeot die aan de andere kant van de open plek stond en overlegde zachtjes met Max en een andere, jongere CIA-agent, die Lewis heette en net uit Parijs was gekomen om de nieuwe burgerkleren te brengen die ze nodig hadden. Ze was ongetwijfeld bezig met het regelen van de onmiddellijke verdwijning van hun klimuitrusting, hun wapens en hun oude kleren – van alles wat hen in verband zou kunnen brengen met het bloedbad in rue de Vigny 18.

Er was niemand binnen gehoorsafstand.

Smith pakte zijn gecodeerde mobiele telefoon, haalde diep adem en toetste de code voor het hoofdkwartier van Covert-One in.

Fred Klein luisterde zwijgend naar Smiths rapport van wat er die nacht was gebeurd. Toen hij klaar was, zuchtte Klein diep. 'Je balanceert op het randje van een ramp en een totale catastrofe, kolonel, maar ik neem aan dat ik tegen succes niet veel in kan brengen.'

'Ik mag hopen van niet,' zei Smith droogjes. 'Dat zou rieken naar absolute ondankbaarheid.'

'Geloof jij dat die Abrantes de waarheid sprak?' vroeg Klein. 'Ik bedoel, over de relatie tussen Lazarus en de nanofagen? Stel dat hij ons alleen maar weer op een dwaalspoor wilde brengen – dat hij probeerde om ons het bos in te sturen?'

'Dat was niet zo,' zei Jon. 'Die vent was stervende. Wat hem betrof was ik zijn grootmoeder zaliger die uit de hemel was neergedaald om hem naar de poort van Petrus te brengen. Nee, Vitor Abrantes vertelde me de waarheid. Wie Lazarus ook werkelijk is, hij is de schoft die van meet af aan achter deze aanslagen heeft gezeten. Daar komt bij dat hij iedereen zand in de ogen heeft gestrooid door van twee kanten deze oorlog tussen de Beweging en de CIA en FBI te ensceneren.'

Het bleef lang stil aan de andere kant van de lijn. 'Met welk doel, Jon?' vroeg Klein ten slotte.

'Lazarus heeft tijd gerekt,' zei Smith tegen hem. 'Tijd om die perverse "veldtests" van hem uit te voeren. Tijd om de resultaten te analyseren en de nanofagen te verbeteren – ze krachtiger en dodelijker te maken. Tijd voor het ontwikkelen en evalueren van nieuwe methoden om ze op de door hem aangewezen doelen af te vuren.' Hij vertrok zijn gezicht. 'Terwijl wij allemaal in kringetjes rondliepen, was Lazarus ergens bezig met het ontwerpen, ontwikkelen en testen van een wapen dat het merendeel van het menselijk ras kan uitroeien.'

'Bij Kusasa in Zimbabwe, het Teller Instituut en nu La Courneuve,' besefte Klein. 'Al die plaatsen in de paspoorten en de andere reisdocumenten die Peter Howell heeft gevonden.'

'Precies.'

'En denk jij dat het wapen klaar is voor gebruik?' vroeg Klein zachtjes.

'Inderdaad,' zei Smith. 'Er is geen andere reden waarom Lazarus de mensen en de apparatuur zou vernietigen die hij gebruikte om toezicht te houden op die experimenten. Hij houdt grote schoonmaak – en bereidt zich voor om toe te slaan.'

'Wat is jouw advies?'

'We gaan op zoek naar de precieze locatie van Lazarus en het lab of de fabriek die hij gebruikt om dat spul te maken. Dan doden we hem en nemen we zijn voorraden nanofagen in beslag voordat die bij een grootschalige aanval worden ingezet.'

'Kort maar krachtig, kolonel,' zei Klein. 'Maar niet erg subtiel.'

'Heb jij betere ideeën?' vroeg Smith.

Het hoofd van Covert-One zuchtte nogmaals. 'Nee, dat heb ik niet. De kunst zal zijn om Lazarus te vinden voordat het te laat is. En dat is iets waar geen enkele westerse inlichtingendienst in geslaagd is, ook al proberen ze het al meer dan een jaar.'

'Ik denk dat Abrantes mij het meeste van wat we moeten weten heeft verteld,' betoogde Smith. 'Het probleem is: mijn Spaans is redelijk, maar van Portugees weet ik helemaal niets. Ik moet een duidelijke vertaling hebben van wat hij zei toen ik hem vroeg waar Lazarus nu was.'

'Ik kan wel iemand vinden die daarvoor kan zorgen,' beloofde Klein. Hij liep even weg van de telefoon. Op de achtergrond klonk een zachte klik, en toen kwam hij weer aan de lijn. 'Oké, klaar om op te nemen, kolonel. Toe maar.'

'Daar gaat-ie,' zei Smith. Uit zijn hoofd herhaalde hij de laatste woorden van Vitor Abrantes, waarbij hij probeerde te zorgen dat hij ze op dezelfde manier uitsprak als de stervende. '*Os Açores. O console do sol. Santa María.*'

'Ik heb het. Verder nog iets?'

'Ja.' Smith fronste zijn voorhoofd. 'Abrantes vertelde me dat hij was neergeschoten door een man die hij beschreef als "een van de Horatiërs". Als ik gelijk heb, ben ik al twee van hen tegengekomen – eerst bij het Teller Instituut en nu hier in Parijs. Ik zou graag wat meer willen weten over wie die grote identieke schoften waren... en hoeveel meer er misschien nog zijn!'

Klein zei: 'Ik zal zien wat ik kan vinden, Jon. Maar het zou een tijdje kunnen duren. Kun jij nog even blijven waar je bent?'

Smith knikte, terwijl hij om zich heen keek naar de hoge, met schaduw en verflauwend maanlicht overgoten bomen. 'Ja. Maar doe het zo snel als je kunt, Fred. Ik heb een akelig voorgevoel dat we weinig tijd hebben.'

'Begrepen, kolonel. Onderneem nog geen actie.'

Hij hing op.

Smith ijsbeerde heen en weer over de open plek. Hij voelde de spanning in hem toenemen. Zijn zenuwen stonden bijna op knappen. Er was meer dan een uur verstreken sinds Klein had beloofd dat hij terug zou bellen. Het grijze licht in het oosten was nu veel sterker.

Het onverwachte geluid van een automotor deed hem opschrikken. Hij draaide zich verbaasd om en zag de kleine zwarte Peugeot wegrijden, moeizaam hobbelend en waggelend over de diepe voren van het bosweggetje.

'Ik heb Max en Lewis teruggestuurd naar Parijs,' legde Randi uit. Ze had rustig op zijn boomstronk gezeten en gekeken hoe hij ijsbeerde. 'We hebben ze hier op dit moment niet nodig, en ik zou graag meer te weten willen komen over wat de Franse politie eventueel heeft gevonden in de resten van het hoofdkwartier van de Beweging.'

Smith knikte. Daar zat iets in. 'Ik denk...'

Zijn mobiele telefoon trilde. Hij klapte hem open. 'Ja?'
'Ben je alleen?' vroeg Klein abrupt. Zijn stem klonk gespannen, bijna onnatuurlijk.
Jon controleerde zijn omgeving. Randi zat amper een meter van hem vandaan. En Peter was, dankzij een of ander zesde zintuig dat door jaren in het veld was aangescherpt, wakker geworden van zijn dutje. 'Nee,' zei Smith.
'Dat is bijzonder jammer,' zei Klein. Hij aarzelde. 'Dan zul je erg voorzichtig moeten zijn met wat jij zegt. Duidelijk?'
'Ja,' zei Smith zachtjes. 'Wat heb je voor me?'
'Laten we beginnen met de Horatiërs,' zei Klein langzaam. 'De naam is afkomstig van een oude Romeinse legende – een identieke drieling die tweegevechten aan moest gaan met strijders van een rivaliserende stad. Ze stonden bekend om hun moed, kracht, behendigheid en trouw.'
'Dat klopt in elk geval,' zei Smith, terwijl hij terugdacht aan zijn dodelijke confrontaties met de twee lange mannen met hun groene ogen. Beide malen had hij veel geluk gehad dat hij het er levend af had gebracht. Hij kromp ineen. Het was een verontrustende gedachte dat er ergens nog een derde man was met dezelfde kracht en vaardigheden.
'Er is een beroemd schilderij van de Franse classicistische kunstenaar Jacques-Louis David,' vervolgde Klein, 'dat *De eed der Horatiërs* heet.'
'En dat hangt in het Louvre,' zei Smith, die plotseling besefte waarom de naam oude herinneringen had opgeroepen.
'Dat klopt,' bevestigde Klein.
Smith schudde grimmig zijn hoofd. 'Geweldig. Dus onze vriend Lazarus houdt van de klassieken en heeft een ziek gevoel voor humor. Maar ik neem aan dat we daarmee niet verder komen in onze pogingen om hem te vinden.' Hij zuchtte diep. 'Heb je een vertaling van Abrantes' laatste woorden kunnen regelen?'
'Ja,' zei Klein zachtjes.
'En?' vroeg Smith ongeduldig. 'Wat probeerde hij me te vertellen?'
'Hij zei: "De Azoren. Het eiland van de zon. Santa María,"' vertelde het hoofd van Covert-One.
'De Azoren?' Smith schudde verbaasd zijn hoofd. De Azoren waren een groepje kleine Portugese eilandjes ver in de Atlantische Oceaan, dicht bij de breedtegraad die Lissabon en New York met elkaar verbond. Eeuwen geleden was de archipel een strategische voorpost geweest van het nu verdwenen Portugese wereldrijk, maar

vandaag de dag bestond hij voornamelijk van rundvlees- en zuivelexport en toerisme.

'Santa María is een van de negen eilanden van de Azoren,' verklaarde Klein. Hij zuchtte. 'Kennelijk noemen de mensen die er wonen het soms "het eiland van de zon."'

'Wat is er dan in godsnaam op Santa María?' vroeg Smith, die amper de ergernis in zijn stem kon onderdrukken. Fred Klein kwam doorgaans niet zo traag ter zake.

'Op de oostelijke helft van het eiland niet veel. Eigenlijk alleen een paar kleine dorpjes.'

'En in het westen?'

'Nou, daar wordt het lastig,' gaf Klein toe. 'Naar het schijnt wordt het westelijke deel van Santa María gepacht door Nomura PharmaTech voor haar wereldwijde medische liefdadigheidswerk – compleet met een heel lange verharde landingsbaan, enorme hangarfaciliteiten en een kolossaal opslagcomplex voor medische voorraden.'

'Nomura,' zei Jon zachtjes. Eindelijk begreep hij waarom zijn baas zo gespannen klonk. 'Hideo Nomura is Lazarus. Hij heeft het geld, de wetenschappelijke knowhow, de faciliteiten en de politieke connecties om zoiets voor elkaar te krijgen.'

'Daar lijkt het wel op,' beaamde Klein. 'Maar ik ben bang dat het niet genoeg is. Niemand zal overtuigd worden door de vermeende laatste woorden van een onbekende stervende man. Zonder harde bewijzen, het soort bewijs dat we aan weifelende vrienden en bondgenoten kunnen laten zien, zou ik niet weten hoe de president zijn goedkeuring zou kunnen verlenen aan een openlijke aanval op Nomura's faciliteit op de Azoren.'

Het hoofd van Covert-One ging verder. 'De situatie hier is erger dan je je kunt voorstellen, Jon. Onze militaire en politieke bondgenootschappen storten als een kaartenhuisje in. De NAVO is verontwaardigd. De Algemene Vergadering van de VN is van plan om ons tot een terroristische natie te bestempelen. En een flink deel van het Congres pleit serieus voor het impeachment van de president. Onder die omstandigheden zou een schijnbaar onuitgelokte aanval vanuit de lucht of met kruisraketten op een wereldberoemde medische liefdadigheidsorganisatie de druppel zijn die de emmer doet overlopen.'

Smith wist dat Klein gelijk had. Maar die wetenschap maakte de situatie waarmee ze geconfronteerd werden niet draaglijker. 'Als we het doen, zijn we gedoemd. Maar als we het niet doen zijn we dood,' betoogde hij.

'Dat weet ik, Jon,' zei Klein met klem. 'Maar we moeten bewijs hebben om onze beweringen te ondersteunen voordat we er bommenwerpers en raketten op af kunnen sturen.'

'Er is maar één manier om aan dat soort bewijs te komen,' merkte Smith grimmig op. 'Iemand moet naar de Azoren om daar ter plekke poolshoogte te nemen.'

'Ja,' beaamde Klein langzaam. 'Wanneer kun je naar het vliegveld?'

Smith keek van de telefoon op naar Randi en Peter. Zij keken even grimmig. Ze hadden genoeg van zijn kant van het gesprek gehoord om te weten wat er speelde. 'Nu,' zei hij zonder meer. 'We gaan nú.'

45

Het Lazarus Centrum, Santa María, de Azoren

Buiten de raamloze ruimtes van het zenuwcentrum van de Lazarusbeweging kwam de zon net op boven de horizon van de Atlantische Oceaan. De eerste verblindende stralen beroerden de steile klippen van de São Laurençobaai met vuur en verlichtten de steile stenen terrassen van de wijngaarden van Maia. Vandaar rolde het steeds sterkere daglicht in westelijke richting over groene bossen en velden, schitterde het in het witte zandstrand bij Praia Formosa en verdreef het ten slotte de laatste nachtelijke schaduwen van de boomloze kalkstenen vlakte rondom de landingsbaan van Nomura PharmaTech.

Binnen in het Centrum, verschanst in een door neon verlichte stilte, las Hideo Nomura de meest recente berichten door van zijn resterende agenten in Parijs. Afgaande op bijzonderheden die waren verschaft door betaalde informanten bij de politie was het duidelijk dat Nones en zijn mannen dood waren – samen met alle anderen gedood in het door bommen verwoeste gebouw op rue de Vigny 18.

Hij fronste zijn voorhoofd, zowel verbaasd als bezorgd vanwege dit nieuws. Nones en zijn team hadden al lang weg moeten zijn toen hun springladingen ontploften. Er was iets helemaal misgegaan, maar wat?

Diverse getuigen meldden dat ze vlak na de eerste explosies ‘mannen in zwarte pakken’ uit het gebouw hadden zien wegrennen. Hoewel aanvankelijk sceptisch, nam de Franse politie deze rapporten nu serieus – en gaven ze de mysterieuze krachten die zich tegen de Lazarusbeweging richtten de schuld voor een naar het zich liet aanzien zware terroristische aanslag op haar Parijse hoofdkwartier.

Nomura schudde zijn hoofd. Dat was uiteraard onmogelijk. De enige terroristen die de Beweging op de korrel namen waren mannen die onder zijn commando stonden. Maar toen aarzelde hij terwijl hij beter over de zaken nadacht.

Stel dat er inderdaad iemand anders in rue de Vigny 18 had rondgesnuffeld? Met zijn zorgvuldig uitgedachte plannen was hij er weliswaar in geslaagd om verwarring te stichten bij de CIA, FBI en MI6, maar er waren andere inlichtingendiensten op de wereld, die ook zouden kunnen proberen om hun neus in de activiteiten van de Lazarusbeweging te steken. Zouden zij daar iets gevonden kunnen hebben dat de surveillance van La Courneuve met hem in verband zou kunnen brengen? Hij beet op zijn onderlip, terwijl hij zich afvroeg of hij te overmoedig was geweest, er veel te zeker van was geweest dat niemand zijn vele ingewikkelde krijgslisten zou doorzien.

Nomura dacht even over die mogelijkheid na. Hoewel zijn dekmantel waarschijnlijk nog intact was, was het wellicht beter om bepaalde voorzorgsmaatregelen te nemen. Zijn oorspronkelijke plan voorzag in een gelijktijdige aanval op het vasteland van de Verenigde Staten door minstens een dozijn *Thanatos*-vleugels – maar het zou zijn werkploegen nog drie dagen kosten om het vereiste aantal van de gigantische onbemande, vliegende vleugels in elkaar te zetten. Belangrijker was dat hij hier niet de hangarruimte had om zoveel vliegtuigen te verbergen voor onverwachte surveillance vanuit de lucht of de ruimte.

Nee, dacht hij onbewogen, hij moest nú handelen, nu hij zeker wist dat het nog kon, in plaats van te wachten op een perfect moment dat misschien nooit zou komen. Zodra de eerste miljoenen eenmaal dood waren, zouden de Amerikanen en hun bondgenoten geen leiders meer hebben en te geschokt zijn om effectief jacht te maken op hun onzichtbare vijanden. Als je streed om de macht over het lot van de wereld, zo bracht hij zichzelf in herinnering, was flexibiliteit geen zwakte maar een deugd. Hij drukte een knop op zijn intercom in. 'Stuur Terce naar mij. Nu meteen.'

Enkele ogenblikken later arriveerde de laatste van de Horatiërs. Zijn zware schouders vulden de deuropening en zijn hoofd leek bijna tegen het plafond te komen. Hij boog eerbiedig en bleef toen bewegingloos voor het teakhouten bureau van Nomura staan, geduldig wachtend op orders van de man die zo'n sterke en efficiënte moordenaar van hem had gemaakt.

'Je weet dat je wapenbroeders me allebei hebben teleurgesteld?' vroeg Nomura.

De lange man met de groene ogen knikte. 'Dat heb ik begrepen,' zei hij koeltjes. 'Maar ik ben nog nooit in mijn plicht tekortgeschoten.'

'Dat is waar,' beaamde Nomura. 'En daarom zullen de hun beloofde beloningen nu jou toekomen. Als de tijd daar is, zul jij aan mijn rechterhand staan – om te heersen in mijn naam, in naam van Lazarus.'

Terces ogen glommen. Nomura was van plan om de wereldorde te veranderen en zo een paradijs te scheppen voor de weinigen die hij het waard achtte om te overleven. De meeste staten en volken zouden te gronde gaan, in de loop van maanden en jaren verteerd worden door golven van onzichtbare nanofagen. Degenen die hij in leven zou laten zouden gedwongen worden zijn bevelen te gehoorzamen en hun levens, culturen en overtuigingen aan te passen aan zijn idyllische visie. Nomura en degenen die hem dienden zouden een bijna onvoorstelbare macht uitoefenen over de angstige overlevenden van de mensheid.

'Wat zijn uw orders?' vroeg het laatste lid van de Horatiërs.

'We gaan eerder aanvallen dan gepland,' zei Nomura tegen hem. 'Drie *Thanatos*-vleugels zouden in zes à acht uur klaar moeten zijn om gelanceerd te worden. Informeer het nanofagenproductieteam dat ik genoeg volle cilinders wil hebben om die vliegtuigen mee te laden zodra hun voorcontroles erop zitten. De eerste doelen zullen Washington, New York en Boston zijn.'

Lajes Veld, het eiland Terceira, de Azoren

Drie mensen, twee mannen en een vrouw, vielen op in het kleine groepje passagiers dat uit het Air Portugalvliegtuig vanuit Lissabon stapte. Niet gehinderd door bagage liepen ze snel door de tragere stromen eilandbewoners en koopjesbeluste toeristen van de landingsbaan naar de aankomsthal van het vliegveld.

Toen ze eenmaal binnen waren bleef Randi Russell stokstijf staan. Ze staarde omhoog naar een grote klok waarop te zien was dat het twaalf uur 's middags was en staarde toen weer naar het bord met de aankomst- en vertrektijden. 'Verdomme!' mompelde ze gefrustreerd. 'Er gaat elke dag maar één aansluitende vlucht naar Santa María – en die hebben we al gemist.'

Terwijl hij doorliep, schudde Jon zijn hoofd. 'We gaan niet met een commerciële vlucht.' Hij ging ze voor naar de buitendeuren. Een korte rij taxi's en auto's van particulieren stond langs het trottoir te wachten om gearriveerde passagiers op te pikken.

Ze trok een wenkbrauw op. 'Santa María moet meer dan driehonderd kilometer ver zijn. Ben je van plan te gaan zwemmen?'

Smith grijnsde over zijn schouder. 'Niet tenzij Peter het verprutst.'

Randi wierp een blik op de Engelsman met de lichte ogen die naast haar liep. 'Weet jij waar hij het over heeft?'

'Geen idee,' zei Peter luchtig tegen haar. 'Maar ik heb onze vriend in Parijs een stel gedempte telefoontjes zien plegen terwijl wij op onze vlucht naar Lissabon wachtten. Dus ik vermoed dat hij iets achter de hand heeft.'

Nog steeds met een flauwe glimlach liep Smith door de deuren de buitenlucht in. Hij hief zijn hand op en gebaarde naar een groen, bruin en gelig gecamoufleerde Humvee die een eindje verderop met stationair draaiende motor stond. Die trok op en kwam naar hen toe gereden.

'Kolonel Smith en consorten?' vroeg de stafsergeant van de Amerikaanse luchtmacht die achter het stuur zat.

'Dat zijn wij,' zei Smith, terwijl hij de achterdeuren al opentrok en gebaarde dat Randi en Peter moesten instappen. Na hen wipte hij ook naar binnen.

De Humvee reed weg. Nadat hij vijfhonderd meter over dezelfde weg had doorgereden, sloeg hij af bij een poort in de omheining. Daar werd hun identiteitsbewijs gecontroleerd door een paar streng kijkende bewakers met geladen M-16's, die zorgvuldig hun gezicht en hun foto met elkaar vergeleken. Toen ze gerustgesteld waren, gebaarden de soldaten dat ze door konden rijden naar de Amerikaanse luchtmachtbasis van Lajes.

De wagen ging naar links en racete over het onderhoudsterrein. Grijs gecamoufleerde C-17 transportvliegtuigen en kolossale KC-10 tankvliegtuigen stonden langs de lange landingsbaan. Aan de ene kant van het teermacadam liep het terrein af, om zich uiteindelijk bijna recht naar beneden in de Atlantische Oceaan te storten. Aan de andere kant verrezen heldergroene heuvels hoog boven het vliegveld, die door lage wallen van vulkanisch gesteente werden opgedeeld in talloze kleine veldjes. De zoete geuren van wilde bloemen en de frisse zoute lucht van de oceaan vermengden zich op een vreemde manier met de scherpe, penetrante geur van halfverbrande vliegtuigbrandstof.

'Die kist van u is een uur geleden vanuit de States aangekomen,' zei de luchtmachtsergeant tegen hen. 'Hij wordt nu klaargemaakt.'

Randi draaide zich om naar Smith. *'Kist?'* vroeg ze scherp.

Jon haalde zijn schouders op. 'Een UH-60L Black Hawk-helikopter van het Amerikaanse leger,' zei hij. 'Hierheen gevlogen door een C-17 rond dezelfde tijd dat wij in het vliegtuig van Parijs naar Lissabon zaten. Ik dacht dat die wel van pas zou kunnen komen.'

'Goed gedacht,' zei Randi met nauwverholen sarcasme. 'Even voor de duidelijkheid: jij knipte met je vingers en meteen stuurden het leger en de luchtmacht je een helikopter van vele miljoenen voor jouw privé-gebruik? Klopt dat, Jon?'

'In feite heb ik een paar vrienden bij het Pentagon gevraagd om wat invloed uit te oefenen,' zei Smith bescheiden. 'Iedereen zit zo over die nanofagendreiging in dat ze bereid waren om een loopje met de regels te nemen.'

Randi wendde zich tot de Engelsman met het leerachtige gezicht. 'En ik neem aan dat jij denkt dat je een Black Hawk kunt besturen?'

'Tja, als ik dat niet kan, zullen we daar spoedig door schade en schande achter komen,' zei Peter vrolijk tegen haar.

46

De landingsbaan van PharmaTech, het eiland Santa María
Hideo Nomura kuierde langzaam langs de lange betonnen startbaan. De wind, die vanuit het oosten kwam, blies fluisterend door zijn korte zwarte haar. De lichte bries voerde de doordringende geur van het hoge, door de zon verwarmde gras mee dat aan de andere kant van het hek op het plateau groeide. Hij keek op. De zon stond nog hoog aan de hemel en begon net aan zijn lange afdaling in de richting van de westelijke horizon. Ver naar het noorden dreven enkele wolken langzaam voorbij, eenzame witte plukjes dons aan een helderblauwe hemel.

Nomura glimlachte. Het weer was in alle opzichten perfect. Hij draaide zich om en zag zijn vader achter hem staan tussen twee van Terces streng kijkende bewakers. De handen van de oudere man waren met handboeien op zijn rug vastgemaakt.

Hij glimlachte naar zijn vader. 'Is het niet geweldig ironisch?'

Jinjiro nam hem op met een ijzige afstandelijkheid. 'Er is hier veel dat ironisch is,' zei hij koel. Hij weigerde om zijn verraderlijke zoon zelfs maar bij zijn naam te noemen. 'Waar heb je het over?'

De jongere man negeerde de schimpscheut en knikte in de richting van de startbaan voor hen. 'Dit vliegveld,' verklaarde hij. 'De Amerikanen legden het aan in 1944, tijdens hun oorlog tegen Duitsland en ons geliefde vaderland. Hun bommenwerpers gebruikten dit eiland als een punt om bij te tanken tijdens hun lange transatlantische vluchten naar Engeland. Maar vandaag zal ik hun eigen werk tegen hen keren. Dit vliegveld zal straks het vertrekpunt zijn voor de vernietiging van Amerika!'

Jinjiro zweeg.

Hideo haalde zijn schouders op en wendde zich af. Het was nu duidelijk dat hij zijn vader in leven had gehouden uit een misplaatst gevoel van kinderlijk respect. Zodra de eerste *Thanatos*-vleugels in de lucht waren, zou er tijd zijn om een passend eind voor die oude dwaas te regelen. Sommige van zijn wetenschappers waren al bezig aan verschillende varianten van de Fase Vier-nanofagen. Misschien zou het hun goed uitkomen om hun nieuwe ontwerpen op een levende menselijke proefpersoon uit te testen.

Hij liep met grote passen naar een klein groepje boordwerktuigkundigen en grondpersoneel dat naast de startbaan stond te wachten. Ze hadden headsets en korte-afstandsradio's om tussen de hangars en de toren te communiceren. 'Is alles gereed?' vroeg hij scherp.

De chef van het grondpersoneel knikte. 'De ploeg in de grote hangar meldt dat men klaar is voor vertrek. Alle cilinders zijn aan boord.'

'Mooi.' Nomura keek naar zijn hoogste boordwerktuigkundige. 'En de drie vleugels?'

'Al hun systemen functioneren binnen de verwachte normen,' vertelde de man hem vol zelfvertrouwen. 'Hun zonnecellen, reservebrandstofcellen, besturingssystemen en aanvalsprogramma's zijn allemaal dubbel gecontroleerd.'

'Uitstekend,' zei Nomura. Hij keek nogmaals naar de chef van het grondpersoneel. 'Zijn er nog ongeïdentificeerde luchtcontacten waarover we ons zorgen moeten maken?'

'Nee, die zijn er niet,' zei de chef. 'Volgens de radar is er niets in de lucht in een straal van honderd kilometer. We lopen geen gevaar.'

Hideo haalde diep adem. Voor de verwerkelijking van dit moment had hij jarenlang plannen gemaakt, geïntrigeerd en mensen gedood. Dit was de reden waarom hij zijn eigen vader had misleid, gevangen en verraden – allemaal voor dit ene glorieuze ogenblik van gegarandeerde triomf. Hij ademde langzaam uit, terwijl hij genoot van het heerlijke gevoel. Toen sprak hij. 'Begin de *Thanatos*-operaties.'

De chef van het grondpersoneel herhaalde zijn order over de radio.

'Open de hangardeuren.'

Daarop gingen aan de zuidkant van het vliegveld de enorme metalen deuren van de dichtstbijzijnde hangar kreunend uiteen, om een enorme ruimte te onthullen vol met mensen en machines. Zonlicht stroomde door de snel groter wordende opening. Het viel op de zonnecellen van de eerste *Thanatos*-vleugel. Die glommen als een gouden vuur.

'Het eerste vliegtuig is aan het taxiën,' meldde de hoogste boordwerktuigkundige.

Langzaam kwam het enorme onbemande vliegtuig, met een spanwijdte groter dan die van een 747, uit de hangar denderen. Het kon maar net door de deuren. Veertien dubbelbladige propellers zoemden zachtjes en trokken het de startbaan op. Aan elk van de vijf gondels onder aan de vleugels waren groepjes dunwandige kunststof cilinders zichtbaar.

'Maskers op en handschoenen aan,' beval Nomura. Het grondpersoneel en de boordwerktuigkundigen gehoorzaamden haastig en hesen zich in de zware uitrusting die hen een beperkte bescherming zou bieden als er tijdens het opstijgen iets misging.

Terce kwam bij hem staan en gaf hem een gasmasker, een ademhalingsapparaat en dikke handschoenen. Met een kort knikje nam Hideo ze aan.

'En de gevangene?' vroeg de lange man met de groene ogen. Zijn stem werd gedempt door zijn ademhalingsapparaat. 'Hoe zit het met hem?'

'Mijn vader?' Hideo keek om naar Jinjiro die nog steeds blootshoofds in de zon stond, star en onverzettelijk tussen zijn twee bewakers met hun gasmaskers. Hij glimlachte koud en schudde zijn hoofd. 'Voor hem geen masker. Laat die oude man het er maar op wagen.'

'Het tweede vliegtuig is aan het taxiën,' meldde de chef van het grondpersoneel, luid genoeg om gehoord te worden door zijn masker en zijn ademhalingsapparaat heen.

Nomura keek weer naar de startbaan. De eerste *Thanatos*-vleugel was al tweehonderd meter van hen verwijderd en maakte langzaam vaart terwijl hij noordwaarts rolde om op te stijgen. De tweede vliegende vleugel kwam uit de kolossale hangar. Daarachter was een derde net zichtbaar. Hij zette de op handen zijnde dood van zijn vader van zich af en concentreerde zich in plaats daarvan op de hoge vlucht die zijn wrede dromen namen.

Terce verwijderde zich en haalde terwijl hij wegliep een Duits Heckler & Koch G-36 legergeweer van zijn schouder. Zijn hoofd ging heen en weer om de gewapende bewakers te controleren die hij met regelmatige tussenruimtes langs de startbaan had opgesteld. Ze leken allemaal alert.

Er gleed een lichte frons over het gezicht van de grote man. Als hij de twee mannen meetelde die Jinjiro bewaakten, waren er tien bewakers rond het vliegveld. Dat hadden er twee keer zoveel moeten zijn – maar de onverwachte zware verliezen die hij in New Mexico en daarna in Virginia had opgelopen hadden niet tijdig aangevuld kunnen worden. Het gebrek aan mankracht was nog verergerd door de dood van Nones en zijn Parijse beveiligingseenheid.

Terce haalde zijn schouders op en keek naar het westen, naar de zee. Uiteindelijk maakte het niet uit. Nomura had gelijk. Heimelijkheid was belangrijker dan vuurkracht. Over hoeveel soldaten, raketten en bommen ze ook mochten beschikken, de Amerikanen konden geen doel aanvallen dat ze niet konden vinden.

Hij verstarde. Boven de Atlantische Oceaan bewoog iets, bijna aan het randje van zijn gezichtsveld. Hij tuurde. Wat het ook was, het kwam met hoge snelheid dichterbij. Maar het was moeilijk om te zien wat het was door de dikke, vervormende lenzen van zijn gasmasker.

Met een grom rukte Terce het masker en het ademhalingsapparaat dat daaraan vastzat af om ze weg te werpen. Nu kon hij het tenminste duidelijk zien! Een kleine donkergroene stip, die vlak boven de golven van de oceaan voortijlde. Het kwam met een bocht op hem af, waarbij het enigszins schuin hing, en het werd snel groter. Zonlicht werd flitsend weerkaatst door ronddraaiende rotorbladen.

Aan boord van de UH-60L Black Hawk leunde Smith naar voren in de stoel van de copiloot, terwijl hij door een krachtige verrekijker naar het vliegveld voor hen tuurde. 'Oké,' zei hij luid. Hij moest schreeuwen om zich verstaanbaar te maken boven het gieren van de twee krachtige motoren en de grote, ratelende rotoren van de transporthelikopter. 'Ik tel twee An-124 Condor vrachtvliegtuigen, die aan de noordkant van de landingsbaan vlak bij een grote hangar staan. En dan nog iets wat lijkt op een veel kleinere bedrijfsjet, misschien een Gulfstream.'

'Wat is het dat daar beweegt aan de zuidkant van de startbaan?' riep Randi in zijn oor. Ze zat gehurkt achter de twee zitplaatsen voor in de cabine, en hield zich zo stevig vast dat haar vingers wit waren. De Black Hawk schokte en ging hevig op en neer terwijl Peter zijn best deed om de helikopter met een constante snelheid van meer dan honderd knopen slechts vijftien meter boven de toppen van de oceaangolven te houden. Hij was heel laag aan komen vliegen om te vermijden dat ze door de radar van het vliegveld werden opgepikt.

Smith richtte zijn verrekijker naar rechts. Voor het eerst zag hij de drie enorme vliegende vleugels achter elkaar op de lange betonnen startbaan. De voorste ging al sneller en sneller en rolde gladjes voort om op te stijgen. Aanvankelijk wilde zijn uitgeputte geest niet accepteren dat iets wat zo groot was en er tegelijk zo teer uitzag luchtwaardig zou kunnen zijn.

Toen begreep hij het opeens en vielen de feiten en beelden uit zijn geheugen op hun plaats. Een aantal jaren geleden had hij het een en ander gelezen over de wetenschappelijke experimenten van de NASA met onbemande vliegtuigen op zonne-energie, die lange tijd op zeer grote hoogtes konden vliegen. Nomura moest dezelfde technologie hebben gestolen voor zijn eigen boosaardige doeleinden. 'Lieve hemel!' zei hij, geschokt door het plotselinge besef. 'Dat zijn de vliegtuigen waarmee Nomura wil aanvallen!'

Snel vertelde hij de anderen wat hij zich herinnerde van hun vluchtprofiel en hun specificaties.

'Kunnen onze straaljagers ze niet neerschieten?' vroeg Randi somber.

'Als ze op meer dan dertig kilometer hoogte vliegen?' Smith schudde zijn hoofd. 'Dat is boven het maximale plafond voor elke straaljager waarover wij beschikken. Wij hebben geen F-16 of F-15 of wat dan ook dat zo hoog kan vliegen en vechten!'

'En hoe zit het met jullie Patriotraketten?' opperde Peter.

'Dertig kilometer is ook boven hun effectieve bereik,' antwoordde Smith grimmig. 'Bovendien durf ik te wedden dat die verdomde robotvliegtuigen zo gebouwd zijn dat ze de meeste radarsystemen kunnen omzeilen.' Hij klemde zijn kaken op elkaar. 'Als ze op grote hoogte vliegen, zullen ze onkwetsbaar en waarschijnlijk onopspeurbaar zijn. Dus als die vliegtuigen eenmaal operationeel zijn, zal Nomura ons naar believen kunnen treffen – en wolken nanofagen los kunnen laten boven elke stad die hij maar wil.'

Ontzet door het gevaar dat hij de Verenigde Staten boven het hoofd zag hangen, richtte Jon zijn verrekijker op een klein groepje mannen dat vlak naast de startbaan bij elkaar stond. Hij ademde kort en scherp in. Ze droegen gasmaskers.

De wereld om hem heen leek te vervagen, te vertragen terwijl zijn geest op volle toeren draaide. Waarom hadden ze maskers op? En toen schoot het antwoord – het enig mogelijke antwoord – hem plotseling te binnen.

'Eropaf, Peter!' snauwde Smith. Hij wees naar het vliegveld. 'Recht eropaf!'

De Engelsman wierp hem een verbaasde blik toe. 'Dit is geen aanvalsmissie, Jon. We zouden op verkenning uitgaan – niet er met geheven sabels op afstormen alsof we goddomme de cavalerie zijn.'

'De missie is net gewijzigd,' zei Smith gespannen tegen hem. 'Die vleugels zijn met wapens uitgerust. Die schoft van een Nomura zet nu zijn aanval in!'

47

Met een frons gooide Peter het stuur van de Black Hawk om, zodat hij een scherpe bocht in de richting van het vliegveld maakte. De kustlijn van Santa María kwam dichterbij. De vorm en de details ervan werden snel zichtbaar terwijl ze er met honderd knopen op af vlogen. De Engelsman draaide zijn hoofd even om en keek naar Randi. 'Je kunt maar beter de wapens pakken.'

Ze knikte. Ze droegen al alledrie een kogelvrij vest van kevlar en de helikopter was uitgerust met drie M-4 karabijnen, ingekorte uitvoeringen van het M-16 geweer van het Amerikaanse leger. Ze ging naar achteren, naar het troepencompartiment, waarbij ze ervoor zorgde dat ze zich met minstens één hand goed vasthield aan alles wat maar vastzat.

Opeens liet Peter de Black Hawk nog een scherpe bocht beschrijven, zodat hij nu parallel aan de startbaan in noordelijke richting vloog. 'Momentje,' zei hij. 'Waarom zouden we zo moeilijk doen? Waarom zouden we niet gewoon boven die rotdingen gaan hangen en ze boven zee neerschieten?'

Smith overwoog die suggestie. Er was niets op aan te merken. Hij werd rood. 'Daar had ik aan moeten denken,' gaf hij met tegenzin toe.

Peter grijnsde. 'Zeker medicijnen gestudeerd terwijl je tactiek had moeten bestuderen, hè?' Hij trok de besturing naar achteren. De UH-60 ging gestaag omhoog en was binnen enkele seconden bijna honderd meter boven het zeeoppervlak. 'Hou die eerste vleugel in de gaten, Jon. Laat het me weten wanneer hij is opgestegen.'

Smith knikte. Hij leunde achterover in zijn stoel om over Peters schouder door het rechterraampje van de cabine naar buiten te kijken. Opeens werd zijn aandacht getrokken door een felle, witte flits en een stofwolk vlak bij het vliegveld. Een klein pijltje kwam op een vuurzuil op hen afsnellen. Een fractie van een seconde staarde hij er ongelovig naar. Toen deed zijn overlevingsinstinct zich gelden. 'SAM! SAM!' brulde hij.

'Barst!' riep Peter uit. Hij rukte aan de besturingssystemen en bediende behendig beide voetpedalen en de stuurknuppel, zodat de Black Hawk een steile neerwaartse bocht maakte in de richting van de naderende raket. Tegelijkertijd haalde hij een schakelaar op het bedieningspaneel over om de fakkelstrooier van de helikopter te activeren.

Infrarode hittefakkels werden in een brede boog achter de duikende UH-60 afgeworpen. Smith zag de naderende SAM-raket vlak over hen heen schieten en toen scherp wegzwenken om een van de afleidingsfakkels te volgen, die langzaam in de richting van de oceaan dwarrelde. Hij ademde uit. 'Dat moet een hittezoeker zijn geweest,' merkte hij op, geërgerd door de trilling in zijn stem.

Peter knikte. Hij had zijn lippen strak opeengeklemd. 'Dat zijn draagbare SAM's meestal.' Hij zuchtte. 'Terug naar af, vrees ik. We kunnen geen luchtgevecht aangaan – niet met een dergelijke raketdreiging aan onze kont.'

'Dus we gaan erop af?' opperde Smith.

'Reken maar,' zei Peter, terwijl hij zijn tanden ontblootte in een felle, vechtlustige grijns. Hij liet de Black Hawk zo laag aanvliegen dat het voorste landingsgestel bijna over de golven leek te scheren. Het vliegveld, dat nu recht voor hen lag, kwam snel dichterbij door de kap van de stuurcabine. 'We gaan er hard en snel tegenaan, Jon. Jij veegt de linkerkant schoon; ik de rechterkant. En Randi, die brave ziel, doet wat er verder nog gedaan moet worden.'

'Goed plan!' beaamde Randi vanachter hen. Ze gaf Smith een van de M-4 karabijnen en drie dertig-schotsmagazijnen. Met zijn ingekorte loop en een uitschuifbare greep was de M-4 een iets lichter en handzamer wapen dan het geweer waarvan het was afgeleid, de M-16. Hij klikte een magazijn in het geweer en stopte de reservemagazijnen in zijn zakken. De derde karabijn ging naar Peter, die hem naast zich vastklemde op de zitplaats van de piloot.

'Bedankt! Nou, gordel om,' riep Peter terug naar haar. 'De landing zal een tikkeltje ruw zijn!'

Langs de startbaan voor hen waren nog meer flitsen te zien. Enkele mannen stonden in het vrije veld en vuurden gestaag met legergeweren op de naderende helikopter. 5.56mm-kogels sloegen in de Black Hawk – schampten rinkelend van de hoofdrotor af, ketsten van de gewapende kap en cockpit af en gingen door de dunne legering van de wanden van de romp.

Smith zag Nomura's eerste vliegende vleugel opstijgen en aan zijn klim beginnen. Hij sloeg gefrustreerd met zijn vuist tegen de zijkant van zijn zitplaats. 'Verdomme!'

'Op de grond zijn er nog twee! Om die ene zullen we ons later wel bekommeren,' verzekerde Peter hem. 'Als er tenminste een later is,' voegde hij daar zachtjes aan toe.

De Black Hawk klepperde laag over het teermacadam, beschreef een snelle halve cirkel, schoot even omhoog en kwam toen met een zware bons neer in het lange gras dat naast de startbaan groeide. Meer geweerkogels ketsten van de kap van de cockpit af en suisden weg in een regen van vonken. Smith timmerde op de gesp van zijn veiligheidsgordel om hem los te maken, greep zijn M-4 karabijn en wurmde zich naar achteren, naar het troepencompartiment. Peter volgde hem op de voet en bleef alleen even staan om een paar schakelaars op het bedieningspaneel om te zetten. Boven hun hoofd vertraagden de rotorbladen dramatisch – maar ze bleven draaien.

Randi had de linkerzijdeur al open. Ze zat ineengedoken in de opening en keek langs de loop van haar karabijn. Ze wierp een blik over haar schouder. 'Klaar?'

Jon knikte. 'Kom op!'

Op de voet gevolgd door Randi sprong hij uit de helikopter en rende zuidwaarts langs de rand van de startbaan. Geweerkogels scheerden vlak over hun hoofd, afkomstig van een paar bewakers die over het beton op hen af kwamen rennen. Smith wierp zich languit in het lange gras en opende het vuur, waarbij hij met drieschotssalvo's een boog van links naar rechts beschreef.

Een van de bewakers slaakte een schrille kreet en viel voorover, bijna in tweeën gehakt door twee hoge-snelheidskogels. De andere liet zich op zijn buik op het beton vallen en bleef schieten.

Vanuit haar positie aan Smiths rechterhand richtte Randi koelbloedig. Ze liet het vizier inspelen op de bril van het gasmasker van de bewaker en haalde toen behoedzaam de trekker over. Zijn hoofd spatte uit elkaar.

Jon slikte en wendde zijn gezicht af. Hij controleerde hun omgeving. Ze bevonden zich ongeveer op een derde van de startbaan – slechts een paar honderd meter van de kolossale hangar aan het zuidelijke uiteinde. Ten oosten, niet ver achter hen, strekte zich een enorm magazijn met een golfplaten dak uit. Aan deze kant leek maar één ingang te zijn, een massief ogende stalen deur met een intoetsslot. Zijn ogen vernauwden zich toen zijn verdenking in zekerheid overging. Niemand voorzag een gewone opslagfaciliteit van zo'n superzware deur. Nomura's geheime nanofagenlab moest zich ergens daarbinnen bevinden. Je kon wel tien biochemische fabrieken verbergen in dat gigantische, spelonkachtige gebouw en nog meer dan genoeg ruimte overhouden.

De tweede van de drie kolossale vliegende vleugels kwam over de startbaan in hun richting aangerold en maakte langzaam vaart naarmate de propellers steeds sneller gingen draaien. Jon kon de dodelijke cilinders zien die groepsgewijs onder die ene enorme vleugel waren bevestigd. Het derde onbemande vliegtuig stond vlak voor de hangar te wachten tot het aan de beurt was om op te stijgen.

Aan de andere kant, de noordkant van de Black Hawk, barstte geweervuur los. Weer een bewaker schreeuwde en stortte ter aarde – doorzeefd met door Peter afgevuurde kogels. Terwijl hij omviel, haalde de stervende de trekker over van de Russische SA-16 SAM die hij had proberen te richten. De raket ontbrandde. Met een dikke grijswitte rookwolk in zijn kielzog schoot hij recht omhoog, om vervolgens naar het oosten af te buigen en in de verlaten velden aan de andere kant van de omheining neer te storten en te exploderen zonder schade aan te richten.

Smith zag in het zuiden nog meer beweging, niet ver van de tweede vleugel. Nog drie schutters, geleid door een veel langere man, kwamen langs de westelijke rand van de startbaan aanzetten en gingen daarbij ongeveer gelijk op met de naderende vleugel. Ze rukten in etappes op door telkens met zijn tweeën een stuk te sprinten en elkaar om beurten dekking te geven.

Hij kromp ineen. Geweldig, dacht hij. Die lui waren beroeps. *En* ze werden geleid door de derde van de bovenmenselijke Horatiërs.

'Kijk voor je, Jon!' riep Randi. Ze gebaarde naar het open terrein aan de andere kant van de startbaan. Een klein groepje mannen met gasmaskers en ademhalingsapparaten trok zich daar terug van de strijd die rondom de baan woedde. De meesten leken ongewapend. Maar twee van hen hadden machinepistolen over hun schouder hangen en trokken een oudere man met wit haar tussen hen in met zich mee. Een man die geen gasmasker op had. Een man met handboeien om.

'Ik ga wel achter de vliegtuigen aan,' zei Smith. Hij wees op de zich terugtrekkende mannen. 'Bekommer jij je om hen!'

Randi knikte en zag Jon al langs de rand van de startbaan rennen, in de richting van de enorme vliegende vleugel die naar het noorden denderde. Rook van de verdwaalde SAM-raket dreef over het teermacadam en onttrok hem aan haar zicht.

Nu zij alleen achterbleef sprong ze overeind en sprintte ze over het grote, kale betonnen platform, dat bevlekt was met olie en vliegtuigbrandstof. Een van de vluchtende mannen zag haar aankomen. Hij schreeuwde uit alle macht een waarschuwing naar zijn metgezellen. Die wierpen zich languit in het gras. De twee bewakers gooiden de oude man naast zich op de grond en richtten zich op haar, met hun machinepistolen in de aanslag.

Randi vuurde vanaf haar heup al rennend drie-schotssalvo's af. Een van de bewakers draaide om zijn as en viel zwaar op de grond, bloedend uit verschillende wonden. De andere schoot terug en vuurde een vol dertig-schotsmagazijn van zijn uzi af.

De lucht rondom Randi was plotseling vol kogels en stukjes verbrijzeld beton. Ze dook opzij. Iets sloeg in haar linkerarm, zodat ze achteruitvloog. Een ricochetschot dat van het beton afketste had haar zo hard getroffen dat haar arm vlak boven de elleboog was gebroken. Withete pijn schoot uit de wond omhoog. Ze rolde weg, in een vertwijfelde poging om uit de vuurlijn te komen voordat de schutter haar in het vizier kon krijgen en haar te grazen kon nemen.

Verbijsterd dat ze nog steeds leefde trok de schutter zijn lege magazijn uit zijn machinepistool en zocht hij een nieuwe.

Randi klemde haar kaken op elkaar tegen de pijn en richtte nogmaals haar karabijn. Ze vuurde nog een salvo af. Uiteengereten door twee kogels met koperen hulzen viel de schutter zwaar bloedend op zijn rug.

Met moeite hees Randi zich overeind om door te rennen over de startbaan. Voor haar sprongen de ongewapende mannen op om zich te verspreiden en panisch alle kanten op te vluchten. Door de kappen van hun gasmaskers leken ze allemaal op elkaar. Opeens stak de geboeide oude man zijn been uit om een van de vluchtende mannen te laten struikelen. Grommend rolde de oude man zich op de man die hij ten val had gebracht, terwijl hij hem met zijn gezicht in het lange klittengras duwde.

Randi liep naar hen toe en richtte de karabijn met haar goede hand. 'Wie bent u in godsnaam?' snauwde ze.

De oude man keek met een gelukzalige glimlach tegen haar op. 'Ik ben Jinjiro Nomura,' zei hij zachtjes. 'En dit,' hij knikte naar de gedaante die zich onder hem in bochten wrong, 'is Lazarus – de verrader die ooit mijn zoon, Hideo, was.'

Randi kon haar geluk amper geloven en grijnsde terug naar de oude man. 'Het is me een waar genoegen, meneer Nomura.' Ze hield de M-4 gericht op de man die op de grond kronkelde terwijl Jinjiro moeizaam overeind kwam.

'Sta nu op en zet dat gasmasker af,' beval ze. 'Maar langzaam. Anders trek ik misschien met mijn vinger en knal ik je kop eraf.'

De jongere man gehoorzaamde. Langzaam, overdreven behoedzaam, deed hij het masker en het ademhalingsapparaat af – zodat het grauwe, geschokte gezicht van Hideo Nomura zichtbaar werd.

'Wat gaat u met hem doen?' vroeg Jinjiro nieuwsgierig.

Randi haalde haar goede schouder op. 'Hem meenemen naar de Verenigde Staten om berecht te worden, denk ik.' Ze hoorde een nieuwe uitbarsting van geweervuur, ditmaal vanuit het noorden.

'Nu we het er toch over hebben, wil ik voorstellen dat we nu meteen met zijn drieën teruggaan naar de helikopter. Het lijkt hier bepaald ongezond te worden.'

Peter waarde als een geest door de rooksluier, met zijn karabijn aan zijn schouder. Vlakbij hoorde hij een metalige klik. Hij liet zich zachtjes op een knie vallen en keek speurend voor zich, op zoek naar de bron van het geluid.

Een bewaker doemde op uit de langzaam optrekkende rook. Hij had zijn hand nog aan de vuurselector van zijn Duitse legergeweer, om van enkele schoten op drie-schotssalvo's over te schakelen. Zijn mond viel open toen hij de Engelsman zijn karabijn op hem zag richten.

'Heel onoplettend,' zei Peter zachtjes tegen hem. Hij haalde de trekker over.

Van dichtbij door alledrie de schoten getroffen, zakte de bewaker ineen in het van bloed doordrenkte gras.

Peter wachtte nog even tot de rook was opgetrokken. Die dreef naar het westen, in de richting van de oceaan, en loste langzaam op in de lichte wind. Hij speurde het open terrein af dat zich vóór hem uitstrekte. Er bewoog niets.

Hij draaide zich gerustgesteld om en liep op een drafje naar de helikopter.

Met een wit gezicht van de pijn aan haar gebroken arm duwde Randi haar gevangene in de richting van de Black Hawk. Ze struikelde één keer en Hideo Nomura keek snel naar haar om. Uit zijn hele gezicht sprak haat. Ze schudde haar hoofd, hief de M-4 en richtte die recht op zijn borst. 'Dat zou ik niet proberen. Tenzij je werkelijk gelooft dat jij uit de dood kunt herrijzen. Zelfs met één hand ben ik een heel goede schutter. Hup, naar binnen!'

Jinjiro, die achter haar liep, grinnikte. Het was duidelijk dat hij genoot van de nederlaag van zijn verraderlijke zoon.

De man die zich Lazarus had genoemd draaide zich om en klom in de helikopter. Randi stond bij de deur en gebaarde dat hij achterin moest gaan zitten, op een van de bankjes die naar voren keken. Met een boze frons gehoorzaamde hij.

Peter doemde naast haar op. Hij gluurde in het troepencompartiment naar haar gevangene. Zijn wenkbrauwen gingen omhoog. 'Goed gedaan, Randi. Werkelijk heel goed gedaan.'

Toen keek hij met toenemende ongerustheid om zich heen. 'Maar waar is Jon in godsnaam?'

48

Smith sprintte in de richting van de vier schutters die oprukten langs de voortrollende vleugel. Ze verplaatsten zich nog steeds paarsgewijs. Er lagen er telkens twee op de grond, klaar om hun kameraden dekking te bieden. Hun aandacht was voornamelijk gericht op de strijd die rond de Black Hawk woedde, maar ze zouden hem ongetwijfeld spoedig in het oog krijgen.

Ergens in zijn achterhoofd jengelde iets dat deze roekeloze aanval een bijzonder stomme vorm van zelfmoord was, maar hij zette die twijfels krachtig van zich af. Hij had geen andere keuze. Hij moest snel toeslaan bij dit vijandelijke team, voordat ze hem zagen, hem onder vuur hielden zodat hij geen kant op kon en hem dan kwamen afmaken.

Eigenlijk was zijn enige kans tegen deze mannen om het initiatief te nemen en dat te behouden. Uit hun tactiek bleek dat het beroepslui waren, waarschijnlijk nog een stel van de doorgewinterde huurlingen die waren gerekruteerd om het vuile werk voor Nomura's Lazarusoperatie op te knappen. In een schermutseling volgens het boekje zou Smith misschien een van hen, mogelijk zelfs twee, kunnen uitschakelen, maar proberen om met alle vier tegelijk de strijd aan te gaan zou alleen maar een goede manier zijn om snel dood te gaan. Niettemin wist hij dat het de aanwezigheid van de derde Horatiër was die de balans deed doorslaan naar deze schijnbare roekeloosheid.

Smith had het al twee keer opgenomen tegen een van deze sterke, dodelijke moordenaars. Bij beide gevechten had hij geluk gehad dat hij levend weg had kunnen strompelen en hij zou er niet van uit kunnen gaan dat hij weer geluk zou hebben. Ditmaal moest hij zijn eigen geluk maken – en dat betekende risico's nemen.

Hij rende verder. Zijn voeten vlogen door het hoge gras langs de oostelijke rand van de startbaan. De afstand tussen hem en de naderende vleugel en de vier vijandelijke schutters werd in hoog tempo kleiner terwijl ze steeds sneller op elkaar afkwamen.

Tweehonderdvijftig meter. Tweehonderd. Honderdvijftig meter. Jon voelde zijn longen zwoegen onder de inspanning. Hij bracht de M-4 naar zijn schouder en sprintte verder.

Honderd meter.

De vliegende vleugel kwam nu gonzend over de startbaan op hem af. De veertien propellers draaiden nu allemaal, en beschreven fel flikkerende cirkels in de lucht.

Nu!

Smith haalde de trekker van de M-4 over en vuurde terwijl hij liep korte salvo's over de startbaan in de richting van de opgeschrokken vijandelijke schutters. Brokjes beton en vervolgens plukken gras vlogen op.

Ze lieten zich op hun buik vallen en begonnen terug te schieten.

Jon ging naar links en liep zigzaggend weg van de startbaan. Kogels schoten door het gras achter hem en suisden over zijn hoofd. Hij dook voorover, rolde over zijn schouder tot hij weer op zijn voeten stond en rende verder. Hij vuurde nogmaals en ging toen naar rechts.

Nog meer geweerkogels gierden langs hem om hem uiteen te rijten. Eentje scheerde vlak langs zijn gezicht. De oververhitte gassen in het kielzog van de kogel sloegen zijn hoofd naar achteren. Een andere trof hem in zijn zij, schampte van zijn kogelvrije vest af en wierp hem in het gras. Smith rolde weg, vertwijfeld nu. Hij hoorde hoe kogels de aarde vlak achter hem deden opspatten.

Te midden van alle schoten hoorde hij een lage stem als van een stier die ergens aan de andere kant van de startbaan boze orders schreeuwde. De laatste van de Horatiërs gaf zijn soldaten nieuwe bevelen.

En toen hield het schieten plotseling op, tot Jons verbazing.

In de stilte richtte hij behoedzaam zijn hoofd op. Hij grijnsde flauw, opgelucht. Zoals hij bedoeld had, was de tweede vliegende vleugel, die nog steeds rustig taxiënd zijn opstijgprogramma afwerkte, tussen hem en de mannen die hem probeerden te doden in gerold. Even konden ze niet op hem schieten, althans niet zonder het risico te lopen dat ze een van hun eigen kostbare vliegtuigen raakten.

Maar hij wist dat hun zelfopgelegde staakt-het-vuren niet lang zou duren.

Smith drukte zich op en liep, diep ineengedoken, naar achteren, waarbij hij probeerde om gelijke tred te houden met het gigantische, langzaam versnellende, door zonne-energie aangedreven vliegtuig. Hij tuurde onder de enorme vleugel door en keek of hij op de betonnen startbaan iets zag bewegen.

Door de smalle openingen tussen het vijfdelige landingsgestel en de aërodynamische gondels met de vliegtuigelektronica en de lading ving hij even een glimp op van rennende gevechtsschoenen. Twee van de schutters sprintten over de brede startbaan en probeerden om de vleugel te lopen om een vrij schootsveld te krijgen.

Jon bleef achteruitlopen en wachtte met de M-4 aan zijn schouder en zijn vinger aan de trekker. Terwijl hij uitademde, voelde hij zijn hart bonken in zijn oren. Kom op, spoorde hij de rennende mannen geluidloos aan. Maak een fout.

Dat deden ze.

Ongeduldig of overmoedig of aangevuurd door de woede van de reus met het kastanjebruine haar die hun bevelen gaf, kwamen beide schutters tegelijk in het open veld.

Smith opende het vuur en zond een regen van kogels in een rechte lijn op het plotseling ontstelde tweetal af. De karabijn sloeg terug tegen zijn schouder. De lege kogelhulzen vlogen uit het wapen en vielen rinkelend op het beton. Vijftig meter verderop schreeuwden de twee schutters en vielen in het gras, uiteengereten door meerdere treffers van 5.56mm-kogels.

En toen voelde Smith een reeks mokerslagen in zijn eigen borst en rechterzij – een regen van martelende stoten tegen zijn kevlar kogelvrije vest, die hem om zijn as deed draaien en hem op zijn knieën wierp. Op de een of andere manier wist hij de M-4 vast te houden.

Hoewel zijn zicht wazig was door de pijn, keek hij op.

Daar, slechts veertig meter verderop, aan de andere kant van de startbaan, beantwoordde een lange man met groene ogen zijn blik, terwijl hij kil glimlachte langs de loop van een legergeweer. Op dat ogenblik besefte Jon de vergissing die hij had gemaakt. De laatste van de Horatiërs had twee van zijn eigen mannen opgeofferd – had ze vooruit gestuurd om Smiths vuur af te leiden zoals een schaakspeler pionnen opgaf om in een voordelige positie te komen. Terwijl Jon hen had gedood, was de grote man snel om de voorkant van de taxiënde vleugel geslopen om hem in de flank aan te vallen.

En nu kon Smith niets doen om zichzelf te redden.

Nog steeds glimlachend hief de man met de groene ogen zijn geweer iets hoger. Ditmaal richtte hij op Smiths onbeschermde hoofd. Naast hem werd aan het randje van Jons trillende, wazige gezichtsveld de voorkant van de enorme vliegende vleugel zichtbaar, waaraan de vele kunststof cilinders met hun dodelijke lading waren bevestigd.

Het door angst beheerste primitieve deel van Jons hersenen slaakte een geluidloze kreet van ontzetting en raasde tevergeefs tegen zijn naderende dood. Hij deed zijn best om dat deel van hem te negeren en in plaats daarvan te luisteren naar wat het koelere, meer klinische, rationelere deel van zijn geest hem probeerde te vertellen.

De wind, zei het.

De wind komt uit het oosten.

Zonder verder te denken wierp Smith zich opzij. Tegelijkertijd vuurde hij de karabijn af, waarbij hij zo snel hij kon de trekker overhaalde. De M-4 bleef maar knallen en sprong met elk schot wat verder op terwijl hij de rest van zijn dertig-schotsmagazijn ledigde. De enorme vliegende vleugel werd getroffen door kogels die gaten sloegen in oppervlakken van koolstofvezel en kunststof, besturingskabels doorsneden, de boordcomputers vernielden en propellers versplinterden.

Het onbemande vliegtuig schudde onder het geweld van de supersnelle inslagen. Het zwenkte naar het westen en draaide langzaam van de startbaan af.

Terce keek zonder medelijden of bezorgdheid naar de laatste vertwijfelde actie van de donkerharige Amerikaan. Een van zijn mondhoeken ging omhoog in een wrange, roofdierachtige grijns. Het had iets van kijken naar een gewond dier dat spartelde in een val, iets om van te genieten. Hij bleef bewegingloos staan en volgde zijn doelwit slechts met de loop van zijn geweer, terwijl hij wachtte tot hij het hoofd van de andere man in zijn vizier kreeg. Hij negeerde de kogels die rechts langs hem suisden. Op deze afstand kon de Amerikaan hem onmogelijk raken met ongerichte schoten.

Maar toen hoorde hij het gelijkmatige zoemen van de veertien elektromotoren van het onbemande vliegtuig van toon veranderen. Het begon te sputteren toen ze kortsloten of ermee ophielden. Stukken en brokken verbrijzelde kunststof en koolstofvezel schoten weg over de startbaan.

Terce zag de enorme vleugel zijn kant op draaien en volledig uit de koers raken. Zijn gezicht betrok. De laatste gok van de Amerikaan zou diens leven niet redden, maar de schade aan een van zijn drie onvervangbare aanvalsvliegtuigen zou Nomura razend maken.

Plotseling staarde Terce ongelovig naar de dunwandige kunststofcilinders die onder de vleugel hingen. Nu pas zag hij de ruwe, stervormige gaten die er in vele waren geslagen.

Op datzelfde moment voelde hij de dodelijke oostenwind zachtjes over zijn gezicht strijken. Zijn groene ogen werden groot van afgrijzen.

Ontzet wankelde Terce naar achteren. Het legergeweer viel uit zijn bevende handen en kletterde op het beton.

De man met het kastanjebruine haar kreunde luid. Hij kon nu al voelen wat de Fase Vier-nanofagen in zijn lichaam aanrichtten. Miljarden van de gruwelijke instrumenten vraten zich van diep in zijn zwoegende longen naar buiten en verspreidden hun gif steeds verder met elke fatale ademhaling. De huid in zijn dikke, transparante handschoenen werd rood en liet los van zijn spieren, pezen en botten toen die uiteenvielen.

Zijn twee overlevende mannen, die tijdelijk nog veilig waren met hun gasmaskers op, keken naar hem vanuit hun schietpositie. Met wijd opengesperde ogen van angst krabbelden ze overeind en deinsden ze achteruit.

Vertwijfeld richtte hij zijn gekwelde, smeltende gezicht naar hen op in een geluidloze smeekbede. 'Dood me,' fluisterde hij, waarbij hij met een oplossende tong verstikt de woorden vormde. 'Dood me! Alsjeblieft!'

In plaats daarvan gooiden ze hun geweren weg en vluchtten ze in de richting van de oceaan, doodsbang voor de gruwel die ze voor zich zagen.

De laatste Horatiër bleef maar schreeuwen en klapte dubbel, geteisterd door een onvoorstelbare, eindeloze pijn terwijl de krioelende nanofagen hem van binnenuit levend opvraten.

Smith rende over de startbaan naar het noorden. Hij rende, ondanks zijn vermoeidheid en de vreselijke pijn die hij te verduren had gehad. Hij klemde zijn kaken stijf op elkaar tegen de pijn van verschillende gebroken ribben die onder zijn kogelvrije vest langs elkaar schuurden.

Doorlopen, Jon, zei hij verbeten tegen zichzelf. Doorlopen, anders ga je dood.

Hij keek niet om, omdat hij wist welke gruwel hij daar zou zien. Hij kende de gruwel die hij opzettelijk had ontketend. Op dit moment verspreidde de wolk nanofagen zich westwaarts over de hele zuidkant van het vliegveld en werd hij door de wind in de richting van de Atlantische Oceaan gevoerd.

Smith kwam bij de Black Hawk die op de grond stond aangestormd. De rotoren draaiden nog steeds langzaam rond. Losgerukte grassprietjes en de laatste resten van de uitlaatgassen van de raket wervelden loom in de lucht rond de wachtende helikopter. Peter en Randi zagen hem aankomen. Hun bezorgde blikken verdwenen en ze kwamen opgelucht lachend op hem af.

'Aan boord!' brulde Jon, terwijl hij gebaarde dat ze terug moesten gaan naar de Black Hawk. 'Breng dat ding op gang!'

Peter knikte slechts toen hij de stukgeschoten vleugel stuurloos van de startbaan af zag denderen. Hij wist wat dat betekende. 'Geef me dertig seconden, Jon!' riep hij.

De Engelsman slingerde zich weer de helikopter in en klom in de stoel van de piloot. Zijn handen dansten over het bedieningspaneel, terwijl hij schakelaars overhaalde en keek hoe meters oplichtten. Toen alles naar tevredenheid was, draaide hij de gashendel open en liet hij de motor op volle toeren draaien. De rotoren begonnen sneller te draaien.

Smith kwam slippend tot stilstand naast de open deur van de transporthelikopter. Hij zag dat Randi's linkerarm naast haar bungelde. Haar gezicht was nog steeds bleek, vertrokken van de pijn. 'Hoe erg is het?' vroeg hij.

Ze glimlachte wrang. 'Het doet verdomd zeer, maar ik overleef het wel. Je kunt een andere keer wel doktertje spelen.'

Voordat hij kon reageren, wierp ze hem een boze blik toe. 'En je gaat geen eigenwijze opmerkingen maken. Begrepen?'

'Begrepen,' zei Smith zachtjes tegen haar. Hij verborg de pijn van zijn eigen verwondingen en hielp haar om in de Black Hawk te klimmen. Toen wipte hij zelf aan boord. Hij zag de andere twee passagiers en herkende zowel Hideo als Jinjiro Nomura van hun foto's in de dossiers die Fred Klein hem zo lang geleden in Santa Fe had laten bestuderen. Zo lang geleden, dacht hij nuchter. Zes dagen geleden. Een leven geleden.

Randi liet zich tegenover Hideo in een van de naar achteren gerichte zitjes vallen. Terwijl ze vertrok van pijn hield ze de M-4 karabijn in haar schoot, waarbij ze ervoor zorgde dat de dodelijke zwarte loop recht op zijn hart gericht was. Jon ging naast haar zitten.

'Hou je vast!' riep Peter vanuit de cockpit. 'Daar gaan we!'

Met gierende motoren gleed de Black Hawk over de startbaan naar voren om vervolgens op te stijgen. Terwijl hij zich boven het vliegveld verhief, begon hij al te draaien.

49

Op honderd meter trok Peter de helikopter vlak. Ze waren nu hoog genoeg om veilig te zijn voor de nanofagenwolk die over het vliegveld en het complex van Nomura PharmaTech woei. Dat hoopte hij althans. Hij fronste zijn wenkbrauwen, terwijl hij zichzelf eraan herinnerde dat hoop op een erg slechte tweede plaats kwam na absolute zekerheid. Met een klein rukje aan de bediening ging hij nog dertig meter hoger.

Nu Peter zich meer gerust voelde, liet hij de Black Hawk een lichte bocht beschrijven, om te beginnen aan een trage baan over de met lijken bezaaide startbaan. Toen wierp hij een blik over zijn schouder in het troepencompartiment. 'Waar nu naartoe, Jon?' vroeg hij. 'Achter de eerste vleugel van onze vriend Lazarus aan? Die ontkomen is?'

Smith schudde zijn hoofd. 'Nog niet.' Hij trok de lege kogelhouder uit zijn karabijn en deed er een nieuwe clip in. 'We moeten hier eerst nog wat zaken afronden.'

Hij liet zich van zijn zitplaats glijden, ging op zijn buik op de vloer van de helikopter liggen en richtte door de open deur langs de M-4. 'Zorg dat ik die derde vleugel kan raken, Peter,' riep hij. 'Die probeert nog op de autopiloot op te stijgen.'

De Black Hawk helde zijwaarts en zwenkte terug naar het zuiden. Smith leunde nog wat verder naar buiten en keek hoe de enorme vliegende vleugel nog groter werd in zijn vizier. Hij haalde de trekker over en vuurde een reeks gerichte salvo's af op de gestaag over de startbaan rollende vleugel. Door de terugslag beukte de karabijn tegen zijn schouder.

De UH-60 gierde over het vliegtuig, trok scherp op en maakte al weer een bocht zodat de cirkel rond was.

De afsluiter van de karabijn blokkeerde aan de achterkant in geopende positie. Jon trok het lege magazijn eruit en duwde er een andere – zijn laatste – in. Hij zette de veiligheidspal om. De M-4 was geladen en klaar om weer te vuren.

Aan het eind van zijn bocht vloog de helikopter noordwaarts, om nog een keer over de startbaan te vliegen.

Smith staarde naar beneden. Getroffen door dertig 5.56mm-kogels stond het derde onbemande vliegtuig nu beweginloos op de startbaan. Hele stukken van de enkele brede vleugel zakten door, verbrijzeld door meerdere treffers. Het beton achter het vernielde vliegtuig was bezaaid met brokstukken van motorgondels en nanofagencilinders. 'Dat is één vleugel minder,' meldde hij op een nuchtere toon. 'Dat is twee kapot en nog één te gaan.'

Hideo Nomura verstijfde in zijn zitplaats.

'Verroer je niet,' waarschuwde Randi hem. Ze lichtte het wapen op haar schoot op.

'Jij zult mij in deze machine niet neerschieten,' grauwde de jonge Nomura. Elk spoor van de beminnelijke, kosmopolitische façade die hij gedurende zoveel lange jaren van bedrog had gecultiveerd was verdwenen. Nu was zijn gezicht een star, van haat vervuld masker dat de pure boosaardigheid en eigenwaan onthulde waardoor hij werkelijk werd gedreven. 'Jullie zullen ook allemaal sterven. Jullie Amerikanen zijn te slap. Jullie hebben niet de ware krijgsgeest.'

Randi lachte spottend terug naar hem. 'Misschien niet. Maar de brandstoftanks achter je zijn zelfdichtend. En ik durf te wedden dat dat voor jou niet geldt. Zullen we kijken wie van ons gelijk heeft?'

Hideo deed er het zwijgen toe en keek kwaad naar haar.

Jinjiro Nomura keek door de deur naar buiten en glimlachte kalmpjes terwijl hij de perverse dromen van zijn zoon in hoog tempo in rook zag opgaan. Alles wat Jinjiro in de twaalf maanden van zijn wrede gevangenschap had moeten doormaken kreeg Hideo nu dubbel en dwars terugbetaald.

Geleid door Jon stuurde Peter de Black Hawk naar het noordelijke eind van de startbaan. Hij vloog laag over de twee grote vrachtvliegtuigen en de veel kleinere bedrijfsjet die daar geparkeerd stonden.

Terwijl hij weer door de open deur leunde, vuurde Smith nog een reeks salvo's in hun cockpits, waardoor de raampjes en de besturing vernield werden. 'Ik wil niet dat eventuele overlevenden dit eiland verlaten tot wij hier commando-eenheden en ontsmettingsteams naartoe kunnen sturen,' legde hij uit. Randi gaf hem haar reservemunitie.

Nu stuurde Peter de helikopter omhoog, om die gestaag te laten klimmen in een korte, spiraalsgewijze cirkel terwijl ze zochten naar sporen van Nomura's eerste vleugel. Lange minuten speurden ze bezorgd de lucht rondom hen af. Randi zag hem het eerst – een minuscule gouden schittering hoog boven hen. 'Daar is hij!' riep ze, terwijl ze door de zijdeur wees. 'Voor ons nu op drie uur. En hij gaat in westelijke richting!'

'Naar de Verenigde Staten,' besefte Smith.

Hideo glimlachte fijntjes. 'Om precies te zijn naar Washington en omgeving.'

De helikopter ging nogmaals klepperend door de bocht toen Peter een parallelle koers aannam. Met een bezorgde uitdrukking op zijn gezicht staarde hij door de voorruit. 'Dat klereding zit al verdomd hoog,' riep hij. 'Het vliegt waarschijnlijk op drie of vier kilometer en klimt snel.'

'Wat is de hoogtegrens van deze heli?' vroeg Smith, terwijl hij weer ging zitten en zijn veiligheidsgordel omdeed.

'Maximaal rond de zes kilometer,' antwoordde Peter met een frons. 'Maar op die hoogte zal de lucht erg dun zijn. Misschien te dun.'

'Jullie zijn te laat,' zei Hideo vrolijk en met een triomfantelijke fonkeling in zijn ogen. 'Jullie kunnen mijn *Thanatos*-vleugel nu niet meer tegenhouden! En die heeft genoeg nanofagen aan boord om miljoenen mensen te doden. Ik mag dan jullie gevangene zijn, maar ik heb jullie hebzuchtige, materialistische land al een slag toegebracht die de eeuwen zal doorstaan!'

De anderen negeerden zijn tirade. Zij concentreerden zich er alleen maar op om de *Thanatos*-vleugel te pakken te krijgen voordat die buiten hun bereik raakte.

Peter trok de neus van de Black Hawk zo steil op als hij maar kon, terwijl hij achter dat verre vluchtende vlekje aan ging. De helikopter klom steeds hoger, met bijna vijfhonderd meter per minuut. Binnen voelde iedereen dat de lucht steeds kouder en dunner werd.

Tegen de tijd dat de UH-60 op vier kilometer hoogte kwam, klapperden hun tanden en werd het beduidend moeilijker om te ademen. De luchtdichtheid rondom hen was nu slechts iets meer dan de helft van die op zeeniveau. Mensen konden op deze hoogte leven, werken en zelfs skiën, maar doorgaans met een veel langere gewenningstijd. Hypoxie, hoogteziekte, was nu een reëel gevaar.

De *Thanatos*-vleugel was nu veel dichterbij, maar nog altijd boven hen en hij klom nog gestaag. De enorme vliegende vleugel helde nu en dan over wanneer de besturingssystemen aan boord kleine correcties uitvoerden in reactie op geringe veranderingen in de windsnelheid, richting en luchtdruk. Voor het overige bleef het vliegtuig op koers en vloog het hardnekkig in de richting van het van tevoren ingestelde doel – de hoofdstad van de Verenigde Staten.

Peter stuurde de Black Hawk nog hoger. Zijn hoofd en zijn longen deden zeer, en hij had er steeds meer moeite mee om zich te concentreren op wat hij deed. Zijn zicht werd aan de randen wat wazig. Hij knipperde verwoed met zijn ogen, in een poging om wat scherper te kunnen zien.

De hoogtemeter kroop langzaam langs de drieënveertighonderd meter. Zo ver boven het aardoppervlak, hadden de rotoren van de helikopter veel minder hefvermogen. Hun stijg- en vliegsnelheid namen allebei in hoog tempo af. Vijfenveertighonderd meter. En nog steeds hing de enorme vleugel boven hen, tergend dichtbij, maar een heel eind buiten bereik.

Er verstreek nog een minuut, een minuut waarin ze het steeds kouder kregen en steeds meer afgemat raakten.

Weer keek Peter op door de voorruit. Niets. De *Thanatos*-vleugel was verdwenen. 'Kom op, rotding,' gromde hij. 'Hou op met die stomme spelletjes! Waar zit je nu weer?'

En opeens schitterde het zonlicht op een enorm vleugeloppervlak onder hem, weerkaatst door tienduizenden spiegelende zonnecellen.

'Het is ons gelukt! We zitten boven dat bakbeest!' jubelde Peter. Hij kuchte en probeerde meer lucht in zijn zwoegende longen te krijgen zonder te gaan hyperventileren. 'Maar je zult snel moeten zijn, Jon. Heel snel. Ik kan ons hier niet veel langer houden!'

Smith knikte, maakte zijn veiligheidsgordel los en liet zich weer op zijn buik bij de open deur vallen. Elk stukje metaal dat hij aanraakte bevond zich zo ver onder het vriespunt dat het brandde als vuur. De temperatuur van de buitenlucht was nu een heel eind onder nul.

Jon blies verwoed in zijn handen, in de wetenschap dat ze allemaal het gevaar liepen om vingers en andere ontblote stukken huid te verliezen door bevriezing. Toen leunde hij, met de M 4 in zijn armen, naar buiten in de zuiging en voelde de wind aan zijn haar en zijn kleren rukken.

Hij kon de vleugel nu zien. Die bevond zich ongeveer zestig meter onder hen. De Black Hawk minderde vaart en paste zijn snelheid aan aan die van zijn prooi.

Smiths ogen traanden in de ijskoude wind. Hij kneep ze dicht en veegde snel de meeste tranen weg voordat ze bevroren. Hij tuurde door zijn vizier. Het oppervlak van de vliegende vleugel schommelde enigszins en kwam toen weer tot rust.

Hij haalde de trekker over.

Kogels sloegen in de *Thanatos*-vleugel en verbrijzelden honderden zonnecellen. Stukjes glas en kunststof dwarrelden weg en vlogen naar achteren. Even boog de vleugel onrustbarend door en ging hij wat lager vliegen.

Jon hield zijn adem in. Maar toen compenseerden de interne besturingssystemen van de reusachtige machine voor het plotselinge verlies aan vermogen door het toerental van de propellers op te voeren. De vleugel stabiliseerde zich en begon weer te klimmen.

Smith vloekte zachtjes, terwijl hij op de tast alweer naar een nieuw magazijn zocht.

Door de herrie en de koude, dunne lucht die ze amper kon ademen, moest Randi erg haar best doen om bij bewustzijn te blijven. De felle, stekende pijn aan haar gebroken arm ging nu samen met een vreselijke kloppende pijn aan haar slapen. Misselijk klemde ze haar kaken op elkaar. Haar hoofdpijn was nu zo hevig dat hij met elke hartslag kleine rode lichtflitsen naar haar ogen leek te sturen.

Haar hoofd viel voorover.

En in dat korte moment viel Hideo Nomura aan.

Met zijn ene hand sloeg hij haar karabijn opzij. Met de andere hakte hij hard op Randi's sleutelbeen in. Dat brak als een dode tak.

Met een gedempte kreun viel ze achterover in haar zitje, om toen weer voorover te klappen. Alleen dankzij de veiligheidsgordel om haar heup gleed ze niet op de vloer van het troepencompartiment.

Nomura greep de M-4 en hield die tegen haar hoofd.

Smith keek verrast over zijn schouder. Hij rolde om en ging zitten – om toen te verstarren, terwijl hij in een ontstelde oogopslag de veranderde situatie in zich opnam.

'Gooi je wapen de deur uit,' beval Nomura. Zijn ogen glinsterden, even hard als ijs en net zo koud. 'Anders zal ik de hersenen van deze vrouw door dit compartiment knallen.'

Jon slikte terwijl hij naar Randi staarde. Hij kon haar gezicht niet zien. 'Ze is al dood,' zei hij, in een vertwijfelde poging om tijd te rekken.

Nomura lachte. 'Nog niet,' zei hij. 'Kijk maar.' Hij stak een hand in Randi's korte, blonde haar en trok haar hoofd met een ruk naar achteren. Ze kreunde zachtjes. Haar ogen gingen even trillend open en vielen toen weer dicht. De man die Lazarus was geweest liet haar vol verachting los, zodat haar hoofd weer vooroversloeg. 'Zie je?' vroeg hij. 'Doe nu wat ik zeg!'

Verslagen liet Smith de karabijn uit zijn handen vallen. Het wapen viel wentelend naar beneden en verdween.

'Heel goed,' zei Nomura vrolijk tegen hem. 'Jij leert snel gehoorzaamheid.' Hij ging achteruit terwijl hij Randi's wapen zorgvuldig op Jons borst gericht hield. Zijn gezicht verhardde. 'Geef je piloot nu opdracht om weg te vliegen van mijn *Thanatos*-vleugel.'

Smith verhief zijn stem. 'Hoorde je wat die man wil dat je doet, Peter?'

De Engelsman keek over zijn schouder. Zijn lichtblauwe ogen waren uitdrukkingsloos. 'Ik heb hem gehoord,' antwoordde hij koel. 'Het ziet ernaar uit dat we geen keuze hebben, Jon. Althans niet zoals het er nu voor staat.'

'Nee,' beaamde Smith. 'Niet zoals het ervoor stáát,' zei hij, waarbij hij het laatste woord benadrukte. Hij hield zijn hoofd een beetje schuin.

Peter knipoogde bijna onmerkbaar met zijn linkeroog. Hij draaide zich weer om naar de bediening van de Black Hawk.

Nomura lachte weer. 'Ziet u, vader,' zei hij tegen Jinjiro. 'Die westerlingen zijn slap. Ze vinden hun eigen leven het allerbelangrijkste.'

De oude man zei niets. Hij keek ernstig, opnieuw tot wanhoop gedreven door de plotselinge lotswending.

Smith zat bij de open deur van de helikopter en wachtte gespannen tot Peter in actie kwam.

Opeens deed de Engelsman de helikopter scherp naar rechts hellen – zodat de Black Hawk bijna op zijn zijkant kwam. Volledig van zijn voeten geveegd viel Nomura naar achteren. Hij knalde tegen de achterwand van het troepencompartiment en gleed toen op de vloer. Zijn vinger, die hij aan de trekker van Randi's M-4 had, spande zich onwillekeurig. Drie kogels schoten door het dak en ketsten af op de ronddraaiende rotoren.

Zodra de helikopter overhelde, wierp Smith zich naar voren, weg van de open deur. Hij dook over de vloer en beukte met zijn hoofd tegen Nomura op. Hij rukte de karabijn uit Nomura's handen en wierp die naar de andere kant van de cabine, waar hij ergens tussen de zitplaatsen wegkletterde, een heel eind buiten handbereik.

De Black Hawk trok recht en begon weer te stijgen.

Grommend schopte Nomura naar Jon, terwijl hij hem achteruitduwde. Beide mannen krabbelden overeind. Hideo viel als eerste aan en haalde in dolle razernij uit met zijn handen en voeten.

Jon pareerde twee slagen met zijn onderarmen, liet een trap van zijn heup afschampen, dook onder een derde slag door en ging er toen in. Hij greep Nomura bij zijn arm, stompte hem hard in zijn gezicht en smeet hem toen over de rij zitjes.

De andere man landde en zakte in elkaar, vlak naast de open

deur. Hoewel hij versuft was en het bloed uit zijn gebroken neus liep, probeerde hij overeind te krabbelen.

Smith klemde zich aan een zitplaats vast en brulde: 'Nu, Peter! Naar de andere kant! Andere kant!'

De Engelsman gaf daar gehoor aan en liet de Black Hawk weer scherp overhellen, maar ditmaal naar links. De helikopter kantelde en leek even in de ruimte te hangen, hoog boven de Atlantische Oceaan, terwijl hij een scherpe bocht maakte. De *Thanatos*-vleugel kwam in zicht, nog geen vijftien meter onder hen. Hij koerste nog steeds naar het westen op zijn ingeprogrammeerde massamoordmissie.

Hideo Nomura deed een vertwijfelde uitval en greep een poot van een zitje. Zijn benen bungelden spartelend in de lucht, op zoek naar een steunpunt dat er niet was.

Hij worstelde om zich met zijn armen weer in de helikopter te hijsen. Met een grimas van een grijns keek hij op om zijn vader op hem neer te zien kijken.

Jinjiro Nomura keek diep in de verdwaasde ogen van de man die ooit zijn geliefde zoon was geweest. 'Je hebt je vergist in deze Amerikanen,' zei hij zacht. Hij zuchtte bedroefd. 'Net zoals je je in mij hebt vergist.'

En met die woorden boog de oude man zich voorover en schopte hij Hideo's handen los van de poot van het zitje.

Met zijn gezicht verstrakt in afgrijzen gleed de jongere Nomura de deur uit. Zijn vingernagels klauwden wild in een poging om ergens aan het gladde metaal houvast te vinden. Toen verdween hij, met een vertwijfelde jammerkreet, en tuimelde hij in de richting van de *Thanatos*-vleugel, die de kerende Black Hawk van onderen passeerde.

Nog steeds trappelend en spartelend met zijn armen en benen sloeg de man die Lazarus was geweest te pletter op het tere oppervlak van de enorme vliegende vleugel. De vleugel sidderde en schudde onder de plotselinge klap. En toen brak het overbelaste en reeds beschadigde *Thanatos*-vliegtuig gewoon doormidden – vouwde het dubbel als een boek dat werd dichtgeslagen. Propellerbladen, gondels met vliegtuigelektronica en gebundelde cilinders met nanofagen werden losgerukt in een steeds grotere massa brokstukken.

Eerst langzaam en toen steeds sneller tolde de wirwar van wrakstukken rond en rond, om helemaal naar beneden naar de hongerige, wachtende wateren van de uitgestrekte, genadeloze zee te storten.

EPILOOG

Begin november
Het Witte Huis
Hoewel het nog voor in de middag was, had president Samuel Adams Castilla de opgewonden drukte rondom het Oval Office achter zich gelaten. Hij gaf de voorkeur aan het rustige comfort en de privacy van zijn studeerkamer boven in de oostelijke vleugel. Deze kamer was helemaal van hem, een vrijplaats voor de grillen van de modieuze ontwerpers die de rest van het Witte Huis op bevel van zijn vrouw opnieuw hadden ingericht. Er waren planken vol veel gelezen boeken, een groot Navajotapijt op de glimmende hardhouten vloer, een grote zwarte leren bank, een paar ligstoelen en een televisie met een groot scherm. Aan de muren hingen afdrukken van werk van Fredric Remington en Georgia O'Keeffe naast foto's van de ruige bergen rondom Santa Fe.

Castilla keek met een glimlach over zijn schouder. Zijn hand hing boven een fles en een paar glazen op het dressoir. 'Wil je een whisky, Fred?'

Fred Klein grijnsde terug naar hem vanwaar hij zat op de lange bank. 'Dat wil ik zeker, meneer de president.'

Castilla schonk de borrels in en bracht ze die kant op. 'Dit is de Caol Ila, Jinjiro's favoriet.'

'Heel toepasselijk, Sam,' zei Klein zachtjes. Het hoofd van Covert-One knikte in de richting van de televisie. 'Hij zou er nu elk moment op moeten komen.'

'Juistem. En ik zou dit voor geen geld willen missen,' zei Castilla. Hij zette zijn whisky neer en drukte een toets van de afstandsbediening van de tv in. Het scherm lichtte op met het beeld van de enorme ruimte van de Algemene Vergadering van de VN in New York. Jinjiro Nomura stond alleen op het podium en keek heel zelfverzekerd uit over de zee van afgevaardigden en camera's, hoewel hij wist dat zijn woorden en zijn beeltenis over de hele wereld werden uitgezonden, naar meer dan een miljard mensen die naar deze live-uitzending keken. Zijn gezicht was ernstig en droeg nog steeds de diepe sporen van verdriet als gevolg van verraad, een jaar in gevangenschap en de dood van zijn zoon.

'Ik sta vandaag voor u uit naam van de Lazarusbeweging,' begon Jinjiro. 'Een beweging waarvan de hoogstaande idealen en toegewijde volgelingen verraden zijn door de boosaardigheid van één man. Deze man, mijn eigen zoon Hideo, heeft mijn vrienden en collega's vermoord en mij gevangengezet, en heeft daarmee diegenen van ons geëlimineerd die de Beweging hebben opgericht zodat hij heimelijk de macht kon overnemen. Vervolgens heeft hij, door zich voor te doen als Lazarus, onze organisatie gebruikt om zijn eigen wrede, genocidale doelen te verhullen, doelen die totaal in strijd waren met alles waarvoor onze Beweging werkelijk staat...'

Castilla en Klein luisterden voldaan zwijgend terwijl de oudere Nomura nauwkeurig verslag deed van de bijzonderheden van Hideo's verraad, en onthulde, dat die zowel in het geheim de nanofagen had geproduceerd als het plan had die te gebruiken om het merendeel van de mensheid te vernietiging zodat hij zichzelf tot absolute heerser over de bange overlevenden zou kunnen uitroepen. Amerika's bondgenoten, die al eerder door Jinjiro waren ingelicht, begonnen op hun schreden terug te keren. Ze gaven allemaal uiting aan grote opluchting dat hun eerdere verdenkingen ongegrond waren gebleken en wilden maar wat graag hun beschadigde betrekkingen met de Verenigde Staten herstellen voordat de waarheid algemeen bekend werd. Deze speech voor de VN was slechts het eerste gedeelte van een resolute campagne om de ondermijning van de Lazarusbeweging aan het licht te brengen en Amerika's reputatie te herstellen.

Beide mannen wisten dat het tijd en veel moeite zou kosten, maar ze waren er ook van overtuigd dat de wonden die Hideo Nomura's boosaardige misleidingen hadden nagelaten zouden helen. Misschien dat enkele opzichzelfstaande fanatiekelingen zouden vasthouden aan hun geloof in de schuld van Amerika, maar de meeste mensen zouden de waarheid accepteren – overreed door de kalme overtuiging en de krachtige persoonlijkheid van de laatste nog levende oprichter van de Lazarusbeweging en door het vrijgeven van documenten die in de geheime labs van Nomura op de Azoren waren buitgemaakt. De Beweging zelf was al aan het afbrokkelen, geschokt door de eerste onthullingen van de leugens en de moorddadige plannen van haar leider. Wat er nog van overbleef zou dat alleen doen door terug te keren tot Jinjiro's oorspronkelijk visie van een beweging die zich inzette voor vreedzame verandering en ecologische hervorming.

Castilla voelde dat hij voor het eerst in weken begon te ontspannen. Amerika en de hele wereld waren werkelijk door het oog van de naald gekropen. Hij zuchtte en zag Fred Klein naar hem kijken.

'Het is voorbij, Sam,' zei de andere man zachtjes tegen hem.

Castilla knikte. 'Ik weet het.' Hij hief zijn glas. 'Op kolonel Smith en de anderen.'

'Op hen allemaal,' zei Klein hem na, terwijl hij ook zijn glas hief. '*Slainte.*'

De Mall, Washington

Een frisse, door de regen gelouterde herfstbries ruiste door de bladeren die nog aan de bomen langs de Mall hingen. Zonlicht viel schuin door de takken en bespikkelde het gras met bewegende, rood- en goudgetinte schaduwpatronen.

Jon Smith liep door de schaduwen in de richting van een vrouw die in gedachten bij een bankje stond. Haar korte blonde haar glom in het middaglicht. Ondanks het dikke gips om haar linkerarm en schouder leek ze slank en elegant.

'Wacht je op mij?' riep hij zachtjes.

Randi Russell draaide zich naar hem om. Een flauwe glimlach speelde rond haar lippen. 'Als jij degene bent die een boodschap op mijn antwoordapparaat heeft ingesproken met het voorstel om ergens iets te gaan eten, dan wel,' zei ze vinnig. 'Anders zal ik alleen eten.'

Smith grijnsde. Sommige dingen zouden nooit veranderen. 'Hoe is het met je arm?' vroeg hij.

'Niet slecht,' zei ze tegen hem. 'De dokters zeggen dat dit blok gips er over een paar weken af kan. Als dat gebeurd is, en mijn sleutelbeen is genezen, zou ik met nog wat fysio weer geschikt moeten zijn voor veldwerk. Ik kan eerlijk gezegd niet wachten. Het ligt me niet om aan een bureau te zitten.'

Hij knikte. 'Is het in Langley nog steeds een zootje?'

Randi haalde voorzichtig haar schouders op. 'De situatie lijkt te bedaren. Dankzij de dossiers die onze mensen in de Azoren hebben bemachtigd hebben we nagenoeg iedereen te pakken gekregen die bij TOCSIN betrokken was. Heb je gehoord dat Hanson ontslag neemt?'

Smith knikte opnieuw. De directeur van de CIA was niet direct betrokken bij de illegale operatie van Burke en Pierson. Maar het was duidelijk dat hij daar ten dele verantwoordelijk voor was door zijn inschattingsfouten en zijn bereidheid om een oogje dicht te knijpen. Het ontslag van David Hanson 'om persoonlijke redenen' was louter een alternatief zonder gezichtsverlies voor een gedwongen ontslag.

'Heb je iets van Peter gehoord?' vroeg Randi vervolgens.

'Hij belde me vorige week,' zei Smith tegen haar. 'Hij is weer stil gaan leven in zijn huis in de Sierra's. Ditmaal voorgoed, beweert hij.'

Ze trok sceptisch een wenkbrauw op. 'Geloof je hem?'

Hij lachte. 'Niet echt. Ik kan me niet voorstellen dat Peter Howell erg lang op zijn veranda zit te niksen.'

Ze keek met enigszins toegeknepen ogen naar Jon. 'En jij? Speel jij nog steeds spionnetje voor de chefs van staven? Of was het dit keer de inlichtingendienst van het leger?'

'Ik zit weer in Fort Detrick, op mijn oude standplaats bij USAMRIID,' zei Smith tegen haar.

'Terug in de sleur van de besmettelijke ziektes?' vroeg Randi.

Hij schudde zijn hoofd. 'Niet bepaald. Wij zijn bezig met de ontwikkeling van een programma om over de hele wereld potentieel gevaarlijk onderzoek naar nanotechnologie in de gaten te houden.'

Ze staarde naar hem.

'We hebben Nomura tegengehouden,' zei Smith zachtjes tegen haar. 'Maar nu is het hek van de dam. Misschien dat er ergens iemand anders ooit iets dergelijks – of iets even dodelijks – zal proberen.'

Randi huiverde. 'Daar denk ik liever niet aan.'

Hij knikte somber. 'In elk geval weten we nu waar we naar moeten zoeken. De productie van biologisch actieve nanoinstrumenten vereist grote hoeveelheden biochemische stoffen – en dat zijn stoffen waarvan wij het spoor kunnen volgen.'

Ze zuchtte. 'Misschien moeten we gewoon doen wat de Lazarusbeweging in de eerste plaats wilde. Nanotech volledig verbieden.'

Smith schudde zijn hoofd. 'En alle mogelijke voordelen aan onze neus voorbij laten gaan? Zoals genezing van kanker? Of het opruimen van vervuiling?' Hij haalde zijn schouders op. 'Het is als met elke andere geavanceerde technologie, Randi. Niets meer. Hoe wij die gebruiken – ten goede of ten kwade – hangt van ons af.'

'Dat is de wetenschapper die in jou spreekt,' zei ze droog.

'Dat ben ik nu eenmaal,' zei Smith zachtjes. 'Voor het merendeel van de tijd in elk geval.'

'Jaja,' antwoordde Randi met een wrange grijns. Ze gaf het op. 'Oké, dr. Smith, je beloofde me een etentje. Ga je die belofte nakomen?'

Hij maakte een vage buiging en bood haar zijn arm. 'Laat niemand zeggen dat ik geen man van mijn woord ben, juffrouw Russell. Ik neem het eten voor mijn rekening.'

Jon en Randi draaiden zich samen om en liepen terug naar zijn wachtende auto. Boven hen dreven de laatste wolken weg, om een helderblauwe hemel achter te laten.